D0708313

HET HUIS VAN DE BLAUWE MANGO'S

Gemeentelijke Hoofdbibliotheek
Beveren

Vertaald door Ella Aertsen

David Davidar

HET HUIS VAN DE BLAUWE MANGO'S

Gemeentelijke Hoofdbibliotheek Beveren

2003 Uitgeverij Bert Bakker Amsterdam

In liefdevolle herinnering aan mijn moeder Sushila Davidar
En voor mijn vrouw Rachna Singh

Oorspronkelijke titel *The House of Blue Mangoes*
© 2002 David Davidar
© 2003 Nederlandse vertaling Uitgeverij Bert Bakker en Ella Aertsen
Omslagontwerp Mariska Cock
Omslagillustratie Steve Rawlings
Foto auteur Sue Greenhill
www.pbo.nl
ISBN 90 351 2424 3

Uitgeverij Bert Bakker is onderdeel van Uitgeverij Prometheus

'Een land van vuur en wonderen'
MARINA TSVETAJEVA

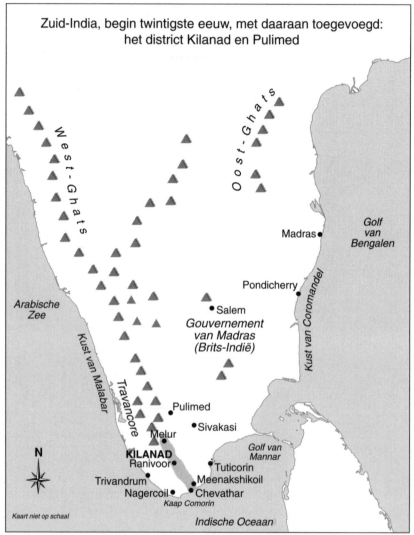

Zuid-India, begin twintigste eeuw, met daaraan toegevoegd:
het district Kilanad en Pulimed

West-Ghats

Oost-Ghats

Arabische
Zee

Golf
van
Bengalen

Madras

Pondicherry

Kust van Coromandel

Salem

Gouvernement
van Madras
(Brits-Indië)

Kust van Malabar

Travancore

Pulimed

Sivakasi

Melur

Golf van
Mannar

N

KILANAD
Ranivoor

Tuticorin

Trivandrum
Nagercoil

Meenakshikoil
Chevathar

Kaap Comorin

Kaart niet op schaal

Indische Oceaan

Het district Kilanad en Pulimed zijn verzonnen

I
CHEVATHAR

I

Lente 1899. Als met zijn gebruikelijke geweld de dageraad over de beneden-
kust van Coromandel zwiept, komt er een slordig uitgestrekt dorp in zicht. De
bontgekleurde lucht niet meegeteld is alles eromheen in ruste. Meer naar het
westen steekt een met dichte kuiven van kokospalmen begroeide grote land-
tong de zee in en omsluit een stuk verlaten strand waarop, helder en glad als
glas en vrijwel zonder geluid, lange traag aanzwellende golven breken. Achter
het strand wordt in de watermassa's van een riviermonding de kleurenwoede
van boven weerspiegeld. Hier maakt de Chevathar, de zuidelijkste rivier van
het land, waaraan het dorp zijn naam heeft ontleend, zich op voor haar uitloop
in zee.

Op een klif die uitkijkt over de riviermonding staat, vrijwel achter kokospalmen verscholen, een kerkje. Vandaar kruipt het dorp zo'n anderhalve mijl
nonchalant met de rivier mee landinwaarts om te eindigen bij de brug die het
verbindt met de stad Meenakshikoil op de tegenoverliggende oever.

Dwars door het dorp loopt een smalle, zwartgeteerde weg die zich als een
vers litteken in de rode aarde aftekent. De weg verbindt alle belangrijke punten van Chevathar: het Vedhar-kwartier aan de noordkant, de ruïnes van een
aarden fort uit de achttiende eeuw, het huis van Vakeel Perumal dat twee verdiepingen heeft en ivoorwitte muren, de Amman- en de Murugan-tempels, en,
nauwelijks zichtbaar achter een rand van kasuarbomen en kokospalmen, het op
een kleine verhoging gelegen huis van de thalaivar, Solomon Dorai. Rondom
de muren van het Grote Huis, zoals het genoemd wordt, staan een stuk of wat
bomen die men doorgaans niet in het gebied ziet – een hoge paraplu-achtige
regenboom, een broodboom met bladeren die in stervormige clusters uiteen-
spatten en vele andere broodbomen die vol hangen met zware, stekelige, direct
aan de stam ontsproten vruchten. Ze staan er dankzij de noeste arbeid van
Charity Dorai, die niet uit deze streek afkomstig is. In een poging haar heimwee wat te verzachten was ze hier bomen uit haar thuisland gaan planten.
Twintig jaar later hebben die het karakteristieke bomenlandschap van Chevathar veranderd.

Vanaf het Grote Huis buitelen groepjes *Chevathar Neelam*, een zeldzame hy-
bride van een inheemse mangoboom die in het zuiden thuishoort, tot beneden

aan de rivier. De bomen zijn wonderschoon, de vruchten glanzen blauwachtig op tussen de donkergroene bladeren. De plaatselijke bewoners zullen tegen je zeggen dat de Chevathar Neelam, die de naam Dorai in het hele district vermaard heeft gemaakt, zo zoet is dat je na het eten ervan minstens drie dagen geen suiker meer kunt proeven. Dat is wat de mensen hier zeggen.

De rest van het dorp is gauw beschreven. Nog meer kokospalmen, de *paracheri* in het zuidwesten, enkele winkeltjes in de buurt van de brug over de Chevathar, de huisjes van de Andavar-pachters dicht langs de weg, en zo'n tiental waterputten en kunstmatige bassins die hun glinsterende ogen opslaan naar het ochtendlicht.

De dorpelingen staan vroeg op, maar omdat het nog even duurt tot de velden moeten worden klaargemaakt voor het overplanten van de rijst, zijn de mannen nog niet in de weer. De meeste vrouwen zijn voor het ochtendkrieken opgestaan en haasten zich hun huishoudelijke werkjes klaar te krijgen. Vandaag viert het dorp het Pangunni Uthiram-feest en iedereen hoopt er een paar ogenblikken uit te kunnen trekken voor de feestelijke markt die vrolijk en kleurig bij de muren van de Murugan-tempel wordt opgezet.

Beweging op de zwarte weg. Twee meisjes, een van dertien jaar die binnenkort gaat trouwen, het andere een jaar jonger, zijn onderweg naar de markt. Ze zijn op hun mooist gekleed, het oudste meisje in een violette half-sari, jasmijn in het geurig geoliede en fraai gevlochten haar, haar nichtje in een felroze rok. Hun voorhoofden tonen prachtige patronen in het rood van sandelhoutpasta, en het grijs en wit van de *vibhuti* en *kumkumam* uit de Amman-tempel waar ze voordat de dag was aangebroken gebeden hebben. Ze lopen snel, ook al zijn ze heel vroeg, hun voeten gaan licht over de heerlijk koele weg, omdat ze vlug bij de markt willen zijn. Het oudste meisje heeft van haar moeder vier *anna's* gekregen die ze mag besteden. Het is maar een gering bedrag, maar meer geld dan Valli ooit heeft gehad en ze kan haar opwinding nauwelijks bedwingen over wat ze er allemaal voor zal kunnen kopen. Armbanden? Oorringen? Zijde voor een blouse misschien, of zou die te duur zijn? Parvathi haast zich om haar nichtje bij te houden.

De meisjes passeren een grijze granieten steenklomp, door regen en wind tot een mooie ronde vorm gepolijst die doet denken aan het bultige voorhoofd van een olifant. Anaikal, zo heet die steen, is bij alle kinderen die er graag verstoppertje spelen, geliefd maar terwijl ze haastig verder lopen nemen ze dat overbekende beeld nauwelijks in zich op. Ze komen bij een kort stukje weg, omzoomd met *banyans*, waarachter het pad ligt dat naar de markt leidt.

En dan merkt het jongste meisje hen op. '*Akka*,' zegt ze, maar de opmerking is niet nodig want Valli heeft de vier lanterfantende jonge mannen ook al gezien onder de grote tamarindeboom die schaduw geeft aan het huis van Vakeel Perumal. De scherpe, zijdelingse blik van de beide meisjes die iedere vrouw onder de veertig in de kleinere dorpen en steden op het platteland met hen gemeen heeft, gaat onmiddellijk over in het zien van nog maar één ding: mannen. Een enkele keer levert die blik hun plezier op wanneer ze er, zelfs met neergeslagen ogen, vakkundig mee weten te flirten. Maar hij wordt vaker wel dan niet aangewend om gevaar te onderkennen. Geen jonge vrouw of zelfs geen vrouw van middelbare leeftijd is veilig voor de steels uitgestoken mannenhand die probeert te strelen en te betasten, voor de ruwe bejegening, het wellustige oog, en zo leren ze al vroeg moeilijkheden uit de weg te gaan voordat het vervelend gaat worden.

De beide meisjes taxeren de situatie snel. De mannen zijn ongeveer vijftien meter van hen verwijderd en zien er niet bedreigend uit. Maar toch, er is verder eigenlijk niemand in de buurt. Hun intuïtie zegt hun dat ze zich moeten omdraaien en terugtrekken in de veilige beslotenheid van hun huis. Maar de belofte van de nieuwe arm- of enkelbanden is hun te machtig. Het is tenslotte nog maar een paar meter voor ze op het zandpad zullen zijn dat hen naar het marktterrein zal voeren.

De mannen onder de tamarindeboom beginnen op hen toe te lopen en nu zijn de meisjes echt bang. Ze draaien zich om voor een haastige terugtocht naar huis, maar het is al te laat. De voetstappen achter hen worden steeds sneller en de meisjes beginnen te rennen. Hun zintuigen worden gescherpt door de angst. Ze nemen met onnatuurlijke helderheid alledaagse tafereeltjes in zich op: de rode gloed van vuurpijlen tegen een witgepleisterde muur, de wasachtige groene bladeren van een sterrendistel in de berm, een oranje vlinder op de weg, en dan begint alles wazig te worden.

Het jongste meisje houdt haar hoofd koel, of misschien kiest ze wel toevallig precies goed. Ze blijft op de weg en rent zo hard als ze maar kan naar de huisjes van de pachtboeren, amper tweehonderd meter verderop. Valli schiet van de weg en begint van de rivier af te rennen door het acaciawoud dat het braakliggende land bij de Murugan-tempel toedekt. De eeltige zolen van haar blote voeten vinden gemakkelijk hun weg over de ongelijke grond onder haar, maar voor haar achtervolgers is ze geen partij. Genadeloos halen ze haar in. Ze voelt handen aan haar kleren rukken, hees gefluisterde verwensingen in haar oren, ze struikelt, valt neer...

2

Ongeveer vierhonderd meter van de plaats waar de meisjes hun wanhopige vlucht waren begonnen, zat Chevathar Gnanaprakasam Solomon Dorai Andavar, de thalaivar van het dorp, op de veranda van zijn huis, verdiept in de capriolen van een specht. Om en om en om, het wentelen om de scherp gegroefde stam van de *neem*boom ging maar door, en het dorpshoofd bedacht, niet voor de eerste keer, dat de wijze waarop de vogel steeds hoger de boom in rees geheimzinnig veel leek op de manier waarop zijn tappers de hoge palmyra's in klommen om *toddy* te oogsten.

Slechts gekleed in een kleurige *lungi*, leek Solomon Dorai uit teakhout gesneden. Op zijn veertigjarige ranke gestalte zat geen grammetje vet te veel en op zijn weelderige haardos en snor had het grijs nog geen vat gekregen. Jaren geleden had hij bepaald dat hij in de ochtenden van zon- en feestdagen niet gestoord mocht worden voor welke dorpszaak of huiselijke aangelegenheid dan ook, tenzij het echt dringend was. Die regel werd gerespecteerd, niet in de laatste plaats vanwege de moeilijkheden die je je op de hals haalde als je er geen acht op sloeg. Vanmorgen was hij zoals gewoonlijk al voor het ochtendgloren opgestaan, had zijn gezicht bij de waterput gewassen en was toen de tuin in gewandeld om een neemtakje te plukken waarop hij kon kauwen. Hij hield van de onmetelijke stilte van de nacht op dit tijdstip wanneer de wereld ook de kleinste bewegingen nog leek in te houden. Weldra zou een vurige rode tong het diepe duister beroeren, gevolgd door de rest van de dingen die hem zo dierbaar waren: de bomen die uit het duister te voorschijn traden, de hooistapels en andere vertrouwde voorwerpen, het gemurmel van kraaien in de kasuarbomen aan de zoom van het omheinde landgoed, het geblaf hier en daar van honden uit het dorp, schor gekraai van hanen, het geloei van koeien die ongeduldig stonden te wachten om gemolken te worden, al die troostende geluiden van zijn wereld.

Uit de rijke geur van palmsuikerkoffie maakte hij op dat Charity zonder geluid te maken was gekomen en gegaan en dat ze de koffie op de gewone plek op de veranda had achtergelaten. Hij dronk zijn koffie zo heet op dat hij het tuimelglas slechts tussen de plooien van zijn lungi kon vasthouden. Voorzichtig bracht hij het omhoog naar zijn lippen en nipte eraan. Uitstekend, zoals altijd. Toen opeens, zonder enige aanwijsbare reden, voelde Solomon zich niet langer ontspannen.

Er was nog steeds wat tijd over voordat zijn kapper zou komen om hem te scheren, dus besloot Solomon naar de oorzaak van zijn onbestemde te zoeken. Misschien kon hij even naar beneden lopen naar de rivier, waar hij toch naartoe wilde om wat pas geplante mangobomen te inspecteren, en dan wat verder kuieren naar de Murugan-tempel om te zien of alles in orde was. Misschien sliep de bewaker zijn roes wel uit en dan zou er niets zijn wat vreemdelingen in de weg stond het dorp binnen te lopen. Sinds de assistent-*tahsildar* erop had gestaan dat zijn vervloekte nieuwe weg zou worden aangelegd om Chevathar met de stad te verbinden, kon je niet waakzaam genoeg zijn, bedacht hij. Toen hij zijn koffie had opgedronken, stond hij op. Het schorre gebalk van een ezel was met een windvlaag naar hem overgewaaid en hij glimlachte, want dat was een goed teken. Misschien waren zijn zorgen ongegrond. Hoe dan ook, het was goed om zijn benen wat te strekken. Toen hij over de verweerde aarde van zijn landgoed liep, vloog de specht weg in een bonte veeg van groen met geel. Hij stond stil om een ogenblik naar de snelle, schokkerige vlucht te kijken en daalde toen af naar de rivier.

Lang voordat Solomon de Chevathar bereikte, waren de vreemde mannen er al vandoor gegaan. Een van hen had drie bloederige halen op zijn wang zitten, waar Valli's nagels hem hadden gekrabd. Ze meden de brug en zochten een andere weg door de ondiepe gedeelten van de rivier. Eenmaal aan de overkant, waren ze spoedig met het landschap versmolten, even onzichtbaar als ze gekomen waren. Verborgen in de krochten van het acaciawoud lag het enige bewijs van het feit dat ze ooit in het dorp waren geweest: het arme geteisterde lichaam van een jong meisje dat nog maar amper bij bewustzijn was.

Aan de oever van de rivier stond Solomon zorgelijk aan zijn snor te trekken en te plukken. Zijn bezorgdheid had niets met Valli te maken; het zou nog zeker een uur duren voordat ze gevonden werd en het nieuws aan de thalaivar zou worden overgebracht. Wat hem verontrustte was wat daar vóór hem lag. Sinds de Grote Hongersnood van 1876-1878 had hij niet meer gezien dat de brede loop van de Chevathar zo sterk was geslonken. Er staken stenen boven het water uit als door tabak bruin geworden tanden en alleen in het uiterste midden was traag en sloom de stroming nog steeds gaande. Ze konden zich niet nog eens een droge periode veroorloven. Als de regens opnieuw uitbleven, zouden hij en alle andere dorpelingen er de dupe van worden. Op dit moment lag het dorp er best groen en vruchtbaar bij, maar hij wist uit ervaring hoe snel alles ineens kon veranderen. Nog maar twee dagen geleden was er een deputatie bij hem gekomen met de mededeling dat hun velden sporen vertoonden van een verhoogd zoutgehalte. Het was altijd een probleem: als de rivier zich met haar zoete water terugtrok, sijpelde het zeewater naar binnen. Als het water schaars werd, konden ze de helft van hun oogstvelden verliezen. Voor altijd. En bij droogte en hongersnood was er het eeuwig loerende gevaar van een epidemie.

Zijn gedachten gingen terug naar bijna eenentwintig jaar geleden toen achtduizend mensen, meer dan een tiende van de bevolking van hun district, omkwamen. Na de droogte en de hongersnood waren de pokken uitgebroken en hadden nog eens tienduizend mensen, onder wie zijn ouders, zijn oudere broer, twee jongere zusjes, twee ooms met hun hele familie, weggevaagd. Zeventien mensen die samen zijn wereld hadden gevormd, zomaar opgeofferd aan de meedogenloze godin Mariamman. Tot de enige overlevenden in zijn nabije familie hadden zijn jonge vrouw Charity, zijn jongere broer Abraham, zijn jongere zusje Kamalambal en zijn zeer geliefde neef Joshua behoord. Solomon had alles geërfd toen hij amper twintig jaar oud was, zoals veel jonge mannen in het gebied.

Gelukkig was hun gemeenschap gedurende een vijftiental jaren daarna een nieuwe epidemie bespaard gebleven. Ook de regens waren blijven komen en het proces van herstel had langzaam ingezet. Maar nauwelijks leek alles weer normaal geworden of de regens begonnen opnieuw uit te blijven. In de afgelopen drie jaar waren beide moessons – de zuidwestelijke en de noordoostelijke – onder het gemiddelde geweest en de regering had alle maatregelen die tegen de droogte genomen moesten worden opnieuw in werking gezet. Omdat de mensen de regering niet helemaal vertrouwden, hadden ze hun gebeden in de tempels, moskeeën, kerken, heiligdommen langs de weg en de *puja*-ruimtes voor de families in de huizen, verdubbeld. In ons land wordt van de religie alles verwacht, bedacht Solomon knorrig, inclusief het verstrekken van voedsel aan de mensen.

Hij liet de rivier achter zich en liep langs de oever omhoog naar het pas geplante groepje mangobomen. De aanblik van zijn geliefde bomen was doorgaans voldoende om zijn stemming te verbeteren, maar vanmorgen misten ze hun magische uitwerking. Hij had het gevoel dat zijn bezorgdheid uit meer dan alleen maar het vooruitzicht op een wispelturige moesson voortkwam.

Zouden er problemen tussen kasten op handen zijn, vroeg hij zich af, terwijl hij zich vooroverboog om de gezonde jadekleurige bladeren van een jonge mangoboom te inspecteren. De twee heersende kasten in het district – de Andavars, waartoe hijzelf behoorde, en de Vedhars – kenden een lange geschiedenis van strijd en hij had geruchten opgevangen dat er bij Melur in de roerige gebieden van het noorden opstanden zouden kunnen uitbreken. Hij had tot nog toe niets gemerkt, maar hij zou later op de dag met Muthu Vedhar gaan praten, de leider van de Vedhar-dorpelingen, om te horen of hij last had van moeilijkheden. De familiegroep van de Dorais had al generaties lang elk geweld tussen kasten onderling buiten het dorp weten te houden. Solomon stond niet te popelen om dat onder zijn rentmeesterschap te zien veranderen. De dag was nu een eind gevorderd en hij besloot zijn ommetje te bekorten en terug te keren.

Toen hij bij het Grote Huis aankwam, zag hij tot zijn ergernis dat de kapper nog steeds niet gearriveerd was. Een van de weinige dingen die zijn vader hem had bijgebracht was het belang van een keurig voorkomen als thalaivar van het dorp. Dat hield een dagelijkse beurt met het scheermes in, terwijl de gemiddelde dorpsbewoner kon volstaan met een scheerbeurt om de paar dagen. Solomon stond al een bediende toe te schreeuwen dat hij die onberekenbare kapper moest gaan zoeken, toen zijn scherpe oren een geluid opvingen en zijn wenkbrauwen deed fronsen.

Hij draaide zich om en keek in de richting vanwaar het geluid kwam en wat hij toen zag bracht hem helemaal uit zijn humeur: langzaam kwamen er drie ossenwagens over de verharde weg aanrijden. Solomon kon nauwelijks geloven dat de door hem bepaalde regel, dat er op feestdagen geen verkeer uit de stad het dorp mocht binnenkomen, zo openlijk in de wind werd geslagen. Dat was de assistent-tahsildar, bedacht hij; geen ander dan die hoerenzoon zou hem durven dwarsbomen! Zijn woede groeide. Wat zou het, dat Dipty Vedhar nu hoofdgezagsdrager van de regio was; hij, Solomon Dorai, bestuurde het dorp. Wie was die jonge snotneus wel hem zo te negeren? Eerst was hij de nieuwe weg door het dorp komen aanleggen en nu lapte hij in zijn honger naar nog meer eer de regels van de thalaivar ook al aan zijn laars. Solomon bleef een paar seconden besluiteloos staan en liep toen snel het huis binnen, zijn kamer in. Op in de muur geslagen haken rustte een kostbaar bezit – zijn Webley & Scott kaliber-twaalf geweer. Solomon tilde het eraf, liep door de kamer naar een houten kist, deed die met één hand open, rommelde erin rond en haalde een doos patronen te voorschijn. Hij legde het geweer neer, pakte twee patronen, laadde het geweer en liep naar de ingang van het huis. De wagens waren nog geen vijftig meter van hem verwijderd, toen hij het geweer tegen zijn schouder legde en beide schoten afvuurde. Er brak een hevig tumult uit en het geblaf van zijn eigen *rajapalaiyams* voerde het koor aan. Met nog steeds het geweer in de hand en een hevig wapperende lungi rende Solomon naar de voerlieden toe. De aanblik van de woedende thalaivar maakte hen kennelijk doodsbang en als één man sprongen ze van hun langzaam rijdende voertuigen en stonden op het punt te vluchten, toen ze door Solomons harde stem werden tegengehouden: 'Waag het niet weg te lopen of ik maak jullie af als honden zonder moeder.'

De voerlieden beweerden dat ze van het uitdrukkelijke verbod van de thalaivar niet op de hoogte waren. Ze volgden slechts de bevelen op van Kulasekharan, de grootste handelaar in de palmopbrengsten van Meenakshikoil. Hun was opgedragen naar het strand te gaan en drie karladingen vol zuiver wit zand op te halen, de laatste tijd populair bij stedelingen om vloeren mee te verfraaien op bruiloften, en religieuze *pandals*. Het nieuws maakte Solomon nog bozer. Kulasekharan! Zijn eigen bloedverwant! Die zijn bevelen aan zijn laars lapte!

Hij beval de voerlieden rechtsomkeert te maken en droeg ze op de koopman mee te delen dat ze een week lang het dorp niet meer in mochten. Toen liep hij zijn huis weer binnen, meer uit zijn humeur dan ooit. Zodra hij een bad had genomen, zou hij de stad ingaan en dit met de assistent-tahsildar bespreken. Terwijl hij nog met die gedachte speelde, schoot hem te binnen dat de kapper ook nog altijd niet was gekomen. En hij kon geen bad nemen voordat hij geschoren was. De smettende aanraking van de kapper uit een lage kaste moest worden weggewassen.

Gemelijk legde Solomon het geweer terug op de haken in de muur en liep de tuin in. Een tijdje bleef hij op en neer lopen, toen hield hij het niet langer uit; de dag begon al te vorderen en hij had een bad nodig, geschoren of niet. Wat waren toch zijn zonden geweest dat hij was geboren in deze onzalige tijd, waarin een bloedverwant zijn nadrukkelijk verbod kon negeren en iedere *ambattan* dacht dat hij een *Pandya*-vorst was!

3

De ochtend was voor Charity Dorai op de gebruikelijke manier begonnen. Voor het eerste ochtendgloren opgestaan, had ze een bad genomen, gebeden, koffiegezet en de dagelijkse hoeveelheden voedsel afgewogen voor de ongeveer twintig familieleden in het huis. Het aantal mensen onder Solomons dak was nooit hetzelfde, maar werd groter of kleiner, afhankelijk van wie er behoefte had aan zijn bijstand of onderdak, of allebei. Sommige bezoekers kwamen voor een week en bleven zes maanden. Niemand stoorde zich eraan. Solomon was de patriarch van de familiegroep en van hem werd verwacht, als van elke Dorai-leider sinds zijn betovergrootvader, dat hij elk familielid dat gastvrijheid of hulp nodig had, zou opnemen.

Terwijl Charity in de grote keuken rondscharrelde en tussen drie van de vijf houtkachels die alweer bezig waren hun dagelijkse portie roet af te zetten op de dikke lagen zwart van de geblakerde muren, voegde zich haar schoonzus bij haar. Kamalambal, sinds twee jaar weduwe, was een gezette vrouw met een gelijkmatig humeur. Charity en zij konden het goed met elkaar vinden en ze regelden gezamenlijk het huishouden. Kamalambal ging toezicht houden op het melken van de koeien en Charity begon aanwijzingen te geven aan de twee vrouwen die in de keuken hielpen. De vrouw van haar zwager Abraham had zich nog steeds niet laten zien, maar dat verbaasde haar niet, want Kaveri was een broze en ziekelijke vrouw die dikwijls bedlegerig was, vooral als haar man haar had geslagen, wat regelmatig voorkwam. Nu was Abraham weg om een paar van hun percelen te bezoeken, dus misschien was ze wel gewoon ziek.

Charity was van plan *biryani* met vis klaar te maken, zoals ze al twintig jaar lang op deze festivaldag had gedaan. Met het malen en roeren van de diverse masala's en kruiden moest je vroeg beginnen. Maar ze kon de ochtendmaaltijd ook niet veronachtzamen, *puttu's* en stoofpot; ze liet de puttustoompannen met bosjes bamboeriet schoonmaken en zorgde ervoor dat de reusachtige ijzeren stoomketel klaarstond om verhit te worden.

Charity Dorai was een mooie vrouw. Beeldschoon in een land waar de lichte huidskleur van een vrouw veel zwaarder telde dan welke andere eigenschap ook, werd van haar verwacht dat ze een goed huwelijk zou sluiten en dat had ze ook gedaan. Geruchten over haar schoonheid waren de Dorai-familie ter ore gekomen, die gebroken had met de traditie van de Andavars, welke voorschreef dat wederzijdse neven en nichten met elkaar dienen te trouwen, en die het maar eens helemaal ginds over de bergen had gezocht, in Nagercoil, waar haar vader hoofd van een school was. Ze hadden zelfs de bruidsschat ervoor opgegeven en alle bruiloftskosten betaald.

De biryani met vis, de specialiteit van haar hand, was onbekend in het Grote Huis toen ze er arriveerde. Haar echtgenoot en aangetrouwde familie hadden het lekker gevonden. Sterker nog, ze waren het zo lekker gaan vinden dat ze er bij iedere feestelijke gelegenheid naar vroegen. Alleen in de moessonmaanden, als de vissers niet uitvoeren, legden ze zich neer bij de traditionele, met geitenvlees bereide biryani.

De grote gietijzeren pannen waarin ze de biryani altijd kookte waren door de keukenmeisjes schoongemaakt en met olie ingevet en ze begon snel en vaardig de ingrediënten alvast te bereiden. Dikke stukken vis van meer dan een kilo, vers en glanzend, een glinsterende berg gewassen en uitgelekte rijst, uien, groene pepers, knoflook, gember, koriander, rode pepers, kurkuma, yoghurt, muntblaadjes, kaneel, kardemom, kruidnagel, anijs- en komijnzaad, haverkorrels en nootmuskaat (alles gemalen om de masala te krijgen die de schotel zijn unieke smaak zou geven), een draadje saffraan, en, dik en geurig, de geklaarde boter van buffelmelk. Ze moest inwendig weer lachen toen ze eraan dacht hoe ze aan het experimenteren was geslagen, toen ze hier net woonde en hoe ze had geprobeerd aanvaardbare alternatieven te vinden voor een paar ingrediënten die haar vaders buurvrouw, een vriendelijke Mappilai-dame, gebruikt had toen zij het moederloze meisje als haar eigen dochter had behandeld en haar de smaak en vaardigheden had bijgebracht en de geheimen had overgedragen van de hartige kookkunst in de meer noordelijke contreien aan de Malabarkust.

Terwijl ze aan het werk was, lette ze met een half oog op de keukenmeisjes die de ochtendmaaltijd aan het bereiden waren. In een hoek van de keuken was een van hen bezig de puttustoompannen te vullen met rijstebloem, afgewisseld met laagjes luchtige kokos. Over ongeveer een uur zou Solomon aan zijn maaltijd toe zijn. Hij zou als altijd wanneer zijn broer Abraham weg was, alleen eten. Daarna zouden er een tiental kinderen luidkeels om eten roepen. Charity moest voortmaken. Ze had dit nu al twintig jaar iedere ochtend zo gedaan, maar ze verwachtte elke keer weer dat er zich een of andere calamiteit zou voordoen die de rustige gang van zaken in het huishouden zou verstoren. De zeer grote keuken had zich inmiddels gevuld met allerlei geluiden en geuren: er werd rijst fijngestampt op de grote maalsteen in de hoek, de doffe lage slagen galmden door de ruimte in scherp contrast met het knarsende geluid van de handmolen waarin specerijen en kruiden werden vermalen. Toen kwam een slaperig kind, het zoontje van een neef, de keuken binnenlopen. Charity gaf hem een stuk komkommer om op te kauwen en stuurde hem weg om zijn moeder te gaan zoeken.

Tien minuten later namen Charity en Kamalambal, na bijna twee uur, hun eerste pauze. De koeien waren gemolken, de keukenmeisjes hadden hun instructies gekregen, de ochtendmaaltijd was bereid, en nu hadden ze een uur en mogelijk nog iets langer voor zichzelf, voordat de volgende grote drukte zou beginnen. De zon scheen nog niet op zijn felst en de beide vrouwen ontspanden zich op een brede aarden verhoging achter het huis. Het oudste dochtertje van Charity, Rachel, zat aan hun voeten. Haar moeders lenige vingers gleden ter voorbereiding van het oliën van de lange zwarte haren tastend en masserend over de schedel van het meisje.

Het meisje zou binnenkort in het huwelijk moeten treden, bedacht Charity – bijna dertien jaar al en nog steeds niet getrouwd. Zijzelf was nog maar vijf maanden verwijderd geweest van haar veertiende verjaardag toen ze trouwde, en haar hadden ze al oud gevonden. De tijden waren aan het veranderen, dat begreep ze wel, maar meisjes moesten op de juiste leeftijd trouwen. Wat jammer dat haar enige broer Stephen geen zoons had. Hij had dochters, wel drie. Het zou prachtig zijn als Daniel en Aäron zich elk met een zus konden verloven. Zij konden dan trouwen zodra er een jongen voor Rachel was gevonden, en de Dorais zouden een maand lang bruiloftsfeesten hebben zodat het hele district erover zou praten!

Vanaf de plek waar de vrouwen zaten liep de grond enigszins schuin af naar de aarden wal die de binnenhof van het huis aan drie kanten omsloot. Het Grote Huis was het grootste van het hele dorp en dat was al zo sinds de tijd dat Solomons betovergrootvader het zo'n honderd jaar geleden gebouwd had. Er was nog weinig over van het oorspronkelijke huis van leem en stro. Opeenvolgende generaties hadden de woning uitgebreid naar hun eigen grillige wensen en behoeften en nu had het meer dan tien kamers waarvan er enkele nooit werden gebruikt. In het begin, toen Charity hier nog maar net was aangekomen, had ze tot haar ontsteltenis gemerkt dat de grote veestapel de woonruimte met hen deelde. Nu was een uitbouw van een veeschuur aan de westkant. In het dorp was dit het enige huis met een verdieping geweest tot twee jaar geleden Vakeel Perumal zijn huis had gebouwd. Charity moest glimlachen toen ze terugdacht aan het gemopper van haar man over Vakeel Perumals eerzucht. Met al zijn voornaamheid en rijkdom kon hij zich soms kinderlijk verongelijkt en gekrenkt voelen en dat liet hij dan blijken ook.

In een bedaard tempo ontvouwde het gebruikelijke patroon van de ochtend zich verder in de achtertuin van het Grote Huis. Een keukenmeisje plukte een paar glimmende blaadjes van de *karuvapillai*struik die naast een rij *drumstick*bomen groeide, waarvan de lange smalle vruchten in de zachte wind bewogen als ringen aan de oren van zigeuners. Een haan schreed statig voort aan het hoofd van een stel kippen en bleef telkens even stilstaan om in de aarde te pikken en met die rare zijdelingse blik naar de grond te gluren of hij misschien wat voedsel naar de oppervlakte had gewerkt. Het geluid van geweerschoten had op hen wel hun weerslag, maar Charity was niet uit haar evenwicht te brengen. Solomon en Aäron, haar jongste zoon, probeerden wel eens duiven of andere wilde vogels te strikken wanneer ze er zin in hadden. Even voelde ze toch een vlaag van bezorgdheid – de schoten hadden schrikbarend dicht bij het huis geklonken. 'Vraag me af wat we vanavond zullen moeten klaarmaken,' lachte ze. Ginds bij de put was een keukenmeisje bezig water te pompen, de lier knarste helder en krachtig in de ochtendstilte. Een zwarte bok met witte vlekken die aan was komen lopen, liet zijn kop zakken en haalde uit naar het meisje. Met een gilletje liet ze het touw los en maakte dat ze wegkwam, met de bok achter zich aan.

'Die *shaniyan*, slachten zal ik hem en in een *biryani* stoppen als hij niet gauw leert hoe hij zich gedragen moet,' zei Charity. 'Het beest is al onhandelbaar vanaf zijn geboorte. Ratnam, waar ben je, Ratnam?' riep ze. Er keek een man met een pokdalig gezicht vanuit de koeienstal naar buiten en Charity zei tegen hem dat hij de bok moest gaan zoeken en vastbinden. Toen werden er een paar honden wakker en door hun geblaf werd de opschudding nog groter.

Toen merkte Charity een oude vrouw met staalgrijs haar op die zich door een opening in de achterste muur heen wrong. 'Nooit eerder die Selvi zo vroeg hier gezien, die moet barstensvol nieuws zitten,' zei Charity luchtig en ze gaf haar dochter een zacht duwtje om aan te geven dat ze met haar klaar was. Toen Rachel in het huis verdween, kwam Selvi hijgend naar boven lopen en zakte met een grote zucht van verlichting neer op een van de lagere stoepjes. '*Aiyo amma*, u gelooft nooit wat er zojuist gebeurd is...'

Twintig mannen hadden de huisjes van de Andavar-pachters overvallen (het oude vrouwtje zei veertig en Charity deelde dat getal wijselijk door twee), drie van hen waren gedood en vijf meisjes verkracht. Desgevraagd kon de oude vrouw geen verdere details geven; ze kon alleen de feiten flink aandikken.

4

Toen Solomon na zijn bad weer naar huis terugliep, was hij verbaasd dat zijn vrouw hem op de veranda zat op te wachten. Doorgaans kreeg hij haar niet te zien voordat ze hem zijn ochtendmaaltijd opdiende. Charity voelde wel aan dat Solomon niet al te best gestemd was en ze vroeg zich af of de schoten die ze hoorde er iets mee te maken hadden. Ze aarzelde even omdat ze wat hem toch al dwars zat niet erger wilde maken en toen vertelde ze het toch maar, terwijl ze veel details wegliet en zich beperkte tot de naakte feiten.

'Die meisjes, zei je dat een van hen op het punt stond in het huwelijk te treden?' vroeg Solomon, zijn vrouw midden in haar verhaal onderbrekend.

'Ja, dat is Valli.'

'Kan het om de bruidsschat geweest zijn?'

'Selvi zegt van niet. Ze beweert met grote stelligheid dat de meisjes door vreemde mannen van buiten het dorp werden overvallen!'

Zou dit soms de oorzaak zijn geweest van het onbehagelijke gevoel dat hij de hele ochtend al gehad had, vroeg Solomon zich af. Maar het was verstandiger niet te snel conclusies te trekken. Selvi was zo'n onbetrouwbare bron van informatie, hij kon beter wachten op aanvullend nieuws. Niettemin ondervroeg hij zijn vrouw verder.

'Waar zijn die gehavende meisjes nu?'

'Dat zou ik niet weten,' antwoordde Charity. 'Selvi was niet zo heel erg duidelijk...'

'Je kunt maar beter niet alles geloven wat Selvi zegt. Weet jij waar die stomme ezel van een hoerenzoon blijft?'

Omdat ze vermoedde dat haar echtgenoot het over zijn kapper had, zei Charity dat ze iemand zou sturen om hem onmiddellijk te halen.

'Laat maar, ik heb al een bad genomen,' zei Solomon vermoeid en hij liep naar zijn kamer.

Later die ochtend kwam er een delegatie dorpelingen naar het Grote Huis en kreeg Solomon een meer samenhangend relaas van de gebeurtenissen van de dag. Kuppan, de vader van Valli, was een van zijn trouwste pachters van 200 bunder land met een tweevoudige rijstopbrengst en nog eens 120 bunder met kokosnoten. Hij betaalde zijn pachtgeld op tijd en was een van de hardst werkende mannen van het dorp. Op het moment dat hij tranen zag, die zich vermengden met het zweet dat op het magere gezicht van de man stond, kreeg het onbewogen gelaat van Solomon een zachtere uitdrukking van bezorgdheid. Als thalaivar moest hij dagelijks naar litanieën van klachten en smeekbeden luisteren, maar Kuppans verhaal raakte hem echt. Hij voelde medelijden en sympathie, maar ook boosheid opkomen. Hij liet het niet merken maar hij was laaiend van binnen.

Gealarmeerd door het hevig ongeruste nichtje, bleek een stel mannen erop uit te zijn gegaan om het meisje te zoeken en ze vonden haar diep in het acaciawoud. Als een gewond dier had ze de meest ontoegankelijke plek uitgezocht om zich te verschuilen. Haar sari was gescheurd en haar blouse aan flarden en ze was niet in staat geweest ook maar een enkel begrijpelijk woord uit te spreken.

'Hoe gaat het nu met je meisje?' vroeg Solomon.

De gekwelde vader leek de vraag niet te horen en Solomon herhaalde haar nog eens.

'Je dochter – hoe gaat het nu met haar?'

'*Aiyah*, wat zal ik zeggen? Ze eet of drinkt niet, loopt wanhopig rond als een kip zonder kop, en haar ogen, in haar ogen is iets wat ik in mijn hele leven nog niet gezien heb. Na dit kon ze maar beter dood zijn, dan zou ze de schande misschien te boven komen...'

'Kom kom, we zullen er werk van maken... Laat me maar zien waar het gebeurd is.'

Solomon zorgde ervoor zijn stem zonder boosheid te laten klinken; het zou niet goed zijn de bijna hysterische man nog meer van streek te maken. Hij nam Kuppan bij de arm en zag onderwijl een heel rijtje van mogelijke schuldigen aan zijn geestesoog voorbijtrekken. Muthu Vedhar was er heel goed toe in staat, maar zou hij zo openlijk te werk gaan? Iemand van buitenaf? Maar als zich ergens vreemden schuil hadden gehouden die iets kwaads in de zin hadden, zou hij het geweten hebben. Het dorp kende geen geheimen.

Parvathi, het jongste meisje, maakte deel uit van de delegatie en Solomon ondervroeg haar terwijl ze naar de steenklomp Anaikal liepen.

'Dus je hebt niemand herkend?'

'Nee, aiyah,' antwoorddde ze.

Buitenstaanders, bedacht hij. Tuig dat via de nieuwe weg het dorp was binnengedrongen. Wat jammer dat hij geen gehoor had gegeven aan de ongerustheid die hij die ochtend had gevoeld en het gebied rond Anaikal niet had onderzocht in plaats van naar de rivier af te dalen! Dan had hij de schuldigen misschien kunnen aanhouden of op zijn minst hun identiteit kunnen achterhalen. Solomon droeg de nachtwaker van het dorp op, de tahsildar in de stad op de hoogte te brengen en te zeggen dat hij binnenkort met het volledige verslag langs zou komen.

Vlak bij hun bestemming liepen er lichte en donkere tijgerstrepen over de weg, omdat het zonlicht gedeeltelijk werd tegengehouden door de bladeren van de reusachtige banyanbomen die de weg omzoomden. De schoonheid ervan drong niet tot Solomon door. Er waren hier tal van schuilplaatsen, peinsde hij, de mannen konden zich best tussen de banyanbomen hebben verscholen. Hij keek omhoog en zag tot zijn ongenoegen Vakeel Perumal in de tuin van zijn huis staan, die uitkeek over de plek waar de meisjes waren aangevallen.

Solomon had een hekel aan Vakeel Perumal. De advocaat liet nooit na het dorpshoofd te herinneren aan het succes dat hij als advocaat in Salem had voordat hij drie jaar geleden naar deze armzalige plaats was gekomen. En hij liet nooit een gelegenheid onbenut om kritiek te uiten op de besluiten van het dorpshoofd. In de tijd van mijn overgrootvader, misschien zelfs nog in die van mijn vader, zou een lastpost als Vakeel Perumal eenvoudig uit het dorp verbannen zijn om nooit meer te worden teruggezien, bedacht hij, toen de advocaat naar hem afdaalde.

'Dit is een schandaal. Een blaam voor alle Andavars,' stak Perumal meteen zwaarwichtig van wal. 'Een smet op de goede naam van het dorp, en een uitdaging voor uw leiderschap.' Hij was een magere man met het gezicht van een pafferige dikzak. Zijn eigenaardige voorkomen maakte het nog gemakkelijker een hekel aan hem te hebben.

'Weet ik. Daarom ben ik bezig de zaak persoonlijk te onderzoeken.'

'Weet u wat ze proberen te doen?'

Solomon wist niet helemaal waar de advocaat op doelde, dus om er vanaf te zijn zei hij maar: 'Wie?'

'Ze proberen ons de trots op ons geboorterecht te ontnemen, dat proberen ze, snap je?'

'Nee, dat snap ik niet,' zei Solomon kortaf. 'Er werden hier vlakbij twee meisjes overvallen. Ik zie niet in hoe dat verband moet houden met...'

Vakeel Perumal liet hem de zin niet afmaken. Terwijl zijn slappe vel bewoog als de halskwab van een koe wees hij theatraal naar de gladde voorkant van Anaikal en zei: 'We moeten niet moedwillig onze ogen sluiten voor wat ze proberen te doen.'

Solomon keek in de richting die de advocaat aanwees. Op de granieten steen had iemand met grote letters gekalkt: DENK AAN DE BORST-ONLUSTEN VAN 1859. ALS DIE HONDEN UIT DE LAGE KASTEN HUN PLAATS NIET KENNEN, ZULLEN HUN VROUWEN EN ZUSTERS ER WELDRA AAN WORDEN HERINNERD.

Solomon verstijfde als door de bliksem getroffen. Toen hij een dag eerder langs de steen was gelopen, had er niets gestaan. De advocaat bleef maar praten, maar zijn woorden gingen aan hem voorbij. Dit was ernstig, veel erger dan alles waar hij mee te maken had gehad in de jaren van zijn bewind – epidemieën, droogte, onlusten en ruzies. Het was al heel erg dat buitenstaanders zijn mensen hadden aangevallen. Maar als dit het begin markeerde van een grootschalige vete tussen kasten, stond hun een wel heel slechte tijd te wachten.

Het liefst had Solomon het luidkeels uitgeschreeuwd, was hij gaan razen en tieren, had hij wanhopig zijn armen in de lucht gegooid toen hij die smerigheid op de steen las. Eén vluchtig moment wenste hij weer de jongen te zijn die hij eens was – vóórdat de verantwoordelijkheid op hem was gevallen, en daarmee ook het gevoel van verlegenheid, van terughoudendheid en eigen ontoereikendheid. Hij beheerste zich.

5

Solomon had voor het eerst iets over de beruchte Borst-onlusten gehoord via zijn moeder en later zijn vader en ooms. Het conflict, dat door latere geschiedschrijvers neutraler de Controverse over de Borstkleding genoemd was, markeerde het hoogtepunt van een bijzonder woelige fase in de kastenstrijd in het diepe zuiden. Het begon in de kleine steden en dorpen van het vorstendom van Travancore, maar breidde zich meer en meer uit tot in het naburige gouvernement van Madras dat tegen het midden van de negentiende eeuw was uitgegroeid tot een van de grootste en dichtstbevolkte provincies van Brits-India. Tinnevelly en Kilanad, waarin Chevathar lag, waren de districten in het gouvernement die het ergst werden getroffen.

Het geweld had al een tijdje gebroeid. Niet-brahmaanse kastengroepen zoals de Andavars en de Nadars, die rijkdom en economisch prestige vergaard hadden, eisten nadrukkelijke sociale en religieuze status op. Degenen die in de kastenhiërarchie boven hen stonden waren vastbesloten hen in hun aspiraties te dwarsbomen.

Anders dan in de rest van het land had de kastenstamboom in het zuiden, globaal gezegd, slechts drie niveaus – brahmanen, niet-brahmanen en kastelozen. Aanvankelijk vond de schermutseling met name plaats tussen de machtige niet-brahmaanse kasten – zoals de Nadars, Andavars, Thevars, Maravars, Vedhars en Vellalas. De brahmanen hadden zich vooral gevestigd in de grote steden en de grotere tempeldorpen en zouden zouden zich pas later schroeien aan het vuur van de strijd.

De onenigheid werd aangezwengeld door de christelijke zendingsactiviteit sinds de zeventiende eeuw. Tienduizenden niet-brahmanen, met name van de onderkant van de samenleving, namen het woord van Christus aan, vooral om zich van degenen die hun in de weg stonden voorzichtig los te kunnen maken door te beweren, zoals hun nieuwe godsdienst voorschreef, dat alle mensen in de ogen van God gelijk geschapen waren. Een van de sociale gewoonten die moest worden aangevochten was die van de kleding: tot dan toe had de traditie voorgeschreven dat de verschillende leden van de kastenstamboom hun borst moesten ontbloten voor degenen die hoger waren in rang, ongeveer zoals bavianen hun achterwerk tonen als teken van eerbied. Volgens die regel ontblootten de onaanraakbaren hun borst voor de Pallans, de Pallans voor de Nairs enzovoort tot de Nambudiri-brahmanen, die alleen eerbied bewezen aan hun goden. Op aandringen van de zendelingen begonnen de Andavar- en Nadar-vrouwen hun borsten te bedekken. Het zal geen verbazing wekken dat dit bij de hogere kasten, met name bij de mannen, zorgde voor heftige gemoedstoestanden van grote onzekerheid en frustratie. De vrouwen van de Andavars en Nadars die hun borsten met kledingstukken bedekten werden openlijk uitgescholden en zelfs geslagen. Ten slotte, niet langer in staat de kwelling te verdragen, gingen de kasten van de middenklasse te ver. 'Wij hebben een goddelijk recht om die smerige borsten van jullie te bekijken en je zou eigenlijk blij moeten zijn dat we dat doen. Wij mogen ervan genieten. Wat voor goeds jullie nieuwe geloof je ook brengen mag, dit hoort er zeker niet bij,' verklaarde een landheer in Travancore in 1858, waarbij hem de tranen over de wangen liepen, terwijl hij een mooie Andavar-vrouw die zich recentelijk tot het christendom had bekeerd, de blouse van het lijf trok. Er volgden hevige rellen door het hele gebied na het schandaal. Ondanks ingrijpen van het koninklijk bestuursapparaat bleef de spanning in het vorstendom doorsudderen en ook in de naastgelegen districten van de gouverneursplaats Madras, die met Travancore een lange, poreuze grens deelde.

Het werd algauw duidelijk dat, als de autoriteiten geen snelle en beslissende actie zouden ondernemen, er op grote schaal onlusten zouden uitbreken. Desondanks lieten zowel de Britse autoriteiten als de maharadja van Travancore een tijdlang na ook maar iets te ondernemen.

Iets meer dan een jaar eerder hadden een paar Indiase regimenten van het leger de eerste opstand tegen de Britse overheersing aangevoerd. De strijd van 1857 (afwisselend de Onafhankelijkheidsoorlog of de Muiterij of de Sepoy-oorlog genoemd, afhankelijk van wie je ernaar vroeg) was in alle hevigheid ontbrand nadat de Britten blijk hadden gegeven van duidelijke tegenzin om zich met de Indiase gewoonten en tradities te bemoeien.

Geconfronteerd met het gebrek aan actiebereidheid van de autoriteiten, namen de mensen hun lot in eigen handen. In januari 1859 barstte het geweld los in heel Travancore. Een plaatselijke ambtenaar die het gezag van de staat naar zich toetrok, ontdeed een paar Nadar-vrouwen hardhandig van hun bovenstukjes. Er braken rellen uit die dagen duurden. Het volgende doelwit waren Andavar-vrouwen in Melur, de hoofdstad van het district Kilanad, die op soortgelijke wijze ruw ontkleed werden. De wraak kwam snel. Een bende Andavar-strijders ging zich liederlijk te buiten en trok plunderend door het Vedhar-gebied waar ze huizen in brand staken. Onmiddellijke actie van de autoriteiten kon het geweld bedwingen, maar op andere plaatsen was de situatie nog uitermate instabiel.

Over de grens, in het uiterste zuiden van Travancore, viel een zootje ongeregeld van zo'n honderd man, gewapend met *silambus* en *aruvals*, een dorp bij Nagercoil binnen, amper vijf kilometer verwijderd van de plek waar Charity Dorai een paar jaar later geboren zou worden. Ze vielen er de christelijke Andavars aan, terwijl ze er al plunderend en brandstichtend vrouwen de bovenkleding van de borsten rukten. De Andavars begonnen wraak te nemen. In plaats van krachtige taal, liet het hof van Travancore vage geluiden horen over het eerbiedigen van gewoonten en tradities. Maar daar was het nu te laat voor. Toen duidelijk werd dat de maharadja van Travancore niet in staat was het probleem op te lossen, stuurden zendelingen en bewoners die het aanging een petitie naar het opperste gezag in het zuiden, de Britse gouverneur van het naburige Madras, sir Charles Trevelyan. Zich bewust van de rellen in zijn eigen gouvernement en de kunne van zijn opperhoofd, koningin Victoria, indachtig, bepaalde Trevelyan dat Travancore het strippen van Andavar-vrouwen moest verbieden. De tussenkomst van de Britse autoriteiten brak de opstand. Toen de narigheid in Travancore wat geluwd was, had dat een kalmerend effect op de spanningen in de districten van het gouvernement van Madras.

De herinnering aan de Borst-onlusten van 1859 stond met gloeiende letters in het geheugen gegrift van alle kasten die erdoor getroffen waren. Nu leek alsof iemand eropuit was die verschrikkelijke dagen te doen herleven...

Solomon begon de woorden van Vakeel Perumal, die al die tijd dat hij diep in gedachten was geweest geen moment was opgehouden met praten, weer te horen. 'En het feit dat de boodschap werd opgeschreven en nog in grammaticaal correct proza ook, bewijst dat degene die verantwoordelijk geweest is voor deze regelrechte aanslag in ieder geval een man met een schoolopleiding moet zijn, waardoor het merendeel van de dorpsbewoners afvalt.' Dat was raak opgemerkt, moest Solomon toegeven.

Vanwaar hij stond, kon Solomon het gewoel en de drukte zien van de Pangunni Uthiram-markt. Zwerfvolk in felgekleurde kleren liep tussen de sober geklede dorpelingen rond, kleine stalletjes boden verleidelijke prulletjes en etenswaren aan en de wereld leek zoals altijd gewoon door te draaien, zich onbewust van de verschrikkelijke toekomst die haar te wachten stond. 'Ik zal nog deze avond een bijeenkomst samenroepen van de *panchayat*,' zei Solomon en hij wilde weglopen. Vakeel Perumal mompelde iets, te zacht voor Solomon om het te verstaan, en toen zei hij het nog een keer, iets luider. 'Ik hoop dat dit tenminste zorgt voor een krachtiger leiderschap van uw kant.'

Toen kon Solomon zich niet langer beheersen. Hij zag zichzelf op Vakeel

Perumal toelopen en met stevige hand een flink stuk van de verblindend witte stof vastpakken van het overhemd dat de advocaat droeg, om vervolgens dood-kalm, pal in dat pafferige gezicht, te zeggen: 'Jij slaat nooit meer die toon tegen mij aan, of ik nu wel of niet in de buurt ben. Als ik ooit iets hoor, ga je eraan.'

Hij liet de advocaat los en sloeg het pad naar de stad in. Een paar minuten later hoorde hij rappe voetstappen achter zich, en hij draaide zich langzaam om. Het was zijn jongste zoon Aäron, zijn lieveling, zijn weerbarstige haren wapperden in de wind, zijn fraai gespierde benen droegen hem moeiteloos over de weg. Hij haalde zijn vader in en zei bezorgd: '*Appa*, ik hoorde net...'

'Ja, Aäron, het ziet er niet zo best uit.'

'Ik kan met mijn vrienden op zoek gaan naar de mannen die het gedaan heb-ben. Die zullen er spijt van krijgen ooit uit hun moeders...'

'Nee, nee, geen geweld. De panchayat zal vanavond nog bijeenkomen en be-sluiten wat ons te doen staat.'

'O, en appa, ik dacht dat je dit ook wel zou willen horen... Iemand zei dat ze Joshua-*chithappa* gesignaleerd hebben in Meenakshikoil...'

Solomon glimlachte. Als het waar was, was dat het beste nieuws van de hele dag. Hij voelde zich meer verwant met zijn volle neef Joshua dan met zijn eigen broer en hij had zijn steun en vriendschap de afgelopen jaren node ge-mist. Zou het echt mogelijk zijn dat Joshua, die hij tien jaar geleden voor het laatst had gezien, terug was in Chevathar?'

'Wie heeft hem gezien?' vroeg hij gretig.

'O, Nambi zei dat een vriend van hem gehoord had dat iemand Joshua-chithappa had gezien...'

Solomons glimlach verdween. Dan was het dus alleen maar een dwaas ba-zaargerucht.

6

De assistent-tahsildar Shanmuga Vedhar, de vooraanstaande gouvernements-functionaris in dit deel van het district, had een hoge dunk van zichzelf. Zijn zelfrespect was nog verder gestegen toen hij goed en wel was geïnstalleerd in een kantoor in een van de drukkere wijken van de stad Meenakshikoil. Veel stelde het niet voor, twee vierkante meter vrijwel zonder meubels, maar hij hield van het gevoel van macht dat dit hem gaf. Het deed hem vergeten dat hij was blijven steken in het meest onbeduidende stadje van Kilanad, op zich al het kleinste district in het gouvernement van Madras.

Sterker nog, hij zag zichzelf wanneer hij achter zijn tafel zat altijd als een radertje in een groot machtsapparaat dat zich helemaal uitstrekte tot aan het kantoor van de collecteur die aan het hoofd van het district stond, en dan nog verder tot maar liefst aan de machtigste figuur van het hele gouvernement, de gouverneur in functie. En als hij geluk had en erin zou slagen goed te lobbyen bij zijn meerderen, zou Meenakshikoil misschien al heel gauw een zelfstandige *taluqa* worden en werd hij bevorderd tot tahsildar. Dat klonk hem aangenaam in de oren: tahsildar S. Vedhar! Daar had hij voor gestudeerd; daar had hij het ene examen na het andere voor afgelegd; daarvoor was hij de eerste man van het dorp geworden die een middelbareschoolopleiding had genoten; dat maakte het allemaal de moeite waard: die tafel, die stoel, de kast die vol stond met talloze landregisters en steeds geler wordende mappen met vellen vol eindeloze uitweidingen over onbegrijpelijke geschillen...

Zijn overpeinzingen werden afgebroken toen hij door het raam Solomon Dorai naar het kantoor zag komen lopen. Hij begon onmiddellijk voorbereidingen te treffen de thalaivar te ontvangen. Hij ging er beter voor in zijn stoel zitten, iets meer rechtop, streek zijn iele snorretje glad en sloeg een van de mappen op zijn tafel open om er druk bezig uit te zien. Toen ging de deur open en tot zijn niet geringe ergernis zag hij dat zijn ambtenaar het dorpshoofd had binnengelaten zonder naar het doel van diens bezoek te vragen. Dat was niet helemaal de fout van zijn ondergeschikte, want Shanmuga Vedhar wist zelf niet zo goed hoe hij Solomon tegemoet moest treden. Als assistent-tahsildar had hij een hogere rang. Daar was geen twijfel aan. Maar aan de andere kant was hij Solomon dank verschuldigd omdat deze, als de rijkste *mirasidar* in de taluqa, wel de grootste bijdrage aan belasting- en pachtgelden leverde voor zijn schatkist. Jawel, nog maar anderhalf jaar geleden had Solomon er een dorp met katoenplantages bij gekregen ten noorden van Chevathar, wat betekende dat hij nu drie hele dorpen bezat naast veel land in Chevathar en de pachtopbrengst daarvan. Waarom zou Solomon zich niet als de andere mirasidars gedragen, de machtige landheren van het diepe zuiden, en genoeglijk in zijn weelde baden in plaats van zich met het overheidsbeheer ervan te bemoeien? Simpel thalaivar zijn was hem kennelijk niet genoeg. Wat had hij ermee voor? Toen Shanmuga Vedhar eens de moed bijeen had geraapt de thalaivar ernaar te vragen, was Solomon kortaangebonden geweest in zijn antwoord. Er hadden vier generaties Dorais als dorpshoofd van Chevathar dienstgedaan vóór hem; hij was zeker niet van plan weg te lopen voor de verantwoordelijkheid die hij geërfd had. Normaal gesproken was er niets aan de hand geweest, want ieder voor zich had meer dan genoeg wat hem bezighield. Maar onlangs hadden ze woorden gehad over de kwestie van de nieuwe weg. De assistent-tahsildar had zijn zin gekregen, maar niet zonder slag of stoot.

Toen de thalaivar zijn kantoor binnenkwam, stond Shanmuga Vedhar op om hem te begroeten. Hij had hem het liefst gevraagd te gaan zitten maar er was iets in het optreden van de thalaivar dat maakte dat hij zich als een schooljongen voelde.

'*Vanakkam* Dipty Vedhar,' zei Solomon kortaf, en hij gebruikte de aanspreektitel die de bewoners de functionaris algauw nadat hij in Meenakshikoil was gekomen, hadden gegeven.

De assistent-tahsildar beantwoordde de groet en het dorpshoofd verspilde geen tijd om tot de zaak zelf te komen. Hij bracht hem snel op de hoogte van de verdere feiten die er waren naast wat hij al wist.

'Ik heb voor vanavond een vergadering bijeengeroepen van de panchayat. Als dit moet uitdraaien op een nieuwe kastenstrijd kunnen we er maar beter klaar voor zijn. Ik hoop dat u erbij zult zijn...'

'Ja, ja, ik zal er zijn.'

Ze bleven nog een tijdje praten en toen ging het dorpshoofd weer weg.

Tot grote opluchting van Dipty Vedhar was hij niet opnieuw begonnen over de nieuwe weg, maar zijn gevoel van opluchting was met een vleugje vrees vermengd toen hij verder nadacht over de vergadering van die avond. Hij hoorde het dorpshoofd al zijn voornaamste argument naar voren brengen: zonder de nieuwe weg hadden de schurken nooit ongezien het dorp in kunnen komen, was de gewone gang van zaken nooit verstoord geweest, enzovoort, enzovoort. Dipty Vedhar was net zo bang voor geweld tussen de kasten als Solomon. Maar het was absurd te beweren dat het dorp precies zo zou moeten blijven als honderd jaar geleden, verzonken in armoede en onwetendheid. Wanneer zouden mensen als Solomon Dorai eens begrijpen dat vooruitgang onvermijdelijk was?

De nieuwe weg had voor vorderingen van nog meer opbrengsten door het gouvernement gezorgd. De voornaamste inkomsten van de staat, naast de grondbelasting en pachtgelden, kwamen van de zoutfabrieken bij de riviermonding. Er was meer land opgeëist voor de zoutziederijen, maar al nam de productie toe, voor het transport was men nog aangewezen op koelies die de rivier moesten doorwaden met zakken zout op hun hoofd. Dipty Vedhar had het voorstel gedaan voor een weerbestendige weg die het dorp met de stad zou verbinden door de aanleg van een stenen doorlaatbrug over de rivier.

Aanvankelijk had iedereen in Chevathar het idee van een *pukka* weg toegejuicht, behalve Solomon, zonder dat hij precies wist waarom. De meeste dorpelingen hadden de weg die door de stad liep gezien, met alle karrensporen en kuilen erin, en toch wilden ze ook zoiets voor zichzelf. Maar toen de dorpelingen hoorden dat Dipty Vedhar had voorgesteld de nieuwe weg in een zo recht mogelijke lijn te laten lopen vanaf de brug tot aan Solomons huis en dan verder tot aan de zoutfabriek, waren de bezwaren niet van de lucht. Muthu Vedhar, Vakeel Perumal en de priesters van de Murugan-tempel vonden dat hun positie binnen het dorp hun het recht gaf op een eigen stuk weg langs hun voordeur. Toen ze uiteindelijk doorkregen dat het gouvernement geen extra geld aan de weg wilde besteden enkel om hún ego te versterken, begonnen ze onmiddellijk het plan te dwarsbomen. Ze beweerden dat de aloude wetten waarin het om het gebied zuiver te houden aan onaanraakbaren en de laagste kasten verboden was zich ook maar in de buurt te wagen van de hoofdweg door een dorp, dan niet alleen door de eigen inwoners zouden worden overtreden maar ook door buitenstaanders die zomaar naar believen het dorp in konden lopen.

Als hij deze weg echt wilde, zou Dipty Vedhar op een of andere manier de weerstand moeten breken. Hij had vertegenwoordigers uit de voornaamste kastengroepen – de piepkleine gemeenschap van brahmanen (er waren maar drie brahmanenfamilies in het dorp, die het recht hadden geërfd om de Murugan-tempel te onderhouden), de Andavars en de Vedhars – bijeengeroepen voor een vergadering. De Paraiyanen waren zoals altijd buitengesloten. De eerste bijeenkomst mondde uit in een wedstrijd wie het hardst kon schreeuwen, en toen werd er een tweede samengeroepen. Ook die bleek niet te kunnen leiden tot een besluit. Er volgden nog meer vergaderingen. Wel acht maanden lang sleepten zich allerlei beraadslagingen voort en toen konden ze het nog altijd niet eens worden over hoe de weg zou moeten worden aangelegd. Nu zag ook Solomon zich voor een onmogelijk blok gezet. Hij kon Dipty Vedhar niet steunen zonder zijn mededorpsbewoners te beledigen. Maar hij wilde ook niet het gevoel krijgen de assistent-tahsildar tegen te werken. Op het laatst zag Dipty Vedhar, enorm gefrustreerd, van de hele zaak af. Zes maanden later haalde hij het voorstel nog eens van stal, naar aanleiding van een gebeurtenis die tientallen jaren eerder had plaatsgevonden, een halve wereld van hen vandaan.

De Amerikaanse burgeroorlog had de geregelde aanvoer van katoen naar Lancashire doen stagneren omdat de strijd zich vooral concentreerde op de katoenplantages in het diepe zuiden. Maar het is een van de voorwaarden van de massa-industrie dat machines nooit lang kunnen stilstaan. Als er geen katoen uit Amerika meer viel te halen, dan moest die ergens anders vandaan komen. Rond die tijd had een lading Indiase katoen, uit Tinnevelly, zijn weg naar Engeland gevonden. Tinnie-katoen, zoals het bekend werd, was van een uitzonderlijk goede kwaliteit. Plotseling begonnen de verarmde katoen telende gebieden in het zuiden – Tinnevelly, Kilanad, Virudhunagar en het Andhraland – aanzienlijke inkomsten te genereren en er werden fortuinen verdiend. Het einde van de Amerikaanse burgeroorlog en de hervatting van de Amerikaanse katoenhandel maakte geen einde aan de belangrijke rol van de tinnie-katoen. De vraag ernaar in Engeland en ook op andere plaatsen bleef aanhouden.

Een van de voornaamste katoenverbouwende gebieden in het district Kilanad lag een heel eind ten noorden van de rivier de Chevathar. De katoen werd naar Chevathar getransporteerd, daar gewogen en op kwaliteit en hoeveelheid gesorteerd, en vervolgens op het hoofd van de koelies weggedragen naar Meenakshikoil, om verkocht te worden. Net toen Dipty Meenakshikoil besloten had de nieuwe weg op te schorten, sleepten de autoriteiten van het district een vette order voor katoen in de wacht. Samen met andere plaatselijke functionarissen kreeg de assistent-tahsildar de opdracht om met spoed de nieuwe oogstvoorraden te leveren. Hij legde aan Solomon uit dat met de aanleg van de weg en de brug over de rivier een begin gemaakt moest worden voor het regenseizoen zou inzetten. Ze wisten allebei dat er deze keer geen terug was.

Na dagen van beraadslaging ging Solomon bij Dipty Vedhar op bezoek met een compromisvoorstel. De weg zou dwars door het woongebied van de Vedhar lopen en net langs het huis van Vakeel Perumal en de Murugan-tempel, waarmee de ego's van de hogere kasten gestreeld waren. Maar omdat dit een weg van het gouvernement was, zouden de leden van alle kasten het recht hebben er gebruik van te maken, en hijzelf, als thalaivar, zou erop moeten toezien dat kastenregels, voorzover mogelijk, niet geschonden zouden worden. Het was niet de volmaakte oplossing maar het was het beste wat hij had kunnen bedenken. Er zat werkelijk niets anders op.

Nu, terwijl hij naar huis terugliep na zijn bezoek aan de assistent-tahsildar, dacht Solomon diep na over de diverse problemen die de nieuwe weg had veroorzaakt. De hele zomer dat er aan de aanleg ervan gewerkt was, had hij een onbestemd, akelig voorgevoel gehad. Als die weg eenmaal was aangelegd, had hij gedacht, zou niets meer hetzelfde zijn. En hij had gelijk gekregen. Binnen een jaar nadat de weg was ingewijd, waren er een paar voorvallen geweest die er direct mee in verband hadden gestaan.

De weg was nauwelijks klaar toen, tijdens het Pongal festival, een groep meisjes was lastiggevallen door dronken jongelui, die de brug overgestoken en naar het dorp gelopen waren. De rouwdouwers waren door de dorpsbewoners afgetuigd maar aan de beschuldigingen die Solomon en de assistent-tahsildar over zich heen kregen, had maar geen einde willen komen. Vier maanden later was een Paraiyaan bijna doodgeslagen door een paar Vedhar-mannen omdat hij het gewaagd had door hun woonwijk te lopen, en vrolijk een *beedi* liep te roken, zijn tulband fier om het hoofd gebonden in plaats van om zijn middel, zoals vanouds is voorgeschreven in tegenwoordigheid van hogere kasten. De Paraiyanen waren in een groepje naar Solomon gekomen om hun rechten te bepleiten. Ze hadden voor hem de woorden herhaald die hij zelf gezegd had: de weg was er een van het gouvernement en er rustten daarom geen beperkende regels op voor kasten. Het stond een man vrij daarover te lopen als hij dat wilde. Natuurlijk hadden ze geen moeilijkheden in de zin gehad, ze dankten hun leven en al het andere aan hun meesters, maar dit was onrechtvaardig. Solomon had de delegatie met tegenzin ontvangen. Hij vond dat de Paraiyanen te ver waren gegaan. Maar hij wist dat hij maar één besluit kon nemen. Hij bepaalde dat iedereen de gouvernementsweg zonder belemmering mocht gebruiken, hoewel de smettende kasten zich zoveel mogelijk dienden neer te leggen bij de traditionele regels – hun schaduw mocht niet op de hogere kasten vallen, ze moesten hun tulband afdoen in het bijzijn van medemensen uit hogere kasten, dorpsbewoners van de hoogste kaste mochten ze tot op tweeëndertig passen naderen, en hun lungi's moesten altijd tot boven de knie zijn opgerold. Er was verbazingwekkend weinig verzet geweest tegen Solomons bepalingen en daarna werd er vrijuit gebruikgemaakt van de weg.

Maar ook al had hij stevig zijn gezag laten gelden en was de storm gaan liggen, Solomon wist dat de moeilijkheden hiermee niet beëindigd zouden zijn. Hij had zijn hele leven op het land gewoond, en zijn familie al generaties lang voor hem, en hij eerbiedigde de gewoonten en tradities. Hoewel vierendertig van de zevenentachtig families die het dorp tot hun thuisland hadden gemaakt, net als hij, christelijke Andavars waren, had hij nooit geprobeerd de christelijke levenswijze op te leggen aan de hindoebewoners van het dorp, of ze nu brahmanen waren, Andavars, Vedhars, of tot een lagere kaste behoorden. Hij deed genereuze schenkingen aan de Murugan-tempel maar probeerde nooit de voorhof binnen te gaan, waarmee hij zich hield aan de beperkingen van de kasten, en als hij aan brahmaanse priesters tijdens festivals voedsel gaf, zorgde hij er zeker van te zijn dat het niet gekookt was, want het was verboden gekookt voedsel te schenken aan de hogere kasten. Hij was zich ervan bewust dat niet iedereen zijn sterke geloof in tradities deelde. Maar hij had Chevathar (en de andere dorpen die hij bezat) altijd vrij weten te houden van kastenstrijd. Totdat de komst van de weg de bestaande orde had verstoord.

Nog maar acht dagen geleden, op Ram Navami, was er een schermutseling geweest bij de Murugan-tempel, nadat twee Andavar-mannen waren betrapt toen ze er probeerden binnen te gaan. Solomon had zich tegen de Andavars uitgesproken. Hij had lange en harde verklaringen afgelegd om zijn uitspraken te verdedigen en duidelijk uiteengezet dat de Andavars hun eigen tempel hadden, de Ammankoil, en dat er niets te winnen viel als je met de Vedhars op de vuist ging om toegang te verkrijgen tot de Murugan-tempel. Uiteindelijk hadden de Andavar-oudsten niet anders kunnen doen dan zich erbij neerleggen, temeer daar de meeste van hen pachtboer op zijn landgoed waren. Solomons luidruchtigste tegenstander, Muthu Vedhar, de leider van de Vedhar-groep, was door zijn onverzettelijke en vastbesloten optreden ook geneutraliseerd.

Een heftig gefladder toen hij de tamarindebomen passeerde onderbrak Solomons gedachten. Hij keek omhoog en zag een grote mooie vogel met een roestbruin verenkleed met wat wit erin onhandig opstijgen van een tak waarop hij gezeten had. Toen hij eenmaal in de lucht was, kwam er meer rust in zijn bewegingen, werd de vlucht fraaier om naar te kijken. Hij herinnerde zich hoe de *padre* van de plaatselijke kerk, een amateur ornitholoog, de vogel noemde toen ze hem een keer op een van hun wandelingen waren tegengekomen. Father Ashworth had grinnikend opgemerkt dat zelfs de vogels al in het kastenstelsel waren beland met deze hoogst markante roofvogel, die de naam brahmaanse havik had gekregen, naast een slonzige variant die pariahavik werd genoemd. De eerwaarde had gelijk, bedacht hij, het kastenstelsel had alle aspecten van hun leven doortrokken.

Hij keek hoe de havik zich liet zweven op de thermiek in de lucht en vroeg zich af hoe het dorp eruit zou zien vanuit die hoogte. De groepjes hoge palmen, de bijzondere bomen van Charity, de huisjes, de rivier, de brug... Naarmate hij hoger en hoger rees, zou de directe contourtekening van het dorp steeds meer vervagen en dan zou er iets anders, wat normaal niet direct in het oog viel, zichtbaar worden: een fijne wirwar van lijntjes die geëtst stond in de aloude aarde van het dorp, een paar weggetjes die zomaar ergens begonnen en dan weer ophielden of willekeurig dwars door het gebied liepen. Sommige waren uitgesleten door de jongens die hun koeien bij elkaar dreven, of hun geiten, buffels en ander vee. Maar Solomon begreep ook wat de andere paden zeiden. Die liepen precies volgens regels over onreinheid en kaste. Het pad van de Paraiyaanse woonwijk, bijvoorbeeld, de *cheri*, begon bij het zuidelijkste puntje van het dorp en liep er in een grote boog omheen, totdat het ophield bij de brug. Praktisch vertaald betekende het gewoon dat een inwoner van de cheri bijna tweemaal zover zou moeten lopen als een brahmaan om het dorp te passeren. Dergelijke regels bepaalden de ligging van de huizen, en oormerkten gebieden waar gebaad werd en ontlasting geloosd, en bepaalden ook de toegang tot de rivier en het akkerland. De hoogste kasten kregen van alles het beste en de bewoners van de cheri op het laagste punt onder aan de rivier, net voordat het water zout werd, kregen van alles het slechtste. Zo waren de dingen nu eenmaal en ondanks alle schoonheid en bedrieglijke rust was Chevathar zoals ieder ander dorp in deze streek gebonden aan de strakke regels van beperkingen en tradities die sinds mensenheugenis de kasten bepaalden en nooit veranderd waren. Totdat de weg, die vervloekte weg, er was gekomen en het evenwicht had verstoord.

Toen hij de tuin van zijn huis binnenliep, streek een koppel duiven, bruin als de aarde, neer op de grond om naar voedsel te zoeken. Een rajapalaiyam, waarvan de landerige snuit ineens verwachtingsvol oplichtte, joeg achter de vogels aan die geschrokken opvlogen. De hond rende weg. Na verloop van tijd zou de weg wel geruisloos zijn opgenomen in het tijdloze ritme van het dorp, bedacht Solomon, net zoals dat door de eeuwen heen gebeurd was met alle andere nieuwe ideeën en vreemde invloeden. Maar de acceptatie zou niet gemakkelijk zijn. Alles wat de gevestigde orde ondermijnde, bracht eerst angst en pijn teweeg voordat het genezingsproces inzette. En op mensen als hij rustte de taak de verandering naar beste vermogen in goede banen te leiden. 'Moge God mij de kracht geven dat te doen,' mompelde hij, terwijl hij geërgerd over zijn stoppelkin wreef.

7

De Sint-Paul's kerk was een vijfhoekig gebouw, met een dak van kersenrode pannen, zoals je ze op het platteland vaak zag, nu donker en verweerd van de ouderdom, waaronder de muren helderwit blonken van de pleisterkalk. Er stonden nog drie andere gebouwen binnen het zendingscomplex: een school, een kleine verzorgingspost en de pastorie, allemaal verscholen tussen heel oude palmen. Alleen de torenspits van de kerk stak boven de bomen uit, in overeenstemming met de bijbelse vermaning dat geen huis van God lager mag zijn dan zijn omgeving of dan de woningen der gelovigen. De kerk was twee keer herbouwd, een keer toen ze gedeeltelijk door brand verwoest was in 1837 en dertig jaar later, na een plotselinge tropische wervelstorm, nog een keer. Maar de architectuur was in wezen onveranderd gebleven. Van buiten zag ze er niet anders uit dan de overige zendingskerken in de regio, maar van binnen was ze uniek.

Enkele maanden na de brand van 1837 waren vijftien dorpelingen uit de Paraiyaanse kaste overgegaan tot het christendom, net in de tijd dat de kerk herbouwd werd. Solomon Dorais grootvader, die toen thalaivar was, was niet te vermurwen geweest de nieuwe bekeerlingen toe te staan voor hun religieuze plichten de kerk te betreden. De voorganger, een koppige Schot, had erop aangedrongen dat ze dat juist wel zouden mogen. De zaak dreigde op de spits gedreven te worden toen het dorpshoofd een oplossing voorstelde. Om te voorkomen dat de voorganger ook niet ongemerkt zijn schaapjes uit de lagere kaste terwille zou zijn, stelde het dorpshoofd voor dat er een tussengang werd gemetseld van de ingang van de kerk tot aan het altaarhek. De voorganger zou dan door die gaanderij naar voren lopen en daar voor zijn gemeente verschijnen (de kerkgangers van de Andavar-kaste zaten aan de gunstiger rechterkant van de kerk) om de dienst te leiden. Afzonderlijke communietafels en kelken moesten ervoor zorgen dat Andavars en Paraiyanen niet uit dezelfde beker zouden drinken of van hetzelfde brood eten. Geen van beide groepen had ooit de andere te zien gekregen in al die jaren dat ze samen hun godsdienstplichten vervulden, want de lagere kasten verlieten de kerk onmiddellijk na de dienst door een deur die aan hun kant van het gebouw was geplaatst.

De afgelopen tweeënzestig jaren hadden alle voorgangers van de zendingspost van Chevathar geprobeerd de ergerlijke tussengang af te breken, zonder succes. De huidige predikant had het vaak betreurd dat Solomon, die toch zo ruimdenkende man, nog altijd weigerde de tussengang te slopen. Redenaties dat het christendom niets van kasten wilde weten, werden stelselmatig genegeerd en na een paar jaar tevergeefs proberen, had Father Ashworth het opgegeven.

De eerwaarde Paul Ashworth was een kleine goedgebouwde man met een paar grijze haren die in nonchalante slierten over zijn overigens kale hoofd lagen. Zijn ogen leken bijna te blauw voor zijn gezicht, dat door de zon een donkerrode tint had gekregen. Vandaag was zijn gelaat nog roder dan normaal want hij had in de ochtend samen met Daniel, de oudste zoon van de thalaivar, een wandeling langs het strand gemaakt.

Father Ashworth was erg gesteld op het gezelschap van de jongen en wanneer ze maar even tijd hadden gingen Daniel en hij samen op avontuur langs de kust, om er te zoeken naar zeldzame schelpen en zeedieren, of in de bossen met kokospalmen en acaciabomen, op zoek naar kruiden en exotische planten. Ze waren allebei erg geïnteresseerd in de geneeskrachtige eigenschappen van planten, en namen dikwijls voor de *vaidyan* een enkel exemplaar mee om te laten uitzoeken wat de helende eigenschappen ervan waren.

Doorgaans trokken ze er al heel vroeg op uit, maar vandaag stond de zon hoog aan de hemel en was het al aardig heet geworden tegen de tijd dat ze de kust bereikten. Maar de aantrekkingskracht van de poelen met vloedwater was hun te machtig en ze liepen vlak langs de kust, met het bulderend geraas van de zee in hun oren, om iedere rotspoel uit te kammen naar de schatten die onder het heldere water lagen en daar monstertjes van mee te nemen. Na ongeveer een uur hadden ze een hele verzameling buitgemaakt. Toen ontdekte Father Ashworth een zeldzame wenteltrap, een grote hoorn met tal van kronkels en ribbels die ze nog nooit eerder waren tegengekomen. Als om er niet voor onder te doen deed Daniel daarna een paar vondsten – iets wat een wonderbaarlijk mooie rood met gouden gloed uitstraalde en eruitzag als de tulband van een sultan, en een paar karmozijnrode purperslakken met schelpen in een heel lichte lavendelkleur. Aangespoord door deze vondsten begonnen ze de poelen met nog meer aandacht af te speuren en dolven grillig gebeeldhouwde stekelslakken op, alikruiken met bizarre patronen van spikkels en ribbels, prachtige donkerroze trompethoorns, schelpen met ingewikkelde spiraalwindingen, en hun lievelingsvondsten, de prachtige porseleinslakken die zo'n duizend jaar geleden in het land als betaalmiddel waren gebruikt. Zelfs naar hun maatstaven was hun vangst indrukwekkend: afgezien van de gewone tijgerporseleinslak met de witte en bruine strepen, vond Father Ashworth een zeldzame Isabelle-porseleinslak die glansde als een glimmend gepoetste oorknop, en Daniel kreeg zowel een bontgevlekte kauri met witte en bruine strepen te pakken als een heel apart gekleurde tijgerkauri met roodachtige in plaats van witte spikkels. Toen werd er een golf op het strand geworpen die zich terugtrok en Father Ashworth grote ogen deed opzetten.

'Geldschelpen. Zomaar met tientallen tegelijk, nu zijn we rijk,' riep hij uit.

'En ik kan naar Melur om dokter te worden. Nu kunt u me er heen sturen,' schreeuwde Daniel terug, boven het gebulder van de zee uit.

'Als dat eens kon, Daniel, als dat eens kon,' mompelde de priester in zichzelf terwijl ze hun schatten bij elkaar graaiden.

Terugsjokkend naar huis moest Father Ashworth heimelijk de jongen gadeslaan. De fijnbesneden trekken van zijn gezicht, armen als luciferhoutjes, en grote sprekende ogen, hoorden eigenlijk thuis in de meer besloten wereld van een klooster. IJverig en zachtmoedig, vertroeteld door zijn moeder en zijn tante, was Daniel niet op zijn plaats in de zeer mannelijke wereld van de Dorais. Geen van de Dorais van Solomons generatie was ooit verder gekomen dan de vierde klas, waarna de zendingsschool ook niet meer te bieden had. Met de steun van Father Ashworth had Daniel zijn vader zover kunnen krijgen dat hij hem naar Meenakshikoil, naar de middelbare gouvernementsschool gestuurd had (Aäron was tegenstribbelend in de voetsporen van zijn oudere broer getreden, maar had het er na twee jaar bij laten zitten). Daniel had aan iedereen duidelijk te kennen gegeven dat hij verder wilde studeren, dat hij dokter wilde worden of op zijn minst botanist. Maar telkens als de padre het te berde had gebracht, weigerde zijn vader elke toestemming. Deze week nog had Solomon waar Daniel bij was, tegen de geestelijke gezegd: 'Wij zijn boeren en je leert het weer niet uit de boeken voorspellen.'

Maar de jongen weigerde zijn droom op te geven. Ergens zit er hetzelfde staal in hem als in alle Dorais, bedacht Father Ashworth. Hij mocht voor de andere mannen van zijn familie dan anders lijken en anders denken, onder die zachtmoedige buitenkant huisde een koppigheid en vastberadenheid die zich niet gauw gewonnen zou geven.

De stemming van Father Ashworth werd steeds somberder, terwijl hij aan de benarde positie van de jongen dacht. Hij keek in gepeins verzonken uit het raam van de kerk naar de Golf van Mannar. De zee was egaal en grijs als een reigersoog, de lucht betrokken. Zoals altijd, behalve wanneer de vissers de zee opgingen en 's avonds terugkeerden met de vangst van de dag, lag het strand er verlaten bij. Op dat moment kwam de koster binnenlopen en kondigde Solomon Dorai aan. Dat was totaal onverwacht. De geestelijke stond gehaast op, liep door de tussengang en verwelkomde zijn bezoeker.

De thalaivar zag er ongerust uit en toen hij klaar was met zijn relaas over de gebeurtenissen van die dag begreep Father Ashworth wel waarom. Door de jaren heen had hij steeds meer bewondering gekregen voor de manier waarop Solomons ijzeren wil en verstandige beslissingen het dorp hadden gevrijwaard van strijd tussen kasten en religies.

'Dipty Vedhar en ik zijn het erover eens dat we zo krachtig mogelijk actie moeten ondernemen. Alle taluqas hier en in het district Tinnevelly hebben de opdracht gekregen op hun hoede te zijn omdat er sprake van is dat ons relletjes tussen kasten te wachten staan die niet gering zullen zijn. Maar waarom zouden zulke dingen eigenlijk ook in Chevathar moeten gebeuren? Wij zijn van die pest altijd gevrijwaard gebleven, ook al was het hele district verder in rep en roer,' zei Solomon ongelukkig.

'Het zijn de tijden, goede vriend,' zei Father Ashworth. Hij had een plotse-linge ingeving. 'Kent u dat verhaal nog uit de *Bhagavatam* dat die rondtrek-kende *villupaatu*-spelers bij ons opvoerden tijdens de Pongal-festiviteiten?'
Welk verhaal?' vroeg het dorpshoofd afwezig.
'U weet wel, dat verhaal waarin de goden de oceaan karnen waarbij ze de berg Mandara als karnstok en de slang Vasuki als karntouw gebruiken?'
'Ja, ja. Wat is daarmee?'
'Nou, de goden waren op zoek naar *amrita*, de elixir van het eeuwige leven, die in de diepten van de oceaan te vinden was en die hen beschermen moest in hun strijd tegen de demonen, en toen zei de god Narayana tegen hen dat de enige manier om het te bemachtigen was dat ze het oceaanwater zouden karnen...'.
'Dat verhaal ken ik,' zei Solomon.
'Maar weet u ook nog wat er gebeurde voordat Dhanvantari van de bodem van de oceaan opsteeg met het gouden vat vol amrita?'
'Jawel, de goddelijke koe Kamadhenu verscheen, en daarna Airavata en de vierkoppige olifant met al zijn slagtanden, en toen kwam Parijata, de boom des levens, en toen, en toen, ik weet het niet meer... Maar wat heeft dit allemaal te maken met het gif waardoor Chevathar nu wordt aangetast?'
'Gif, dat is het nou precies,' zei de eerwaarde, triomfantelijk, zij het wat raad-selachtig.
'Het eerste wat er naar boven kwam toen de oceaan gekarnd werd, was het dodelijke gif Halahala. Alles wat ermee in aanraking kwam verloor het leven. Datzelfde is ook nu weer aan het gebeuren. Nu de ontevredenheid, afgunst en verbittering in alle hevigheid toeslaat binnen alle kasten, gemeenschappen en geloven in dit land, kan het niet anders of er zal weer nieuwe gifstof, haat en afgunst uit ontstaan. Maar als we standvastig blijven, doen wat goed is in de ogen van God en de mensen, dan zullen deugdzaamheid en het goede uitein-delijk de overhand krijgen. Vrede en voorspoed...'
Gedachten die de geestelijke mogelijk nog verder over het onderwerp had gehad kregen geen kans meer, want zijn bezoeker stond op van zijn plaats. 'Het spijt me, padre, ik moet nu weer gaan. Ik heb Dipty Vedhar gezegd dat ik iedereen die zijn licht over de zaak kan laten schijnen de vraag voorgelegd wil hebben.' Terwijl hij zich bukte voor de entree naar de tussengang, riep hij nog: 'Er is vanavond een vergadering van de panchayat. Het zou goed zijn als u ook kon komen.'
Toen Solomon was weggegaan nam de padre zijn plaats bij het raam weer in. De zon had het wolkendek aan flarden gebrand en van de vlakke zee één

groot massief van glinsterende gouden schubben gemaakt, maar zelfs die fraaie aanblik kon zijn stemming niet verbeteren. Als je Solomon Dorai zo prikkelbaar en nerveus zag, liet je de moed wel zakken. Maar het dorpshoofd had gelijk zich zo veel zorgen te maken. En het stemde de voorganger zorgelijk dat hij hem niet de geruststelling had kunnen geven waarvoor hij was gekomen.

Toen hij voor het raam bleef staan waardoor hij de ochtend verder zag vorderen, begon zijn gemoed door de schoonheid van het tafereel dat hij voor zich zag wat tot rust te komen. Ginds aan de einder, tot waar hij niet verder kon kijken, versmolt het lichtbeige van de lucht met het gouden waas van de zee, en alleen waar de einder ertussen kwam, was een uiterst dunne lijn zichtbaar. Daar waren ze vandaan gekomen, uit die verten, de uitheemse avonturiers en ontdekkingsreizigers, scheepsladingen vol, om zich te verbazen over en te laten verleiden door de ongelofelijke rijkdommen van India. Megasthenes, Plinius, Strabo, Eusebius, Marco Polo, Ibn Battuta, Wassafi, Rashid-ud-din, keizer Frederik, Vasco da Gama – de grootste wereldreizigers en schrijvers van hun tijd – zij hadden allemaal al weet gehad van de indrukwekkende grootsheid en rijkdommen van de volken aan de Coromandelkust, lang voordat Robert Clive en Jan Compagnie ervan begonnen te dromen eens flink te gaan schudden aan de boom die op een pagode leek.

Hij dacht aan zijn geboortedorp. Hij had Engeland al in geen zeven jaar meer bezocht. Zijn enig nog levende familielid, een bejaarde tante die in Buckinghamshire in een verzorgingshuis woonde, was seniel geworden en had hem bij zijn laatste bezoek niet meer herkend. Bovendien vond hij het sombere miezerige weer een bezoeking. Met een gevoel van opluchting was hij in Southampton aan boord gegaan van het stoomschip naar Madras. Hij had nu al zeventien van de vijfentwintig jaar doorgebracht in Chevathar. Hier wilde hij wonen en werken en hier hoopte hij, als God het wilde, ook te sterven.

Zijn gedachten keerden terug naar het probleem waarvoor Solomon zich geplaatst zag. Toen hij vijfentwintig jaar geleden in India was gekomen, was hij bovenal ontsteld geweest over het kastenstelsel. Hij kon zich nog altijd erg boos maken over de barbaarsheden ervan, ook al begreep hij het nu beter. Hoe kon een innig en warm voelend mens zich neerleggen bij de discriminatie die werd opgelegd aan zijn medeschepselen met instemming van kaste en religie, een discriminatie die uitsluitend gebaseerd was op achteraf uit zelfbehoud toegevoegde passages aan de grote religieuze teksten? De oplossing, zo geloofde hij, was niet om de Schriften dan maar helemaal op te doeken, maar om er een nieuwe vorm aan te geven. Om de harde kern van grote waarheden te bewaren, en de rest van de hand te doen. De *Manusmriti*, het Oude Testament, en tal van andere heilige teksten konden best wat corrigerende bewerkingen en interpretaties gebruiken. Maar zou het er ooit van komen? Hij wist dat hij noch de geleerdheid noch de wijsheid bezat om een dergelijke taak zelf aan te vatten. Zoiets kon alleen maar worden gedaan door iemand die in hoge mate geleerd was en over visie beschikte.

Intussen was hij in een poging om zijn eigen inzicht te verdiepen, wel begonnen aan een boek waarin hij de verheven waarheden van het hindoeïsme en het christendom naast elkaar wilde zetten en vergelijken, ontdaan van de dikke lagen verduistering die eromheen hingen. Het schoot maar langzaam op vanwege zijn eigen tekortkomingen als schrijver en denker, maar ook vanwege de talloze andere zaken die zijn aandacht vroegen. Hij wierp een vluchtige blik op de communietafel waarop de vellen lagen van het manuscript voor *Enige gedachten over de ontmoeting tussen hindoes en christenen*. Misschien moest hij er nu wel aan beginnen; wellicht zou het hem helpen zijn gedachten te ordenen, hem een plotseling inzicht kunnen verschaffen dat bruikbaar genoeg was om aan Solomon door te geven.

8

In Chevathar werd de geboorte van een zoon begroet met de *kuruvai* – een langgerekte huilerige roep die tantes en zusters vanuit hun keel produceerden. Het klonk als een weeklacht, maar het was in feite een uiting van overweldigende vreugde. Gezegend was de moeder van een zoon. Gezegend was de familie waarin een zoon was geboren. Hij zou de familielijn voortzetten, een bruidsschat inbrengen en de zegeningen van de goden oproepen. Een meisje daarentegen werd met een lang gezicht begroet. Een meisje betekende niets dan verdriet. Weer een mond erbij die gevoed moest worden zonder dat je er iets voor terug kreeg en weer extra onkosten voor de familie – een bruidsschat en de kosten van een bruiloft. De niet-aflatende eisen van aangetrouwde familie die haar ouders een gunst had bewezen door haar van hen over te nemen. Menig wanhopige moeder maakte gauw een einde aan het leven van de ongelukkige baby, vooral als het meisje was gekomen als laatste in een hele rij dochters – door haar dood te drukken, het giftige sap van de calotropisplant te voeren of van de wortels van de vallistruik, of door haar de scherpe vliesjes van rijstkorrels op te dringen die dodelijk konden zijn in het spijsverteringskanaal van baby's, waar ze doorheen prikten. Als ze wel in leven bleef, mocht het meisje nooit vergeten dat haar familie via haar moest boeten voor zonden in voorgaande levens. En dat alles in een land waarin de hoogste godheid een godin was, de moedergodin Devi, geschapen uit de versmelting van geesten – Brahma, Narayana en Maheshwara – uit de grote hindoe-drie-eenheid, om de wereld te bevrijden van een kwaad dat deze zelf niet aankon.

Iedere vrouw van het dorp leerde algauw haar plaats in het leven kennen, hoe verheven haar status ook was. Toen Charity als jonge bruid in het Grote Huis kwam wonen, was ze diep geschokt geweest toen Solomon haar een klap gaf omdat ze hem zijn koffie niet op exact de juiste temperatuur had gebracht. In tranen was ze naar de keuken teruggelopen. Toen ze tegen haar schoonmoeder zei wat er gebeurd was, had Thangammal met haar *sari pallu* haar tranen afgeveegd en iets tegen haar gezegd wat ze nooit meer was vergeten: 'In deze contreien, dochtertjelief, moet een vrouw nu eenmaal bereid zijn klappen te krijgen van haar man. Als hij een goede man is, zal hij je niet al te vaak slaan, en ook nooit zonder reden. Wij leggen ons erbij neer. Zo zijn de dingen nu eenmaal. Als je net getrouwd bent, krijg je soms slaag omdat je een te kleine bruidsschat hebt ingebracht, en als je kinderen baart wordt je soms geslagen omdat je geen mannelijke erfgenaam hebt voortgebracht of, wanneer je je man al wel een zoon hebt gebaard, omdat je hem niet nog meer zoons hebt gegeven. En daarna, als je genoeg kinderen hebt gebaard, word je soms geslagen omdat je niet mooi en jong genoeg meer bent.'

'Maar dat was bij mijn vader thuis helemaal niet zo.'

'Jij bent hier niet bij je vader thuis.'

'Maar, mami, het is niet goed.'

'De vraag naar goed of slecht doet er niet toe. Mijn zoon is een goede jongen. Hier, breng hem nu maar zijn koffie.'

De bijzonderheden van hun afstamming en de ontwikkeling van hun afzonderlijke levens gaven de mannen en vrouwen van het dorp Chevathar onderling sterk verschillende visies op de verkrachting van Valli. Terwijl de mannen tegenover elkaar steeds ruwer werden in hun haat en wantrouwen en meer met de grootschalige gevolgen van de rampzalige gebeurtenis in hun hoofd rondliepen, vereenzelvigden de vrouwen zich met het trauma van het meisje en werden ze herinnerd aan het ongeluk om als vrouw geboren te zijn.

Toen ze de volledige details van de aanranding had gehoord, pakte zich na de eerste hevige schok een wolk van ongerustheid in Charity's hoofd samen. Ze werd snibbig en kriegel tegenover haar schoonzusters Kamalambal en Kaveri, ze schreeuwde naar de keukenmeisjes en was vooral onredelijk tegenover haar oudste dochter Rachel. Aanvankelijk was ze er zelf verbaasd over, toen besefte ze dat het vooral het bijzondere van de situatie was dat haar zo van streek maakte: het verkrachte meisje was ongeveer zo oud als haar eigen lieve dochter, zij stond op het punt te gaan trouwen. Het had Rachel ook kunnen overkomen. En haar moeder zou niet bij machte zijn geweest haar te beschermen. Ook al hield ze zichzelf herhaaldelijk voor dat Rachel niets was overkomen en dat haar ook niets zou overkomen, de hele dag bleef Charity hevig bezorgd. Ze reageerde het op haar dochter af en sloeg haar omdat ze vergat de gesnipperde uien voor de pachidi in water te doen en omdat ze stond te kletsen met een dienstmeisje. Bij de tweede klap barstte Rachel in tranen uit. Charity was er wel heel snel bij om haar te troosten. Ze dwong zichzelf haar kalmte te herwinnen en zich te concentreren op de bereiding van de lekkernijen en op tientallen andere taken die gedaan moesten zijn voor de vergadering van de panchayat diezelfde avond.

Die lange eindeloze ochtend bleef het nieuws maar binnendruppelen in het Grote Huis, en Charity nam het allemaal in zich op. In de horoscoop van zowel de geboortedag als de menstruatiecyclus van het verkrachte meisje was een foutje gesignaleerd, werd er gefluisterd, de gevreesde *mula natchattiram* zou meer van haar rampspoed afweten. Na een poosje werd er gezegd dat niet de mula natchattiram verantwoordelijk was voor de val van het meisje, maar de nog veel meer gevreesde *naga dosham.* Een paar vrouwen beweerden een grote cobra-achtige verkleuring te hebben waargenomen op de onderbuik van het meisje, een teken dat erop wees dat er in de geslachtsorganen van het meisje een onzichtbare slang school die de dood zou veroorzaken van de eerste man die seks met haar had. Ze zeiden dat haar ouders die wetenschap voor zich hadden gehouden uit angst dat het meisje nooit zou trouwen. Anderen zeiden dat het helemaal niets te maken had met slechte horoscopen maar dat een gewezen minnaar Valli had overvallen.

Charity had de familie van het meisje bijna nooit ontmoet, maar tegen het middaguur was ze al op de hoogte van de meeste bijzonderheden van hun leven, waarvan sommige correct en andere verzonnen waren. Zo hoorde ze dat Ponnammal, de moeder van het meisje, onlangs het leven had geschonken aan haar negende kind, hoewel de jaren om zwanger te worden tegen haar veertigste wel achter haar zouden moeten liggen. Ze kreeg ook te horen dat de familie door rampspoed bezocht was vanwege een vloek op de vader, over hem afgeroepen door een zwager die twee dorpen verderop woonde omdat hij in gebreke was gebleven bij een lening. Naarmate de brokstukken en flarden van verhalen fantasierijker en buitenissiger werden, dreven ze de paniek die Charity eerder op de dag gevoeld had steeds meer naar de achtergrond.

Ze ging Solomons lunch klaarmaken. Onder de voorbereidingen door begon ze de hoop te koesteren straks met hem over de aanranding te kunnen praten, maar lange ervaring had haar geleerd dat dat alleen maar kon als het moment er geschikt voor was. Ze had, nu alweer twintig jaar geleden, geleerd dat het haar plicht was het huishouden soepel te laten verlopen en dat zij geen rol mocht spelen in de gebeurtenissen van het dorp. Als ze ooit twijfels had gehad, dan waren die wel weggenomen door een voorval dat plaatsvond even nadat ze in het dorp was komen wonen. De vrouwen van twee deelpachters hadden haar gevraagd te bemiddelen in een ruzie over land en zij had beloofd dat ze het met haar echtgenoot zou bespreken. Ze had het onderwerp ter sprake gebracht tijdens het opdienen van de avondmaaltijd en Solomon had haar toen weer, voor de tweede keer in hun huwelijk, een klap gegeven. Hevig geschrokken en bang geworden had ze met zichzelf afgesproken zich nooit meer te bemoeien met zaken die haar niet aangingen.

Van toen af had ze ontdekt hoe ze haar beurt moest afwachten en andere slinkse weggetjes moest vinden om op de gebeurtenissen invloed te kunnen uitoefenen – door af en toe een beetje te zeuren, haar charme aan te wenden, en als bepaalde momenten zich ervoor leenden met bedekte toespelingen ergens om te vragen. Toen ze de lunch begon te serveren werd het wel duidelijk dat dit niet het geschikte moment was. Solomon was kortaf en raakte zijn eten nauwelijks aan. Een tweede keer opscheppen sloeg hij af en nadat hij zijn handen had gewassen, ging hij weg. Zijn onrust ging Charity ter harte. Ze verlangde ernaar hem te helpen, maar wat kon ze doen? Ze bleef stilletjes en ongerust over haar eigen bord gebogen zitten en proefde nauwelijks wat ze at.

Toen nam ze een besluit en wachtte tot het huis in rust verzonken was en zich zou hebben overgegeven aan de slaperige loomheid van de namiddag, voor ze weg zou sluipen, de hitte in. Solomon zou niet blij zijn met wat ze van plan was, maar hij zou het misschien nooit te weten komen. Terwijl ze haar sari pallu over haar hoofd trok om zich tegen de zon te beschermen en haar gezicht te verbergen, ging ze op weg naar de wijk van de Andavars.

Voor het begin van het smalle pad met de lage huisjes van leem en stro besefte ze dat ze geen idee had waar Valli's hut stond. Ze kon zich niet meer herinneren wanneer ze voor het laatst in de wijk van de Andavars geweest was, vijf jaar geleden misschien, of tien jaar. Er waren veel vliegen die suf en sloom van de zon door de goten kropen, of bleven plakken op de met snot en viezigheid besmeurde gezichtjes van een stel kinderen, die lusteloos op een kluitje in de

sprietige schaduw van een kokospalm zaten. Toen ze de vrouw van het dorpshoofd zagen, kwamen ze tot leven. Terwijl de kinderen om haar heen zwermden, ontdekte ze een vrouw die ze wat beter kende en die op haar hurken in de
deuropening van haar huisje verveeld bezig was de luizen uit het haar van haar
dochtertje te plukken. De vrouw sprong op toen ze Charity zag. Met haar op-
lopend wees ze de weg naar het huisje van Valli, slechts een paar deuren verder. 'Het meisje slaapt nu, de vaidyan heeft haar een drankje gegeven. Maar
veel helpen zal het niet, amma. Als ze wakker wordt, zal ze nog net zo gehavend zijn. Het heeft allemaal geen zin meer...' Charity bedankte de vrouw en
bukte zich om het huisje binnen te gaan.

Binnen in de bloedhete ruimte zonder ramen kon ze amper de vage vorm
onderscheiden van Valli die op een slaapmat lag met een oude sari om zich
heen gewikkeld. Ze was in diepe slaap en had een zwaar raspende ademhaling.
Vlak bij de ingang van de hut zat de moeder van het meisje haar baby te voe-
den. Twee andere vrouwen, buurvrouwen, zaten iets verderop in het vertrek
zachtjes met elkaar te kletsen en bogen zich af en toe naar voren om de vliegen weg te vegen die om de mond van het meisje bleven cirkelen.

Toen ze Charity zagen, raakten de buurvrouwen helemaal opgewonden en
vlogen op haar af om haar de laatste nieuwtjes te vertellen. Valli's moeder zei
niets, en in haar uitdrukking, toen ze met haar starende ogen naar Charity opkeek, kwam geen verandering. Onder die verschrikkelijke blik, waar al geen
tranen meer aan te pas kwamen, of waarin geen plaats meer was voor gevoelens of hoop, werd Charity weer heel ongerust. De verschrikking van wat deze
moeder, deze familie had doorgemaakt, kwam in alle hevigheid over haar heen
en toch, en toch: kon ze werkelijk beseffen wat zij hadden geleden? Ze voelde
zich schuldig en beschaamd dat, in haar bezorgdheid om haar eigen trauma, ze
dat van degenen die het meest door de verkrachting getroffen waren, vergeten
was. Ze was blij dat ze gegaan was, hoewel ze twijfelde of ze veel kon doen voor
deze vrouw, die, aan het verdriet voorbij, leek te zijn heengegaan naar een nog
mistroostiger oord waar ze voor niemand meer te bereiken was.

'Ik ben hier namens de thalaivar gekomen,' zei ze, met een leugentje dat
haar heel gemakkelijk afging. 'Hij vroeg zich af of we met iets kunnen helpen.'

De moeder van het meisje gaf geen antwoord. Charity stond op het punt het
nog eens te proberen toen een van de andere vrouwen hardop zei: 'Er valt niets
meer te helpen. Wat gebeurd is, is gebeurd, niemand kan haar lot nog veranderen. We kunnen alleen maar hopen dat haar lijden snel verlicht wordt.'
Charity draaide zich half om zodat ze de vrouw kon aankijken en die boog haar
hoofd een beetje en ging toen door met praten. Het meisje was onder een

slecht gesternte geboren, ze moest boeten voor zonden die begaan waren in een vorig leven, de dingen zouden in haar volgende leven pas beter voor haar worden... In het benauwende duister wilde er aan die stroom van woorden maar geen einde komen. Na een poosje hield de vrouw toch haar mond en toen was er alleen nog de raspende ademhaling van het in slaap gebrachte meisje die dankzij een geweldige wilskracht van diep binnenin leek te komen – en de pruttelende geluidjes van de baby aan zijn moeders borst.

Er is niets wat ik doen kan, bedacht Charity. Deze vrouwen zijn alweer doorgegaan met leven; zij zullen beter in staat zijn het meisje en haar moeder te helpen dan ik. Hier was geen ziedend geweld van opgeklopte woede, niets van de razernij die de mythische Kannagi ertoe gedreven had haar kwelgeesten met de bliksem te treffen. Deze methode was anders, was praktischer en meer vanuit het dagelijkse leven, de enige manier die er voor de vrouwen van het dorp op zat. Er was goed en kwaad, en beide waren noodzakelijk om de wereld in balans te houden – je ging tegen het lot alleen tekeer als je het niet begreep. Het was maar beter je erbij neer te leggen en gewoon verder te leven. Charity had dat ook wel geweten, natuurlijk, maar ze was het vergeten in haar bezorgdheid om Rachel. Ze kwam weer vlug overeind, mompelde woorden van medeleven, grabbelde naar geldstukjes die ze in een hoekje van haar sari had geknoopt, duwde die in de handen van de vrouw die het dichtst bij het meisje zat en maakte aanstalten om weg te gaan. Toen ze zich bukte om het huisje te verlaten, joeg de tocht die haar voorbijgaan teweegbracht de vliegen weg die over de baby kropen. Een klein stukje maar vlogen ze op, heel sloom, en toen streken ze weer neer.

9

Laat op de avond, toen hij klaar was met het hoofdstuk waaraan hij gewerkt had en zich wat kalmer voelde, besloot Father Ashworth een strandwandeling te maken. De zonsondergang was in Chevathar net zo spectaculair als de dageraad, en deze avond was hij mooier dan ooit. Terwijl de zon wegzakte in de zee, ontspon zich een wonderschoon spel van licht en kleuren. Wegspringende pijlen van flitsend oranje, goud en zacht lila verspreidden zich naar alle kanten. Verderop aan de kust kwamen de catamarans van de vissers weer binnenlopen, tengere donkere projectielen die hoger en hoger uitstaken boven een steeds roestiger branding. Terwijl de ene visser peddelde en stuurde met de neus van het vaartuig, stond de andere rechtop en zette zich schrap voor de doorgang door de woelige branding, met precieze ritmische bewegingen die even tijdloos en gracieus waren als de wereld die hen omringde. De terugkeer van de boten onder de steeds zwakker wordende zon vervulde Father Ashworth met een diepe melancholie, die niets te maken had met de recente gebeurtenissen – het was een gevoel dat hij dikwijls op dit tijdstip kreeg. Merkwaardig genoeg was het geen neerslachtig gevoel, meer een gewaarwording alsof de dingen zich sloten naarmate de nacht het overnam, om zo een einde aan de dag te maken, aan alle hoogtepunten en tegenslagen, alle moeite en genoegens. Dit was het beslissende moment tussen licht en donker. Het ontleende zijn macht en majesteit aan zijn tijdloze eeuwigheid. Dat was al zo geweest sinds de geest van God de wateren beroerd had en zo zou het de komende honderd jaar ook zijn. Er schoten hem verzen uit Prediker te binnen:

Het ene geslacht gaat en het andere komt, maar de aarde blijft altoos staan.
De zon komt op en de zon gaat onder en hijgend ijlt zij naar de plaats waar zij opkomt...

Hij liep naar de plek waar de Chevathar van haar monding wegliep en een scherpe snede trok door de uiteenlopende tinten van het zand om op te gaan in het kalme gebulder van de Golf van Mannar. Er kwamen nog meer verzen van zijn lievelingsboek in de bijbel in zijn hoofd op:

Alle beken stromen naar de zee, nochtans wordt de zee niet vol; naar de plaats waarheen de beken stromen, daarheen stromen zij altijd weer...

Er was een vers dat hij maar niet kon onthouden, en dan kwam het vers dat daarop volgde met zijn verschrikkelijke schoonheid:

Wat geweest is, dat zal er zijn, en wat gedaan is, dat zal gedaan worden; er is niets nieuws onder de zon.

De boten waren nu bijna allemaal binnengelopen, de zon kleurde de doorgang voor de achterblijvers rood. Het broze vaartuig, de lenige, door het werk geharde lijven van de vissers, en de weidsheid waarmee de oever alles vermocht te weerspiegelen, dat was allemaal door de tijden heen niet anders geworden. Dit kon ook het meer van Galilea zijn; en deze eenvoudige mannen konden de vissers zijn die de meester had geroepen om mensen te vangen. Jezus zou zich hier ook thuis gevoeld hebben, bedacht de eerwaarde. Zijn volgelingen waren timmerlieden en boeren, niet veel anders dan de pachters van Chevathar. Ze woonden en werkten onder de brandende zon, gingen gebukt onder het koloniale juk, werden gekweld door duivels en dodelijke ruzies, door verkrachting en moord... Terwijl hij de vissers hun catamarans de oever op zag trekken, vroeg hij zich af wat de boodschap van Jezus zou zijn geweest als hij in India had geleefd en gepredikt. In wezen dezelfde, dat was duidelijk, maar de gelijkenissen zouden anders geweest zijn. Voor een wijnstok en de vijgenboom waren de rijst en een mangoboom in de plaats gekomen, en wijn zou zijn vervangen door toddy, en de goede Samaritaan was waarschijnlijk de goede Marudar geworden. Maar de waarheden die de basis vormden van het verhaal en de kern van wat hij wilde leren, zouden niet anders geweest zijn, konden dat niet eens zijn, omdat de zoon van God was gevormd door veelal dezelfde omstandigheden als die in Chevathar golden.

Een heel eind verder op de oever ontdekte hij een eenzame gestalte die met zijn gezicht naar de ondergaande zon in het westen stond. De windsels om de niet duidelijk te onderscheiden figuur vormden een oranjegele vlek, en waren voor Father Ashworth voldoende om te zien wie het was. Het was de bejaarde *pujari* van de Murugan-tempel en als het geen schemering maar dageraad was geweest, zou het heel goed mogelijk zijn dat hij de Gayatri-mantra, een van de machtigste mantra's die de goden ooit aan de mensen hadden overgedragen, in een ritmische cadans stond te zingen. De oude man had ze ook nog aan de christelijke voorganger geleerd voordat hij zich geleidelijk had onttrokken aan zijn plichten en de wereld.

Even zat een verontrustende gedachte Father Ashoworth dwars. Hij had horen zeggen dat het voor de onaanraakbaren en de allerlaagsten was verboden om zelfs maar te luisteren naar de heilige zang en dat er lood in hun oren gegoten zou worden als ze het toch deden. Zal ik ooit met dit land dat nu mijn thuisland is, in het reine komen, dacht hij. Zal ik het ooit voldoende begrijpen om een waarlijk nuttig werktuig te zijn van Uw wil, Heer?

Het was tijd om naar het huis van het dorpshoofd te gaan. Terwijl hij aanstalten maakte zich daar naartoe te begeven schoot de vraag door hem heen die zo subtiel gesteld wordt in Psalm 137: 'Hoe zouden wij des Heren lied zingen op vreemde grond?'

Het was nog maar amper licht tegen de tijd dat hij het huis bereikte. Er was niemand op de veranda. Hij liep om naar achteren, in de hoop daar Charity en

Kamalambal te zullen treffen. Omdat hij veel in dit huis kwam, ontlokte zijn komst niet veel meer dan wat halfzachte blafjes aan de honden die niet vastzaten, voordat ze doorgingen met interessantere prooi na te jagen in de achtertuin. Alleen Daniel was buiten. De jongen was met iets aan het spelen op de aarden stoep. Toen de eerwaarde dichterbij kwam, keek hij op, fronste zijn voorhoofd, en lachte.

'Kijk eens wat ik vanmorgen gevonden heb, Father, toen ik naar huis liep. In het grote waterbassin bij de rivier.'

Father Ashworth keek naar beneden en zag twee schildpadjes ter grootte van een duim, een patroon van zonnetjes op hun donkere schild, die knisperend over de aangestampte aarde liepen.

'Dat is heel apart. We moeten proberen uit te vinden wat voor soort het is.'

'Worden ze nog groter?'

'Dat betwijfel ik, het zijn geen zeeschildpadden, hoewel ik wel eens gehoord heb dat er ook ergens landschildpadden bestaan die enorm groot kunnen worden.'

'Appa heeft vandaag een verschrikkelijk humeur,' zei Daniel, plotseling veranderend van onderwerp.

'Ja, ik weet het, en niet zonder reden.'

'Bent u hier dan voor de vergadering?'

'Ja, jongen. Weet je ook waar je moeder en tante zijn?'

'In de keuken. Zal ik ze zeggen dat u hier bent?'

'Nee, nee. Ik loop wel door. De vergadering zal zo wel beginnen.'

10

Het was donker tegen de tijd dat de vergadering begon. Er werden fakkels met pinna-olie aangestoken, die een flakkerend schijnsel wierpen op de groepjes mensen. De tuin voor het huis lag vol met kleurige rietmatjes van de inheemse zeggeplant. Er lagen ook nog matjes op de veranda. Toen Father Ashworth achteraan zijn plaatsje innam, zag hij het dorpshoofd in diep gesprek gewikkeld met Subramania Sastrigal, de pujari van de Murugan-tempel. Hij wist zeker dat Solomon de priester op het hart bond de vrede onder de Vedhars te bewaren. De gewrichten van Father Ashworth kraakten toen hij zich liet zakken om op de grond te gaan zitten. Het had hem, toen hij nog maar pas in Chevathar was, maanden gekost om te wennen aan deze houding, maar daarna was het voor hem gewoner geworden dan zitten op een stoel. Onlangs echter deed de leeftijd zich gelden in zijn gewrichten en soms voelde hij het verlangen opkomen naar een gemakkelijke stoel. Hij keek om zich heen naar de gezichten die uit de halfschaduwen opdoemden. Vakeel Perumal, als altijd gekleed in smetteloos wit; Muthu Vedhar, de rijzige, indrukwekkende leider van de gemeenschap der Vedhars, die in rijkdom en prestige alleen maar onderdeed voor Solomon; Swaminathan, de zoon van de priester, die feitelijk het bestieren van de Murugan-tempel had overgenomen; hier en daar een paar dorpsfunctionarissen en pachtboeren, onder wie Kuppan, de vader van het meisje dat was verkracht; Chokkalingam, de graankoopman die nu aan de overkant van de brug in de stad woonde; een kleine delegatie Paraiyanen; en nog vier of vijf anderen.

Even was het rumoerig toen de assistent-tahsildar de tuin binnen kwam lopen. Solomon brak het gesprek met de pujari af en kwam naar voren om hem de handgroet te brengen. De jonge functionaris beantwoordde de begroeting van de thalaivar, en bracht een zwierige *namaskaram* uit voor alle andere aanwezigen waarna hij tegenover hen plaatsnam met Solomon naast zich.

Er kwamen bedienden uit het huis met borden van palmbladen waarop coocoos lag, de vermaarde honingraatachtige plaatselijke lekkernij, tarwegrieshalva, oompudi en gedroogde bananenschijfjes, vet, geel en knapperig. Father Ashworth merkte dat de brahmaanse priesters niet bediend werden en dat de leider van de Paraiyanen, die een klein beetje apart zat van de rest van de vergadering, als laatste iets kreeg. De dikke melk die de rest in aardewerken kommen geserveerd kregen, werd aan hem en zijn kastengenoten geserveerd in kommetjes van palmbladen. Net iets voor Solomon, overdreven nauwgezet in het nakomen van kastenregels!

Nadat ze hadden gegeten en gedronken en verder waren ontheven van de meer dan minimaal noodzakelijke beleefdheden en formaliteiten, nam Solomon het woord: 'Vrienden, broeders, mensen die aan de bodem van Chevathar ontsproten zijn,' zei hij, 'op deze gewijde Pangunni Uthiram-dag moet ik tot mijn diepe droefenis vaststellen dat in het hart van onze gemeenschap de ziekte van de gewelddadigheden tussen kasten en religies weer heeft toegeslagen. Jullie zijn allemaal al van een paar feiten op de hoogte, maar ik zou jullie ook graag deelgenoot maken van alles wat ik nog meer weet, omdat we samen deze demon uit ons dorp moeten weren.'

Solomons stem kwam helder en krachtig over op zijn gehoor dat luisterde zonder ook maar een geluid of beweging te maken, terwijl het aarzelende licht van de fakkels over hun gezichten speelde. 'Vorige week werden op Ram Navami

49

twee leden van de gemeenschap der Andavars door Swaminathan betrapt toen ze probeerden het heilige terrein van de Murugan-tempel te betreden om gebeden op te zeggen. Ze werden weliswaar hardhandig afgestraft door de andere tempelgangers en hoewel ik zo'n pak slaag veroordeel, keur ik ook het optreden af van mensen die tegen de beproefde tradities en gewoonten ingaan.'

'Traditie en gewoonte zijn het broddelwerk van armzalige kleine mensen en afvallige priesters,' riep Vakeel Perumal luid. Solomon keek even verstoord zijn kant op. Toen mompelde een stem achter de advocaat: 'De smettende kasten dienen hun plaats te weten.' Het was Swaminathan, de jonge brahmaanse priester, die dat gezegd had. Zich snel omdraaiend zei Vakeel Perumal: 'En wat weet jij er nou van, snotneus die niet eens kan lezen? Iedereen die een beetje met de *shastra's* op de hoogte is weet dat de grootste zieners geen brahmanen waren, maar tot andere kasten behoorden, die door hun daden hun superioriteit bewezen. Heer Krishna zei dat al tegen Arjuna en ieder heilig boek zegt het: aan je daden leert men je kennen, niet aan je afkomst.'

'En iedereen weet dat jij een bastaard bent,' smaalde de jonge priester. Vakeel Perumal krabbelde overeind en was al een stap naar de man op weg toen hij in zijn gang werd gestuit door de hevig verbolgen stem van Solomon: 'Als geen van jullie beiden de waardigheid van wijze mannen laat zien, is het dan een wonder dat dit dorp door *pisasu's* verwoest wordt? Houd onmiddellijk jullie mond of ik zal je eens laten zien hoe woest ik kan worden.'

Ze werden allemaal doodstil. De palmen ruisten in de duisternis. Er verstreken enkele minuten en toen nam Solomon weer het woord. 'Zoals jullie weten heeft vanmorgen de dochter van onze broeder Kuppan, die op het punt stond te trouwen, te maken gekregen met de ergste vorm van vernedering.' De vader van het meisje zat onbewogen als een brok graniet, zonder een spier te vertrekken in zijn strakke gezicht. 'Vanmorgen werd ze aangevallen vlak bij Anaikal. Het meisje dat bij haar was, heeft de aanvallers niet herkend maar gelooft dat het vreemden waren. Maar de zaak is er nog erger op geworden met onze ontdekking van een obscene boodschap die op Anaikal geschreven stond. Iemand is hier duidelijk bezig de vrede en broederschap in ons dorp te verstoren door de eer van onze zusters, moeders en dochters te schenden.'

Terwijl Solomon dit zei, keek hij Muthu Vedhar recht in het gezicht. De betekenis ervan bleef niet voor iedereen die daar was onopgemerkt. Muthu reageerde meteen. Met grote lenigheid overeind komend, wat in tegenspraak leek met zijn grote omvang, beet hij van zich af: 'Word ik hier van iets beschuldigd?'

'Ik beschuldig jou helemaal nergens van, Muthu, ga alsjeblieft zitten.'

'Nee, ik ga niet zitten en ik laat me ook niet door jou beledigen.'

'Ik heb je niet beledigd.' Solomons stem klonk ijzig.

'Ik haal me toch zeker niet zomaar iets in mijn hoofd?' zei Muthu theatraal. Zijn gigantische gestalte en de boosheid die in zijn ogen flikkerde maakten hem een angstaanjagende verschijning om te zien. 'Je hebt mijn naam misschien niet genoemd, maar niet elke beschuldiging hoeft te zijn uitgesproken om begrepen te worden. Dit is genoeg, ik pas verder voor deze belachelijke ceremonie.' Zonder nog iemand aan te zien, liep hij de duisternis in. Een paar Vedhar-boeren die er ook waren, liepen hun leider achterna.

Na een lange, lange pauze, verbrak Solomon de stilte. 'Dit is waarlijk *Kaliyuga*, het tijdperk van verwording, waarin *dharma* op één been strompelt en zonde en verdorvenheid de aarde bewandelen.' Hij pauzeerde even en ging toen verder met een nieuwe vastberadenheid in zijn stem. 'Maar laat dit jullie gezegd zijn. Als iemand die op deze grond geboren is en als de vertegenwoordiger van het gouvernement in dit dorp, verklaar ik plechtig dat wie deze gruweldaad op zijn geweten heeft zijn straf niet zal ontgaan. Ik heb de zaak besproken met de geachte assistent-tahsildar, Thiru Shanmuga Vedhar, en hij heeft gezegd dat de schuldige met de grootst mogelijke strengheid gestraft zal worden.'

Toen hij zich van deze last bevrijd had, riep Solomon de assistent-tahsildar op om het woord te voeren. Dipty Vedhar sprak kort en serieus over de ernst waarmee het gouvernement elke uitbarsting van geweld tussen kasten en verwantschapsgroepen bezag. Hij zei dat als het geweld nog verder zou escaleren, hij zich genoodzaakt zou zien een detachement van de speciale oproerpolitie aan te vragen waarvoor de dorpsbewoners dan moesten betalen. Bovendien zou in het hele gebied een hogere strafmaat gaan gelden als men de zaak verder uit de hand liet lopen. De politie was bezig de molestatie van het meisje te onderzoeken, en als de schuldigen werden aangehouden zouden ze streng worden aangepakt. Hij hoopte voor de dorpelingen dat het buitenstaanders waren geweest die zich aan dit misdrijf bezondigd hadden.

De officiële beraadslaging duurde eindeloos toen de andere plaatselijke oudsten zich ook uitspraken en hun bezorgdheid onder woorden brachten, maar het woedende vertrek van Muthu Vedhar wierp een schaduw over de bijeenkomst. Het vermoeden dat hij door toedoen van de thalaivar het slachtoffer was van grof onrecht zou alleen maar toenemen. Waar moest dit allemaal op uitlopen, dacht Father Ashworth met verbijstering. Waar zou de onvrede een volgende keer tot uitbarsting komen?

I I

Nadat de vergadering was afgelopen, zat een neerslachtige Solomon Dorai andermaal de heerlijke biryani met vis van zijn vrouw op te eten, zonder ervan te genieten. En opnieuw sloeg hij een tweede portie af hoewel hij dat niet op een ruwe manier deed. Toen Charity aandrong, zei hij: 'Ik heb geen trek vanavond.'

'Kan ik nog iets anders voor je halen?'

Toen hij zijn hoofd schudde, maakte ze aanstalten om weg te gaan, maar hij vroeg haar te blijven. Dat was hoogst ongewoon, want hij duldde haar zelden in de buurt tijdens de maaltijd. Nadat ze het pisangblad had weggehaald waarvan hij had gegeten en Solomon zijn handen had gewassen, ging ze op een mat zitten. Even vroeg ze zich af of ze iets zou zeggen over haar uitstapje van die middag, maar toen verwierp ze die gedachte. Ze zaten zwijgend een tijdje bij elkaar, toen begon Solomon te praten. 'De vergadering is heel slecht verlopen. Muthu liep woedend weg. Hij dacht dat ik hem de schuld gaf van het misdrijf.'

Hij zag er vermoeid en gekweld uit. 'Ik mag deze zaak echt niet uit de hand laten lopen. Als dat gebeurt zal het de nekslag voor Chevathar zijn.'

'Misschien moet je met Muthu-anna gaan praten,' zei ze, en ze had onmiddellijk spijt van deze woorden. Solomon keek haar heel even scherp aan, toen, tot haar verbazing, begon hij langzaam instemmend te knikken.

'Ja, ik ga zo dadelijk naar hem toe om met hem te praten.'

Ze bleven nog een tijdje zwijgend bij elkaar zitten en toen zei Solomon onverwachts: 'Je doet geen jasmijn meer in je haren.'

Charity keek met glanzende ogen van hem weg.

De afgelopen twee jaar, sinds hij de nieuwe voorkamer had aangebouwd, had hij altijd alleen geslapen, terwijl zij een kamer had gedeeld met hun dochters. Ze kon zich niet eens meer de laatste keer herinneren dat ze 's avonds laat samen hadden gepraat.

'Weet je zeker dat je alles kreeg wat je nodig had? Ik moet nu de anderen het eten opdienen.'

Solomon zei niets, maar terwijl hij haar de kamer uit zag lopen leken zijn zorgen van hem afgenomen.

Later, toen Charity klaar was met haar werk in de keuken, sloop ze naar buiten, de tuin in. Bij de muur stonden een paar jasmijnstruiken, de geur van de bloemen hing in de lucht. Heimelijk plukte ze de witte schermpjes van *malligai* en begon ze tot een krans te vlechten om in het haar te doen.

12

Twee dagen na de aanranding hing Valli zich op aan een boom aan de rand van het Andavar-gebied. De vrouwen in het dorp treurden. Even voelde ieder van hen weer het diepe verdriet als vrouw geboren te zijn. Ze betreurden het dat het meisje zich van het leven had beroofd en baden dat ze in haar volgende leven onder een gelukkiger gesternte geboren zou worden. Maar hun verdriet werd minder zwaar door de hoop dat haar heengaan de spanningen wat zou verlichten, het leven voor hen allen een beetje gemakkelijker zou maken. Wat betekende trouwens de dood van een pachtersdochter in een land waar de alledaagse werkelijkheid hard was? Zoals tot ieders grote verrassing naderhand zou blijken: heel veel.

Aangezien de gebeurtenis plaatsvond in een zorgelijke tijd, een tijd met weinig werk totdat de velden konden worden klaargemaakt, een wanhopige tijd waarin door het hele land de frustraties tot een kookpunt dreigden op te lopen, veranderde de dood het aanzien van het meisje en werd ze van een onbeduidend schepseltje zonder nestwarmte (nog net niet getrouwd, op het punt haar geboortehuis te verlaten) tot een wapen dat de tweedeling en diepgewortelde haat binnen het dorp zou versterken.

Toen het nieuws van de zelfmoord hem bereikte, liet Solomon elke gedachte die in hem mocht zijn opgekomen om met Muthu Vedhar te gaan praten, varen. In plaats daarvan ging hij met de assistent-tahsildar praten en haalde hem over twee politieagenten in het dorp te stationeren, gewapend met de lange Snider-karabijnen die alleen in noodgevallen te voorschijn werden gehaald. De ene werd gestationeerd in het gebied van de Andavars en de andere bij de huizen van de Vedhars. Bij Muthu Vedhar, die nog levendig de pijn van de belediging voelde die hij op de vergadering had ondergaan, riep dat onmiddellijk een woedende reactie op. 'Of het een of het ander,' bulderde hij naar zijn bloedverwant, de assistent-tahsildar, 'die man kan niet onder bevel staan van jou en van mij tegelijk.'

Dipty Vedhar gaf geen krimp. 'Ik heb mijn instructies, Muthu-ayah,' zei hij beleefd. 'Rust en orde is op dit moment de eerste prioriteit en ik mag geen enkele ordeverstoring in het dorp door de vingers zien.'

'Dus jij vindt dat ik voor de aanranding verantwoordelijk ben?'

'Helemaal niet,' antwoordde Dipty Vedhar uiterst minzaam. 'En om blijk te geven van mijn vertrouwen in jou zal ik de agent die bij jouw huis is gestationeerd, weghalen. Waarom zou ik bang voor ongeregeldheden zijn, wanneer ik beschik over zo'n bekwaam leider als jij om de rust te bewaren?' Dat was vleiende taal waardoor overigens geen van beide mannen zich in de luren liet leggen, maar het had wel tot gevolg dat Muthu zich er wat door liet sussen en hij keerde naar het dorp terug, nog net zo slechtgeluimd als eerst maar niet meer zo geneigd tot moord en doodslag.

Zijn humeur werd er die avond niet beter op, toen zijn vrouw hem iets overbriefde van de praatjes die ze overdag in het dorp had opgepikt. Saraswati Vedhar had op de diverse plekken waar ze op haar ochtendronde langskwam een paar lezingen van het voorval opgevangen – bij het waterbassin waarin zij samen met een tweetal vooraanstaande Vedhar-vrouwen gebaad had, en in de tuin achter het huis waar haar bedienden en familie hadden staan kletsen en ruziemaken. Blijkbaar had een nauwe medestander (zoals altijd niet nader omschreven) van de thalaivar gezegd dat Solomon zelf de vier leeglopers had ingehuurd om het meisje te molesteren en de leuze op de rots te schrijven teneinde actie van Muthu uit te lokken, zodat hij een reden zou hebben om hem te laten arresteren, of misschien zelfs te verbannen uit het dorp. Muthu, die normaal dat slim bedachte plan meteen zou hebben verworpen, bleef er enige tijd over doordenken. Gaandeweg zette hij het toch uit zijn hoofd. Hij kende Solomon nu al zo lang, en hoewel hij hem niet mocht, geloofde hij niet dat hij tot zulke ingenieuze verzinsels in staat was. Die gluiperige advocaat uit Salem, jawel, maar Solomon, nee. Maar zijn grote vijand van blaam zuiveren betekende voor hem geenszins dat hij ook een minder grote hekel aan hem had.

13

Muthu Vedhar en Solomon Dorai waren al van jongs af aan elkaars gewaagde tegenstanders geweest. Muthu was er nooit in geslaagd, zelfs niet toen hij op achttienjarige leeftijd bijna een hoofd boven de zeventienjarige Solomon uitstak, hem te verslaan met *silambu-attam*, de kunst van het stokvechten, een vaardigheid die voor alle jonge mannen in het dorp de maatstaf was voor het beslissende oordeel over hen. Solomon maakte zijn tekort aan lengte goed door zijn behendigheid en vinnige slagkracht, en keer op keer moest Muthu zich gewonnen geven aan de overmacht van zijn jongere rivaal.

Ze waren binnen een jaar na elkaar getrouwd en tot Muthu's verdriet had zijn vrouw dochters gebaard tegenover Solomons zonen. Zijn derde kind was een zoon, maar zijn rivaal was alweer in het voordeel. Muthu was opgetogen geweest toen Solomons oudste zoon geen tekenen vertoonde van zijn vaders stoerheid, maar hij was spoedig daarna weer teleurgesteld toen de tweede zoon, Aäron, een nog beter atleet bleek dan zijn vader.

Deze rivaliteit strekte zich uit tot land en dorp. Anders dan de aanspraak van Solomon Dorais familie op grond in Chevathar was die van Muthu Vedhar nog betrekkelijk jong. Zijn familie was afkomstig uit de stad Korkai, meer landinwaarts. Zijn overgrootvader, een tweede zoon, had het ouderlijk domein verlaten en was zuidwaarts getogen op zoek naar een plek om zijn eigen familie te stichten. Hij was uiteindelijk bij een grote *zamindar* in dienst gekomen, in het naburige district Tinnevelly. Toen hij voldoende rijkdom vergaard had, trok hij verder naar Kilanad, kocht er land en bouwde een huis in de kleine Vedhar-nederzetting aan de rand van Meenakshikoil.

Het was de familie goed gegaan en binnen een tijdsbestek van twee generaties bezat ze tweeënhalve hectare rijstveld aan beide zijden van de rivier, plus plantages van kokospalmen en bananenbomen. Tegen die tijd was de stad Meenakshikoil gegroeid ten koste van Vedhar-land en had zich steeds uitgebreid. Tot verbazing van zijn familie kondigde Muthu's vader, Maheshwara Vedhar, aan dat hij een nieuw huis voor zichzelf ging bouwen op een braakliggend stuk land aan gene zijde van de rivier. Dat werd gezien als een duidelijk signaal van verstandsverlies, zo niet van krankzinnigheid. Hoe kon hij nu de veiligheid van het Vedhar-gebied opgeven en in zijn eentje de strijd aanbinden met duivels, rovers en lage kasten die een alleenstaande woning zonder aarzeling zouden overvallen? Maar Maheshwara was niet te vermurwen. Hij slaagde erin een paar van zijn verwanten om te kopen om met hem mee te gaan, door ze land te beloven en een vergoeding in natuurlijke opbrengsten. En tot ieders grote ontzetting nodigde hij de lagere kasten uit, huisjes te bouwen zonder ervoor te hoeven betalen binnen het gezichtsveld van zijn eigen huis. Binnen een generatie hadden de lagere kasten zich verplaatst en waren de Vedhars voor het merendeel verhuisd naar de overkant van de rivier, waar ze in regelrechte botsing kwamen met de Andavars die er heer en meester waren. Het geval wilde echter dat Gnanaprakasam Andavar, de vader van Solomon, en Maheshwara Vedhar, hoewel ze niet direct dikke vrienden waren, zich toch gebonden achtten door wederzijds respect. Pas in Muthu's tijd begonnen de beide families vijandigheid te vertonen. De wederzijdse hekel die ze aan elkaar hadden, werd nog groter toen Solomon drie hectare land bij de rivier ging bewerken waarvan Muthu beweerde dat ze hem toebehoorden. Onlangs had de verheviging van kastenruzies tussen de Andavars en de Vedhars in het district eens temeer bijgedragen aan de spanning tussen de twee. Maar de vrede had nog altijd standgehouden. Tot nu toe.

De afgelopen paar dagen had Muthu tot gek wordens toe zitten broeden op manieren om Solomon te slim af te zijn. Vanmorgen had hij, na zijn bad, zelfs even kort overwogen Solomon op te zoeken en tot een duel uit te dagen, alleen zij tweeën, waarna de verliezer voor altijd het dorp zou moeten verlaten. De gedachte was maar even door hem heen geschoten; dit was niet meer het India van door duels beslechte ruzies en heroïsche daden van krijgsheren en vorsten, de autoriteiten keken bedenkelijk bij dat soort dingen. Maar Muthu wist ook wel dat het niet de enige reden was waarom hij terugschrok voor een handgemeen. Diep van binnen betwijfelde hij of hij wel in staat was om te winnen. Terwijl hij op weg was naar zijn huis en zijn grimmige uitdrukking ervoor zorgde dat iedereen hem ruim baan gaf, bleef hij doorpiekeren over de situatie. Net als Solomon hoefde Muthu niet zo nodig thalaivar te zijn in Chevathar. Als de op een na grootste mirasidar in de taluqa (de twaalf hectare land die hij bezat, of in pacht had, staken alleen maar nietig af bij de tweeëntwintig van Solomon) had hij meer dan voldoende rijkdom en prestige. Hij had gemakkelijk kunnen verhuizen naar een van de andere dorpen die hij bezat zodat hij niet meer in botsing hoefde te komen met Solomon. Maar hun oude rivaliteit sloot die optie uit.

Terwijl hij met grote stappen de stoep van zijn huis opliep en de gebruikelijke smekelingen negeerde die dagelijks samengroepten voor gunsten, geld of goede raad, vroeg hij zich voor de zoveelste keer af of hijzelf en zijn mensen ooit in staat zouden zijn om met iemand op de proppen te komen die de vervloekte Dorais uit Chevathar kon verdrijven.

Misschien was het eenvoudig zo dat zijn verwanten niet waren voorbestemd op deze grond te gedijen zoals de Andavars. Iedere dorpeling wist dat op een man die geen grond vond die bij zijn aard paste, geen zegen zou rusten. Brahmanen tierden welig op zoetwatergrond, zoals je die aantrof in de delta bij de monding van een rivier, wat de reden was waarom Subramania Sastrigal en zijn ambitieuze jonge zoon nooit zouden gedijen op de stuggere grond van Chevathar. Ze konden nog zo veel misbaar maken en lelijk uithalen naar de Dorais, maar één keer flink bulderen van Solomon zou voor hen genoeg zijn om zich haastig te bergen. Maar de *kunam* van de Vedhars deed ongetwijfeld niet onder voor de grond van Chevathar, ze was zoet noch zuur, zout noch scherp, eerder aan de bittere kant – de grond van mensen van de aarde, boeren en ambachtslieden. Dat maakte de jonge priester van de Murugan-tempel ervan, maar wat de domoor vergat te zeggen was dat Solomon net zo veel boer en ambachtsman was als Muthu. Hij en zijn familie hadden op dit land al generaties lang een bloeiend bestaan geleid en was er beter bewijs dan dat dat de aard van de grond uitstekend paste bij de geaardheid van zijn kaste? Nee, de rode aarde van Chevathar zou hem tot weinig steun zijn in zijn poging Solomon van zijn plaats te verdrijven. Hij zou krachtig en beslissend toe moeten slaan als hij daar ooit in wilde slagen.

14

Vakeel Perumals schranderheid als advocaat werd vaak door zijn ongeduld tenietgedaan. Steeds opnieuw stond hij op het punt in een belangrijke zaak een overwinning te behalen en dan verloor hij opeens de belangstelling voor de hele procedure of beledigde zijn tegenstander of vergat eenvoudig een cruciaal argument, waardoor zijn ongelukkige cliënt in de gevangenis of nog ergere omstandigheden belandde. Zijn vader had hem een bescheiden fortuin nagelaten en zijn onverantwoordelijke gedrag op die manier in de hand gewerkt. Wat hem uiteindelijk de das had omgedaan was zijn onverschillige behandeling van een zaak van gewapende roof tegen een Marudar-cliënt. Vakeel Perumals verdediging was zo briljant dat hij de man bijna vrij had gekregen, tot hij in zijn arrogantie zomaar openlijk probeerde een getuige voor de eisende partij om te kopen. Dat kon de rechter van het districtsgerechtshof niet waarderen en hij wilde hem uit de orde van advocaten stoten, maar door wat briljant gegoochel met de mazen van de wet was Vakeel Perumal de dans ontsprongen. Zijn cliënt was minder gelukkig. Die kreeg voor zijn misdrijf de maximum straf opgelegd. Toen hij werd weggevoerd, had de man gesist: 'Wanneer ik met de *vakeel* heb afgerekend zullen de zwijnen van Salem geen soep meer van hem lusten.' Vakeel Perumal verliet de stad met zijn vrouw en twee dochters voordat de schurk zijn dreiging ten uitvoer kon brengen. Chevathar, waar zijn vrouw een verre neef had wonen, leek het volmaakte oord om de storm uit te zitten.

Toen hij in het dorp kwam wonen had hij onmiddellijk geprobeerd zijn aanwezigheid te laten voelen. Na het opwindende avontuur in Salem had hij weinig geduld met het trage landelijke tempo van Chevathar. Hij vond dat het enige wat er opzat om de periode van ballingschap draaglijk te maken, was dat hij de dingen een beetje zou opjutten. Hij twijfelde er niet aan of hij zou erin slagen zijn invloed uit te oefenen op de gang van zaken in het dorp. Hij had het geld ervoor, de hersens, en hij had zijn mondaine stadsmanieren – wat was er nu moeilijk aan voor hem? Maar hij had geen rekening gehouden met zichzelf. Met zijn ongeduld en ijdelheid slaagde hij er al snel in iedereen die een beetje belangrijk was te beledigen. Muthu Vedhar had hem er, in aanwezigheid van zijn vrouw en kinderen, flink van langs gegeven nadat men de advocaat Muthu voor een stom rund had horen uitschelden. En hij had Solomon meer dan eens geïrriteerd met zijn grote bemoeizucht. De gewone dorpelingen waren onder de indruk van Vakeel Perumals rijkdom, zijn huis met twee verdiepingen, en het wasvertrek buiten dat hij had laten bouwen volgens eigen ontwerp, maar Solomon leek daar geen boodschap aan te hebben. In Vakeel Perumals planning was het van belang het dorpshoofd aan zijn kant te krijgen als hij Muthu de rug wilde toekeren, wat hij vast van plan was. En als het dorpshoofd erin zou slagen Muthu eronder te krijgen of zelfs uit het dorp te verdrijven, ging hij ervan uit dat hij, Vakeel Perumal, vanzelf de op een na belangrijkste persoon in het dorp zou worden. Dan was hij de stem waarnaar Solomon moest luisteren, totdat Vakeel Perumal zover zou zijn dat hij zich tegen het dorpshoofd zelf kon keren. Hoewel in naam een Andavar, had Vakeel Perumal niet het gevoel speciale loyaliteit verschuldigd te zijn aan leden van zijn eigen kaste. Het enige wat er voor hem op aankwam was zijn eigen welbevinden, dus hij had er geen moeite mee tegen een verwant snode plannen te smeden.

Het was voor Vakeel Perumal dan ook enorm frustrerend dat niets ging zoals hij het beraamd had. Zelfs zijn jongste initiatief was op een ramp uitgelopen. Vakeel Perumal had nooit de bedoeling gehad Valli te laten molesteren. De schurken waren gehuurd voor een terreuraanslag op een Vedhar-vrouw ter vergelding van de aanval op de Andavars in de tempel. Als de daad eenmaal gepleegd zou zijn, kon het niet anders of de spanning tussen beide groepen zou zo hoog oplopen, dacht de advocaat, dat het voor iemand met zijn vernuft niet moeilijk zou zijn die in zijn eigen voordeel om te buigen. Maar het had allemaal niet zo uitgepakt. Hij had misschien de situatie nog kunnen redden, maar de zaken waren steeds verder misgelopen. Er was niets terechtgekomen van wat hij verwacht had van de opruiende boodschap op Anaikal. Wie had ooit gedacht dat die twee idioten, Solomon en Muthu, zo'n zelfbeheersing zouden opbrengen? Een paar dagen lang leek het alsof de confrontatie daadwerkelijk plaats zou vinden, en in dat geval waren er kansen geweest die hij zeker had kunnen benutten. Nu zag het ernaar uit dat er ten slotte toch geen handgemeen zou komen, ondanks het gerucht dat de advocaat in het dorp verspreid had dat Solomon de schurken had ingehuurd om Muthu verdacht te maken.

Vakeel Perumal had half en half verwacht dat Muthu het dorpshoofd in blinde woede zou aanvallen en afdoende klop zou krijgen. Dat was niet gebeurd en hij was heel teleurgesteld. Maar hij was niet het soort persoon dat al te lang bij zijn nederlagen bleef stilstaan en alweer begonnen andere plannen te beramen.

Vakeel Perumal had algauw nadat hij zich in Chevathar had gevestigd, overwogen vrienden te worden met Father Ashworth. Maar toen hij gemerkt had hoe diep de padre zich voor India interesseerde, had hij besloten dat de geestelijke zijn aandacht niet waard was. Hij had helemaal niets van de minachting voor inlanders die andere Engelsen in overvloed bezaten, en dat was in de ogen van de advocaat een belangrijke diskwalificatie. Maar nu was de Engelsman de enige overgebleven persoon die Vakeel Perumal zou kunnen gebruiken, dus besloot hij aardig tegen hem te zijn.

Hij was aan Father Ashworth gaan denken toen hij een artikeltje in de krant las over het paasfeest dat de volgende dag zou worden gevierd. Tegen de tijd dat hij halverwege het stuk was gekomen, kreeg hij opeens een idee. Hij riep zijn vrouw. Toen zij in de kamer verscheen, zei hij opgewonden: 'Wij worden christen.'

Kamala, een nogal flegmatieke vrouw, was aan de plotselinge enthousiaste ingevingen van haar man wel gewend en reageerde lauw: 'Waarom? Ik dacht dat we best gelukkig waren als hindoes.'

'Ja, ja, maar morgen is het Pasen.'

'En wat dan nog?'

'O, dom mens, dat is het feest waarop Jezus Christus, de christelijke God, weer wordt geboren.'

'Bedoel je zoals een van de *avatars* van Narayana?'

'Nee, nee, mal mens dat je bent. Hoe dan ook, vanaf vandaag ben jij Maria en ik Jezus Christus.' Dat waren de enige christelijke namen waar Vakeel Perumal op kon komen in de vrij schetsmatige uiteenzetting. Op dat moment liep de jongste dochter, Vasanthi, de kamer binnen.

'En wat moet zij dan zijn?' vroeg zijn vrouw die in de stemming begon te raken.

Vakeel Perumal was even in verlegenheid gebracht, toen zei hij luchtig: 'Waarom zou zij niet ook Maria kunnen zijn!'

'En Nirmala, is zij dan ook Maria?'

'Nee, zij wordt geen Maria. Ik bedenk wel een naam voor haar. Geef me nu maar mijn overhemd en broek, ik wil op bezoek bij de christelijke padre.'

Father Ashworth ontving Vakeel Perumal in de voorkamer van zijn pastorie.

'Goedemorgen, aiyah. Ik ben Jezus Christus,' begon Vakeel Perumal.

De padre wist niet zeker of hij het wel goed gehoord had en vroeg uiterst beleefd: 'Kan ik u wat thee aanbieden?'

Het kostte een paar ogenblikken van verwarrende conversatie voordat Father Ashworth de bedoeling van het bezoek van de advocaat begrepen had. Het was al zo lang geleden sinds iemand bij hem was gekomen met de vraag om als gelovig christen gedoopt te worden dat het wel een tijdje duurde om op een lijn te komen met Vakeel Perumal en zijn verzoek. Toen werd hij achterdochtig. In al die tijd dat hij de advocaat nu kende, had hij niet de minste belangstelling voor het christendom bij hem bespeurd. Hij begon hem vragen te stellen en zijn argwaan groeide. Vakeel Perumal bleek zeer weinig van de godsdienst af te weten. Omdat hij de vijandigheid van de eerwaarde wel aanvoelde, zei Vakeel Perumal maar gauw dat hij bereid was diezelfde dag nog een beeld van Jezus Christus in zijn gebedsruimte te installeren, waarvoor zijn familie en hij puja zouden verrichten.

'Het christendom moedigt die vorm van eredienst niet aan,' merkte de padre op.

'Ja, ja,' antwoordde Vakeel Perumal gejaagd, 'dan doen we geen puja.'

Father Ashworth stond op het punt te gaan staan en zijn bezoeker uit te laten toen Christus' gebod aan zijn discipelen in de bergrede van Christus hem door het hoofd schoot: 'Oordeel niet opdat u niet geoordeeld wordt...' Father Ashworth keek de man die hij voor zich had aan en hoorde zichzelf tegen zijn bange voorgevoelens in zeggen: 'Het grootste geschenk dat enig mens ontvangen kan, is te worden gedoopt in het enig ware geloof.' Terwijl hij dit tegen de advocaat zei, rees er voor zijn geestesoog nog een beeld op: dat van Saulus op de weg naar Damascus. De gestalte van de advocaat was wel niet door licht beschenen, maar de glorie van de liefde van Christus had wel slechtere mensen veranderd. Als de Heer de man die voor hem stond had opgedragen zijn oude kleed af te leggen en de uitrusting van Christus aan te doen, wie was hij, Paul Ashworth, die vruchteloze visser van mensen dan, om daar tegenin te gaan? En zijn bisschop zou er bepaald blij mee zijn. Na jaren van droogte zou deze aanwas van bekeerlingen (want de advocaat beweerde, niet naar waarheid, dat behalve zijn eigen familie er nog tien waren die christen wilden worden) zeer welkom zijn.

Voordat de advocaat wegging, nodigde de eerwaarde hem en zijn familie uit voor de paasdienst van de volgende dag en gaf hem twee exemplaren van het Nieuwe Testament. Hij bood hem ook een lijstje van christelijke namen aan waaruit hij kon kiezen, waarbij hij hem ernstig die van Jezus Christus ontried.

Ze werden het uiteindelijk eens over Peter Jezus voor Vakeel Perumal, Maria voor Kamala, en Martha en Hanna voor respectievelijk Vasanthi en Nirmala.

Terug in zijn eigen huis was Vakeel Perumal zeer tevreden over zijn activiteiten van die ochtend. Hij was blij dat hij niet had toegegeven aan de wilde ingeving op te biechten dat hij achter de aanranding van het Andavar-meisje gezeten had. Hij had wel eens gehoord dat christenen bij hun voorgangers te biecht gingen, maar wat zou er gebeuren als de eerwaarde het aan Solomon vertelde? Hij was teleurgesteld dat de padre hem niet dadelijk had kunnen dopen maar weer wat opgewekter geworden toen Father Ashworth zei dat hij binnen veertien dagen als lidmaat zou worden opgenomen.

Vakeel Perumal legde de beslommeringen van die ochtend naast zich neer en concentreerde zich op het werk dat hij had onderbroken toen hij het artikeltje over het paasfeest had gelezen. Het was een brief aan de *Hindu*, de vierenvijftigste in een serie die hij de krant om de veertien dagen had toegestuurd. Het feit dat er nog maar een brief gepubliceerd was, bracht hem in het geheel niet van zijn stuk. Dit was iets wat hij tussen zijn andere besognes door deed en hij was van plan het vol te houden tot de redacteur zwichtte en regelmatig stukjes van hem zou opnemen.

De brief van vandaag was een beetje anders dan de drieënvijftig die eraan voorafgegaan waren.

Geachte heer, [schreef Vakeel Perumal]

Graag zou ik de geachte lezers van uw goede krant de gruwelijke vernedering onder de aandacht brengen die de hele verwantschapsgroep der Andavars ten deel is gevallen. Zoals ieder die tot het Tamil-ras behoort weet, gaan de sporen van de Andavars terug tot het hoofd van de vedische goden, Indra. Die goddelijke herkomst maakte van de Andavars heersers; sterker nog, zoals iedere Andavar weet, hebben een paar eeuwen geleden Andavar-koningen de heerschappij gevoerd over machtige koninkrijken die nu bedolven liggen onder het brandend hete rode zand van de teri-woestijnen. Er gaat geen dag voorbij of er komt wel een nieuwe bouwval aan het licht, die grond geeft aan dit geloof. Toen door laaghartige listen en streken de voorouders van ons grote ras verslagen werden door een vreemd volk uit het noorden, de Telugu Nayaks, werden ze tot ballingschap veroordeeld. Beroofd van hun land en privileges en door de bezetters, die niet zo zeker van hun zaak waren, gebrandmerkt als lagere kasten, moesten de Andavars zich een aantal uiteenlopende ambachten eigen maken waarvoor ze door hun verfijnde cultuur niet waren opgeleid. Intussen waren hun vijanden druk doende rapporten te vervaardigen om aan te tonen dat zij hoog en de Andavars laag waren, terwijl ze tegelijk de echte historische verslaggeving, waarin het bewijs stond dat de Andavars de rechtmatige dravidische kshatryas, eersterangs koningen en krijgers waren, vernietigden. Wij worden door rampspoed bezocht. Maar de vijanden van de Andavars dienen op hun hoede te zijn omdat wij het Tamil-land weer in onze macht zullen krijgen...

Vakeel Perumal bazelde zo nog een paar velletjes door, terwijl de redenaties steeds onsamenhangender en scherper van toon werden.

Hij besloot keurig met 'Uw correspondent uit het dorp Chevathar, postbus Meenakshikoil, district Kilanad,' en ondertekende de brief in zwierig handschrift met: Peter Jezus Perumal. Misschien zouden ze deze brief wel publiceren, bedacht Vakeel Perumal, nu er een christelijke naam onder stond.

15

Father Ashworth had moeilijk de slaap kunnen vatten omdat hij zich hevig zorgen maakte over de reactie van de thalaivar op Vakeel Perumals bekering. Hij voelde wel aan dat Solomon niet erg blij zou zijn met het nieuws. Hij had besloten het hem nog niet te zeggen en nu, terwijl hij bij de kerkdeur stond te wachten tot de paasdienst zou beginnen, werd hij steeds zenuwachtiger. Er bereikten hem enkele regels van het openingsgezang die niet erg melodieus maar wel uit volle borst gezongen werden en hij begon zijn gang naar de preekstoel te maken door de slechtverlichte tussengang, waar hij zo'n hekel aan had.

Opgestaan in triomf uit het graf
nam Hij de vijand zijn zege af.
Hij is door duistere diepten gegaan
en eeuwig aan de dood ontkomen
heeft Hij ons heil op zich genomen.
Hij verrees! Halleluja! Christus is opgestaan!

Toen het laatste 'opgestaan' wegstierf was Father Ashworth net de gang door en hij las de collecteafkondigingen voor. De dienst kwam van lieverlee in het vertrouwde gareel met de passende wijzigingen die het paasfeest vereiste en hij begon wat minder gespannen te worden.

Even speelde er een vluchtige herinnering door zijn hoofd aan een bijzonder onaangename voorganger die altijd opzettelijk heel moeilijke liederen koos die niemand kende en die zich dan heimelijk verkneuterde (daar was de jonge Ashworth wel van overtuigd) over de verlegenheid van zijn schapen. Hij wilde net glimlachen toen hij de blik van Solomon opving, die hem vanaf de eerste rij vloermatjes boos aankeek, en herstelde zich onmiddellijk. De reden voor Solomons ergernis was duidelijk: Peter Jezus Perumal, tot voor kort nog bekend onder de naam Vakeel Perumal, zat twee plaatsen achter hem, met zijn vrouw en zijn dochters. Ze zaten er heel stijfjes, met hun nieuwe bijbels in de hand en gekleed in hun beste sari's en rokken. Vakeel Perumal was zoals gewoonlijk schitterend uitgedost in een witte broek en overhemd.

De dienst kabbelde voort tegen de diepe ruis van de zee op de achtergrond. Plotseling stak er een flinke bries op die de geveerde bladkruinen van de palmbomen deed ritselen en de kerkmensen wat verlichting gaf van de hitte. Terwijl het zweet in zijn toga begon op te drogen, schoot Father Ashworth een misplaatste gedachte door het hoofd: driehonderd miljoen jaar geleden waren Azië en Afrika rond de Zuidpool door ijs met elkaar verbonden geweest, terwijl Europa en Noord-Amerika rond de evenaar door de hitte versmolten waren. Was het niet prachtig als de wereld zich in een niet al te verre toekomst zou herschikken? Het zou voor Chevathar de kroon van volmaaktheid zijn als het er met Pasen ook nog kil was. Toen was de gedachte vervlogen en vroeg hij zich af wat hij na afloop van de dienst tegen Solomon zou zeggen.

Toen de geloofsbelijdenis van Nicea was opgezegd, deed de eerwaarde Father Ashworth, terwijl hij zorgvuldig de blik van Solomon vermeed, de aankondigingen van die dag. Nadat hij uitvoerig had stilgestaan bij de kerkelijke activiteiten en geboorten en bruiloften, zei hij; 'En nu zou ik graag in ons midden welkom heten: Peter Jezus Perumal, Maria Perumal, Martha Perumal en Hanna Perumal.'

Toen hij de laatste naam oplas, keek de eerwaarde Father Ashforth eindelijk de kant van Solomon uit, maar het dorpshoofd bleef stuurs naar de grond staren. Father Ashworth hoopte maar dat de geest van Pasen iets zou doen om de man wat bij te laten draaien.

Maar hij kon nu niet te lang stil blijven staan bij Solomon of Vakeel Perumal; hij moest zijn preek nog houden. Hij sloot zijn ogen een paar tellen, verzonk in de schoonheid van de Eeuwige Waarheid waardoor hij loskwam van de verwarring van het onmiddellijk nabije, en stak van wal. Het was een van de beste preken die hij ooit had gehouden. Zonder de namen te noemen van Andavar, Vedhar, Brahmin of Marudar, had de voorganger felle kritiek op de verdeeldheid tussen mensen die voortkwam uit het feit dat ze de vrede en liefde van God uit het oog verloren. 'Doe de nieuwe mens aan,' riep de eerwaarde Father Ashforth, waarmee hij de woorden van de apostel Paulus nogmaals liet klinken, 'die op weg is naar waarachtige kennis en zich verjongt naar het beeld van zijn Schepper. Zo is er geen sprake meer van Grieken en joden, besnedenen en onbesnedenen, buitenlanders en vreemdelingen, slaven en vrijen; Christus is alles en in allen.'

Zonder langer de blik van Solomon uit de weg te gaan, hekelde hij de kleinzielige ijdelheden van de mensen. Hij bleef stilstaan bij het feit dat er vele wegen naar God zijn en riep de geest van Pasen op zich door het land te verspreiden. Zelfs zijn jongste aanwinsten leken te beseffen dat dit een speciaal moment was.

'Verdraag elkaar en vergeef elkaar, als iemand over een ander te klagen heeft. Vergeef zoals Christus u vergeven heeft.'

De woorden die opwelden uit diepten waarvan Father Ashworth niet eens wist dat ze in hem aanwezig waren, bleven in een onafgebroken stroom over hen heenkomen. Hij dacht helemaal niet meer aan de preek die hij had voorbereid en, hoewel hij niet direct het beeld voor zich zag van een Schepper die via hem sprak, leek het er wel op.

Tegen het einde van de dienst was de onrustige bries gelijkmatiger geworden; de geveerde kruinen van de palmbomen die in een krans om de zendingspost stonden, flapperden nu als olifantsoren. In de schaduw van twee massieve *puvarasu*bomen waren de vrouwen van de gemeente bezig de lunch voor te bereiden onder toezicht van Charity. Er werden drie lange rijen matjes uitgerold en terwijl de gasten gingen zitten, werden er pisangbladeren voor hen neergelegd. Toen de eerste bedienden verschenen, pakte iedere gast automatisch zijn blad op en spoelde het af met water uit de karaf. In tijden van overvloed had de Sint-Paul's kerk met Pasen altijd een grote feestmaaltijd aangericht – avial, twee soorten poriyal, pachidi, rauwe mango kootu, kerrieschotel met rijst en schapenvlees, kwarkrijst en *payasam*, maar dit jaar was er alleen een hoofdgang: biryani met schapenvlees gevolgd door paal payasam. Maar de biryani was wel voortreffelijk klaargemaakt, elk hapje rijst was pittig gekruid met nootmuskaat, kruidnagels en cashewnoten, en er zat veel mals vlees door. Terwijl de lucht zich vulde met de heerlijke geuren, begonnen de leden van de kudde, schijnbaar immuun voor de hitte, het felle licht en de vliegen die boven het eten zwermden, zich te buigen over de serieuze bezigheid van het eten.

Solomon stond bij de muur die de zendingspost omsloot en keek uit over de zee. Hij was formeel gekleed: een met goud geborduurde tulband, een mantel van een onbestemde donkere kleur met hooggesloten kraag, een nieuwe witte *veshti*. Hij had zelfs schoenen aan. Toen Father Ashworth op hem af kwam, beantwoordde hij diens begroeting zonder er helemaal bij te zijn en bleef voor zich uit turen naar waar de zee lag te glinsteren, oogstrelend glazuur van goud met groen.

'Waarom hebt u hem tot de kerk toegelaten?' vroeg Solomon ten slotte.

'Het is niet aan ons om te oordelen over degenen die hunkeren naar Gods woord.'

'Vakeel Perumal hunkert naar niets anders dan zijn eigen gewichtigheid.'

'Was voor de Heer Jezus Christus niet ook de allerminste en meest onbetrouwbare persoon goed genoeg als werktuig in Zijn hand?'

'Ik betwijfel of onze Heer in staat zou zijn geweest Vakeel Perumal te gebruiken. Het zou me niet verbazen als ik hem de Heer voor zijn eigen doel zag gebruiken. Hij is een leugenachtige, gewetenloze, tweedrachtzaaiende schurk en ik geloof niet dat u of ik ook maar een zweempje van een vermoeden kunnen hebben van de gevolgen van deze bekering.'

Het voorwerp van hun conversatie stond er wat verloren bij. Hij keek niet bepaald zorgeloos om zich heen. De eerwaarde Father Ashworth glimlachte maar eens naar hem, wat voor Vakeel Perumal voldoende was om zich uit zijn groep los te maken en naar hen toe te komen. De voorganger begroette de advocaat hartelijk en Solomon volgde het voorbeeld stijfjes.

'Het verheugt me zeer dat ik Solomon-aiyah nu een waarlijk oudere en wijzere broeder van onze kerk kan noemen,' zei de advocaat op zalvende toon. Even had de gedachte aan wat het dorpshoofd hem zou kunnen aan doen als hij ontdekte dat hij verantwoordelijk was voor de beproeving van Pangunni Uthiram, Vakeel Perumal uit zijn evenwicht gebracht, toen schoot zijn elastieken geweten hem te hulp. Hoe kon hij verantwoordelijk gehouden worden als die incompetente misdadigers het verkeerde meisje hadden aangevallen! Zonder er nog een gedachte aan te wijden zei hij tegen Father Ashworth: 'Dit is de mooiste religie, padre, en de nadruk die ze op vergeving legt betekent dat Solomon-aiyah en ik het verleden achter ons kunnen laten en kunnen toetreden tot de universele enige ware broederschap van de Heer. Eigenlijk had ik al eerder iets met u, Solomon-anna willen bespreken...'

Solomon kon nog net een scherp antwoord dat hem op de tong lag binnenhouden, maar het was op het nippertje. Hij deed geen moeite de afkeer te verbergen die de aanwezigheid van Vakeel Perumal in hem wekte. Met een woeste blik naar de voorganger die net deed of hij niets merkte, keerde Solomon zich bruusk om en ging bij zijn familie staan. Het gezicht van de advocaat betrok, en stond vervolgens op onweer.

Wat het onbehaaglijke gevoel van Father Ashworth nog verergerde was het feit dat de Dorais vertrokken zonder de tijd te nemen een hapje van de paaslunch te proeven.

16

Voordat genetica, elektriciteit en moderne irrigatietechnieken de seizoenen in de war stuurden, regelden de boerennederzettingen in het diepe zuiden hun leven naar de moessonregens. In het overgrote deel van de regio was er maar één oogstseizoen, hetgeen wilde zeggen dat de dorpsbewoners zes maanden van het jaar razend druk, en de overige zes maanden weinig om handen hadden. De eerste donkere moessonwolken kwamen in juni vanaf de Indische Oceaan binnendrijven, botsten tegen de westelijke helligen van de Ghats op en loosden hun stortregens over het verdroogde land. Het vorstendom Travancore en andere plaatsen ten noorden en westen ervan kregen het leeuwenaandeel van de zuidoostmoesson, maar ook schaarse regens konden het verschil uitmaken tussen een volle maag en het spookbeeld van de hongerdood voor de boerennederzettingen van het district Kilanad. De hevige regenval in de bergen bracht trouwens ook de rivieren die het van regenwater moesten hebben, zoals de Chevathar, weer tot leven.

Zodra de eerste buien vielen, werden de rijstvelden omgeploegd en klaargemaakt om te worden ingezaaid. Rijke landeigenaren, zoals Solomon Dorai, hadden hun eigen ploegossen, maar de pachtboeren hadden geen keus en moesten de dieren huren, waarmee ze ook hun schuld vergrootten. De regens namen in hevigheid en veelvuldigheid toe en de rijst werd door de vrouwen van het dorp van de zaaibedden op ondergelopen padies overgeplant, een ondankbare taak die je je rug kostte, soms wat te verlichten door te zingen en met elkaar te kletsen. Wanneer de moesson overvloedig was, zwollen de padies algauw op met jonge rijst, groen en glinsterend als een smaragdgroene duif.

De korrel rijpte aan de plant en dan kwam de noordwestmoesson over razen. Deze keer baden de boeren dat de regens de oogst op het land niet zouden schaden. Ten slotte, als het groen in goud was veranderd, was de rijst klaar om te worden geoogst. De dorpen vulden zich met bedrijvigheid – de drukke dagen van de oogst waarna duizend en een andere taken volgden: het dorsen van de laatste achtergebleven korrels in de aren door dorsmolens van steen of hout, het voortrollen van de ossenwagens in een rij achter elkaar over stoffige paden waarover de schaduw viel van grote banyanbomen, het aanleggen van grote hooistapels op erf of akker... Was de oogst overvloedig, dan was januari een tijd om feest te vieren. Tijdens dat festival van belofte en leven, Pongal, vierden de mensen feest met nieuwe kleren, geschenken, zang en dans en dankdiensten en, wat de alleroudste traditie was, met het koken van de eerste rijst van de nieuwe oogst, geurig en zoet als de adem van een pasgeboren baby. Na de stimulerende dagen van Pongal zetten dan de eerste lentedagen in, en in jaren van goede opbrengsten, wanneer er geen gebrek was aan geld en goodwill, keek iedereen verlangend uit naar de grote feesten van maart en april – Ram Navami, Pangunni Uthiram, het begin van het nieuwe jaar bij de Tamils, Pasen, de bruiloft van Madurai Shri Meenakshi, Mohurram, en om de eerste helft van het jaar af te ronden het spectaculaire Chitra Pournami-festival eind april of begin mei als het volle maan was. In goede jaren barstten de dorpen uit hun voegen van vreugde, warme gevoelens en religieuze vroomheid. In magere jaren, wanneer de graanschuren leeg waren, was de wereld te klein, omdat boosheid en honger en frustratie bij de dorpelingen dan het slechtste in hen bovenbrachten. In zulke tijden werden de festivals gelegenheden voor strijd, twisten en bloedvergieten.

Het was Solomons gewoonte alle dorpen die hij bezat in de droge maanden april en mei te bezoeken om te zien hoever ze waren met hun voorbereidingen voor de komende moesson. Dit jaar had hij zijn broer Abraham gestuurd om hun land in het zuidoosten te bezoeken. Hijzelf zou naar het noorden en het westen gaan.

Vanaf het begin van de maand was het geluid van de drums in de verschillende tempels te horen geweest. Naarmate Chitra Pournami naderbij kwam werden die drums luider. Normaal zouden de eerste regens al voor de moesson uit gevallen zijn op de kurkdroge, gebarsten akkers en rivierbeddingen, het signaal voor de boeren om hun koortsachtige voorbereidingen te treffen op de rijstvelden. Maar dit jaar viel er geen regen hoewel de lucht wel het geruwde en schubbige aanzien had van wolken. Toen ook de laatste week van april was aangebroken zonder een spatje regen, maakte Solomon zich grote zorgen. Nog één keer een droog seizoen en hij zou bij het gouvernement een verzoekschrift om bijstand moeten indienen voor het slaan van putten, en hij wist hoe gering zijn kansen waren. Hij was zelf rijk genoeg. Hij had gemengde oogsten en zeker enkele daarvan zouden voor opbrengst blijven zorgen. Maar zijn mango-boomgaarden, padies en katoenaanplant zouden eronder te lijden hebben als de regens uitbleven. En hoe zou hij in het levensonderhoud moeten voorzien van de pachtboeren die zijn land huurden? En van de andere dorpelingen die hij onder zijn hoede had?

Godzijdank had Muthu zich rustig gehouden, en ook Vakeel Perumal, of Peter Jezus Perumal, zoals Solomon nu niet vergeten moest hem te noemen, had geen onrust gezaaid. Toen zijn broer Abraham van diens rondreis terug-kwam, was zijn verslag allesbehalve bemoedigend. Impulsief besloot Solomon de volgende dag aan zijn eigen inspectietocht te beginnen. Hij beloofde Father Ashworth dat hij op tijd terug zou zijn voor de doop van Vakeel Perumal, die voor later in die week was vastgesteld.

Er zou geen tijd zijn om de hoofdlieden en opzichters van de diverse dorpen te waarschuwen, maar dat was misschien wel zo goed: hij zou met eigen ogen kunnen zien hoe slecht de situatie was. Hij gaf opdracht drie overdekte wagens klaar te maken om nog voor de dag aan zou breken te kunnen vertrekken.

Een luid schreeuwende koekoek deed hen voor het krieken van de dag uitge-leide uit het dorp. De wagens knarsten en ratelden door een toegesloten en sla-pende wereld. Ze schoten goed op over de verharde weg en waren algauw bij de brug over de Chevathar. In Meenakshikoil blaften een paar honden in het wilde weg naar het kleine konvooi, maar gaven het spoedig weer op. Ze namen de hoofdweg uit de stad die naar het noorden liep. De in een deken gedoken Solomon kon de scherpe indringende geur ruiken van zijn prachtige *nellores*, de horens gekromd als in een dierbare omhelzing. Hij fluisterde een aanwijzing in het oor van de voerman die even flink aan de staarten van de ossen draaide. Dat was net het zetje dat ze nodig hadden; hun drafje werd een korte galop en daarna een volle draf. Solomon werd er opgewekt van. Die prikkelende och-tendlucht, de geur en de cadans van zijn ossen in de draf, dat was toch waar-voor hij leefde.

De maan had bijna haar volle stand bereikt en stond laag aan de hemel. Ze hadden waarschijnlijk nog anderhalf uur voordat het dag zou zijn. Een paar kilo-meter verder zwenkten ze van de hoofdweg af een zandpad op. Tijdens de re-gens zou dit pad een verraderlijk moeras worden, maar nu lag het zand er zacht en fijn als rijstebloem bij en de wagen liet in het voorbijgaan een lange bruine sliert achter in de bewegingloze lucht. Ze vorderden wel iets minder, maar gin-gen ook weer niet zo heel veel langzamer; de ossen kenden de weg en hadden weinig aanmoediging nodig om de pas erin te houden. Ze schoten langs afgelegen lemen huisjes met een dakbedekking van palmbladeren, liepen met een vaart door slapende dorpjes en nog altijd onder het bleke schijnsel van de maan.

Soms liep hun pad parallel aan de Chevathar, en het deed Solomon verdriet te zien hoe gebarsten en opgedroogd de bedding van de rivier was. Hij herinnerde zich de keer, nu bijna vijfentwintig jaar geleden, dat Joshua en hij besloten hadden de hele loop van de rivier tot aan haar oorsprong te volgen. Het moessonseizoen was net voorbij en ongeveer vijftien kilometer stroomopwaarts was de Chevathar een monsterlijk opgezwollen wild beest geworden, een en al onstuimigheid en geweld, omdat ze probeerde uit haar keurslijf te breken. Ze hadden hun tocht moeten onderbreken op een plek waar de rivier buiten haar oevers was getreden en de weg onbegaanbaar had gemaakt, en waren toen maar weer teruggegaan. Hoewel ze zichzelf hadden voorgenomen het later dat jaar nog eens te proberen, hadden ze dat nooit meer gedaan.

Terwijl de wagens voortratelden naast de sterk geslonken rivier, probeerde Solomon haar in gedachten te volgen tot aan de plek waar ze als een zijarm van de machtige Tamraparani ontsproot. Het was hun jongensdroom geweest helemaal tot aan de bovenloop van de Tamraparani zelf te lopen, waar die ontsprong op de hellingen van Agastya Malai, de berg waarop Agasthiar, de grote wijsgeer uit het noorden, zich had teruggetrokken nadat hij het Tamil-land zijn taal, grammatica en voldoende mythische verhalen en legenden had geschonken om meerdere generaties priesters, geleerden en schrijvers van stof te voorzien, en dan had je het nog niet eens over de *Kaveri*, die hij had losgelaten uit de begrenzing van zijn aarden kruik barstensvol water waardoor hele legers van demonen en antigoden, de *asura's*, bedwongen waren en hij had het water van de oceaan opgedronken om de goede goden, de *deva's*, in staat te stellen hun vijanden uit te roeien die onder de golven een schuilplaats hadden gezocht en, nog het allerbekendst, hij had de *Vindhya's* opgedragen niet verder te groeien totdat hij van zijn verblijf in het zuiden zou zijn teruggekeerd, wat natuurlijk nooit meer gebeurde. Joshua en Solomon waren van plan geweest de loop van de rivier vanaf haar oorsprong te volgen – die bij de zuidelijke Ghats naar beneden liep en dwars over de uitgestrekte Tinnevelly-vlakte zijn weg vervolgde tot aan de Golf van Mannar. Als een rivier van parels, en van *raja's* en *rishi's*, was de Tamraparani maar honderd kilometer lang, maar ze was vanaf de oudste tijden bezongen geweest en hecht verankerd in hun verbeeldingsleven. Net als de Chevathar natuurlijk. Een kleine rivier van maar veertig kilometer lengte, was ze bepaald niet in dezelfde mate bezongen en vereerd met dichterlijke verzen, mythische of bloemrijke reisverhalen, maar ze was toch maar mooi hun rivier en ze hadden het altijd betreurd dat ze de tocht nooit hadden kunnen voltooien. Misschien zou het hem toch nog eens lukken, vooral als Joshua terugkwam.

Het konvooi maakte een wending naar rechts om een hoop neergevallen stenen heen. De weg begon te stijgen, maar de nellores hadden weinig moeite met de klim omhoog en waren weldra boven aan de helling gekomen waar ze in een ruigere, minder beschaafde wereld kwamen en de dode velden met hun blonde stoppels van hooi en rijststengels plaatsmaakten voor acaciabomen met afgeplatte kruinen en voor verweerde uitlopers van gneis en graniet. De assistent-collecteur uit Ranivoor had Solomon eens gezegd dat de gesteenten in deze streek tot de oudste van de wereld behoorden. Wat een verhalen zouden die stille getuigen kunnen vertellen, bedacht hij. Het was nu zaak voorzichtig te zijn, omdat het karrenspoor bijna ophield en er lukraak brokken steen uit de grond omhoogstaken. Een wagen kon zomaar een wiel kwijtraken, of nog erger, een as. Ze gingen in een sukkeldrafje. Toen het daglicht de wereld binnenparelde, kwam er een dorp in zicht. Hier had een paar jaar geleden een korte felle schermutseling tussen kasten plaatsgevonden, waarin vier mensen waren omgekomen, maar het zag er nu best vredig uit. Ratelend reden ze erdoorheen en een kakofonie van geluiden begeleidde hen – omdat er tegelijk hanen kraaiden en honden blaften. Enkele dorpelingen die uit hun huisjes te voorschijn kwamen, keken zwijgend toe hoe de drie wagens passeerden. En toen waren ze er alweer doorheen.

Recht voor hen verrees het woud van palmyra's, de hoge kaarsrechte palmen met kuiven als kokardes. Vijfendertig hectare grondgebied die de basis vormde van het fortuin van de Dorais. Overal om hen heen straalde het land een dieprode gloed uit alsof de felle hitte van de zomer tot diep in de aarde was doorgedrongen en daar voorgoed zijn intrek had genomen.

Een gladgepolijste lucht van karmozijnrood en roze hing laag over het woud van palmyrabomen; iets lager, bedacht Solomon Dorai, en de stekelige toppen van de bomen zouden gaten prikken in de gladde koepel erboven. De toddytappers waren al aan het werk, want zij konden hun bomen niet onverzorgd laten staan, ook niet voor even, omdat in de hete zomer en moessonmaanden het sap bleef vloeien. Hij kwam van zijn wagen en keek toe hoe een arbeider in een palm begon te klimmen. De man, kort, pezig en bijna net zo donker als de stam van de palm, legde een korte touwlus om zijn voeten en vond met een sprongetje houvast in de ruwe, geschubde bast met die steun voor zijn voetzolen en zijn krachtige armen waarop de spieren glansden als zijde. Hij hield zich stevig aan de boom vast en schoot met een paar soepele sprongetjes rap na elkaar steeds verder omhoog, en hij bewoog zich net zo snel als iemand die op de begane grond loopt. Boven in de top stak hij zijn hand uit naar de vlezige bloemen en maakte met een klein krom mesje dat hij bij zich had een fijn sneetje in de bloeischede. Uit de plooien van zijn lungi, het enige kledingstuk dat hij droeg, haalde hij een kleine lemen pot te voorschijn. Die bevestigde hij onder de bloeischede en toen klom hij weer naar beneden. Iedere dag dat het sap vloeide zou de boom drie tot vier liter zoete toddy opleveren. Die kostbare 'goddelijke nectar' zouden ze laten gisten om er de sterkedrank van het boerenland van te produceren waar de meeste dorpsbewoners het van moesten hebben, of het werd door de vrouwen in grote ketels gekookt en ingedikt om er heerlijke palmsuiker van te maken.

Een paar van de toddytappers herkenden Solomon en kwamen naar hem toe, terwijl ze hun tulband afdeden en om hun middel bonden en diep voor hem bogen. Een van hen riep iets en toen werd er eerbiedig een beker aan de thalaivar overhandigd die kunstig van een palmblad vervaardigd was. Weer een andere man kwam met een pot vers getapte toddy aan, ongefermenteerd en zoet, en goot die in de beker. Solomon bracht hem naar zijn lippen en nam een flinke slok. De smaak op zijn tong was verpletterend. Terwijl hij zich met de tappers onderhield, nam hij nog een beker in ontvangst. Het sap vloeide uitbundig dit jaar, zeiden ze, maar als de regens uitbleven waren ze niet zo zeker van de volgende oogst. De palmyra was wel een taaie palm (een absolute vereiste voor alles wat maar wilde gedijen in de onvruchtbare ruige grond van de rode teri-vlakte), die haar wortels tot tien meter diep de grond in dreef om water te vinden, maar ze had toch ook regen nodig.

Met ongelijke tussenpozen flitste er rood tussen de palmen, vuurtjes die knipoogden; dat moesten de vrouwen zijn die het sap kookten om er palmsuiker van te maken. Zover het oog reikte was dit het beeld dat al die hectaren land de toeschouwer boden: slecht geklede mannen die in bomen klommen, en vrouwen die ze op de grond bijstonden. Klimmen in reusachtige palmyrabomen was moeilijk en gevaarlijk werk en een val veroorzaakte vaak ernstige blessures. Soms waren de klauteraars op slag dood. Deze waren, van al Solomons mensen, er het slechtst aan toe, omdat ze tijdens het oogstseizoen ver van hun dorpen woonden in kleine tijdelijke hutjes van leem en stro, maar nu zag het ernaar uit dat zij degenen zouden zijn die hem zouden helpen het seizoen door te komen dat opnieuw karigheid beloofde.

Solomon bracht een paar uur door in het palmyra-woud; toen vertrok hij naar zijn noordelijkste bezittingen, ruim een halve dagreis verder. Omstreeks het middaguur liep de route van het konvooi weer langs de rivier. Nu vormde de Chevathar poelen onder hoge rotsen die uit de stenige grond oprezen. Een grove dam die Solomon tien jaar geleden had laten aanleggen, had een langwerpige plas met stilstaand water doen ontstaan van minstens twee meter diep. Een groepje goudenregens hing over het water, de bungelende bloemtrossen een zee van goud.

Er had zich een kudde magere koeien in de schaduw van de bomen verzameld, waar ze rustig lagen te herkauwen. De jongens die erop pasten waren in de plas gaan zwemmen, als grote bruine kikkervissen. Zonder zich tijd te gunnen om na te denken beval Solomon de wagens te stoppen, trok zijn shirt en lungi uit en rende naar de rand van het water, waar hij met een enorme plons in het diepste gedeelte van de poel sprong. De jongens reageerden eerst wat geschrokken op de komst van die vreemde man in hun midden; toen spetterden ze, geheel onkundig van zijn verheven status, water in zijn gezicht, grinnikten en zwommen weg. Solomon poedelde rond in de plas en voelde zijn zorgen verdampen onder de krachtige zon en de koele aanraking van het water. Hij werd overstelpt door herinneringen uit zijn kinderjaren – hoe hij met de jongens van het dorp in de waterputten en vijvers had gezwommen en geprobeerd had met zijn blote handen de kleine kwikzilveren visjes te vangen; en hoe hij in de maanden na het oogstseizoen had meegedaan met worstelen en stokvechten. Het enige wat je nodig had, bedacht hij met een gevoel van innige voldoening, om deze man van middelbare leeftijd te laten dansen als een kind, was de juiste combinatie van omstandigheden. Na een poosje kwam hij het water uit om zich in de zon te laten drogen. Zijn voerlieden hadden onder de bomen een mat voor hem gespreid, een eindje bij de koeien vandaan. Solomon wilde juist gaan eten toen hem iets inviel en hij naar de hoofdvoerman, die al twintig jaar bij hem was, riep hem wat te brengen van hun eten in ruil voor het zijne. Hij overhandigde de kerrieschotel van rijst met schapenvlees en thoran die Charity voor hem had klaargemaakt en kreeg de met mangopickle aangemaakte hapjes rijst van hen. Het was het eten waar hij in zijn jonge jaren zo dol op was geweest, toen kaste, rang en stand hem nog niet zo onthecht had van de aarde waaraan hij ontsproten was.

De middag nam hem gaandeweg op in zijn magische betovering toen ze hun reis naar het noorden verder voortzetten. De ossen waren uitgerust en hielden er behoorlijk de pas in. Nog een paar uur door een ruige wildernis, bezaaid met stenen en gruis, en toen kwamen ze weer in het zicht van de bewoonde wereld en werden als altijd begroet door de wakkere dorpshonden met hun uitdagend geblaf. Er fladderden duiven voor hen langs over het pad, het grijsbruin van hun veren nauwelijks te onderscheiden van het omringende landschap. Solomon reikte achter in de wagen naar zijn jachtgeweer dat hij op deze tochten altijd bij zich had, en loste een paar schoten. De drie duifjes zouden straks lekker smaken bij zijn avondeten.

Laat in de avond bereikten ze een gebied met diepzwarte aarde. Nog ongeveer een halfuur en dan zouden ze op hun bestemming zijn. De voerlieden klakten met hun tong en gaven een ferme draai aan de staarten van de ossen die hun gang versnelden. Het landschap om hen heen was plat en de katoenvelden lagen verspreid naar alle kanten. Er vloog een troepje kraaien over, die ruwe zwarte sporen trokken over het glanzende dekschild van de lucht. Een paar minuten later reden ze door het dorp: zestien lemen huisjes met daken van palmbladen, aan weerszijden van een diep ingesleten karrenspoor. De woning van het dorpshoofd was iets groter dan de andere huisjes en van steen, maar lang niet zo groot als het bescheiden huis dat Solomon in het dorp bezat, een onderkomen met drie vertrekken dat met steen en metselspecie in elkaar was gezet. De welvaart die de bloei van de katoenteelt met zich mee had gebracht, had het aanzien van het dorp niet veranderd, want de opbrengsten waren karig gebleven door het gebrek aan regen. Hun komst was duidelijk niet verwacht en als een komeet kwam er een sleep snotterige kinderen, honden en leeglopers achter hun konvooi aan. Solomon reed regelrecht naar de woning van het dorpshoofd. Appa Andavar had zijn landheer helemaal niet verwacht en liep nonchalant gekleed rond in een vuile lungi. Hij sprong van het matje waarop hij zat en moffelde direct zijn beedi weg toen hij Solomon zag.

Het dorpshoofd maakte zich ernstige zorgen over nog een jaar zonder regen – hoe moest hij zijn dorpelingen en zichzelf in leven houden als de oogst karig was? Solomon probeerde hem zoveel mogelijk gerust te stellen. Het was een Andavar-dorp en het dorpshoofd had gehoord van de verkrachting van het Andavar-meisje, alleen waren in zijn versie zeventien vrouwen door een bende Vedhars en Marudars overvallen. Solomon zei dat de zaak zijn persoonlijke belangstelling had en dat er geen aanleiding was zich zorgen te maken. Er werd een geit geslacht voordat Solomon zelfs maar een protest kon laten horen – de dorpelingen moesten nu eenmaal de vereiste gastvrijheid betonen tegenover een geëerde gast. Na een poosje zat hij samen met het dorpshoofd en de andere dorpsoudsten voor een sobere te scherp met kurkuma gekruide kerrieschotel van rijst met geitenvlees. De duifjes die hij had buitgemaakt, waren wel gebraden maar niet te eten, en zijn waardering voor de culinaire vaardigheden in het huishouden van appa Andavar daalde. Hij sloeg beleefd de toddy af, hoewel hij wist dat dit voor de anderen inhield dat ze ook niet konden drinken, omdat hij zich plotseling heel vermoeid voelde en met een helder hoofd wakker wilde worden.

Hij ging heel vroeg naar bed. Het huis was vanbinnen snikheet en stikbenauwd en hij sleepte zijn mat naar buiten om ermee op de stenen stoep te gaan liggen. De maan, bijna volmaakt rond, hing vastgespeld aan een fluwelen uitspansel; hij draaide zich op zijn zij en keek dwars door het valse geschitter naar de verten van de nacht erachter waarin de sterren schuimden als een glinsterende branding; zo nu en dan bracht een streep zilver flitsend en geruisloos een litteken aan op het onyxen fond. Hij had zich in lange, lange tijd niet zo ontspannen gevoeld. Dromend van de lange bloemslierten in de goudenregens die het kerkje bij de zee verlichtten, viel hij in slaap. De padre had Vakeel Perumals gezicht gekregen en probeerde hem iets dringends mede te delen, maar hij was te vermoeid om er aandacht aan te schenken. Toen sliep hij.

17

Als zijn werk gedaan was, probeerde Father Ashworth in de regel tegen zonsondergang naar het strand af te dalen om er het spel van de strandkrabben gade te slaan. Ragfijn en ijl als levenloze schimmetjes vluchtten ze voor de aankomende hoge golven uit en hielden zich dan stil als het zeewater wegebde, om op de volgende vloedgolf te wachten. De golven schonken geen aandacht aan de dans van de strandkrabben. Die verzamelden zich en stortten zich hals over kop het strand op, bleven een tijdje op het blinkend witte zand liggen en trokken zich dan afhankelijk van tijdstip, getij of weer, snel of langzaam terug.

Deze keer, terwijl hij stond toe te kijken hoe de krabben met de golven stoeiden, werd de padre er beschouwelijk van. Zijn ogen volgden de beweging van het vloedwater dat over het strand aanspoelde en weer wegtrok. Indringers waren net zo, bedacht hij. Precies zo als de golven de kustlijn veranderden, zo gebeurde dat ook met veroveraars. Ze bleven misschien maar een korte tijd, of langer dan ze welkom waren, maar lang na hun verdwijnen bleven de sporen van hun aanwezigheid nog zichtbaar. Hij had geen idee hoeveel langer zijn eigen mensen nog in dit land zouden blijven; hij dacht niet voor altijd, maar ze hadden zeker al hun stempel gezet. Een van de dingen waarop ze invloed hadden gehad was het tijdsbegrip.

Toen hij pas hier was, had het hem gefascineerd erachter te komen hoe de hindoes de tijd ordenden – hun geloof dat het heelal een eeuwigdurende cyclus doorliep van schepping en vernietiging. Iedere cyclus was gelijk aan honderd jaar in het leven van de schepper Brahma, en aan het eind van een cyclus werd tegelijk met Brahma het ganse heelal vernietigd in een grote wereldbrand. Dan volgden honderd jaren van chaos, waarna er een nieuwe Brahma opstond en de cyclus opnieuw begon. Binnen deze hoofdcyclus waren veel onderverdelingen. Een daarvan kwam overeen met een dag in het leven van Brahma en stond gelijk aan 4320 miljoen jaren op aarde. Zodra de god opstond, werd de wereld geschapen; wanneer hij zich te rusten legde, werd deze vernietigd. Elke dag van Brahma was verder in duizend Mahayugas of Grote Tijdperken verdeeld, die op hun beurt weer verder waren verdeeld in Jugas – het Krita, Treta, Dwapara, Kali en Kaliyuga waren begonnen op 18 februari 3102 v.Chr. en zouden 432.000 jaren duren. Deze opvatting had hem feitelijk doen inzien hoe veelomvattend het karakter van tijd was in zijn adoptieland.

Maar de dingen waren aan het veranderen. Het cyclische karakter van tijd moest nu wedijveren met het lineaire en het solaire. En soms kwam het hem voor dat de oude manier waarop men tijd beleefde het ging afleggen. Welke andere uitleg kon je geven aan het feit dat 1899 in veel delen van dit land met evenveel akelige voorgevoelens en hysterie werd begroet als elders op de planeet?

De overpeinzingen van Father Ashworth kwamen niet zomaar uit de lucht vallen. In dit subcontinent waar lichtgeraakte goden en boosaardige planeten bij de feiten van het dagelijkse leven hoorden, hoefde het niet zo lang te duren voor uitheems bijgeloof wortel schoot. Het einde van de negentiende eeuw volgens de berekening van de Gregoriaanse kalender begon ondraaglijk zwaar te drukken op wat er in het bewuste en onderbewuste van grote aantallen mensen leefde. Welke noodlottige machten stonden op het punt zich in de twintigste eeuw te ontladen?

Rituelen en festivals werden naarmate de nieuwe eeuw dichterbij kwam met extra nauwgezetheid en vroomheid nageleefd. Priesters en astrologen hadden daar baat bij, maar de meeste anderen niet. De atmosfeer in het land werd kil en kribbig. Een lont was het enige wat er nog aan ontbrak. Op het laatst waren er meerdere tegelijk. Rellen breidden zich als een lopend vuurtje over het zuiden uit, ontsproten aan de gebieden met donkere aarde en laaiden hoog op rond de grote graanschuren van de Cauvery en de Vaigai en in de luwte van de blauwe bergen die het gouvernement rondom begrensden. Kilanad en het aangrenzende district Tinnevelly waren de twee ergst getroffen gebieden. Er was al een kastenstrijd geweest tussen Andavars en Thevars in een dorp dicht bij Melur, de hoofdstad van Kilanad. Toen de hitte van de zomer erger werd, kwamen er meldingen dat een van de grootste brandhaarden die de regio ooit gekend had in Sivakasi zou komen te liggen, waar de Nadars en de Maravars, die al decennia lang met elkaar slaags raakten, zich voorbereidden op een laatste beslissende krachtmeting.

Collecteur Hall in Kilanad en zijn tegenhanger in Tinnevelly waren mannen met grote zorgen, net als hun collega's elders in de provincie die vreesden dat het virus zich zou verspreiden naar hun eigen districten. Hun bezorgdheid werd overgebracht aan de gouverneur van het rijk die een vergadering van zijn presidentiële bestuursraad bijeenriep. Na een zitting van twee dagen en twee nachten in Madras deed de Raad proclamaties, boodschappen en dringende bevelen uitgaan naar vertegenwoordigers van Hare Majesteit de koningin. Ze werden per telegraaf, koerier en post door de districten verspreid.

Op 17 mei 1899 schreef de *Hindu* in zijn hoofdartikel: 'Het is de plicht van Harer Majesteits vertegenwoordiger de situatie onmiddellijk veilig te stellen voordat ze uit de hand dreigt te lopen.' Die aflevering van de krant bereikte een week later de Sint-Paul's zendingspost in Chevathar, waar Father Ashforth het artikel van de hoofdredacteur las en zuchtte. Waar zouden de dingen in 's hemelsnaam op uitlopen? Maar hij had niet veel tijd om lang over de kwalen van de wereld na te denken want nadat er veel was tussengekomen, zou Peter Jezus Perumal overmorgen gedoopt worden, samen met zijn hele familie. Er was nog iets wat de padre bezighield. Zijn nieuwste bekeerling had hem na een bijzonder lange bijbelsessie een verzoek gedaan. Onder de koffie en murukku had hij gezegd dat hij, net als de meeste anderen in het dorp, voor de godsdienstoefening in huis graag een eigen godsbeeld zou hebben, hoewel hij zich ervan bewust was dat het christendom afgodendienst verbood. Hij wilde echter, anders dan de anderen die vrijwel zonder uitzondering een verre aartsvader of een vooraanstaand familielid vereerden of een lokale godheid die hun goedgezind was geweest, een klein altaar oprichten voor Jezus Christus, de aartsvader van het heelal. Dat was hoogst ongebruikelijk, wist hij, maar hij was zo volledig in de ban geraakt van zijn nieuwe geloof dat hij het de hele wereld wilde laten weten.

De oprechtheid en toewijding van de advocaat had de eerwaarde geleidelijk aan overtuigd. Er was toch zeker niets mis met een christen uit Chevathar die zijn eigen altaartje had voor de eredienst? Het was in Europa en andere christelijke landen heel gewoon. Hij had Vakeel Perumal een lithoprent van Christus gegeven, en de advocaat zei dat hij een kruis zou laten uitsnijden en op het altaar plaatsen. Hij vroeg Father Ashforth nederig het te willen inwijden en hij hoopte dat het klaar zou zijn voor de doopplechtigheid. De eerwaarde had toegestemd, en meteen bedacht hoe verbaasd Solomon zou zijn over de grote vroomheid van de nieuwe bekeerling. Als dit hem niet over zijn bezwaren tegen de jongste leden van de Sint-Paul's gemeente heen zou tillen, zou niets dat kunnen doen.

Behalve de familie Perumal was er niemand anders aanwezig bij de doopplechtigheid in de kerk dan het dorpshoofd. Toen het voorbij was, begaven ze zich naar het altaar van de advocaat. Een paar mensen stond hen daar op te wachten. Een constructie van steen en aarde van ruim een meter hoog waarin een holte was gemaakt, stond in de schaduw van een hoge overhangende banyanboom, pal tegenover het huis van de advocaat. In de holte was de litho van Jezus met zorg opgehangen en in nisjes stonden lichtjes klaar om te worden aangestoken. Father Ashworth besefte dat het bouwseltje anders was dan de honderden altaren die overal in het landschap stonden en glimlachte waarderend. Hoe prachtig was de Heer opgenomen in de bodem van dit oeroude en vrome land. Hij begon aan de wijdingsceremonie. Even later beëindigde hij de plechtigheid met een kort gebed. Toen de gebogen hoofden weer omhoog kwamen, werden ze omgeven door de ochtendgeluiden van het dorp: eekhorens en duiven die boven hen krijsend en kirrend tekeergingen in hun gevecht om de al rijpende robijnkleurige vruchten van de banyanboom, en een groepje kraaien een eind verderop die krassend door de lucht cirkelden. Father Ashworth maakte het kruisteken en zegende alle aanwezigen. P.J. Perumal had nu een altaar voor zijn familie alleen.

18

Op de avond van het vollemaansfeest Chitra Purina is het uiterste puntje van het Indiase schiereiland, waar de maagdelijke godin Kanyakumari verblijf houdt, getuige van een opmerkelijk schouwspel. Voor de ogen van duizenden aanhangers die zich verdringen op het gestreepte strand met banen van rood, wit en zwart zand, duikt de zon onder op de plek waar de drie zeeën bij elkaar komen en kleurt het water er bloedrood. Op hetzelfde moment komt de maan op, koel en sprankelend. Vuur en vrieskou, de beide kanten van God. De plaatselijke bewoners zeggen dat het verschijnsel uniek is. Maar in een tiental dorpen noordelijker aan de Coromandelkust lacht men spottend om die bewering. Dorpelingen in die gebieden gaan niet naar Kaap Comorin om Chitra Purina te vieren. Ze verdringen elkaar op hun eigen strand, en elk dorp gaat er prat op dat het schoonste zand ligt op dat van hen en dat het zicht daar het beste is.

Dit zou de laatste keer zijn dat Subramania Sastrigal, de pujari van de Murugan-tempel, het festival zou celebreren. Met zijn zevenenzeventig jaar was mediteren over het barmhartige aangezicht van God het enige wat hij daarna nog zonder onderbreking wilde doen: Subrahmanyom! Subrahmanyom! Subrahmanyom! Zijn zoon, Swaminathan, had hem nu elf jaar lang bij alle rituelen geholpen en vanaf het volgend jaar zou hij het alleen gaan doen.

Twee dagen en drie nachten achter elkaar met slechts een paar heel korte onderbrekingen was de *udakkai*-drum, het gezang van tempelgangers en priesters en het geklingel van de tempelklok te horen geweest. De lofprijzingen voor de heer Murugan in Chevathar waren vermaard en trokken bezoekers vanuit het hele district. Vandaag was de dag dat de godsvervulden de processie van de heer van de rivier naar de tempel zouden leiden. Hun route zou door het dorp gaan, zodat iedere gelovige die er getuige van was dat de heer een menselijke gedaante aannam, verzekerd zou zijn van zegeningen.

De eerste keer dat Father Ashforth de godsvervulden zag, hun lichamen met speren en metalen haken, zogenaamde *alaku*, doorboord, had hij zich heel akelig gevoeld. Daarna geboeid. Het was de meest zichtbare demonstratie van geloof in actie die hij gezien had en hij was altijd weer erg onder de indruk. Hij wist dat niet iedereen er zo over dacht en zorgde ervoor zijn medebroeders bij het Murugan-festival vandaan te houden. Maar zeventien jaar na de eerste confrontatie werd hij nog altijd gebiologeerd door de angstaanjagende gelukzaligheid der godsvervulden.

Op de drempel van de eeuw was het aantal mensen dat behoefte had aan de geruststelling van de barmhartige heer spectaculair toegenomen, dus zouden veertien mannen dit jaar alaku dragen. Ze hadden twee weken in een staat van rituele reinheid doorgebracht, hetgeen onthouding van seks, en sterker nog van het gezelschap van anderen inhield, zodat ze al hun tijd konden besteden aan absolute concentratie op de heer. Nu stonden deze veertien in het middelpunt van de aandacht op de oevers van de Chevathar. Alle mannen uit het dorp waren aanwezig, en een paar oude vrouwen (jongere vrouwen werden ritueel onrein geacht). Er was een abnormaal grote hoeveelheid bezoekers, misschien wel een dertig- of veertigtal mensen.

Subramania Sastrigal stond recht voor de veertien mensen en hief lofzangen ter ere van Muruga aan terwijl naast hem zijn zoon ritmische roffels sloeg op de udakkai. De speciaal opgeleide spietser voor de alaku die om deze tijd van het jaar altijd langskwam, stond al klaar. De zon klom al behoorlijk hoog en het gezang van de gewijde incantaties en de doffe dreun van de udakkai hadden zich met elkaar verstrengeld in de van hitte verzadigde lucht tot een soort glazen kathedraal van klanken waarin de veertien mannen als verstard rechtop stonden en geleidelijk in trance raakten. Toen begonnen de benen te trillen bij een man in het midden van de groep en kort daarop trokken er golven van vervoering omhoog door zijn lichaam. Subramania Sastrigal gaf de spietser en zijn helpers een teken om met hun werk te beginnen. Zonder tijd te verliezen pakte de spietser, een man van middelbare leeftijd uit Melur, een twee meter lange speer en liep ermee naar de gelovige. Zijn helpers hielden ieder een arm vast waardoor de gelovige rechtop en onbeweeglijk bleef staan. De spietser drukte de wangen van de man in waardoor zijn mond open en dicht ging als van een goudvis. Toen prikte hij de punt van de speer die hij voor de wang van de gelovige hield, er snel en precies doorheen. Hij duwde de speer met bladvormig uiteinde dwars door de andere wang naar buiten, zodat ze mooi in balans bleef hangen. Tijdens de hele procedure had de gelovige zijn ogen open en vertoonde geen tekenen van ongemak en er was ook geen bloed te zien. En nu maakten al zes mannen schokbewegingen omdat ze in trance raakten. Er zouden nog vier van hen met speren doorboord worden en één zou de wagen van de heer door de processiestraten naar de tempel trekken. De andere acht zouden gespietst worden met haken, versierd met bloemen en limoenen en pakjes gewijde as.

De spietser en zijn helpers werkten snel. Een van degenen die met een speer doorboord had willen worden, was niet in trance gekomen, wat werd toegeschreven aan het feit dat hij niet vroom genoeg was geweest of misschien het slachtoffer geworden was van iemands boze oog. Zes hakendragers (twee waren ongeschikt bevonden) kregen glinsterende metalen klauwhaken door hun vlees geregen. Eén man kreeg haken door de huid op zijn rug en werd vastgemaakt aan de kleine houten wagen waarop een voorstelling in klei van de heer rustte. De processie was nu klaar om zich in beweging te zetten. De menigte was opgetogen. Elf mannen waren door de godheid bezocht, meer dan ooit voorzover zij zich konden herinneren. Dat was voldoende bewijs dat Vel Murugan gunstig neerzag op zijn gelovigen.

De in trance gebrachte gelovigen, zwaar gelauwerd met kransen van bloemen en met vibhuti ingesmeerd, met ontblote borst en slechts gekleed in schone witte veshti's, leidden de processie. Ze gingen eerst naar het Vedhar-gebied waar ze stilstonden voor Muthu Vedhars huis. Hier waste Muthu's vrouw, Saraswati, hun voeten, knielde vervolgens neer en drukte haar voorhoofd tegen de drassige grond. Aan de priesters werden dienbladen uitgedeeld waarop *agarbattis* lagen, bananen, kokosnoten en andere traditionele offerandes. Met een snelle beweging van het hakmes dat hem was overhandigd, kliefde Swaminathan een kokosnoot doormidden en gaf die weer terug aan de familie; het dienblad werd met een zwierig gebaar een van de gelovigen voorgehouden en vervolgens, na verandering in een heilige *prasadam*, teruggegeven aan Muthu Vedhars familie. Een vrouw fluisterde bezorgd in het oor van Kathiresa Marudar, de gelovige die de wagen voorttrok, dat haar zoontje ernstig ziek was. 'Wees niet bezorgd. De heer is met u en uw familie. Hij zal voor uw zoon zorgen.' Hij deed wat vibhuti op haar handpalm die ze uitsmeerde tot een brede streep over haar voorhoofd. Langzaam trok de processie verder door de nauwe straat en de vrouwen in ieder huis verrichtten de eredienst voor de godsvervulden zoals Saraswati Vedhar dat had gedaan.

Father Ashworth was in geen tien jaar meer naar de oever van de rivier gegaan om de processie voorbij te zien trekken omdat hij liever naar Anaikal wandelde en daar de mensen hun laatste stukje weg naar de tempel zag afleggen. Solomon had zich de laatste jaren op dit uitkijkpunt bij hem gevoegd. De eerwaarde besloot naar het huis van het dorpshoofd te lopen zodat ze samen naar de processie konden gaan kijken.

Solomon zat op de veranda op hem te wachten en op hun dooie gemak kuierden ze de weg af. Toen ze na de bocht op de plek aankwamen waar de weg zich om Anaikal heen slingerde, bleven ze stokstijf staan. Tegelijk hadden ze het obstakel gezien dat de weg blokkeerde. Verstijfd en als aan de grond genageld namen ze langzaam in zich op wat ze voor zich zagen en begonnen toen als één man hard te rennen. Angst en bezorgdheid joegen Father Ashworth sneller dan hij ooit voor mogelijk had gehouden over de ongeveer vijftig meter die hij te gaan had. De dag daarvoor was dit bouwsel er nog niet geweest. De tijdelijke pandal van stro en bamboepalen die in de nacht moest zijn opgetrokken en aan drie kanten begrensd was, liep van Vakeel Perumals kleine altaar aan de ene kant van de weg naar diens huis aan de overkant en versperde de doorgang voor eenieder die er gebruik van wilde maken. Met langzaam dagende ontzetting begon Father Ashworth in te zien waarom het nieuwste lid van zijn kudde zich zo gretig had laten bekeren. Solomon had de pandal al bereikt. Het zag ernaar uit dat ze te laat waren. Boze stemmen schetterden door de lucht. Ze glipten nog net op tijd om de pandal heen om Muthu Vedhars enorme gestalte te zien inhouwen op Vakeel Perumal. Een paar handlangers van de advocaat probeerden hem te hulp te komen, maar Muthu maaide ze opzij en wilde net uithalen naar de gevloerde figuur die languit voor hem lag, toen hij gestopt werd door een dwingend bevel van Solomon.

Achter de kleine opstopping van mensen was de grote Chitra Purina-processie knarsend tot stilstand gekomen. Het was absoluut zaak dat Solomon onmiddellijk tot actie overging.

'Maak je niet druk om die vlegel, dat handel ik wel af!' riep Solomon uit.

In plaats van blij te zijn met bemiddelingsaanbod van de thalaivar, de beste kans om de lont uit het kruitvat te halen, verloor Muthu zijn zelfbeheersing.

'Smerige pariahond van de onderkaste, ik ga jou en dat ontaarde volk van je vermorzelen, of ik heet geen Muthu Vedhar,' zei de reusachtige mirasidar dreigend. Hij spuwde naar de thalaivar. De tijd tikte als versteend door. Het spuug werd langzaam in Solomons overhemd opgenomen. Niemand verroerde zich tot Muthu, bezeten door krachten die zich al lange tijd verzamelden, zich met een enorme brul op Solomon stortte.

Muthu had hem er bijna onder met één voet boven op hem en hij was in uitstekende vorm, maar Solomon was ook geen doetje, en terwijl zijn tegenstander hard op hem bleef drukken, glipte hij onder hem vandaan en gaf hem en passant, leek het wel, een pets om de oren. Door zijn eigen gewicht en dat extra tikje van Solomon sloeg Muthu voorover met zijn gezicht tegen de weg. En meteen zat Solomon boven op hem en hield hem in een stevigte houdgreep dicht tegen de grond. Toen zei hij zachtjes in het oor van de ander: 'Smerige dikke buffel die je bent, al die jaren heb ik jou en die andere jakhalzen die voor je werken geduld omdat ik de lieve vrede wilde bewaren. Je hebt me voor het hele dorp te kijk gezet en daarvoor zul je boeten. Ik geef jou en al die lieden die je trouw verplicht zijn een maand om te verdwijnen. Als je rond Vaikashi nog niet weg bent, zal ik er persoonlijk voor zorgen dat je spijt hebt ooit uit die hoerenschoot van je moeder te zijn gekomen.'

Muthu beet terug, zijn mond vol scherp zand en gruis en vernedering: 'Ik zei dat ik je zou vermorzelen en dat zal gebeuren ook. Niet ik ga dit dorp uit, maar jij en je stinkende familie en anders gaan jullie er allemaal aan.'

'We zullen zien wie hier weggaat en wie er een feestmaal wordt voor de kraaien en jakhalzen.'

Alles gebeurde zo snel dat er geen kans bestond ertussen te komen, al had iemand het geprobeerd. Solomon liet zijn tegenstander los, stond op en liep zonder achterom te kijken op Vakeel Perumal af die naast de pandal stond. Zonder een woord gaf de thalaivar de advocaat een harde klap in het gezicht. 'Jij bent een schande voor onze kaste en voor je dorp. Jij en je gezin moeten hier tegen zonsondergang weg zijn of ik zal je uit het dorp laten smijten.' Solomon gebaarde naar een paar mensen in de menigte die achter de vrome godsvervulden aan liepen om te komen helpen met het afbreken van de pandal.

Toen die stukgetrokken op de grond lag, nodigde hij de priesters en processiegangers minzaam uit verder te gaan met het festival. De drums begonnen weer te roffelen en de aan speren en haken gespietste gelovigen en alle anderen van de processie, inclusief een gemelijke Muthu Vedhar, schoven voorzichtig voor het altaar langs en vervolgden hun weg naar de Murugan-tempel.

Die avond daalde Father Ashworth voor de eerste keer sinds hij in Chevathar gekomen was, niet af naar het strand om de heroïsche verrijzenis van de volle maan van Chitra Purina te aanschouwen, omdat hij er deze keer liever vanuit de veilige beslotenheid van de zendingspost naar keek. Het handgemeen van die ochtend had anderen ook angst ingeboezemd, want de feestgangers op het strand waren schaars in getal. Alleen het schouwspel stelde niet teleur. Toen de zon wegdook in de wijde keel van de oceaan, kwam de maan op en hing als een kunstig stuk reuzenspeelgoed aan het roestige firmament.

19

De zomer begon dat jaar vroeg in Chevathar. Vanaf 's ochtends heel vroeg liet het dode witte oog van de zon de lucht en de vlakte glazig schitteren van de hitte en bleef gloeien totdat ze in brand stonden. En dan begon er een schroeiende wind, die plaatselijk bekendstond als de vuurwind, van de teri-woestijn op te steken en die bracht zo veel stof en hitte mee dat je nauwelijks kon ademhalen. Halverwege de ochtend begon iedere boom, rots of gebouw een eigen leven te leiden en op het licht te dansen en te sidderen in die loden atmosfeer van verzengende hitte, en dat was dan het enige wat bewoog zover het oog reikte. Zelfs de kleine groepjes geiten zochten verkoeling waar ze maar konden en lagen voor driekwart in de viezige poeltjes van de geslonken rivier of verschuilden zich in de schaduwen tussen de bomen. Het enige wat in het door de zon geteisterde landschap bewoog waren de teerzwarte schorpioenen en de lange rode en zwarte mieren die met hun beten een volwassen man tot tranen konden brengen.

De korte nachten boden weinig soelaas omdat de ijzer- en aluminiumrijke grond en de stenige uitlopers van gneis en zandsteen de hitte weer vrij lieten die ze overdag in de roerloze verzengende atmosfeer hadden opgenomen. En vervolgens, tegen zes uur in de ochtend, liet de zon zich weer in volle glorie zien.

Dipty Vedhar bracht een groot deel van de maand mei door met heen en weer pendelen tussen Muthu en Solomon om te proberen de beide mannen

vrede te laten sluiten. Tot zijn grote opluchting kwam en verstreek de tijdsli-
miet van een maand die Solomon had genoemd. Het hielp dat Vakeel Perumal
algauw na Chitra Purina uit Chevathar verdwenen was en sindsdien niet meer
was gezien. Father Ashworth had het zijne gedaan om het dorpshoofd over te
halen zijn dreigement niet uit te voeren en hij was net zo blij als de assistent-
tahsildar dat het verwachte gevecht niet plaatsvond.

Toen, op 6 juni 1899, werd de stad Sivakasi in het aangrenzende district geteisterd door de ergste rellen die het gouvernement ooit had gekend. En in
Chevathar namen de spanningen weer toe.

Muthu Vedhar stuurde Solomon Dorai een ultimatum. Hij moest het dorp op
15 juni tegen zonsondergang verlaten, anders zou hij de wraak van de Vedhars
over zich heen krijgen. Solomons antwoord bestond eruit de man die de boodschap overbracht zo af te rammelen dat hij nauwelijks meer op zijn benen kon
staan. Toen kreeg de boodschapper te horen dat hij dat ultimatum maar aan zijn
meester moest herhalen met een kleine wijziging:– als Muthu na 15 juni nog in
Chevathar was, zou hij er spijt van krijgen.

Dat was de reactie die Muthu verwacht had en hij begon voorbereidingen te
treffen. Naar de verschillende kastengroepen die op zijn hand waren in naburige dorpen – de Marudars, de Pallanen, de Thevars – stuurde hij geheime
boodschappers met het verzoek om naar hem toe te komen en zich bij hem aan
te sluiten. Hij beloofde hun land en porties van de buit. Muthu had ook een
stormachtige ontmoeting met zijn groepsverwant, Dipty Vedhar. Als de assistent-tahsildar niet deed wat hem werd opgedragen, zou hem hetzelfde lot
ten deel vallen als het dorpshoofd van Chevathar!

In Melur was collecteur Hall juist teruggekeerd van een inspectietocht naar een
dwarsliggend dorp toen hij van de bisschop een dringende boodschap kreeg
waarin stond dat hij van het dorpshoofd van de zendingspost Chevathar had gehoord dat er een kastenstrijd in het dorp zou uitbreken, even desastreus als die
in Sivakasi, wanneer de autoriteiten niet meteen ingrepen. Vergezeld door de
hoofdinspecteur van politie in het district, ging Hall met een paar agenten en
bedienden meteen op weg. Maar na een derde van de weg naar Chevathar werd
zijn gezelschap opgehouden door een enorme sleep ossenwagens die om de een
of andere reden op de nauwe weg tot stilstand was gekomen.

Nathaniël Hall, een lange magere man met rare huidvlekken in zijn gezicht,
zat kokend van woede op zijn paard. Aan weerszijden van de weg staken scherpe
uitlopers van gneis omhoog die hen beletten om de hindernis heen te trekken.
De hoofdinspecteur van politie stuurde een paar mannen vooruit om te probe-

ren de zaken vlot te trekken. De hitte was enorm. Zweet droop van Halls nek in zijn kraag; zweet liep in grote onooglijke vlekken uit over de achterkant van zijn kaki overhemd en onder zijn oksels, en het parelde op zijn gezicht. God, wat haatte hij dit land! En dan te bedenken dat hij er al zeven jaar op had zitten en van vrijwel iedere minuut walgde. Wat haatte hij de hitte, de vliegen, de donkere lelijke mensen, zijn werk en zijn collega's. Er bleef een vlieg om zijn gezicht zoemen die er toen maar zachtjes op landde. Hall veegde haar woedend weg. Net op dat moment tilde de koe voor hem haar staart omhoog en liet een snelle opeenvolging van groenbruine mest lopen. De stank sloeg hem in zijn neusgaten en het restje zelfbeheersing dat hij nog had, was nu uit hem verdwenen. Hij draaide zich om naar de twee Indische agenten die achter hem reden en beet hen toe: 'Ik wil dat dit hier onmiddellijk in beweging komt. Schiet maar een of twee koeien dood, dan leren ze het wel.'

'Maar je schiet in India geen koeien dood,' zei Franklin, de hoofdinspecteur van politie, lijzig. Hij was een tengere man met zandkleurig haar die een kwart eeuw in India had doorgebracht en het ritme van het land in zich leek te hebben opgenomen; hij maakte niet zo gauw ruzie en men wist van hem dat hij bijna nooit zijn stem verhief. Maar het gerucht ging dat onder de bedaarde buitenkant een gigantische driftkop schuilde. Hall was op zijn hoede. Hij trok snel zijn bevel in.

Plotseling begonnen de ossenwagens in beweging te komen en Hall gaf zijn paard een zet naar voren. Chevathar was nog twee dagen rijden als je flink de vaart erin hield en Hall kon wel vloeken. Waarom moesten die inboorlingen in 's hemelsnaam de verste uithoek van zijn district uitzoeken om rellen te schoppen? En waarom moest die vadsige kwal van een gouverneur zich zo druk maken als er een paar honderd inlanders stierven? Ze gingen toch allemaal wel een keer dood! Overstromingen, droogte, hongersnood, ziekten, rellen tussen kasten dunden ze met tientallen tegelijk uit. En de dood was, als je er goed over na dacht, een beter alternatief voor de miserabele levens die ze leidden.

20

Ze stopten midden in een bos van hoge tamarinden om aan de felste hitte van de dag te ontkomen. De bedienden in de groep zetten voor de Engelsen klapstoelen uit en een tafeltje waarop ze de lunch uitstalden. Franklin was van nature zwijgzaam en Hall was niet in de stemming om veel te zeggen, dus het werd een stille maaltijd. Toen ze klaar waren, liepen de agenten met een jachtgeweer een stukje rond om te zien of ze iets voor het warme maal konden vinden en Hall bleef alleen met zijn gedachten achter. Er was geen blad dat bewoog en de hitte drukte zwaar op het land. De collecteur moest inwendig schamper lachen. Dus hier had hij die dertig jaar van zijn leven zo hard voor gewerkt, Alle woede, frustratie en ellende die zijn promotie hadden bewerkstelligd, waren hierop uitgedraaid!

Toen hij eindelijk bevorderd was tot collecteur van Kilanad, was Hall buiten zichzelf geweest van vreugde. Nu zou hij heer en meester worden over honderdduizend mensen in een district dat een kwart van Engeland besloeg. Maar het had niet lang geduurd of de ontgoocheling had toegeslagen. Melur, de hoofdstad van het district, was een gat, Kilanad stond niet erg bovenaan in het prioriteitenlijstje van het gouvernement en hij had weinig of niets gemeen met zijn Engelse collega's die er gestationeerd waren. Hij had het nu iets langer dan een jaar volgehouden maar het was een kwelling geweest. Het enige wat hem er nog van had weerhouden om alles op te geven en naar Engeland terug te kruipen, was de gedachte uiteindelijk dan toch nog gezwicht te zijn voor de nederlaag.

Op drieëntwintigjarige leeftijd had Hall, direct na zijn voorbereidingstijd voor de civiele dienst in India, de ics, in Oxford, een brief geschreven naar zijn vader, een predikant in een kleine parochie in Kent waar het acht maanden van het jaar miezerde van de regen. Het was een kort briefje geweest. Hij had daarin zijn familie vaarwel gezegd. 'Jullie zullen me niet meer terugzien want ik ben niet van plan ooit weer terug te keren naar Engeland, het land van jullie mislukking. Dat land ben ik niet van plan het mijne te laten zijn. Vaarwel, en dat jullie maar veel plezier mogen beleven van dat vervloekte thuisland van ons.'

Het was een lelijke brief geweest maar Hall had gedacht het juiste te doen. Zolang hij hier was, was hij niet één keer met verlof naar Engeland gegaan, ook niet voor een kort bezoekje; hij had geen zin het land te bezoeken dat hem naar zijn mening vernederd en bijna kapotgemaakt had.

Nathaniël weet het begin van zijn weerbarstige lotgevallen aan zijn geboorte in het trieste en arme gezin van de eerwaarde Austin Hall. Het was daarna alleen maar slecht gegaan: een ellendige jeugd, twee zusjes aan wie hij een hekel had gehad, een lagere school die hij verafschuwde. Hij had geen enkele vriend gemaakt op school en zijn onderwijzers mochten hem niet. Maar hij had zich met zo'n felheid en verbetenheid op het schoolwerk geworpen dat hij altijd de eerste van de klas werd en een beurs won voor Christ's Hospital waar hij zich dankbaar in het blauw en geel van het schooluniform had gestoken. Op die school had hij voor het eerst kennisgemaakt met India. Maar de verhalen over dappere heldendaden bij de opstand der Bengaalse troepen en in de frontlinies hadden slechts een vluchtige indruk nagelaten. Een paar weken nadat hij op Christ's Hospital was beland, zat hij dankzij het Engelse stelsel van rangen en standen alweer in het verdomhoekje. Beursscholieren werden beschouwd als niet helemaal pukka, en als je niet goed was in cricket of rugby, werd je onmiddellijk mikpunt van het soort subtiele pesterij die alleen schooljongens vermogen uit te denken. Bijna dagelijks herinnerd aan zijn tekorten stortte Hall zich andermaal wraakzuchtig op zijn boeken. Hij doorliep bijna de hele school als een van de besten van zijn klas, koning studie, en op zijn achttiende won hij een beurs voor de studie klassieke talen aan het Jezus College in Cambridge. Eigenlijk hadden die beroerde familieleden hem toen eens moeten zien, maar die eer gunde hij ze natuurlijk niet.

Helaas hadden ze in Cambridge ook niet zo'n hoge dunk van hem. Het rangen- en standenstelsel was daar zelfs nog erger. En toen flitste, bijna als een goddelijke ingeving, de gedachte aan India door hem heen. Het enorme prestige van de Indiase civiele dienst was nog altijd behoorlijk aanwezig, het was de best betaalde bureaucratie ter wereld en het kon hem een uitweg bieden uit Engeland. En het allerbeste ervan was dat het hem in staat zou stellen de baas te spelen over de inlanders, slaafse schepselen die de blanke man aanbaden. Nathaniël sloot het laatste semester van zijn studie heel goed af, maar nam geen risico. De civiele dienst was een paar jaar daarvoor opengesteld voor veelbelovende kandidaten uit de middenklasse en er had zich een hele schare begeleiders aangediend om stoomcursisten bij te staan die alles op alles zetten om te slagen voor het vergelijkende examen. Hall had van zomerbaantjes wat geld gespaard en reisde naar Londen om zich in te schrijven bij Wren's, een studiecentrum met een stoomcursus, en een hoog percentage succesvolle kandidaten die voor het schriftelijk examen slaagden. Hij haalde hoge cijfers, maar straalde bijna voor het mondeling. Op de standaardvraag 'Waarom wil je bij de civiele dienst?' had hij net een eerlijk antwoord kunnen inslikken: om geld te verdienen, om Engeland uit te kunnen, om over de inlanders de brute vlegel uit te hangen; een levenlang slinksheid om zijn kansen te benutten kwam hem net op tijd van pas. Hij liet zijn oren naar de examinatoren hangen en vertelde ze precies wat ze wilden horen: dat er veel werk te doen was in India en dat hij zijn bescheiden bijdrage wilde leveren in de roemrijke traditie van de Indiase civiele dienst. Hij was geslaagd.

Vervolgens kwam er het voorbereidende jaar in Oxford, waarin Nathaniël dapper worstelde om de fonetiek en de stelsels van recht en wetgeving onder de knie te krijgen, en de geschiedenis van het oude India, maar vreemd genoeg weinig te weten kwam over de geldende bestuursstructuur in dat land. De onbekende vakken lieten hem tamelijk koud – hij had zijn doel bereikt. Wanneer hij met hatelijke opmerkingen te maken kreeg zoals 'Cambridge is opgericht door mensen die in Oxford van school gestuurd zijn' of 'de man uit Cambridge loopt rond met een air alsof de wereld van hem is, terwijl de man uit Oxford rondloopt alsof het hem geen bal kan schelen van wie de wereld is,' reageerde hij niet. Hij zou die slome slapjanussen gauw genoeg achter zich laten en er bestond weinig kans dat hij ze in India zou opzoeken, waar een paar honderd miljoen mensen werden geregeerd door duizend man. Het enige wat hij lastig vond waren de paardrijlessen. Hij hield niet van de rug van het paard dat hij bereed, waar de botten zo scherp uitstaken. En iedere keer dat het paard voor een bepaalde springlat van vijf palen hoog kwam, remde het af of knalde ertegenaan, met alle rampzalige gevolgen voor de berijder vandien. Het obstakel kreeg prompt de bijnaam ics-springlat, en het was een geluk voor hem dat eroverheen springen geen voorwaarde was om zijn post in India te krijgen. Hij werd nooit meer dan een onverschillige ruiter, nog een reden om een hekel te hebben aan zijn baan.

De ontoereikendheid van zijn paardrijkunst zorgde voor opluchting wanneer er een einde kwam aan een lange rit en Hall was blij toen hij het schamele groepje smerige optrekjes zag die de buitenwijken van Ranivoor markeerden. Ze waren sinds de lunch goed opgeschoten, hoewel de hitte hen totaal futloos had gemaakt. Iedereen in het gezelschap verlangde naar een opfrissertje en wat eten en rust. Ze dreven hun paarden vlug door de volle straten. Eindelijk verlost van de herrie en viezigheid passeerden ze in korte galop een slordig geheel van gepleisterde bakstenen gebouwen waarin de kantoren gehuisvest waren van zowel de subcollecteur als van de man die direct onder hem stond, de ambtenaar van het subdistrict. Het voorlopige huis van bewaring, wit als een grafsteen in het krimpende licht, stond een paar honderd meter van de kantoren af.

Chris Cooke, de subcollecteur, kwam hen tegemoet voor zijn bungalow. Hij had besloten ervoor te zorgen dat alles thuis in gereedheid was, want Hall stond bekend om zijn kieskeurigheid. Cooke woonde in een bungalow die hij veel te groot vond voor een vrijgezel, hoewel zijn ruime zitkamer, eetkamer en vier slaapkamers bij gelegenheden zoals deze wel goed van pas kwamen. Het gebeurde niet vaak dat een betrekkelijk jonge man een dergelijke behuizing had, maar Cooke was als bestuursambtenaar in het subdistrict de enige Europeaan en had daardoor recht op de bungalow. Het was waarschijnlijk zijn enige extralegale voordeel vergeleken met het bestaan dat Engelse districtsambtenaren in andere standplaatsen, met meer leven in de brouwerij, leidden. Maar Cooke was niet ongelukkig. Hij was zeer geïnteresseerd in de historische en archeologische aspecten van zijn afdeling en gebrand op meer kennis over de Indiërs met wie hij samenwerkte en de bestuurszaken deelde. Hij probeerde zijn werk eerlijk en onpartijdig te doen en, anders dan de meeste van zijn landgenoten, was hij gesteld op de Indiërs en respecteerde hen. Een bezoek aan huis af en toe, en met kerstmis voor een week naar Madras of Bombay om er met zijn maats, die in hetzelfde schuitje zaten, en met andere jonge Britten sterke verhalen op te dissen, boden hem alles wat hij aan Europees gezelschap nodig had. De veelsoortige attracties van India die zo heel anders waren dan elders in de wereld, fascineerden hem. Hij wilde er zoveel mogelijk van in zich opnemen.

Het bezoek van zijn collecteur was een belangrijke gebeurtenis. Hoewel hij alleen maar in Ranivor zou overnachten, vroeg Cooke zich af hoe hij het hem naar de zin kon maken. Als hij Hall een beetje kende, kon er geen sprake zijn van het kleine clubgebouw van de politie, want daar werd geen rassenscheiding toegepast. Nee, hij zou bij hem thuis voor zijn bezoekers gastheer moeten spelen. De voorganger van de vermaarde kerk van Ranivoor had zich laten verontschuldigen omdat zijn vrouw zich niet lekker voelde en zijn ondergeschikte districtsambtenaar was op reis. Zijn Engels-Indische inspecteur van politie, Kidd, was naar een dorp geroepen een kilometer of twintig verderop, om onderzoek te doen naar een dubbele moord. Hetgeen in feite betekende dat hij de bezoekers in zijn eentje moest onderhouden, want hij betwijfelde of Hall wel zo graag kennis wilde maken met ook maar een van de Indiërs met wie Cooke zijn tijd doorbracht.

Ze kleedden zich netjes aan voor het avondeten, iets wat Cooke lichtelijk lachwekkend vond in die verzengende hitte van Ranivoor, maar zo had collecteur Hall het nu eenmaal graag. En als Cooke wilde dat zijn veertiendaagse vertrouwelijke rapporten ermee door zouden kunnen, deed hij er goed aan deze onbenulligheden zijn geluk niet te veel op de proef te laten stellen. Precies om halfacht, toen het buiten nog licht was (de zware gordijnen van de eetkamer waren dichtgetrokken), zaten ze voor hun maaltijd aan een mooi bewerkte teakhouten tafel die Cooke bij de gevangenen in het voorlopige huis van bewaring had besteld. Ze transpireerden beschaafd in hun smokingjasje met vlinderstrikje toen de eerste gang geserveerd werd. Cooke had een mogolkok over kunnen nemen die voortreffelijk Europees voedsel kon klaarmaken en de pittige kerriesoep was volmaakt. Toen de borden werden weggehaald, probeerde Cooke door de diepe somberte van de avond heen te breken door *shikar*-verhalen te vertellen die het altijd goed deden op bijeenkomsten met alleen mannen. Hij begon te vertellen van een voorval dat hij net de vorige maand gehoord had, over een tijger in het Cuddapah-subdistrict, die een dorpeling zo krachtig had beetgepakt en heen en weer geschud dat de man de lucht in was gevlogen en zijn voortanden kapot had gestoten tegen een tak.

'Heeft trouwens zijn leven gered, omdat het hem lukte eraan te blijven hangen.'

'Goed jagen daar in Cuddapah,' zei Franklin. De zwijgzame politieman, die een enthousiast shikari was, werd bepaald spraakzaam en ze begonnen verhalen uit te wisselen over verschillende jachtpartijen waaraan ze hadden deelgenomen. Toen dit een paar minuten geduurd had, besefte Cooke dat Hall zich ergerde aan de wending die het gesprek had genomen. Hij probeerde het nog met wat humor, door te vertellen over de zonderlinge eigenschappen van een politierechter in een subdivisie van een naburig district, die zo'n angst voor slangen had gekregen dat hij zelfs overdag een inheemse politieagent met een lantaren voor zich uit liet lopen.

'Alsof dat nog niet genoeg was, zorgde hij ervoor zijn voeten exact in de voetstappen van die agent neer te zetten!' zei Cooke met een glimlach.

'Doet me denken aan een verhaal dat ik eens gehoord heb over een collecteur die in het hoofdkantoor van zijn district last had van ratten,' zei Franklin. 'Hij besloot een grote hoeveelheid katten te importeren totdat hij ontdekte dat die weinig belangstelling hadden voor de ratten en liever gevogelte en, nota bene, kokosnoten aten. Heeft hij iets geleerd van die ervaring? Welnee, geen spat. Het laatste wat ik hoorde, was dat hij probeerde uit te vinden waar hij een beetje geschikt formaat uilen kon krijgen die korte metten zouden maken met zowel de katten als de ratten...'

Cooke grinnikte en stond op het punt een verhaal af te steken over de nachtelijke gewoonten van een rechter met wie hij eens een trekkerswoning had gedeeld, toen hij tot zijn ontzetting Halls mond zag verstrakken. Ze brachten enige tijd in stilzwijgen door, tot Cooke het niet langer uithield. Archeologie was een van zijn studievakken in Oxford geweest en dat leek hem wel safe.

'Heeft u Adichallanur in Tinnevelly al bezocht, sir?'

'Nee,' zei Hall kortaf.

'Ik wel en het is bijzonder boeiend, al die grafurnen met hun munten en kunstvoorwerpen en sieraden. Toch eigenaardig hoe de mensen nog in de herinnering voort blijven leven zo veel eeuwen nadat ze op de aardbodem hebben rondgelopen. Archeologen en antropologen hebben het dan over de grijze-steengoedcultuur en het tijdperk van rood en zwart aardewerk, en... Grappig, hè, dat die alledaagse dingen waar we nauwelijks enige aandacht aan schenken juist de dingen zijn die ons overleven.'

Cooke ratelde door. 'Vraag me af hoe ze over een eeuw aan ons zullen terugdenken. Misschien wel,' hij keek naar het bestek dat hij in zijn handen hield, 'als de Sheffield-staalcultuur.' Hij lachte om zijn eigen spitsvondigheid, veel te hard, en toen hij opkeek zag hij tot zijn ontzetting dat Hall hem met duidelijke afkeer zat op te nemen.

Nathaniël Hall had zijn jonge ondergeschikte nooit gemogen. Hij vertegenwoordigde alles waarvoor hij vroeger in het stof had gebeten: Winchester, Oxford, een derde generatie ics-man, moeiteloos briljant, knap van uiterlijk, diep geïnteresseerd in India, goed in zijn werk, een voortreffelijk ruiter, populair bij zijn ondergeschikten en in goede verstandhouding met zijn meerderen. Hijzelf, hoe hard hij ook zijn best deed, had Cooke nooit op een fout kunnen betrappen in de tijd dat hij zijn baas was geweest. Zijn vertrouwelijke rapporten waren nauwkeurig en goed geschreven, hij bestuurde zijn subdistrict goed en bejegende je met het juiste respect. Maar dat betekende niet dat hij hem meer mocht, vooral niet in tijden als deze: een Sheffield-staalcultuur, zeker!

'Meneer Cooke, misschien kunt u ons zeggen hoe u de situatie in Chevathar beoordeelt?'

'Ja, natuurlijk, sir. Zoals u weet bestond bij ons angst dat de moeilijkheden in Chevathar het soort nonsens zou ontketenen die in de vijftiger jaren in Travancore aan de gang was. U weet wel, waar de *sudra's* huishielden en de blouses afrukten van vrouwen uit een lagere kaste, en zeiden dat ze zich tegen de kleedgewoonte keerden. En natuurlijk, Sivakasi!'

'Ja, ja, dat weten we allemaal wel,' zei Hall korzelig.

Cooke vroeg zich af of zijn collecteur altijd zulk prettig tafelgezelschap was.

'Om een lang verhaal kort te maken, sir, mijn eigen mening is dat er een zeer oude rivaliteit bestaat tussen de leidende familie in dat gebied en een familie die erop uit is die superioriteit aan te vechten. Ik geloof dat het gaat om land dat betwist wordt, daardoor zijn de moeilijkheden zo groot geworden. Al die kasten-nonsens is alleen maar een rookgordijn om de werkelijke zaak te maskeren. De assisent-tahsildar denkt dat het gauw zal overwaaien, vooral omdat het dorpshoofd het soort man is dat niets meer moet hebben van die onzin. De assistent-tahsildar zei mij dat dankzij de Dorai-familie Chevathar juist vrij was van geweld tussen de kasten. Ik heb het dorpshoofd, Solomon, bij een paar gelegenheden ontmoet en moet zeggen dat ik erg onder de indruk van hem was.

Onze vertegenwoordiging daar is bedoeld om te laten zien wie er de baas is en natuurlijk ook om een onderzoek in te stellen naar de recente gebeurtenissen.'

'Ik betwijfel of we achter de waarheid zullen komen. Alle inlanders zijn schaamteloze leugenaars,' bitste Hall, 'Hoe dan ook, ik hoop dat onze man daar weet wat hij doet, omdat de gouverneur na Sivakasi ernstig bezorgd is. De collecteur in Tinnevelly heeft ontslag genomen, het district bevindt zich op de rand van explosief geweld dat niemand ongemoeid zal laten en het leger is al opgeroepen. Hij wil niet dat hetzelfde hier gaat gebeuren.'

De drie mannen namen deze informatie droefgeestig in zich op. Na een tijd-je, waarin het enige geluid het gekras en gekletter van het bestek op het servies-goed was, zei Hall: 'Vertrouw je onze man in Chevathar, de assistent-tahsildar?'

'Jawel, hoor,' zei Cooke. 'Slim, ambitieus en niet gauw geneigd vooringeno-men te zijn ten aanzien van sekten of kasten.'

'Nou, dat mag ik hopen. Niemand die in dienst is van Harer Majesteits gou-vernement kan veel op hebben met het kastensysteem. Waar draait het trou-wens allemaal om? De ene ellendige groep inlanders die een andere groep el-lendige inlanders eronder probeert te houden door allerlei waanzinnige regels te bedenken die dan net zoals het uitkomt worden toegeschreven aan een van die miljoenen goden van hen. Dergelijk stom gebazel ben ik van mijn leven nog niet tegengekomen.'

Cooke stond op het punt iets te zeggen, maar besloot dat hij de collecteur voor vanavond al meer dan genoeg geërgerd had.

Over het gezicht van Hall speelde een klein lachje. De tafel rondkijkend zei hij: 'Hebben jullie ooit *Castes and Tribes of Southern India* moeten lezen tijdens je opleiding? Negen delen. Fascinerende stof. De meeste inlanders horen thuis in een circus. Sommige van hun gewoonten zijn ronduit smerig en toch waant, gek genoeg, het ene zootje mensen zich beter dan het andere!' Toen hij dat kwijt was, wierp Hall zich op de caramelvla. Wat een afschuwelijk doorge-draaide racist, dacht Cooke. Geen wonder dat we hier de opstand van de Ben-gaalse troepen hebben gehad.

Er viel een korte stilte, toen begon Hall weer te praten. 'En het idiote is dat, zoals ik me heb laten vertellen, die kerels uit een hoge kaste met hun absurde kuifjes en kastenkenmerken ook nog de brutaliteit hebben om ons Engelsen onrein te verklaren! Dit land verbaast mij.'

Om heel verkeerde redenen, dacht Cooke kwaad. Hij hield met moeite zijn mond. Gelukkig bleek Hall zijn gal nu gespuwd te hebben en zei hij vrijwel niets meer totdat het tijd was om naar bed te gaan.

Tegen elf uur de volgende ochtend had collecteur Hall zich in het kantoor van de assistent-tahsildar te Meenakshikoil achter de tafel geïnstalleerd. De rit ernaartoe had zijn humeur er niet beter op gemaakt. Franklin, Cooke en hij hadden een tijdlang de assistent-tahsildar ondervraagd en waren gerustgesteld toen ze te horen hadden gekregen dat alles in Chevathar onder controle was. Het onderzoek kon nu vlug worden afgesloten, dacht Hall, en dan kon hij deze afschuwelijke plaats verder laten wegrotten in zijn hitte, vuil en vliegen.

Father Ashworth werd als eerste opgeroepen en kwam gekleed in een witte soutane die er een tikkeltje versleten uitzag, hoewel het zijn beste was. Toen hij het vertrek binnenstapte, glimlachte Cooke en begroette hem. Hij mocht de padre graag en als hij in het gebied was, zorgde hij ervoor enige tijd bij hem door te kunnen brengen. Hij vond Ashworth heel goed van alles op de hoogte. De reactie van Hall was daarentegen precies tegenovergesteld. Hij had de eerwaarde een keer eerder ontmoet toen hij een rondreis door het district had gemaakt en zijn aangeboren afkeer van de geestelijkheid was er niet minder op geworden door de duidelijke sympathie van de padre voor de Indiërs. De collecteur had bovendien, en dat had hij gemeen met veel bureaucraten, het gevoel dat voorgangers als Father Ashworth de bestuurstaak bemoeilijkten door zich te mengen in plaatselijke aangelegenheden, als ze de Indiërs wilden bekeren tot het christendom en god weet wat voor zaken meer. De onbeschaafde inlander was voorbestemd om verzuipend in zijn bijgeloof te leven en te sterven. Wat voor goeds kon het Woord van de Heer uitrichten? Hen beschaafd maken? Hen blank maken? Hij zag dat de soutane van de eerwaarde versleten was en kon de geur van kerrie om hem heen ruiken. Een kerrie-geestelijke! Er werd een stoel gevonden voor Father Ashforth en ze gingen zonder verdere plichtplegingen meteen van start. De eerwaarde deed verslag van de opeenvolging van gebeurtenissen zoals die hem bekend waren: de poging van de twee mannen om de Murugan-tempel binnen te gaan, de wraak in de vorm van de verkrachting van het Andavar-meisje, haar zelfmoord als gevolg daarvan, het handgemeen tijdens het Chitra Purina-feest en het dreigende gevecht dat was vastgesteld voor 15 juni. Hall lachte wat om de bezorgdheid van de geestelijke, maar Father Ashworth bleef bij zijn verhaal en werd daarin steeds feller. Op het laatst zeiden de bestuurders dat ze opnieuw met hem zouden spreken als ze klaar waren met de anderen.

Solomon Dorai, die daarna geroepen werd, kwam met zeven mensen. Er was geen millimeter bewegingsruimte meer in het kleine vertrek en de collecteur zette iedereen buiten de deur, op zijn collega's en de man die ze wilden ondervragen, na. Toen degenen die gebleven waren zich hadden geïnstalleerd, informeerde Cooke naar de familie van het dorpshoofd; hij wist zich nog te herinneren dat hij geïmponeerd was geweest door het scherpe verstand van de oudste zoon. Toen hij merkte dat de collecteur ongeduldig werd, maakte hij snel een eind aan de luchtige conversatie en toen begon de ondervraging. Solomon bevestigde het verslag van de geestelijke op één belangrijk aspect na. Hij had het volste vertrouwen dat er geen verdere moeilijkheden in Chevathar zouden ontstaan. Hoewel ze hem allerlei duwtjes in die richting gaven, kwam er geen verandering in de verklaring die hij aflegde, en omdat hij de steun had van de assistent-tahsildar werd er ook niet echt een serieuze poging ondernomen om hem verder uit zijn tent te lokken.

Muthu Vedhar raakte met zijn hoofd bijna het lage plafond van het kantoortje. Hij zag er indrukwekkend uit in zijn keurig gewassen *jibba* en veshti. Net als het dorpshoofd kwam hij met een gevolg, maar er waren nu vastgestelde instructies dat alleen degenen die ondervraagd moesten worden het kantoortje binnen mochten. Muthu's ernstige optreden en indrukwekkende verschijning maakten op zijn ondervragers een gunstige indruk.

Het was bijna middag toen ze met Muthu klaar waren en de Engelsen stelden de verdere afwikkeling van zaken uit tot laat in de middag wanneer het minder warm zou zijn. Ze reden terug naar de tenten die ze hadden opgeslagen tussen een groepje kokospalmen aan de rand van de stad. Hun paarden werden weggeleid en ze verfristen zich voor de lunch: gebraden kippetjes, aardappels met jus en de alomtegenwoordige karamelvla.

'Nou, wie denk jij dat er hier liegt?' vroeg Hall aan zijn jonge collega terwijl ze zich door het dessert werkten.

'De bange vermoedens van de padre lijken niet helemaal ongegrond,' zei Cooke voorzichtig.

'Jawel, maar hij is een beetje getikt. Een te lang verblijf in de tropen heeft zijn hersens wat aangetast. Naar mijn mening vertelt geen van beide partijen de hele waarheid, maar ik denk niet dat het er erg toe doet. Ze wonen al generaties lang bij elkaar en ze mopperen heel wat op elkaar af als een oud getrouwd stel, en dan wil er wel eens een kleine schermutseling zijn die beide partijen de kans geeft wat stoom af te blazen.'

'Maar Father Ashworth is ervan overtuigd dat er een allesbehalve kleinschalige rel op handen is,' zei Franklin.

'Dat betwijfel ik. Laat ik je dit zeggen, Franklin, jij moet die sub-inspecteur van jou een oogje in het zeil laten houden op eventuele moeilijkheden. Dat moet voldoende zijn. Dit walgelijke gat hier zal heus niet van woede uit elkaar barsten.'

'Misschien moet ik nog een dag of twee hier blijven, sir, om een beetje rond te kijken.'

'Dat is niet nodig, denk ik. Ik weet niet waarom die padre dat doet, maar hij zoekt veel te veel achter een paar losse gebeurtenissen. Ik vind het sterk dat noch de thalaivar, noch die andere mirasidar hem bijvielen. Dus, wat doen we vanmiddag nog?'

Cooke raadpleegde een aantekenboekje. 'Er is een advocaat die zegt bewijzen te hebben dat hij door de thalaivar zal worden vermoord.'

'Kun je die zaak niet de volgende keer dat je hier in de buurt bent afhandelen? Komt er voor jou niet binnenkort een *jamabandi*?'

'Jawel, maar de aanklager beweert dat wat hij te zeggen heeft verband houdt met de rellen die ze verwachten.'

'Vooruit dan maar.'

Om vier uur was het nog steeds benauwend warm. Toen Vakeel Perumals naam werd afgeroepen, verscheen de advocaat voor de ambtenaren van het onderzoek. Sjofel gekleed en ongeschoren droeg hij een niet egaal gekleurde tulband. Nadere inspectie maakte duidelijk dat het een vuil verband was dat om zijn hoofd gewikkeld zat. Aanzienlijke delen ervan waren verkleurd door bloed.

'Edelachtbare heren, de afgelopen maand heb ik in grote angst voor mijn leven verkeerd. De thalaivar heeft openlijk, in het bijzijn van honderden getuigen gezegd dat hij mij van de aardbodem zou wegvagen. En hoewel we het dorp uit zijn gevlucht, zou hij er bijna in geslaagd zijn, als Gods genade niet met mij was. We smeken u ons te beschermen.' Terwijl hij dat zei, liep de advocaat naar de deur en gooide die met een zwaai open. Erachter stonden vijf mensen met schrikbarende verwondingen. Een vrij jonge man had zijn arm in een mitella en om zijn hoofd een met bloed doorweekt verband. Een bejaarde dame die eruitzag alsof ze ter aarde zou storten, werd ondersteund door een dikke vrouw van middelbare leeftijd die gekleed was in een vaalblauwe sari; beide vrouwen trokken ook weer met verband de aandacht, net als Vakeel Perumals buitengewoon knappe dochters.

'Edelachtbare heren, dit zijn naaste familieleden die ruw werden overvallen door de mannen van Solomon Dorai. Ze hebben mijn jonge dochters niet gespaard en mijn bejaarde moeder ook niet of mijn neef die alleen maar bij ons op bezoek was. Ik smeek uwe eminenties ons alstublieft bij te staan met hulp van de sterke arm van hare hooggezeten majesteit. En van onze heer Jezus Christus.' Hall stond perplex van dit staaltje toneelkunst van de advocaat maar Cooke leunde naar voren en bleef strak naar Vakeel Perumal kijken, waarbij een frons zijn voorhoofd in rimpels trok. Hoe ging dat verhaal ook weer dat Soames hem verteld had toen ze in Madras tijdens de kerstvakantie in het clubgebouw van booteigenaren lange verhalen met elkaar zaten uit te wisselen? Vakeel Perumal was weer begonnen te praten, maar Cooke was zo sterk met zijn eigen gedachten bezig dat hij hem niet hoorde. Plotseling werd alles hem duidelijk. 'Haal zijn verband er eens af... Haal bij iedereen het verband er eens af,' zei hij tegen een van de dienders. Zijn metgezellen keken hem verbaasd aan. Net zo verbluft als de functionarissen, verzette de advocaat zich nauwelijks toen de agent naar hem toe liep en het verband van zijn hoofd rukte. En daar, voor de verbaasde ogen van zijn ondervragers, stond Vakeel Perumal, heelhuids en zonder ook maar een schrammetje.

'Geitenbloed,' zei Cooke triomfantelijk. 'Ik heb me door een collega laten vertelllen dat er in zijn district iets soortgelijks gebeurd was.'

Plotseling had de collecteur er helemaal genoeg van. De herrie, de warmte, de mensen hier, het bedrog... Hij kon er niet langer tegen. Hij stond op en zei tegen de advocaat en diens familie: 'Ik zou jullie allemaal het liefst laten ophangen, maar helaas staat de wet dat niet toe. Een stelletje schurken en schoften zijn jullie, stuk voor stuk, en je verdient van a tot z wat je is overkomen. Mr. Cooke, ik zou graag zien dat u deze zaak onverwijld van mij overneemt. Geef deze mensen de maximumstraf, maar zorg ervoor dat bij het vonnis is inbegrepen dat iedereen zo veel bevergeil te slikken krijgt dat ze zo goed als verdrinken in hun eigen drek.' Halls uitbarsting maakte dat het doodstil werd in het vertrek dat barstte van de herrie toen het bedrog van Vakeel Perumal aan de kaak was gesteld. De collecteur schreed waardig de ruimte uit, voorafgegaan door zijn inlandse diender en de dorpswachter.

Cooke en Franklin wikkelden de lopende zaken snel af. Vakeel Perumal en alle leden van zijn familie werden veroordeeld tot gevangenisstraffen die varieerden van twee weken tot drie maanden, de maximumstraf die Cooke vermocht op te leggen. En aan de oplichters werd ieder afzonderlijk bevergeil toegediend.

De bestuurders riepen niemand meer op en zetten een punt achter de ondervraging. Ze overlegden of ze Muthu en Solomon nu wel of niet zouden opsluiten, althans tot de verwachte crisis overgewaaid zou zijn, maar op advies van de assistent-tahsildar lieten ze dat idee varen.

Terwijl Cookes secretaris hun paperassen bij elkaar begon te zoeken, stoof Father Ashworth de kamer binnen, en zijn habijt fladderde wild om hem heen. 'U begaat een verschrikkelijke vergissing als u denkt dat er geen werkelijk gevaar bestaat voor een krachtmeting. Als u met uw beslissing afgaat op Vakeel Perumal, bent u abuis. Hij is nooit belangrijk geweest, hij is gewoon een lastpak, maar u laat de gevaarlijke mannen lopen. Kunt u Muthu Vedhar niet opsluiten? En misschien zelfs Solomon Dorai?'

'Op welke gronden?' vroeg Cooke geduldig. 'Ze hebben geen enkele misdaad begaan.'

'En die verkrachting van het meisje dan?'

'Het meisje dat haar vergezelde was niet voor ondervraging beschikbaar. Ze is naar familie in een ander dorp gestuurd. Zonder getuigen en verdachten hebben we niets om een rechtszaak te beginnen.'

'En de verstoring van het Chitra Purina-feest dan?'

'Een kleinigheid, en dankzij de snelle actie van het dorpshoofd meteen in rustige banen geleid. U wilt toch zeker niet een man uit de weg ruimen omdat hij iets goeds heeft gedaan? Maak u geen zorgen, de assistent-tahsildar heeft toegezegd een oogje in het zeil te houden tegen mogelijke onrust. Hij gelooft niet dat er problemen zullen komen.'

'Dan moet hij ook in het complot zitten. Ik was getuige van de dreigende taal die beide mannen hebben gesproken. En ik weet dat Muthu een ultimatum heeft gesteld aan Solomon. Ik heb u de datum al genoemd. Alstublieft... Ondervraag hen onder mijn ogen... Alstublieft... Ik denk dat ik weet wat er gaande is... U moet het tegenhouden.'

Aan Cookes minzaamheid en geduld begon een einde te komen. 'Eerwaarde Ashworth, ik heb veel geduld met u gehad maar u moet zich niet zo laten gaan. Anders...'

Maar Father Ashworth had hem al de rug toegekeerd. Bij de deur bleef hij nog even staan. 'Als we een paar dagen verder zijn vraag ik me af hoe lekker u zult slapen met het bloed van onschuldige mensen aan uw handen.'

Toen Franklin en Cooke in hun kampement arriveerden hoorden ze tot hun verbazing dat Hall al was vertrokken en alleen zijn persoonlijke bediende had meegenomen. Hij had bericht achtergelaten dat hij de nacht door zou brengen in Ranivoor en de volgende ochtend vroeg naar Melur zou vertrekken.

Toen Hall in Melur was aangekomen, nam hij een uitgebreid bad en pakte daarna een eenpersoons hutkoffer in. De volgende ochtend ging hij naar zijn kantoor en schreef zijn ontslagbrief aan de gouverneur. Hij stuurde nog een briefje naar de rechter van het districtsgerechtshof waarin hij hem verzocht een paar dagen het fort te bewaken. Hij nam de eerste trein naar Madras en boekte een overtocht naar Singapore. Nathaniël Hall had het gehad in India.

22

In de tweede helft van de negentiende eeuw werd het gouvernement van Madras ettelijke keren door hongersnood bezocht – in 1853-1854, 1865-1866, 1876-1878, 1888-1889, 1891-1892, 1899-1900. De ergste daarvan was de Grote Hongersnood van 1876-1878 die tweeëntwintig maanden duurde, vijftien van de tweeëntwintig districten van het gouverneurschap (inclusief Kilanad) trof, en de dood veroorzaakte van drieënhalf miljoen mensen. Het kostte de staat zeshonderdveertig *lakhs* roepies aan voedselhulp. Er werd een aanzien lijk deel van de gouvernementsuitgaven besteed aan het bouwen en graven van nieuwe kunstmatige meren en waterputten in de getroffen gebieden en het versterken van de bestaande.

De boeren en thalaivars van het district Kilanad bouwden bijna tweehonderdzevenentachtig putten en waterbassins in een tijdsbestek van tien jaar, een aanzienlijk deel ervan met geldelijke steun van het gouvernement. De nieuwe putten werden grotendeels gemaakt van metselspecie en steen, en de lemen wanden van de oude werden door metselwerk vervangen. Sommige putten, vooral die waarvan verscheidene huizen in de droogste gebieden hun water kregen, waren heel groot en diep.

Solomon Dorai die vastbesloten was de verschrikking van 1876-1878 niet nog eens over zijn dorpen te laten trekken, gaf de opdracht en de financiële middelen voor de bouw van putten en bassins waar mogelijk. Hun grootte varieerde van enkel wat sleuven in de grond tot een reusachtige waterput op de grens met het gebied van de Andavar-boeren.

Een van de onverwachte gevolgen van de overvloed aan waterputten in Kilanad was het veelvuldig beoefenen van de sport die 'putspringen' werd genoemd. Die kende men nergens anders in het gouvernement en trouwens in heel het land niet. Een tijdlang waren er zelfs georganiseerde wedstrijden in putspringen tijdens het Pongal- en Deepavali-festival, maar de beste springers beschouwden die *tamasha's* als veel te tam, tenzij natuurlijk de prijs om van te watertanden was.

Het vereiste een grote behendigheid en moed je te wagen aan een put van meer dan drieënhalve meter breed, vooral wanneer die een gemetseld muurtje had van meer dan een halve meter hoog. Vaak deed je bij de grote putten maar één keer een poging, en als je faalde had je geluk wanneer je zonder meer in het troebele water viel. Soms brak een springer een been of een arm of liep een hersenschudding op. Of klapte bewusteloos tegen de overkant van de put en viel als een baksteen in de diepe schacht, waarna zijn makkers soms niet snel genoeg waren om hem te redden.

Het jaar 1896 was een slecht jaar voor putspringers geweest. Er waren er elf in het district doodgegaan, en enige tientallen hadden ernstige blessures opgelopen. Op aandringen van verscheidene panchayats en thalaivars hadden Halls voorgangers putspringen verboden. Maar het begon weer op te komen en in het geheim te gedijen, nu de spanning van de wet te overtreden het spel nog opwindender maakte. In 1897 kwamen zestien jonge knapen om. In 1898 was dit aantal onverklaarbaar gedaald tot maar drie, en in 1899 waren tot dusver twee jonge knullen eraan doodgegaan. Het enige wat de autoriteiten en hun functionarissen konden doen was toekijken en zo waakzaam mogelijk proberen te zijn.

Solomons jongste zoon Aäron was een van de beste putspringers aller tijden. Hij was al over de meeste grotere putten in Chevathar en de dorpen in de omgeving gesprongen, waaronder een van vierenhalve meter in het dorp Panakadu, ongeveer een jaar geleden, verreweg de meest opwindende en voldoening schenkende gebeurtenis van zijn leven. Door over die reus te springen had hij feitelijk alle bestaande records gebroken. Alleen de man die hij het meest bewonderde, zijn oom Joshua Dorai, had het nog beter gedaan, toen hij in zijn jonge jaren over een put van vier meter tachtig was gesprongen.

De put die het Andavar-gebied in Chevathar van water voorzag was al heel lang een uitdaging voor putspringers, maar niemand had zich ertoe had weten te brengen zijn spanwijdte van ruim vijf meter met de één meter hoge keermuren echt aan te vatten. Zo nu en dan was er een onbezonnen jongeman die verklaarde dat hij zich aan de put zou wagen om te worden bekroond tot de beste putspringer van Kilanad, ja van de hele wereld, maar altijd weer speelden zenuwen hem parten.

De put lag op een perfecte plaats. Open naar alle kanten en door niets omsloten wat de springer zou kunnen beletten er een flinke aanloop naartoe te nemen. De grond eromheen was hard en bood goede steun, vooral tijdens de allesbepalende aanloop en laatste afzet. Er ging nauwelijks een week voorbij of er was wel een zandspoor in de grond bij de put getrokken waaraan duidelijk te zien was dat iemand het had geprobeerd maar tijdens de aanloop de moed was verloren.

Aäron stelde vast dat hij die Andavar-put nu moest proberen. Hij zou een arm of een been kunnen breken in de vijandelijkheden die, zoals ze allemaal wisten, op til stonden, en dan zou hij nooit meer over een put kunnen springen.

De ochtend die voor de sprong was uitgekozen, was hij heel vroeg bij de put, samen met drie vrienden. Hij had al wekenlang geoefend en kende iedere millimeter van het terrein. Hij nam zich voor eerst twee oefensprongen te maken en een proefaanloop te nemen. Hij ging op de keermuur zitten en voelde de heerlijke koelte van de steen en metselspecie onder zijn dijen, die hem ontspanden en zijn lichaam slap lieten worden waarna hij zich langzaam op zijn doel richtte tot hij de concentratie had die hij zocht. Toen de dageraad door het nachtelijke duister begon te dringen gleed hij van de muur af, woelde stevig met zijn tenen in het korrelige rode laterietzand en nam zijn aanloop in de grote lange stuiterende passen van een verspringer, vanaf de met de witte *chunam* getrokken streep die de afzetlijn markeerde, tot het punt waarop hij zijn aanloop zou beginnen. Hij bleef even gehurkt bij de startstreep zitten en ging toen iets verderop staan om aan de oefensprongen te beginnen. De grond was daarvoor geschikt gemaakt door zijn vrienden die rekening hadden gehouden met de extra afstand die hij nodig zou hebben om ook over de muren aan weerszijden te springen. Eén ogenblik dacht hij aan Joshua-chithappa. Hij was zenuwachtig, zenuwachtiger dan hij gedacht had ooit te kunnen zijn, hoewel hij er al veel moeilijke sprongen op had zitten en kon inschatten hoe het gevoel dat hem op zulke momenten bekroop, deels angst, deels opwinding, juist goed benut kon worden. Wat een enorme duw in de rug zou de aanwezigheid van zijn held hem nu kunnen geven. Hij zette Joshua uit zijn hoofd, deed een paar vluchtige kniebuigingen en begon toen aan zijn aanloop, liep eerst langzaam en daarna heel hard naar zijn afzetpunt met passen en sprongen zo stijf en gespannen als een stalen veer, kenmerkend voor putspringers. Nog een heel eind voor de afzetlijn zweefde hij al door de lucht met de benen stijf onder zich opgetrokken, zijn lichaam voorovergebogen. Toen zijn vaart verminderde, strekte hij zijn benen en landde. Perfect, behalve dat zijn voeten schuin op de verste lijn neerkwamen. Als dit zijn sprong over de put was geweest, zou hij zijn beide benen hebben gebroken tegen de muur. Hij bleef zitten waar hij was neergekomen, met gesloten ogen en begon toen plotseling onbedaarlijk te trillen.

Een hand op zijn schouder, krachtige vingers die pijnlijk op zijn blote bovenlijf drukten. Hij keek op en dacht dat hij droomde.

'Joshua-chithappa! Wanneer bent u hier gekomen?'

'Gister. Een van je vrienden vertelde me over vanmorgen, maar ik heb hem gezegd dat hij jou niets mocht zeggen, wilde je niet storen in je concentratie.'

'Appa...'

'Hij weet niet dat ik hier ben, ik wil het een verrassing laten zijn. En maak je niet ongerust, ik zal niets tegen hem zeggen...'

'Dat mag anders best, ik geloof niet dat ik het kan. Hebt u mijn oefensprong gezien? Ik zou tegen de muur gesprongen zijn.'

'Ja, en je lelijk pijn hebben gedaan, neem dat maar van mij aan,' zei Joshua kalm. Hij liep mank, gevolg van de breuk die een einde had gemaakt aan zijn eigen carrière als putspringer.

'Hij is te groot, chithappa, ik kan het niet,' zei Aäron die zijn hoofd schudde en omhoogkwam. De jongen was bijna zo lang als zijn oom. Hoewel ze niet elkaars evenbeeld waren, hadden ze wel dezelfde lichaamsbouw – lang, met sterke gelaatstrekken en het tengere lijf met de hoge heupen van verspringers.

'Aäron,' zei zijn oom langzaam, 'jij kunt wel over die put springen. Je zette al een meter voor de lijn af en bent er toch bijna overheen gekomen.'

'Weet ik, maar deze is te groot voor mij. Ik ben er bang voor...'

'Als jij hier nu voor weg loopt, Aäron, zul je je de rest van je leven blijven afvragen wat er had kunnen gebeuren. We hebben maar een heel, heel korte tijd om de talenten die we gekregen hebben zo goed mogelijk te benutten. Jij zou de grootste putspringer die ze hier ooit gezien hebben kunnen zijn, en geloof maar dat ik heel goede gezien heb. Nu kun je ervoor weglopen...'

'Zult u dan blijven kijken...'

'Alleen als het jou niet stoort in je concentratie.'

'Nee, chithappa, ik wil het juist, omdat het me helpen zal.'

'Mooi, dan blijf ik hier. Maar onthoud goed dat je maar een ding in je hoofd mag hebben. Al het andere moet eruit: ik, de oefensprong, de put, je vrienden. Het enige waar jij je aandacht op moet richten, is de afzetlijn. Je moet die heel precies raken en je weet al tegen de tijd dat je er zult aankomen of je aanloop goed is, en dan hoef je je alleen nog maar te ontspannen en van de volmaaktheid van je sprong te genieten.'

'En als ik er niet goed aankom?'

'Dat zul je wel,' zei Joshua onverstoorbaar. 'Onthoud het goed, het afzetpunt, dan ga je de lucht in, word je een vogel, ben je Hanuman die in één machtige sprong de oceanen oversteekt.'

Zijn tweede oefensprong was volmaakt. Door zijn afzet precies goed te timen maakte hij de beste sprong van zijn leven en sprong nog een halve meter verder dan de verste lijn. Joshua knikte waarderend. Toen Aäron naar hem toe kwam, stelde hij luchtig voor dat hij het maar zonder de proefaanloop naar de put moest doen en dadelijk de echte sprong moest wagen.

Aäron vond dat ook en liep naar het begin van zijn aanloop. Hij kon het zachte briesje voelen op zijn rug, zijn schouders. Hij spitste zijn aandacht op de witte chunam-streep halverwege, tot zijn ogen pijn deden van de inspanning, ontspande zich, maakte een paar seconden sprongetjes op de plaats terwijl hij zijn lichaam slap liet worden en zijn geest leeg. Toen begon hij langzaam zijn aandacht toe te spitsen op de witte chunam-lijn. De aanwezigheid ervan, verweg in de modder van Chevathar, werd stipt en duidelijk bepaald, en maakte, naarmate zijn concentratie zich verdiepte, de oversteek van de werkelijkheid daarginds op de grond naar zijn eigen bewustzijn. Toen zette hij zich in beweging, de armen gelijk opzwaaiend met zijn sterk maaiende benen, zijn lichaam volmaakt in balans. De lijn kreeg grotere afmetingen, werd een brede witte band van korrelige deeltjes kalksteen, en zette uit met elke lange stap die hij naderbij kwam. Het was nu een zee geworden, een helwitte zee, die hem dichter en dichter naar zich toe trok, zo onmetelijk groot dat hij erin verzwelgen kon als hij te ver overhelde. Aan de uiterste rand ervan, precies waar het wit hem zou hebben verzwolgen als hij nog verder was doorgegaan, zette hij zich soepel af, zonder zijn lange pas in te houden, en zweefde hoog, hoog naar de staalwitte band van de lucht boven hem. Zijn vlucht verliep heel kalm. In de enorme stilte en het melkachtige licht, opeens een gefladder van flitsend blauw. Automatisch sloot zich een hand om het voorwerp en toen was hij geland, niet langer een of ander fabelachtig wezen van het firmament, maar een sterke knappe zestienjarige jongen die moeiteloos neerkwam op de aarde, zonder angst, de allerbeste putspringer ter wereld.

Joshua kwam haastig aangelopen met zijn eigenaardige strompelgang en de jongens kwamen achter hem aan, vreemd stil. Aäron, nog steeds voorovergebogen in de houding waarin hij geland was, keek op naar zijn oom. Ze zeiden niets. Langzaam bracht de jongen zijn gesloten linkerhand omhoog. Gespetter van helder blauw licht dat door zijn gesloten vingers lekte. Met grote behoedzaamheid opende hij zijn vuist. In de palm van zijn hand lag een piepklein ijsvogeltje, verblind door het licht, verdoofd door het openspringen van zijn kooi. Eén ogenblik, twee, toen flapten zijn veertjes op hun plaats en vonden de knobbelige pootjes steun op de zachte handpalm van de jongen en het schoot weg, de ruimte in, blauw tegen blauw, en terwijl het kleiner werd in de verte, verleende het de volmaakte glans aan een ochtend die in een legende zou overgaan.

23

Ondanks zijn handicap was Joshua Dorai een van die mannen die luchtig, schijnbaar zorgeloos, over de aarde rondliepen. Sterker nog, zijn mankheid leek juist
het enige wat hem nog aan de aarde wist te binden. Zonder dat zou hij een van
die duistere gewichtloze schaduwen zijn geworden die over de aarde jagen telkens als er wolken voor de zon schuiven. Hij was nog steeds in goede vorm, en
de middelbare leeftijd had hem weinig getekend: een huid die rondom zijn ogen
en mond wat slapper werd, wat grijs dat aan de grenzen heel voorzichtig door
zijn dikke zwarte haar begon te schemeren.

Joshua en Solomon waren als kind onafscheidelijk geweest en de dag dat zijn
neef uit Chevathar was weggegaan had Solomon zich meer alleen gevoeld dan
hij voor mogelijk had gehouden. Joshua was de enige naar wie hij wilde luisteren of die hij in vertrouwen nam, de enige jongen die hem af en toe kon verslaan bij het stokvechten, de enige die de spot mocht drijven met zijn aangeboren ernst zonder vrees voor vergelding... Hij had zozeer deel uitgemaakt
van Solomons jongensjaren dat zijn vertrek een abrupt einde had ingeluid van
de jongen in hem. Joshua was maar één keer eerder in Chevathar terug geweest,
een jaar of tien nadat hij er was weggegaan, en hij had er vrijwel hetzelfde uitgezien, niet rijk en niet arm, niet van geluk overlopend en niet ongelukkig in
het leven dat hij zichzelf had verworven op de vochtige rubberplantages van
Malaya. Hij gaf geen blijk van belangstelling voor een regelmatig leven thuis,
hoewel Solomon hem dringend gevraagd had te blijven. Een paar maanden en
toen had de bekende rusteloosheid weer bezit van hem genomen en was hij
weer vertrokken. Dat was tien jaar geleden en nu was hij weer terug. Er waren
cadeautjes voor de kinderen, prachtig speelgoed, gesneden uit het mooie harde
hout van de regenwoudbomen, voor Charity en de meisjes grote lappen glanzende zijde, groen als de zee rond het middaguur, en een rijk versierd batik
overhemd voor zijn neef.

Solomon eiste hem voor het grootste deel van de dag voor zichzelf op. Ze
zaten met zijn tweeën op de veranda en gingen in gedachten terug naar hun
jeugd. Joshua vroeg naar Father Ashworth. Die twee waren op elkaar gesteld
geweest, hoewel Joshua's gebrek aan belangstelling voor de kerk de priester
vaak had teleurgesteld en geërgerd. 'Hoe staat het met de Tamil-taal van die
ouwe heer? Hij sprak het zo grappig uit, alsof hij steentjes in zijn mond had!'

'O, dat Tamil van hem is nu uitstekend. Hij is een hele autoriteit op het gebied van plaatselijke gewoonten en tradities. Weet er meer van dan de meesten van ons hier.'

'Ja, hij was heel ijverig.' Joshua zweeg even, toen zei hij lachend: 'Ik weet nog goed dat Aäron tegen mij zei dat hij het gezicht van de padre op een apenkont vond lijken. Hij wilde van me weten of zijn ogen van blauw glas waren gemaakt en vroeg zich af of hij die uit zou doen als hij ging slapen. Hij was eigenlijk van plan ze stiekem te stelen.'

Solomon lachte. Charity die het gelach binnen hoorde, was er blij om. Het was voor het eerst sinds dagen dat haar man ongedwongen had geklonken.

Na een poosje zei Solomon: 'De padre is de laatste tijd niet zo blij met mij.'

'Waarom niet?'

'Omdat hij vindt dat ik vrede moet sluiten.'

'Wil jij dat?'

'Dat weet ik niet, ik moet er niet aan denken wat voor leed en ellende een gevecht met zich mee zou brengen. Misschien moet ik wel naar Muthu toe om met hem te praten.'

'Hij wil naar jou toch niet luisteren. Die rust niet voor hij jou uit Chevathar heeft verdreven.'

'Weet ik.'

Plotseling somber gestemd bleven ze een poosje zitten zonder iets te zeggen. Toen vroeg Solomon zijn neef: 'Wat vind jij dat ik doen moet?'

Joshua gaf niet onmiddellijk antwoord. Toen zei hij heel rustig: 'Ik vind dat je die confrontatie aan moet gaan. Jij moet Muthu een kopje kleiner maken, anders zullen je kinderen er de dupe van worden.'

'Nogal een drastische oplossing. Maar dat is jouw manier van doen altijd geweest,' zei Solomon droogjes.

'En zo zou jij ook moeten doen. Jij hebt vast alles geprobeerd om de vrede te bewaren, maar dat is nu niet langer een optie, anna, jij weet dat net zo goed als ik!'

'Zeg eens eerlijk, Joshua, waarom denk jij dat Muthu zo'n hekel aan ons heeft? Het lijkt wel of het enige doel van zijn leven is ons van de aardbodem weg te vagen.'

'Ik kan geen andere reden bedenken dan wat we daarnet zeiden. Hij moet en zal in Chevathar de baas zijn en vecht zich anders nog liever dood. Wat er verder ook aan hem mag mankeren, hij is even trots en koppig als wij, anna...'

Hij zweeg even en ging toen verder: 'Weet je, ik moet je iets toevertrouwen wat ik beloofd had niet tegen je te zeggen en ik hoop dat je het verder maar vergeet. Vanmorgen is Aäron over die grote put voor het Andavar-gebied gesprongen.'

'Die grote waterput,' zei Solomon met ontzag in zijn stem. Toen, een beetje boos, liet hij erop volgen: 'En jij hebt hem niet tegengehouden! Je weet dat het illegaal is.'

'O, wat maakt dat nou uit, anna. Maar die zoon van jou, die was geweldig. De grootste putspringer ter wereld, maar dat was niet het belangrijkste. Op het moment van zijn overwinning had hij de hele wereld achter zich gelaten, al die honderden dingetjes die we zeggen en doen om ons aan de aarde te binden, om van onszelf miezerige wormpjes te maken die op hun sterfbed alleen nog maar de dingen kunnen bedenken en betreuren die ze altijd hadden willen doen, maar waarvoor ze nooit de moed opbrachten. Bedenk dat toch eens, anna. Wat een verspilling van leven, hoe ellendig of serieus of roemrijk ook. Wil jij echt als je doodgaat in je laatste ogenblikken de duisternis ingaan met alleen maar gedachten aan wat had kunnen zijn? Jij wilt vechten, anna, jij moet vechten, want als jij doodgaat zonder te vechten, als jij zwicht voor Muthu, zul jij er je hele volgende leven spijt van hebben. Wij buigen voor niemand, Solomon-anna, jij en ik, wij laten ons niet zo gemakkelijk kisten.'

'Alles goed en wel,' zei Solomon, 'maar ik zou toch willen dat er een manier was om die zaak zonder bloedvergieten op te lossen. Weet je, Joshua, soms wens ik dat appa niet zo jong was gestorven, dan heb ik het gevoel dat met een klein beetje meer wijsheid en een klein beetje meer kracht die hij me had kunnen geven ik zoveel beter voorbereid geweest zou zijn.'

Joshua knikte. 'Anna, jij beschikt al over het soort kracht en wijsheid die maar weinigen gegeven zijn.' Hij lachte. 'En bovendien heb je mij ook nog, word je daar dan niet gelukkig van?'

'Natuurlijk, natuurlijk,' zei Solomon lachend, 'maar ik ben toch wel benieuwd. Waarom ben je juist nu teruggekomen?'

'Om jullie allemaal weer eens te zien,' zei Joshua luchtig. Toen voegde hij eraan toe: 'Eigenlijk omdat een bloedverwant die ik sprak in het westen mij van de moeilijkheden in Melur en Sivakasi vertelde, en ik me afvroeg of die hier ook hun weerslag hadden. Dat gaf mij een excuus om terug te kunnen gaan...'

'Het is hier nu allemaal heel anders,' zei Solomon somber. 'Muthu is niet het enige probleem. Er is een algehele narigheid over het land neergedaald. Droogte, belastingen, onrust. Het lijkt alsof de avond van de wereld over ons is gekomen, Joshua.'

Joshua zei: 'Overal waar ik geweest ben, heb ik ellende en onrust gezien. De wereld is vermoeid, anna, ze gaat al zo lang mee dat haar zorgen zwaar op haar drukken.'

'Op mij drukken ze ook zwaar. Overal waar ik om me heen kijk zie ik domme mensen elkaar naar het leven staan. Ik heb je al verteld van Vakeel Perumal. Hij zit godzijdank in de gevangenis waar hij niet veel kwaad meer kan doen. En Muthu, nou ja, die ken je...'

'Dit is een gewelddadig land, anna. Muthu is er een sprekend voorbeeld van en meer dan jij ooit zult zijn.'

'Is dat niet droevig dan? Als ruzie en ellebogenwerk normaal zijn geworden.'

'Ja,' zei Joshua, 'maar zo is het nu eenmaal. Alles lijkt uit elkaar te zijn gevallen, de blanke machthebber is zijn greep aan het verliezen en bij ontstentenis van enig werkelijk gezag wordt zelfs de nietigste mens een tiran.'

'Denk je werkelijk dat de blanke man zijn zeggenschap aan het verliezen is?'

'Het is niet zozeer het verliezen van zeggenschap als wel een algehele onverschilligheid voor de problemen van het land. De Britten zijn hier niet gekomen om orde op zaken te stellen maar om te halen wat er maar te halen valt. Het enige wat ze nu doen is hun ware aard laten zien.'

'Maar er zijn ook goede mensen onder hen...'

'Er zullen altijd uitzonderingen zijn, maar die zijn helaas zeldzaam,' zei Joshua, 'en daarom zullen we onze eigen antwoorden moeten vinden.'

Na de lunch gingen ze weer lui onderuit zitten op de veranda. De serieuze stemming van de ochtend was voorbij en Joshua, spraakzaam als altijd, onderhield Solomon met de vele wonderbaarlijke dingen die hij gezien en gehoord had op zijn onvermoeibare reizen. Hij beschreef de overvolle straten van Madras, de grandeur van Britse functionarissen en kooplieden, zo heel anders dan Father Ashworth, en het weergaloos bevreemdende van mysterieuze dingen zoals ronde voorwerpen van glas die licht verspreidden, meer licht dan hij ooit gezien had. 'Vertrekken stroomden zomaar vol zonlicht als het avond was,' zei hij tegen Solomon, die toegeeflijk glimlachte. Wanneer hij zijn verhalen vertelde wist je dat Joshua zijn verbeelding de vrije loop liet. Hij had zelfs de trein naar Bombay genomen. Maar hij had al spoedig genoeg gehad van het jachtige tempo en de benauwende drukte van het leven in de stad en was weer zuidwaarts getogen.

Hij had overal avonturen beleefd. Hij vertelde de ongelovige Solomon over een dorp met vrouwen van een hoge kaste die zo licht waren dat hun gezicht rood kleurde door de toevloed van bloed wanneer ze niesten. 'Ze zijn ongelooflijk mooi, anna, maar dodelijker dan *kraits*. Om een zeer oude belofte aan Devi in vervulling te doen gaan, moeten de schoonmoeders de echtgenoot van hun dochters doden. Ze vangen een gekko die ze doodmaken en boven een kommetje hangen. Dan laten ze dagenlang de dodelijk giftige sappen langzaam in het opvangbakje druppelen. Als ze genoeg hebben laten ze de vloeistof op-

drogen en mengen het in kleine hoeveelheden door het voedsel van hun slachtoffer. Tot hij doodgaat. Langzaam. De bewoners hebben hun woonplaats het
dorp van de weduwemakers gedoopt, maar de vrouwen zijn zo mooi dat er aan
mannen die het lot willen tarten geen gebrek is.' Joshua's verhalen werden wil-
der naarmate de dag langer werd en geleidelijk overging in de avond. Toen ze
hun warme maaltijd hadden genuttigd van *appams* en een rijke stevig gekruide
stoofschotel die in kokosnotenmelk had gesudderd, maakten ze een ommetje
langs de gebouwen op hun terrein en bleven een poosje stilstaan om te luisteren naar de geluiden van de avond.

Geruime tijd spraken ze niet, toen zei Joshua: 'Ik kwam op mijn tochten een
keer een baba tegen bij een van die simpele kapelletjes langs de weg; er was
verder niemand. Dat moet ergens in Dharwad geweest zijn. De oude man leek
zich dood te vervelen en blij te zijn dat hij gezelschap kreeg. We praatten lange
tijd samen. Het meeste van wat hij zei was het oude religieuze liedje, maar één
ding is me bijgebleven. Hij wilde van me weten waarom ik zo rusteloos was,
waarom ik zo ver van huis zwierf, en ik zei dat mijn dorp me niets zei, dat ik
het altijd had willen ontvluchten. Hij zei dat hoe ver je ook van Chevathar
wegvluchtte of hoe lang je er weg was, het je nooit met rust zou laten omdat je
door Chevathar gevormd was, het in je zat, jij Chevathar was. Misschien ben
ik daarom wel teruggekomen; misschien is dit hier mijn bestemming wel. En
als Muthu's mensen mij doden, zal ik hier voor altijd zijn.' Toen lachte hij even
om het zwaarwichtige van het moment wat te ontlasten en zei erachteraan:
'Bovendien kan niemand ontkomen aan wat de stift van de Schepper op ons
voorhoofd heeft geschreven.'

Toen liepen ze terug naar de veranda en bleven nog een tijdje rustig zitten,
ieder in zijn eigen gedachten verdiept. Het werd almaar donkerder en toch bleven ze op de veranda hangen en zeiden vrijwel niets. Boven hen strekte zich
een bonte jacht van sterren uit aan een rimpelloze hemel, de schittering ervan
onaangetast door een maan die al kleiner was geworden.

24

Hoog boven het altaar in de Sint-Paul's hing een uitgelezen voorbeeld van
plaatselijk vakmanschap te zien: een Christusfiguur gesneden uit diepbruin,
bijna donkerpaars palissanderhout, de ogen smartelijk, de gelaatstrekken in

pijn vertrokken. Toen Father Ashworth het voor het eerst had gezien was hij diep geschokt geweest. Het was precies zijn voorstelling van de Heer die hij in zich had meegedragen sinds hij een schooljongen was.

Zijn openbare school stond aan de rand van de Sussex-heuvels. Hij had er graag rondgezworven over de eeuwenoude paden die kriskras door het gebied liepen. Op een ochtend was hij daar aan het wandelen, toen de grasklokjes voor hem plotseling waren verdwenen. Er stond een man voor hem, gekleed in een lang soepel vallend wit kleed. In de ogen van de jongen was hij hem bekend voorgekomen. Hij had een gemiddelde lengte, maar bezat zo veel schoonheid en was zo aanwezig dat Paul op zijn knieën viel. Maar het was net alsof hij zich helemaal niet bewogen had want toen zag hij zichzelf naast de man lopen, die zonder een woord te zeggen toch tegen hem praatte: 'Gij zijt niet uit de wereld, gelijk ik niet uit de wereld ben,' waren de enige woorden die Paul zich later kon herinneren.

Toen hij bij zijn school kwam, besefte hij waarom de man hem zo bekend was voorgekomen. De kapel waar ze de laatste tijd geregeld naartoe gingen omdat Pasen in aantocht was, had een gebrandschilderd raam met een bijzonder knappe weergave van Jezus. Er was een volmaakte gelijkenis behalve in één cruciaal opzicht. De man die Paul zag had een bruine huidskleur en zijn haar en ogen waren donker geweest. Dat leek hem zo frappant dat hij zijn moed bij elkaar had geraapt en zijn geschiedenisleraar ernaar gevraagd had. 'Had Jezus echt blauwe ogen en blond haar?'

'Natuurlijk niet,' had meneer Barnes geantwoord. 'Kom maar, ik zal je laten zien wat ik bedoel.'

Op een wereldbol liet meneer Barnes hem de ruige woeste streken van West-Azië zien. 'Als Jezus vandaag in Engeland zou verschijnen zou hij de meeste mensen die in hem geloven diep schokken. Want hier – in Azië – was hij geboren, hier leefde en predikte hij. Hij had een bruine huid en donkere ogen. Hij sprak geen Engels maar Aramees, een taal van de mensen uit de woestijn. Hij was echt een heel onaanzienlijke boerenleider uit Galilea. Hij zou in de geschiedenisboeken nog niet eens een voetnoot waard zijn geweest als hij niet de Messias was, natuurlijk. Feitelijk weten we dat er een historische Jezus geweest is die in het tijdperk van Augustus geleefd heeft. Ik kan het voor je opzoeken.'

Meneer Barnes rommelde wat met zijn boeken op zijn overvolle tafel tot hij vond wat hij gezocht had. 'Ha, hier staat het. Volgens de joodse historicus Flavius Josephus, wiens verslaggeving dateert uit de eerste eeuw, heeft er echt een wijze man bestaan die Jezus heette en die leefde en leerde om en nabij de periode waarin hij historisch is getraceerd, en die door Pontius Pilatus werd omgebracht...' Barnes draafde door als een hazewind achter een haas, en er was geen houden meer aan geweest.

Father Ashworth was zoals gewoonlijk voor dag en dauw opgestaan om te bidden. Onder de starende blik van de palissanderhouten Christus, kwam hij met krakende botten overeind, sloeg een kruis en liep naar de Avondmaalstafel. Een windvlaag had de bladzijden van zijn manuscript verspreid en hij begon ze langzaam bij elkaar te rapen. De gebeurtenissen van de afgelopen week hadden naast al het andere ook het werk aan zijn boek tijdelijk stilgelegd.

Hij had Solomon dagelijks opgezocht maar was niet in staat veel verder met hem te komen. Hij had geprobeerd Joshua te spreken maar dat was op niets uitgelopen. Muthu Vedhar had geweigerd met hem te praten. En, bijna niet te geloven, maar de assistent-tahsildar had dit tijdstip uitgekozen om naar de andere dorpen onder zijn beheer op inspectietocht te gaan. Father Ashworth had geprobeerd contact op te nemen met Chris Cooke, maar die was ook al aan het rondreizen. Hij had een tijdje doorgebracht bij de pujari van de Murugantempel, maar het was duidelijk dat de zorgen van de oude man niet langer deze wereld betroffen. Toen Father Ashworth dringend had ingepraat op Subramania Sastrigal om zijn immense macht aan te wenden en de gekte die Chevathar op het punt stond te verwoesten een halt toe te roepen, had de heilige geantwoord: 'Uw zorgen zijn de zaak onwaardig,' en hij had de Schrift aangehaald ter staving van zijn standpunt.

Hij wist wel, dat hij niets hoefde te verwachten van Swaminathan, de zoon van de pujari. Ongetwijfeld was de berekenende jongeman druk bezig Muthu Vedhar juist tot vechten aan te zetten. Als Muthu dorpshoofd zou worden zou Swaminathans eigen rol reusachtig aan gewicht winnen.

Terwijl Father Ashworth de bladzijden weer netjes legde, las hij door wat hij had opgeschreven.

De kern van elke religie in de wereld is het goddelijke mysterie. Het vraagstuk waarvoor de leermeesters die hun bijdrage hebben geleverd aan de ontwikkeling van iedere godsdienst altijd zijn komen te staan, kan men eenvoudig zo stellen: Hoe het goddelijk mysterie te doorgronden, hoe het te omschrijven en uit te leggen aan zichzelf en hun volgelingen? Het is een vrijwel onoplosbaar vraagstuk, want hoe kun je God nu omschrijven? Er zijn geen feiten die voldoende verklaring bieden voor de Opperste Werkelijkheid; slechts de allergrootste zieners is het beschoren intuïtief het goddelijke te ervaren. Als gevolg hiervan heeft elke religie een veelheid van symbolen en mythen en van rituelen en dogma's ontwikkeld om het kernmysterie beter te begrijpen. Door de eeuwen heen hebben deze het kernmysterie verduisterd en de godsdienst schade berokkend. En de geestelijkheid kan alleen maar zichzelf verwijten maken voor die verduistering en misleidende uitleg van de Waarheid doordat ze de religie heeft misbruikt voor eigen doeleinden en de ene broeder tegen de ander heeft opgezet, de ene heilige tegen de andere, het ene dogma tegen het andere. Is Krishna's gedenkwaardige boodschap voor Arjuna op het slagveld van Kurukshetra soms minder belangwekkend dan de bergrede van Christus of Boeddha's uitleg van de Weg in Acht Stappen? Nee, duizendmaal nee! Mensen met een visie op alle godsdiensten zouden duidelijk tegen hun volgelingen moeten zeggen dat het doel van iedere religie hetzelfde is – het bereiken van de transcendente status, het ervaren van de ene ware Werkelijkheid, het volmaakt bevatten van de eeuwige Waarheid...

Hij was tevreden over de openingszinnen, maar hij zou moeten werken aan de rest. Hij verlangde ernaar weer naar zijn boek terug te kunnen. Maar ook in normale omstandigheden vond hij het schrijven zo'n beproeving dat hij vaak in de verleiding was gekomen het maar op te geven; het enige wat gemaakt had dat hij ermee door was blijven gaan was de gedachte dat het boek, als hij het ooit geschreven en gepubliceerd zou hebben, misschien een beetje kon helpen om tegen die verkeerde mensen in te gaan die in naam van de religie de ene mens tegen de andere probeerden op te zetten. Heer, laat me alstublieft dit boek mogen afmaken, bad hij even met gesloten ogen. Toen kwam een gedachte zo heftig in hem op dat hij alle schrijverij vergat. Ik heb geprobeerd een beroep te doen op het gezonde verstand van vrijwel iedereen in Chevathar, bedacht Father Ashworth, behalve van de vrouwen. Misschien zouden zij de tragedie nog kunnen afwenden.

Die avond bracht hij een bezoek aan het Grote Huis en was heel blij Charity alleen op de stoep aan te treffen. Hij aanvaardde haar aanbod van koffie en vroeg toen, zonder veel tijd te verdoen met inleidende woorden, haar steun. 'Ik kan er niets aan doen, padre,' zei ze eenvoudig. Hij wilde juist een poging doen haar verder te overreden toen ze opnieuw begon te praten: 'Toen Valli was aangevallen, ben ik me doodgeschrokken. Niet zozeer om mijzelf als wel om mijn dochter Rachel. Zij had het net zo goed kunnen zijn...' Omdat de koffie eraan kwam, brak ze haar verhaal af. Toen het meisje hen bediend had, zei ze: 'Op de dag dat het gebeurde, ben ik naar Valli's huis gegaan om te kijken of ik iets doen kon. Toen is de volle waarheid pas goed tot me door gedrongen. Er was helemaal niets wat ik doen kon. En geen van de vrouwen daar verwachtte ook iets van mij. Ze wisten hoe machteloos ik was, al was ik de vrouw van de thalaivar. Voor het eerst zag ik werkelijk in hoe machteloos wij zijn. Er gaat geen dag voorbij dat ik niet angstig wakker word, maar ik ben niet bij machte ook maar iets te ondernemen. We kunnen natuurlijk bidden dat onze mannen ons zullen beschermen. Mijn echtgenoot is een goed mens. Hij zal doen wat hij kan. En als hij wordt verslagen is het enige waarom ik kan bidden dat mijn dochters en ik genoeg tijd zullen krijgen om ons op het ergste voor te bereiden.'

Een ogenblik was Father Ashworth sprakeloos, toen zei hij: 'Zo mag je niet praten, mijn dochter. Onze Heer Jezus Christus zal je voor gevaar behoeden.'

'Daar bidden we om, maar we moeten er toch op voorbereid zijn.'

'Is er dan geen enkele manier waarop jij je echtgenoot kunt aanzetten om de kwestie met Muthu Vedhar in der minne te schikken?'

'Ik kan geen invloed op zijn beslissing uitoefenen, padre.'

Er was verder weinig meer te zeggen. Ze bleven nog een poosje doorbabbelen, hij dronk zijn koffie op en maakte aanstalten om weg te gaan. Toen hij opstond zei Charity: 'We worden wel op de proef gesteld, hè?'

Hij knikte en toen zei ze nog: 'Ik hoop niet dat we straks niet goed genoeg bevonden worden.'

Hij liep naar huis in de volmaaktheid van de avond. De schemering had de toppen van de bomen al geschoren, maar de grond onder hen was nog steeds verlicht door de zon en de grote banyanbomen leken haast in witte goudstof geworteld. Al die pracht waarmee deze plaats bekleed is, dacht hij, al die pracht, al die wanhoop!

25

De klimaatbestendige acacia hoort thuis in Sindh maar heeft zich door de jaren heen over de rest van het subcontinent verspreid. Hij wordt *kikar* genoemd in het noorden, en *babul* in het westen, oosten en het centrale gedeelte. Voor de Tamils is het de *karuveli*. Maar, onder welke naam hij ook schuilgaat, hij is een van de meest algemene bomen in India en je kunt zijn saaie groene kruin vaak opmerken op terrein waar geen ander gebladerte gedijt wil. In Chevathar heeft het acaciawoud zich mijlenver uitgestrekt in het onherbergzame land voorbij de Murugan-tempel. De bomen staan er zo dicht op elkaar dat ze een ondoordringbare overkapping vormen waaronder de grond op de heetste dagen nog koel blijft. Het bomenwoud heeft gezorgd voor nog meer voordelen. Er groeit maar weinig in de schaduw eronder dus is er ook geen beperking voor het gezichtsveld van de vrouwen die er vaak komen. Maar de grootste zegening zijn de witte doorns die in een dikke laag op de grond liggen en het iedereen moeilijk maken snel of onopgemerkt op je af te sluipen.

Om die redenen was het toegankelijkste deel van het acaciawoud een voor de hand liggende keus van de vrouwen van Chevathar als het erom ging een plek uit te zoeken waar ze hun behoefte konden doen. Veilig voor op vrouwen beluste mannen die je met hun ogen verslinden, kwamen de vrouwen, ieder gewapend met een kleine *chembu*, in de vroege uurtjes van de dag en laat op de avond bij elkaar om er hun ontlasting te brengen. Ze zaten dan in kleine groepjes te kletsen over hun kinderen en echtgenoten. Af en toe trok er een siddering van opwinding door het oord dankzij een sterk staaltje van roddels uit de eerste hand, en dan wist binnen een paar minuten elke vrouw die er zat van de Marudar-vrouw die met haar Paraiyaanse minnaar was betrapt of van de geslachtsziekte van de broer van de assistent-tahsildar die hij had opgelopen bij een prostituee in Ranivoor.

Maar sinds de moeilijkheden waren begonnen, had het acaciawoud bol gestaan van spanning. De vrouwen beraadslaagden met hun groepsverwanten als ze wilden nadenken over wat er hun boven het hoofd hing. Nadat ze hun behoefte hadden gedaan daalden ze af naar de rivier om te baden. Daarna gingen ze terug naar huis.

Bij een wegsplitsing, net zover van de Murugan-tempel als van de rivier, wachtte Father Ashworth die morgen na zijn gesprek met Charity, de vrouwen op. Hij had de hoop nog niet opgegeven ze te kunnen overhalen hem te helpen.

Hij hoorde iemand achter zich steeds dichterbij komen. Het was Saraswati Vedhar die alleen naar huis liep na haar puja van die ochtend. Dat was een buitenkans. Als hij haar kon overtuigen, zou de rest vanzelf volgen. Ze keek geërgerd toen hij haar staande hield maar liet hem zijn verhaal afmaken voordat ze zei dat er niets was wat ze doen kon. Ze liep langzaam verder, diep in gedachten. Iedere vrouw met wie hij sprak, of het nu een Andavar-vrouw of een Vedha- of Marudar-vrouw was, zei hetzelfde. Sommigen vroegen hem zelfs alles te doen wat hij kon om het dreigende conflict tegen te houden, maar gaven hem ook te verstaan dat zijzelf niets konden of wilden doen om hem te helpen.

De volgende dag werd Father Ashworth wakker met een gevoel van verslagenheid. Hij had langdurig en hard gevochten, met elk vezeltje geloof en kracht dat in hem was, maar al tijdens de strijd was hem duidelijk geworden dat wat er gebeuren zou even onvermijdelijk was als het aanbreken van de dag voor zijn raam. Was dit wat dit land hem had bijgebracht? Dat hoe hard je ook probeerde hem te veranderen, de mens een schepsel was van zijn lot? Hij dacht aan de heldhaftige poging van Arjuna om zijn overhaaste impuls de oorlog aan te gaan te bedwingen; hij dacht aan de grote asceet Ravan, die zijn noodlot door toedoen van de uitverkoren Sri Rama tegemoet liep omdat hij niet in staat was de daden tegen te houden die waren uitgedacht om de bestemming van een ander in vervulling te doen gaan; en hij dacht aan de discipelen van de Heer, vooral aan Petrus, die de Zoon des mensen zijn dood tegemoet zag gaan. Vervuld van diepe wanhoop vroeg hij zich af: wie ben ik, een armzalig instrument van de Heer, dat ik de loop der gebeurtenissen die door de goddelijke wil bepaald is, zou willen omkeren?

Terwijl de dagen verstreken werd hij door dromen bezocht die steeds schrikbarender vorm aannamen. Twee dagen voor Solomons ultimatum voorbij zou zijn, ontwaakte de eerwaarde uit een onrustige slaap en werd hij opnieuw door wanhoop overvallen. Hij waste zich en liep lusteloos over het pad naar de kerk. Hij probeerde zich te concentreren op de bezigheden voor die ochtend, maar gaf het algauw op, verteerd door wanhoop die de afgelopen dagen zijn vaste metgezel was geworden. Voelt niemand dan mijn wanhoop aan, o Heer, dacht hij terwijl hij naar het tastbare blijk van zijn levenswerk keek dat voor hem lag: de verspreide blaadjes van zijn manuscript, de geboorte- en sterfregisters en de dooplijsten van de Sint-Paul's, een open gezangboek.

Dat alles voor niets! Al die jaren van werken, al die jaren die hij had doorgebracht tussen mensen die hij meer dan het leven zelf liefhad. Dat alles stond op het punt tenietgedaan te worden. Hij hief zijn ogen op naar de paarsgetinte Jezus die tegen de muur gespijkerd hing en bad zoals hij zo vaak gedaan had: 'Wil in mij komen, o Heer Almachtig en mij in Uw wijsheid tonen wat ik doen moet om deze gekte hier een halt toe te roepen.' En zoals altijd bleef het palissanderhouten beeld steken in zijn zwijgen en zijn schoonheid en in zijn houten gedaante tegen de gepleisterde muur van de kerk.

26

In een huis aan de rand van Meenakshikoil zat Muthu Vedhar in een kamer volgepakt met mannen die door een leider van een naburig Marudar-dorp waren opgeroepen. Er waren er al negenenzeventig gekomen uit de steden en dorpen rondom Chevathar en er werden er nog meer verwacht. Ze kampeerden in en rondom de stad en waren knap lastig in de theehuizen met het geld dat hun leider hun had gegeven. Hun verkwistende gedrag zorgde ervoor dat men ze liet begaan; bovendien waren de stedelingen bang voor de Marudars die erom bekendstonden bij de minste provocatie gewelddadig te reageren.

Muthu was onder de indruk van wat hij zag. Ze waren smerig, ondervoed en gekleed in half aan flarden gescheurde lungi's, *banians* en tulbanden, maar zij waren precies wat hij nu nodig had: vechtersbazen die de buit al roken. De Marudars vochten niet voor een of ander principe. Het enige wat hen gretig maakte was honger naar buit. Het was maar goed dat ze aan zijn kant stonden en niet aan die van Solomon. Hij verwachtte dat nog minstens honderd groepsverwanten zich de komende dagen bij hem zouden voegen en tweehonderd, misschien wel tweehonderdvijftig mannen voor de eigenlijke strijd. Solomon zou het pak slaag van zijn leven krijgen. 'Wij zijn de beste strijders van de hele omtrek en we zullen de schrik in de harten van onze vijand er goed in slaan,' zei hij onder geestdriftig applaus. 'Ik beloof jullie voldoende oorlogsbuit en gestolen goed om er stuk voor stuk met familie en al drie generaties lang goed van te kunnen leven.' Opnieuw gejuich. 'Het enige wat er tussen jullie en die rijkdom kan staan, is een erbarmelijk stelletje oude mannen en kinderen. Jullie moeten beloven genadeloos te zijn, dat is de enige manier waarop je verzekerd bent van een fortuin.' Het applaus was deze keer iets minder luid omdat er achter in de menigte geruzie was uitgebroken. Ze hebben gedronken, bedacht Muthu.

'Geen arak, geen toddy' zei hij nadrukkelijk tegen de Marudar-leider. Het gezicht van de man betrok en Muthu werd razend. 'Idioot die je bent, zie je niet dat je mannen worden opgepakt of een pak rammel krijgen als ze zo ongebreideld hun gang blijven gaan? Dan zijn ze waardeloos voor mij.'

'Ik zal ze aan banden leggen maar waag het niet mij ooit weer een idioot te noemen,' zei de man gebeten.

27

Solomons eerste klap vloerde de man. Het was niet zozeer een stomp als wel een duw, maar Muniyandi was volleerd in de kunst van kansen uitbuiten. Hij was een zuiplap zonder familie, want zijn vrouw en kinderen waren al lang dood. Solomon had hem op zijn weg naar het strand aangetroffen waar hij na een nacht heroisch doorzuipen zijn roes uitsliep, en hij had hem wakker gepord met zijn voet. De oude man was overeind gekrabbeld en had verwensingen gemompeld. Geërgerd had Solomon hem een pets om zijn oren gegeven en toen begon de tamasha. Muniyandi viel om en uit zijn neusgaten droop bloed in spetters op de grond. De eerste keer dat dit gebeurde, was Solomon zich doodgeschrokken, maar nu wist hij dat dit een slimme truc was. En hij was in woede ontstoken. Plotseling heel boos tilde hij zijn voet op en begon de oude man te schoppen toen hij op de grond lag. Muniyandi schreeuwde het uit van de pijn en Solomon hield meteen, geschrokken, op. Hij geloofde dat je personeel onder de duim moest houden en stond altijd vlug klaar zijn hand op te heffen tegen luilakken en nietsnutten. Maar mensen schoppen deed hij niet. Dat leek oneerlijk. De dreigende oorlog ging hem op de zenuwen werken; hij zou zich meer moeten beheersen. Hij bukte, hielp de huilende oude man overeind en mompelde korzelig: 'Kom later op de dag maar naar me toe. Ik ben je nog wat geld schuldig.'

Hij was hem natuurlijk helemaal niets schuldig, maar het was het beste wat hij kon doen.

Hij liep snel weg in de richting van het strand, zorgelijk en ongerust. Op de rand van een duin bleef hij staan en zijn gezicht klaarde op. Het schouwspel waarop hij onthaald werd, zou ieder oog gestreeld hebben. Als een staketsel tegen het platte vlak van de zee hadden zich ongeveer veertig mannen in paren opgesteld en ze waren aan het oefenen met hun zwiepende bamboestokken van anderhalve meter lang die in handen van behendige stokvechters dodelijke wapens waren. Stokdansen, *silambu-attam* noemden ze het in het Tamil en dat was het ook, een soepele vloeiende dans die een man zo prachtig kon doden dat het een kunst was. De vechters hadden nu twee dagen geoefend onder het wakende oog van Joshua. De meeste jonge knapen hadden geen training nodig gehad, want dit deden ze iedere dag voor de lol. Maar het was verbazingwekkend hoe snel de oudere mannen hun roestige gebaren hadden afgelegd. Solomon keek naar de wervelende stokken die nu eens hectisch draaiden als windmolens, dan weer bruusk naar voren werden gestoken of zachtjes trillend tot rust kwamen als vleugeltjes van libellen. Hij voelde de boosheid uit zich wegtrekken. En toen kwam plotseling alle spanning terug. Bijna achter in de groep stond een jongeman onhandig te vechten. Net op dat moment liet hij zijn stok vallen en boog zich lusteloos voorover om hem op te rapen. Zelfs vanaf deze afstand was het duidelijk wie dat was: zijn oudste zoon Daniel. Solomon liep op een drafje het duin af naar de vechters. Joshua kreeg hem in de gaten en zwaaide, Solomon reageerde met een grimmig knikje op zijn groet en liet de hoofdgroep links liggen om regelrecht op zijn zoon af te stevenen. Zijn tegenstander speelde met hem, dat was duidelijk, en Solomons boosheid laaide weer op. Hij droeg ze op met vechten te stoppen en rukte de stok uit de hand van de pachter die met Daniel aan het schermutselen was. 'Goed, ik zal jou eens laten zien hoe je vechten moet,' beet hij zijn zoon toe.

Hij leidde hem naar een plek een eindje bij de anderen vandaan. Joshua kwam naar hen toe.

'Anna, wat ben je aan het doen?' vroeg hij.

'Mijn zoon leren hoe hij moet vechten.'

'Dat is toch mijn taak?'

'Als ik hem om te beginnen eens wat beter getraind had, zou hij me nu niet zo te schande zetten.'

'Anna,' zei Joshua met een waarschuwende toon in zijn stem.

'Joshua, jij hebt je eigen werk te doen, ik heb het mijne. Laat me nu alleen.'

Solomons vastberaden toon liet Joshua geen andere keus dan te gaan. Wat jammer dat er geen boek met regels bestaat om vaders en zoons te helpen goede relaties aan te gaan met elkaar, dacht hij, toen hij wegging.

'Ik wil niet vechten, appa,' zei Daniel zachtjes.

'Wat bedoel je, dat je niet vechten wilt? Een zoon van mij die zoiets zegt maakt me te schande.'

Hij hief zijn arm al op alsof hij Daniel wilde slaan, maar toen hij Joshua zag die van een eindje verderop naar hen was blijven kijken, stopte hij ermee. Bedachtzaam sloeg hij zijn lungi om en zette de flap van boven stevig vast zodat die niet meer kon wapperen en nam de houding aan van de klassieke stokvechter. Terwijl hij dreigend keek naar de jongeman die voor hem stond, spiegelden zijn ogen zijn teleurstelling: die dunne polsen, die smalle onbehaarde borst, de wat gebogen houding, de grote sprekende ogen die een vrouw niet zouden hebben misstaan. Was dit werkelijk zijn zoon?

Zonder een woord te zeggen richtte hij een stoot op Daniel. Het was geen harde stoot, en hij werd ook niet bijzonder slinks uitgedeeld, maar Daniel maakte geen beweging hem te ontwijken of ontduiken. Solomons stok kwam met een doffe klap tegen zijn borst en hij wankelde een paar passen achteruit. Toen begon hij te huilen. 'Appa, ik wil niet vechten. Waarom houdt u niet op met dat absurde gedoe?'

'Waag het niet ooit zo tegen je vader te praten,' schreeuwde Solomon en hief zijn stok weer op. 'Vechten zul je, of ik heet geen Solomon Dorai!'

Daniel deed zijn best zijn tranen te bedwingen, toen Solomon abrupt van tactiek veranderde. 'Ga maar naar huis en wacht daar op mij. En veeg die tranen af. Onmiddellijk.'

Daniel liep langzaam weg en sleepte zijn stok achter zich aan. Solomon volgde hem met zijn ogen totdat hij de top van het duin had bereikt en door de reusachtige zee-aloë's aan het zicht was onttrokken, draaide zich toen om en bleef naar de vechters kijken. Zijn ogen zochten zijn jongste zoon en schoten vol trots, omdat Aäron een bijzonder moeilijke manoeuvre uitvoerde met een sprong in de lucht terwijl de stok van zijn tegenstander ongevaarlijk onder hem door flitste en hij een snelle draai om zijn as maakte om nog steeds vanuit de lucht en vanuit een andere hoek zijn tegenstoot te geven. Hij bleef nog een tijdje toekijken en begon toen naar huis te lopen.

Joshua liep een eindje met hem op. 'Wees niet zo hard voor Daniel. Hij is anders, maar hij heeft zijn eigen kwaliteiten. Je moet geen Aäron in hem willen zien, dat is het ergste wat je hen beiden kunt aandoen.' Solomon reageerde niet. Joshua haalde zijn schouders op en ging terug naar zijn mannen, en Solomon begaf zich op weg naar zijn huis. De meedogenloze drift die hij tegenover Daniel had voelen opkomen, had nog maar weinig aan kracht ingeboet en hij proefde nog steeds de smaak ervan in zijn mond.

Hij trof Daniel aan bij Charity. 'Weet jij wat je zoon gedaan heeft?'

Toen ze hem geen antwoord gaf, schreeuwde hij: 'Je moet je schamen dat je hem ooit op de wereld hebt gezet. Hij brengt niets dan schande over de Dorais.'

Charity zei kalm: 'Daniel is een goede jongen.'

'Wat zei je daar?' vroeg Solomon woest.

'Ik zei dat hij een goede jongen is,' zei ze, een beetje harder.

'Hij is geen jongen. Hij is een volwassen kerel en ik vind het erg dat er dit van hem geworden is.' Solomon zag tot zijn grote afschuw dat Daniel opnieuw begon te huilen. Charity sloeg een beschermende arm om hem heen en dat wakkerde Solomons boosheid nog meer aan.

'Je had als meisje geboren moeten worden, Daniel. Nou ja, het is nu eenmaal niet anders, dus dan moet het maar zo zijn. Ik wil dat alle vrouwen en kinderen van dit huis vanavond hun spullen pakken en zich klaar maken om weg te gaan. Jij moet naar het huis van je vader, Charity, en Daniel gaat mee als de vriend en beschermer van de vrouwen.' Toen zei hij er op sarcastische toon achteraan: 'Voor alle veiligheid zal ik een man of vijf met je mee laten rijden.'

'Appa, stuur me alsjeblieft niet weg,' zei Daniel in tranen, 'ik zal beter mijn best doen.'

Solomon was cru in zijn antwoord: 'Jij en je best doen blijft voor mij zonder enige betekenis. En dan te bedenken hoe trots ik was toen je geboren werd, mijn eerstgeboren zoon die zijn familie de komende eeuw in zou dragen. Weet je wat de astroloog tegen mij zei toen hij bij ons kwam om jou te zien? Hij zei dat jij de machtigste man in onze tak van de familie zou zijn. Je moeder had gelijk dat ze niet veel op heeft met sterrenwichelaars, want jij bent het levende bewijs van de stompzinnigheid van hun voorspellingen.' Hij liep met grote stappen weg.

Charity probeerde tevergeefs Daniel te troosten. Na een poosje ging hij bij zijn moeder weg en het huis uit. Toen hij wegliep, zag hij Aäron in de deuropening staan en hij besefte dat zijn jongere broer alles gehoord had. Ze waren nooit erg dik bevriend geweest. Toch had Aäron voor hem wel het minimale respect opgebracht dat hun traditie voorschreef. Vandaag zag Daniel voor het eerst minachting in de ogen van zijn broer.

Die avond inspecteerde Solomon zijn krijgslieden. Hij had gehoord dat ze nog zo'n man of tien extra uit de naburige dorpen konden verwachten en men had hem ook een paar geweren en musketten beloofd.

Hij vroeg zich af of hij te lang had gewacht met het naar een veiliger oord wegsturen van de vrouwen en kinderen van zijn eigen familie. De laatste paar weken was de weg naar het noorden vol families die op de vlucht waren en velen werden door Muthu's schildwachten teruggestuurd. Maar er zat voor Solomon niets anders op dan maar op zijn geluk te hopen en op de krijgskunst van de mannen die zijn familie naar Ranivoor zouden begeleiden. Er waren geen huilerige tafereeltjes van afscheid nemen. Solomon kon zich niet meer over de manier waarop zijn oudste zoon hem had teleurgesteld heen zetten. Hij bleef weg toen de gesloten ossenwagens die nacht vertrokken.

Ondanks Muthu's uiterste inspanning waren de Marudars een stelletje ongeregeld en vloeide de toddy rijkelijk. De wachters die hij had laten opstellen bij de brug en bij de weg die uit Meenakshikoil voerde, waren dronken en het gewapende escorte van de Dorais kon hen gemakkelijk overmeesteren. Terwijl de stoet ossenwagens voorwaarts denderde, haalden ze andere wagens in alsmede vrouwen en kinderen te voet die eigengemaakte voertuigen voortduwden of grote manden van kokosvezel op hun schouders of hoofd droegen waarin hun aardse goederen werden meegevoerd. Niemand wilde als het maar even kon te maken krijgen met de vijandelijkheden.

Muthu Vedhar was razend toen hij van de ontsnapping hoorde, maar er was niets meer aan te doen. Hij verdubbelde zijn waakzaamheid.

28

Een kind was het eerste slachtoffer van de strijd in Chevathar. Het kwam al om op de dag voordat de echte gevechten begonnen. De meeste kinderen waren het gebied uitgevlucht. Degenen die waren achtergebleven, begonnen de volwassenen naar de kroon te steken op hun eigen speelse manier. De Vedhar-kinderen daagden de Andavar-kinderen uit tot een spelletje *goodu-goodu*. In de klassieke versie probeerde elk team de tegenpartij altijd uit te schakelen via een methode die een van tweeën was: óf zoveel mogelijk spelers van de tegenpartij tikken en onderwijl scanderend 'Goodu-goodu' roepen, ófwel een aanvaller vangen die op je terrein was gekomen. Maar in deze nieuwe versie van het spel wapenden beide partijen, geïnspireerd door de spanning om hen heen, zich met stokken en stonden ze elkaar geen millimeter grond toe. De kinderen die speelden, varieerden in leeftijd van zeven tot twaalf jaar, maar de woeste verbetenheid waarmee ze vochten zou die van hun vaders nog eer aandoen. En voor het eerst werden de teams geselecteerd naar hun kaste.

Het Andavar-team had de eerste twee wedstrijden verloren. Aan het begin van de wedstrijd die volgde, waarbij de sterkste Vedhar-jongen tot de aanval overging, stond er één enkele Andavar-jongen onverzettelijk tegenover hem. De rest van zijn team had zich achter hem teruggetrokken. Terwijl hij een waakzaam oog hield op de Andavars die hem omringden, gaf de potige Vedhar-knaap de jongen die tegenover hem stond met verachtelijk gemak een oplawaai, waardoor deze op de grond viel. Tijdens de val kreeg hij de stok van de aanvaller te pakken en bleef die stevig vasthouden. De grotere jongen gromde, en probeerde zijn wapen weer in bezit te krijgen. Hij gaf zijn tegenstander een flinke trap, maar tevergeefs. De enige uitweg voor hem was zijn stok los te laten en de nederlaag te accepteren, maar hij was niet van plan door dat waardeloze schepsel tegenover hem te worden overtroefd. En toen troffen drie welgekozen rake klappen met alle opgekropte woede erin van de tegenpartij de knaap hard in de nek, op het hoofd en tegen zijn benen. Hij viel op de grond en bleef onbeweeglijk liggen. De opgetogen kreten van de Andavars verstomden door de onnatuurlijke stilte van hun slachtoffer. Beide partijen maakten dat ze wegkwamen.

Toen het nieuws van de tragedie zich verspreid had, was Muthu Vedhar de eerste die ter plekke arriveerde. Hij weigerde toe te staan dat de gewonde jongen naar de medische hulppost van Father Ashworth vervoerd werd. In plaats daarvan werd hij als een hoopje vodden opgepakt en naar het huis van de vaidyan een kilometer verderop gebracht. Onderweg bezweek hij. Die dag zwoeren zijn vader en alle overige Vedhars bij de Murugan-tempel plechtig de dood van het kind te zullen wreken met het bloed van iedere mannelijke Andavar in Chevathar en Meenakshikoil.

In de vroege uurtjes van de ochtend, terwijl de maan nog steeds stil in de lucht hing, verzamelden de Vedhars zich nogmaals bij de Murugan-tempel. Klokken luidden om de aandacht van de goden op zich te vestigen, waarna Subramania Sastrigal, die met tegenzin door zijn zoon was overgehaald dienst te doen, in het Sanskriet *shloka's* mompelde en iedere man vibhuti en prasadam gaf. Hij spoorde hen aan de onbevreesde krijgsheer Arjuna naar de kroon te steken die gevochten had zonder de gedachte aan een vriend, verwant of naaste. 'Deze strijd van jullie is een rechtvaardige strijd, die slechte lieden sparen zelfs het leven van kinderen niet. En vergeet vooral niet wat Krishna op het slagveld gezegd heeft:

Er is niets zo welkom voor een krijger
Als een rechtvaardige oorlog...

Sterf en je zult de hemel beërven
Overwin en je zult heer op aarde zijn

29

Amper een kilometer verderop knielden Father Ashworth en Solomon Dorai in gebed neer voor het palissanderhouten Christusbeeld. Toen hij van de dood van de jongen hoorde, had Solomon zijn mannen laten weten dat ze elk moment een aanval konden verwachten. Nog net voor het ochtendkrieken was hij naar de kerk gelopen.

De padre had de hele nacht in gebed en meditatie doorgebracht. Hij had met de Heer gepleit en geredetwist, om leiding gevraagd, antwoorden afgesmeekt. 'Zeg mij toch, Heer,' had hij op een goed moment uitgeroepen 'waar deze strijd goed voor kan zijn? Als het Uw wil is, hoe kunt U dit dan rechtvaardigen? De hindoes zien het als een fase van het grote rad des levens dat almaar draait en draait en draait en waarin iedere daad van vernietiging de spiegeling is, of de generator, van een scheppingsdaad. De almachtige Shiva voert zijn verschrikkelijke dans uit waarin wordt geschapen op het moment van vernietiging. Maar welk antwoord hebt U hierop, Heer?'

Toen het dorpshoofd werd aangekondigd liep hij snel de kerk uit om hem te begroeten, maar het korte ogenblik van hoop was algauw vervlogen toen hij het gezicht van Solomon zag.

'Er is nog steeds tijd het af te blazen, Solomon.'

'Ik wil graag bidden, vader,' zei het dorpshoofd. 'En enkele van mijn mensen zouden graag de zegening van de Heer ontvangen. Mijn hindoe-strijders hebben de tempel al bezocht en de christenen zouden graag ook in de gelegenheid zijn om te bidden.'

'Dat is niet de juiste manier, Solomon. Deze strijd zal niet aan jullie glorie bijdragen, aan jullie grootheid.'

'Vader,' zei het dorpshoofd vormelijk, 'ik zou graag bidden en naar de Heer luisteren. Als u mij niet kunt helpen...'

'Laat mij jou liever helpen dit een halt toe te roepen, Solomon. Ik zal je geheime afgezant zijn. Jij weet dat je het kunt tegenhouden. Het enige wat jij doen moet, is mij vertellen wat voor jou acceptabel is.'

'Ik heb u al verteld waarvoor ik gekomen ben.'

'Solomon, ik smeek je te luisteren. Hoe wil je dat de mensen straks aan je terugdenken? Als iemand die goedgevonden heeft dat andere mensen gedood worden, louter en alleen omdat ze tot een andere kaste behoren? Denk je eens in, Solomon, die mannen ploegen hun akkers net als jij, ze hebben families net als jij. Denk jij dat hen doden, hen uit dit land verdrijven, een eind zal maken aan al je problemen? Denk jij dat al je moeilijkheden zullen zijn opgelost als dit straks een dorp is van alleen maar Andavars? Denk je nu echt dat er geen verkrachting meer zal zijn, geen handgemeen meer? Jij kunt er een einde aan maken...'

'Ik ben er niet mee begonnen, vader, maar er moet nu op een of andere manier een einde aan komen. Ik wil een tijdje met mijn Heer verpozen maar als u mij niet kunt helpen, zal ik weggaan.' Langzaam, als een oude, oude man, begon de eerwaarde de bijbel door te bladeren en vond uiteindelijk wat hij gezocht had. Hij las de woorden van de profeet Jozua: 'Ieder van uw eigen mannen joeg wel duizend vijanden op de vlucht. Want de Heer kwam zijn belofte na, hijzelf streed voor u'.

Toen bogen ze hun hoofd in stil gebed. Enige tijd later stond Solomon op, bedankte de eerwaarde en ging weg.

30

Dik en stroperig lag de zee erbij onder de ondergaande maan, het kabaal ervan was verstomd, de branding niet meer dan een dun wit litteken. Het was drukkend en een dikke laag wolken bedekte de lucht en dreigde met regen.

Bij het aanbreken van de dag begonnen de mannen zich op het strand te verzamelen. Solomons strijders kwamen als eersten. Ze vormden een halve cirkel in de schaduw van een duin, gespannen en afwachtend, en herhaaldelijk inspecteerden ze hun wapens, voor het merendeel bamboe silambu's. Joshua en Solomon droegen geweren, het dorpshoofd van het katoendorp hanteerde een antiek vuursteengeweer, waarvan de loop met ijzerdraad bijeengehouden werd, en twee andere pachtboeren hadden geweren die uit weinig meer bestonden dan een vuurloop met gebrekkig vizier. De meeste strijders waren bewapend met gevaarlijk ogende aruvals met brede platte lemmets, die met de geringste polsbeweging een kokosnoot in tweeën konden klieven.

In de lucht kwam wat kleur en de catamarans van de vissersvloot voeren uit naar hun verre visgronden en gleden geruisloos over het stuurse oppervlak van de zee. De uitgebleven moesson had ze een paar extra visdagen geschonken. Ongeveer een tiental catamarans dobberde nog in het stille water achter de branding. Solomon vroeg zich af waarom ze niet ook al lang weg waren.

Een uiterst ijl geluid kondigde de komst van Muthu Vedhar aan. Voorafgegaan door een brahmaanse priester, een *nadeswaram*-speler en een drummer, kwamen plotseling zijn mannen te voorschijn van onder de reusachtige kuiven van de palmen die langs de kust stonden. Voor de verbaasde ogen van hun tegenstanders schreed Muthu's strijdmacht voorwaarts alsof ze deel uitmaakte van een religieuze processie. Op hun blote lijven schitterde vibhuti en de strijders hielden hun wapens met plechtige gratie vast: stokken, aruvals, een paar grof gevormde drietanden, een tiental vuurwapens, een even bonte verzameling als Solomons eigen wapentuig.

Met bijna twee op een was de groep van Solomon sterk in de minderheid, ondanks het feit dat Muthu amper honderd man voor de strijd had kunnen verzamelen, minder dan de helft van het aantal waarop hij had gehoopt. De Andavars hanteerden hun wapens nerveus, gespannen en uitgeput van de voortdurende waakzaamheid van de voorbije week. Joshua voelde hun stemming aan en fluisterde Solomon toe: 'We moeten iets doen. Laten we alvast een paar van hen te pakken nemen zo gauw ze binnen schootsafstand zijn.'

'Nee,' fluisterde Solomon terug. 'Zij hebben de pujari en muzikanten bij zich.'

'Maar we spelen Muthu zo in de kaart. Hij heeft kennelijk een plan.'

'Net als wij,' zei Solomon. 'We zullen eerbaar strijden of helemaal niet.'

Nog net buiten schot bleef Muthu stilstaan. De muziek ebde weg, en de muzikanten en de pujari dropen af. Op een teken van de Vedhar-commandant begonnen er vuurwapens te knallen, een geluid dat door de uitgestrektheid van zee en zand onbeduidend leek. Ze vuurden in het wilde weg want de afstand tussen de strijdmachten was te groot. Een toevallige treffer velde een van de Andavars, die neerviel terwijl hij krampachtig zijn been vasthield. Hij begon te jammeren, een schril geluid van iemand in doodsnood waardoor Muthu's mannen tot actie geprikkeld werden. Ze begonnen hard op de Andavars af te rennen, struikelend door het zachte zand. Tot Joshua's ontzetting begonnen zijn mannen van hun plaats te schuifelen toen hun vijanden dichterbij kwamen. Een paar van hen kapten ermee en zetten het op een lopen en hij draaide zich woedend om naar de rest.

'Lafaards, ik schiet op de eerste man die zich verroert. Alleen door stand te houden kun je winnen. Denk aan Valli, bedenk dat jullie de enigen zijn die tussen jullie vrouwen en kinderen en hun slachters staan. Vechten moet je nu, als mannen!'

Solomon hoorde de aansporingen van zijn neef vaag, want het was alsof er een enorm gat gaapte tussen zijn eigenlijke lichaam en zijn zintuigen. Als vanaf grote hoogte zag hij zichzelf kalm langs de loop van zijn geweer turen naar de zware gestalte van Muthu die nu nog vijftien meter van hem af was. Een jonge man die sneller was dan de Vedhar-leider kreeg de volle laag in zijn borst en viel neer, zijn ledematen slap en vreemd scheef in de dood. Solomon schoot opnieuw en weer viel een man wankelend om. Maar Muthu liep in volle vaart verder. Joshua vuurde een paar schoten af, net als sommige anderen, en toen sneuvelden er nog drie Vedhars.

De schok van de aanvallende strijdmacht van de Vedhars sloeg de verdedigingslinie uiteen. Nu hun vuurwapens nutteloos waren, gingen de mannen elkaar te lijf met een wreedheid die geboren was uit de noodzaak te overleven. Met uitzondering van de Marudars had geen van de mannen ooit professioneel of uit winstbejag gevochten en zeker niet op leven en dood. Er waren natuurlijk veteranen van dronkenmansknokpartijen en die hadden buren afgetuigd of waren met rivalen om land of vrouwen op de vuist gegaan. Maar in Chevathar had de vrede al twee decennia lang de overhand gehad en het merendeel van de mannen was niet op oorlog voorbereid. Hun korte training verdween in het niet en met de moed der wanhoop hakten de mannen op elkaar in met aruvals en silambu's, slechts vastbesloten om kost wat kost te blijven leven.

Sommigen waren op slag dood met een in tweeën gekliefde of uitzinnig kapotgeslagen schedel. De anderen hijgden en worstelden zwaar en probeerden hun evenwicht te bewaren op het verraderlijk wegglijdende zand. Joshua vocht met de korte dikke Marudar-commandant, waarbij hun bamboestokken als opspringende vissen draaiden en door de lucht maaiden en elke stoot gepareerd werd met een afweermanoeuvre en gevolgd door een tegenstoot. Zijn tegenstander was net zo onzeker op het zand als Joshua met zijn kreupele voet. En toen begon Joshua moe te worden. De jaren begonnen hun tol te eisen. Terug, terug, de Marudar-leider matte zijn tegenstander flink af en toen, terwijl hij behendig opzij sprong voor een woeste uitval, liet hij zijn stok verpletterend op de neus van Joshua neerkomen en de botsplinters drongen tot in de hersenen van zijn vijand. Zonder een kik te geven viel Joshua voorover met zijn gezicht in het zand.

Gelukkig zagen zijn mannen in het heetst van de strijd niet dat hun leider gevallen was. Maar Aäron die aan de zijde van Joshua had gevochten, zag het wel. Hij keerde zich woest tegen de Marudar-leider. Toen die zijn tegenstander zag, glimlachte de man. 'Eerst zal ik jou doden en dan reken ik af met de rest van je ontaarde familie,' schreeuwde hij.

Na een eerste woeste aanval begon Aäron het kalmer aan te leggen. Hij wist dat hij het in het volle frontale gevecht zou verliezen, dus bracht hij een tactiek in die hij had uitgedacht voor juist zo'n situatie. Hij begon zich terug te trekken naar een leeg gedeelte van het strand, terwijl de Marudar-leider doorging met de aanval. Een vijftal mannen schaarde zich aan zijn zijde en ze dreven de Andavar-jongens terug die zich dapper rondom Aäron verweerden. Toen, als op afspraak, verspreidden de Andavar-jongens zich, en tot ontzetting van de Marudar-aanvallers begon de grond onder hun voeten te bewegen. De visnetten die Aärons vissersvrienden onder het zand hadden begraven, gleden weg terwijl de catamarans koers zetten naar zee. Toen vielen Aäron en zijn bende de omvallende Marudar-mannen aan en ze knuppelden hen tegen de grond om er daarna nog eens flink op los te slaan. De netten werden stevig om de gewonde en stervende mannen heen geslagen en toen staken Aäron en zijn bende hun wapens in de lucht alsof het een afgesproken signaal was. Als een bruinvis in de val gleden zeven mannen, de Marudar-commandant incluis, de Golf van Mannar in.

31

Toen het dorpshoofd bij hem was weggegaan, bleef Father Ashworth nog lange tijd geknield voor het altaar zitten en bad om een wonder. Toen liep hij naar buiten. Solomon had hem gewaarschuwd niet naar de plaats van de strijd te komen. Toen Father Ashworth geprotesteerd had, had het dorpshoofd op vastberaden toon gezegd dat hij een paar van zijn mannen bij de zendingspost zou stationeren om ervoor te zorgen dat hij niet weg kón gaan. De padre ging er niet op in maar zei alleen maar dat het niet nodig was dat iemand hem bewaakte; Solomon zou iedere strijder die hij had hard nodig hebben.

De zon scheen grillig door een lucht vol dwarrelige wolken. Het was drukkend heet en de padre begon te zweten onder zijn habijt. Toen hij de zendingspost verliet, klom hij op een klein heuveltje dat hem een duidelijk uitzicht op het strand verschafte.

Als onbeduidende poppetjes schoven daar mannen lijzig heen en weer over het glinsterende zand. Af en toe viel er een om; hij kon niet met zekerheid zeggen of die dan ook weer opstond. Hij werd opnieuw vervuld van een hevig afgrijzen. Er waren daar op het strand mannen aan het doodgaan, Vedhars, Andavars, Marudars, mensen met wie hij een leven had gedeeld, met wie hij gelachen had, gebeden. Father Ashworth knielde onder de wollige lucht en bad, maar hij had geen woorden meer om de Heer mee te verbidden, het enige wat hij kon doen was op zijn knieën blijven liggen en diep in zijn ellende verzinken. Plotseling voelde hij zich opgenomen in een groot licht. Toen hij opkeek zag hij hoe de palissanderhouten Jezus slechts in een lendendoek gekleed naar hem toe kwam lopen, hem bij de hand nam en hem de helling over voerde naar beneden, naar waar boeren en dieven in naam van God stierven.

Van een afstand was, voor de komst van de moderne artillerie en oorlogsvliegtuigen, een slagveld een rustig in zichzelf verzonken oord. Het gevloek en geschreeuw van stervende mannen en woedende vijanden, het geknetter van de vuurwapens en het gekets en gekletter van stokken en messen en andere middelen om strijd mee te voeren steeg op en ging ook mee onder in het heetst van de strijd, zoals in het hart van een draaikolk het schuim eerst opkomt voor het ondergaat. Voor de tientallen toeschouwers onder de palmbomen was de strijd van Chevathar niet luidruchtiger dan de ingetogen ruis van de zee, waardoor de grimmige strijd die zich voor hun ogen afspeelde, leek op een poppentheater.

Maar in het hart van de strijd was het lawaai uitzinnig. Met een woeste kreet maaide Muthu de twee Andavar-mannen die tegen hem vochten opzij en stortte zich op Aäron en de andere jongens. Hij had gezien hoe ze de Marudarcommandant naar zijn dood hadden gelokt en wist dat hij onmiddellijk en verpletterend wraak moest nemen als hij zijn strijdmacht bij elkaar wilde houden. Hij had de jongen bijna bereikt toen Solomon hem de pas afsneed.

'Je zult eerst om mij heen moeten voordat je tegen mijn zoon kunt vechten,' zei hij zwaar hijgend en met stotende adem. Hij was gekneusd en gehavend en een ogenblik voelde Muthu medelijden met hem. Hij zag een man van middelbare leeftijd voor zich waar alle lichtheid en de jeugdige vaart uit was, en die noodgedwongen in een situatie was beland waarin hij niet meer alles in de hand had. Toen wiste zijn boosheid dat ogenblik uit en viel hij met alle kracht en slinkse behendigheid die hij nog in zich had, aan.

Solomon was het tot dusver slechter vergaan dan Muthu, maar op het moment dat hij de forse man met die stok door de zwoele lucht naar hem zag uithalen, vond hij nieuwe energie. Hij wendde de stoot af en ging in de tegenaanval. Rondom hen bleef de strijd hevig oplaaien en luwen en zijn eigen vaart volgen, maar vanaf het moment dat hun stokken elkaar kruisten gingen de mannen volledig in elkaar op.

Binnen een mum van tijd werd het beiden duidelijk dat Muthu de overhand had. Hij was forser en sterker dan Solomon en nog betrekkelijk ongehavend. De scherpe kantjes waren er bij Solomon, door zijn leeftijd en vredelievendheid vanaf gesleten. Muthu's slagen troffen met toenemende regelmaat doel en de overmaat aan adrenaline die hem energie had gegeven begon nu te tanen. Een stoot tussen de ribben trof hem hard van opzij en nog een, die hij juist had weten te ontwijken, schampte zijn gezicht. Zijn mond vulde zich met de mineraalsmaak van bloed. De stoten van Muthu's stok bleven maar op hem neerkomen. Toen dacht hij aan een les die zijn oude instructeur hem ooit had geleerd – die ene list die bewaard werd voor de beste leerling. Hij liet zich langzaam op de grond zakken en wachtte tot Muthu Vedhar's doelbewuste trefzekerheid een moment van aarzeling zou kennen waardoor hij net de opening zou krijgen die hij nodig had. Alsof er een gebed verhoord werd, hield Muthu's aanval plotseling helemaal op. Verbaasd keek hij op en zag wat Muthu's onderbreking veroorzaakt had. Father Ashworth stond voor hen, zijn gezicht verheerlijkt en kalm. De padre sprak vastberaden. 'Nu stoppen, Muthu Vedhar, Solomon Dorai. In de naam van onze Heer beveel ik jullie nu met dat zinloze doden te stoppen.'

Father Ashworth was een kleine man, maar de nieuwe geest die in hem was gevaren gaf zijn woorden een onnatuurlijke helderheid en zeggingskracht. Alsof er een knop was omgezet, hield op hetzelfde moment al het vechten op. Maar het duurde slechts een kort moment tot Muthu, kennelijk immuun voor de betovering waaronder Father Ashworth hen gebracht had, mompelde: 'Bemoeizieke christelijke priester,' en hij een roestige drietand van een van zijn gesneuvelde strijders diep in de buik van de eerwaarde stak.

Father Ashworth werd door de enormiteit van de stoot achteruit gedreven. Hij zakte zwaar op de grond, beide handen in een biddend gebaar om de schacht van het wapen geklemd en zijn snel afnemend gezichtsvermogen nam het uitgestreken groene oog van de zee in zich op, de verkreukelde lucht boven hem, de witte tanden van de branding, en onderwijl stierf hij. Toen begon het te rommelen aan de oostelijke horizon en in de lucht lichtten felle bliksemschichten en de warme regen striemde neer als prikkende naalden die aarde en hemel aan elkaar naaiden tot een reusachtige grijze lijkwade. De dorpelingen die toch al verbijsterd en geschokt waren door de dood van de padre, zagen de catastrofale stortbui aan voor een teken van goddelijke wraak. Een paar mensen begon zich te verspreiden en steeds harder te lopen, anderen bogen diep ter aarde en de overigen bleven besluiteloos rondhangen.

Zijn allerlaatste krachten bijeenrapend verhief Solomon zich op een knie en terwijl hij zijn stok als een boog spande bracht hij die ene stoot toe waar iedere meester op uit is. De silambu ging dwars door Muthu's sleutelbeen. Voordat hij kon reageren, richtte Solomon zijn stok opnieuw met een zwaai op de knieën van de reus. Beide knieschijven werden verbrijzeld terwijl zijn vechtershand nutteloos bleef zwabberen en toen wankelde Muthu Vedhar en begon te vallen. Solomon wachtte hem op met een stok die strak stond en hard was als staal. Toen zijn vijand naar voren viel, stootte de stompe kant van de silambu dwars door zijn kin waarbij bot, kraakbeen en bloed met de vaart van de slag door de lucht tolden. Muthu was al dood voor hij de grond raakte. Nu zijn ijzeren zelfbeheersing het begaf, viel Solomon naast zijn grote vijand neer. De stortbui zwakte af en werd een miezerbui die daarna weer aanzwol tot een gestage regen. In Chevathar was de regentijd aangebroken, veertien dagen te laat.

II
DORAIPURAM

32

Het licht van de open vlam lekte tongetjes langs de opkrullende randen van de pauwenveer. Indigo, smaragdgroen, aquamarijn, goud, brons, het hele gloedvolle spectrum werd langzaam tot as herleid. Daniel tipte de as in een gebarsten en verkleurd Chinees kommetje en pakte een nieuwe veer. Dromerig hield hij hem bij de vlam. In zijn verbeelding zag hij pauwen opvliegen, grote, zware vogels met slepen achter zich aan kronkelend, als slangen. Het vuur verslond de veer, schroeide zijn vinger en de pijn deed hem wakker schrikken. Toen hij voldoende as had, vermengde hij die met fijngestampte peper en *jeera*. Het mengsel dat daaruit voortkwam, pauwenveer-*chooranam*, was een van de populairste geneesmiddelen van de Siddha Vaidyasalai, de dokterspraktijk van dr. Pillai, en het werd speciaal aanbevolen tegen oprispingen en de hik.

Het was iets na vieren in de vroege ochtend en Daniel was de enige die aan het werk was. De zes mannen die met hem samenwerkten zouden er weldra ook zijn want de kliniek van dr. Pillai ging vroeg open. Daniel had nooit iemand horen mopperen over de lange werkdagen. Zelf maakte de legendarische dr. Pillai nog meer slopende arbeidsuren, omdat hij van vier uur in de ochtend tot acht uur 's avonds spreekuur voor zijn patiënten hield, met slechts een korte onderbreking voor het ontbijt en een nog kortere om tijdens de lunch een glas verse karnemelk te drinken. Wanneer Daniel en de andere assistenten klaar waren, was de oude dokter doorgaans nog aan het werk en bezig een nieuwe formule uit te proberen die hij toe kon voegen aan de reeks geneesmiddelen waar de praktijk van de vaidyasalai voor de verkoop patent op had, of hij was verdiept in een boek. Tegen de tijd dat ze de volgende ochtend terugkwamen, had hij alweer een bad genomen en zat aangekleed en wel in het vertrek waar hij zijn patiënten ontving.

Daniel was in een kast aan het rommelen, op zoek naar nog meer pauwenveren, toen er iemand op zijn schouder tikte. Chandran, de assistent die al heel lang bij dr. Pillai in dienst was, zei dat de dokter hem wilde spreken. Dat was zo ongewoon dat Daniel zich zenuwachtig voelde worden. Wat was er aan de hand? Had hij iets ergs gedaan? Zou hij zijn baan verliezen? Hij had het hier naar de zin. De vier jaar die hij bij de vaidyasalai had doorgebracht, hadden hem rustiger gemaakt en het gevoel van zekerheid gegeven dat hij zo wanhopig had ontbeerd. Hij betwijfelde of hij zich zonder dit werk ooit had kunnen neerleggen bij de schokkende gebeurtenis in Chevathar. Hij wist nog heel goed hoe hij had liggen woelen en draaien en hoe de laatste woorden van zijn vader steeds door zijn hoofd gespookt hadden, net als die wanhopige laatste vlucht... Het nieuws van zijn vaders dood en van die van Father Ashworth had hem bijna de das omgedaan. Zijn herstel was heel geleidelijk verlopen, maar de zorgvuldige precisie waarmee medicijnen bereid moesten worden, de concentratie die dat vergde, was het kalmeringsmiddel geweest waarmee zijn genezing was ingezet.

Wat wilde dr. Pillai van hem, dacht hij paniekerig. De dokter was opvliegend van aard maar hij wist zeker dat hij niets gedaan had wat hem uit zijn humeur had kunnen brengen. Had hij misschien een fout gemaakt bij de bereiding van een van de talrijke recepten die hij dagelijks samenstelde? Nee, dat was onmogelijk; de schaarse gelegenheden dat dr. Pillai hem had opgemerkt, had hij hem geprezen om zijn snel groeiende vaardigheden als apotheker. Hij dacht na over de geneesmiddelen die hij onlangs had klaargemaakt. Gisteren had hij nog een grote hoeveelheid *karumaikilangu legiyam* bereid maar dat was iets onschuldigs, vervaardigd met mout, daar kon niets verkeerd mee zijn gegaan; dan was er wat *kungiliya parpam* geweest... Had hij misschien te veel *elaneer* gebruikt? Nee, nee, dat was onmogelijk; hij bereidde dit al zo veel jaren... Misschien was hij te onvoorzichtig geworden. Toen hij door kreeg dat Chandran op hem stond te wachten, sloeg de paniek nog meer toe.

'Heeft dokter aiyah gezegd waarom hij mij wil spreken?' Zo op de man af had hij niet willen klinken – dat maakte de dingen alleen maar erger.

'Nee,' Chandran was net zo zwijgzaam als zijn meester. Terwijl hij zich dwong wat te ontspannen, volgde Daniel Chandran naar dr. Pillais spreekkamer.

De dokter was een korte, donkere man met een randje wit haar waarboven als een blank ei zijn kale, ovale schedel uitstak. Een grote haakse neus verleende hem een streng voorkomen hoewel zijn blik dikwijls iets verstrooids had. Dr. Pillai had een enorme reputatie opgebouwd in de veertig jaar dat hij in Nagercoil zijn praktijk had gehouden. Een niet-onbemiddeld man, had hij al vroeg in zijn carrière besloten zijn tijd en kundigheid te wijden aan de behandeling van de allerarmsten, en aan de rand van de stad een kleine kliniek geopend. Toen zijn vader overleed had hij een groot huis in de Mandapamstraat geërfd en zijn praktijkruimte daarheen verhuisd. Hij had assistenten en poedermengers aangetrokken en nog steeds niets voor zijn diensten gevraagd. Als je daartoe in staat was, gaf je een vrijwillige bijdrage. Anders betaalde je alleen voor de medicijnen, die voor het merendeel in eigen huis werden vervaardigd en tegen kostprijs verkocht.

Nog afgezien van zijn gratis diensten, kwam de populariteit van dr. Pillai voort uit het feit dat hij een buitengewoon goede dokter was. Hoewel hij een lang leven gewijd had aan het leren beheersen van de fijne kneepjes der *siddha*-geneeskunst had hij algauw de overbodige en ouderwetse aspecten ervan gelaten voor wat ze waren. Omdat hij een praktisch man was, leende hij alles wat hij maar gebruiken kon van andere medische disciplines. De puristen hekelden hem daarom en ontzegden hem het recht zich een siddha vaidyan te noemen. Dr. Pillai liet zich niet uit het veld slaan want hij gaf niets om beleefdheidstitels of opname in het genootschap van de traditionele vaidyans. Hij was bezeten van siddha, maar nog groter was zijn passie voor de genezing van mensen en hij was op zoek naar medicijnen die werkten. Toen honderden patiënten dankzij zijn ietwat onorthodoxe geneeswijzen beter werden, groeide zowel zijn vermaardheid als zijn werkdruk. Charity's vader en dr. Pillai hadden al twintig jaar lang iedere donderdagavond samen geschaakt, dus toen Jacob Packiam vroeg of zijn kleinzoon in de kliniek mocht komen helpen, had dr. Pillai er geen bezwaar tegen gehad.

Toen hij Daniel had aangekondigd, liep Chandran weg om zijn gewone plaats bij de deur in te nemen. De spreekkamer van de dokter kwam uit op een grote hal. Patiënten zaten hier te wachten op matten die langs de muur lagen. Als dr. Pillai met een patiënt klaar was, mompelde hij meestal een recept voor zich uit dat Chandran overbracht aan nog een assistent die het weer meenam naar het vertrek waar Daniel en zijn collega's iedere dag bezig waren tientallen recepten klaar te maken.

Een tijdje nam dr. Pillai geen notitie van hem en Daniels ongerustheid groeide. Hij probeerde zichzelf tot kalmte te manen door in het vertrek om zich heen te kijken. De dokter zat met gekruiste benen op een mat en was bezig de pols te voelen van een vrouw die zo door ouderdom kromgegroeid en verweerd was dat ze wel een boomtak uit het bos leek die groeide uit het lage krukje waarop ze zat. Een emaillen kom op een tafeltje en een houten kast vormden de rest van het meubilair in de kamer. De onversierde muren vertoonden scheuren en bladders van loslatende verf. Dr. Pillai die nooit getrouwd was, kon zich niet inlaten met dergelijke bijkomstigheden als gewitte muren en gordijnen voor de ramen. Maar de spreekkamer was wel smetteloos schoon. Dr. Pillai was klaar met zijn onderzoek van de oude vrouw en wenkte Daniel naderbij. Hij vroeg hem zijn handen uit te steken. Hij nam Daniels rechterhand in de zijne, keek er een lange tijd naar, en zei toen opeens: 'Hoe lang werk je hier al?'

'Vier jaar, aiyah.'

'Goed. Pak de pols van deze *paati* maar eens en zeg me dan wat je voelt. Hier, op deze manier.' Hij liet aan Daniel zien hoe hij de wijsvinger, ring- en middelvinger op de radiale slagader van de uitgemergelde pols van de patiënte moest leggen, en ging toen afwachtend zitten kijken. Daniel was zich doodgeschrokken. Hij had geen idee waarom dr. Pillai hem dit vroeg te doen. Hij had nooit eerder een diagnose gesteld en hij wist niets van pols opnemen af. Het enige wat hij kon was de siddha-recepten klaarmaken die Chandran en de andere assistenten hem hadden geleerd. Hij voelde de pols van de oude vrouw best wel, een zwak op en neer gaan onder de huid en vlezige binnenkant, maar hij had geen idee wat de dokter verwachtte dat hij zeggen zou. De stilte maakte hem nog zenuwachtiger. Dr. Pillai zei: 'Zeg mij maar hoe de pols klinkt. Jij bent een jongeman met opmerkingsvermogen... Hoor je er de wind door de bladeren in, het geklapper van de vleugels van een kraai...'

Een plotselinge ingeving. Een serieuze jongeman die iets heel waardevols laat zien aan een vriend. 'Aiyah, het klinkt als het trage lopen van een schildpad...' Op het moment dat de woorden eruit waren, voelde hij zich een dwaas en wilde hij de hand van de patiënte het liefst laten vallen en de kamer uitrennen. Tot zijn verbazing ontspanden de strenge gelaatstrekken van dr. Pillai zich bijna tot een glimlach. Zachtjes de hand van de patiënte uit Daniels greep losmakend, zei hij simpel: 'Zoals ik al gedacht had, je hebt de gave. Vanaf vandaag begin jij mij met de patiënten te helpen.'

Daniel rende die avond naar huis en liep regelrecht naar de kamer van zijn grootvader. Jacob Packiam zat aan zijn tafel in de bijbel te lezen. Zonder te denken aan zijn gebruikelijke schroom in tegenwoordigheid van zijn grootvader, flapte Daniel er meteen uit: '*Thatha*, hebt u dokter-aiyah gevraagd mij meer verantwoordelijkheid te geven?'

Jacob zette omstandig zijn bril af, legde een bladwijzer in zijn bijbel en veroorloofde zich toen pas een glimlach. 'Daniel, tegen Pillai kan geen mens zeggen wat hij wel of niet moet doen. Maar een paar weken geleden zei hij wel tegen mij dat hij een stadium in zijn leven bereikte waarin hij graag iemand iets van zijn enorme werklast zag overnemen. Hij dacht dat misschien jij diegene wel kon zijn... Nu vooruit, vertel het maar aan je amma, ze zal er heel blij om zijn.'

'Dank u, thatha.' Als in een droom liep hij weg.

In de maanden die volgden begon dr. Pillai de geheimen van de siddha-geneeskunde aan zijn jonge leerling te openbaren. Hij leerde hem dat de mens slechts een microkosmos in het heelal is, en opgebouwd uit dezelfde vijf elementen, de *panchamahabbutas*: aarde, water, vuur, wind en lucht. De *bhutas* vermengden zich om in iedere cel van het lichaam drie *kuttrams* te vormen – *vatham, pitham* en *kapham*. Wanneer die harmonisch en in balans waren, genoten de mensen een goede gezondheid. Wanneer hun groei onevenwichtig was, werden ze ziek. De siddha-geneeskunde, legde dr. Pillai uit, probeerde altijd het evenwicht te herstellen.

Naarmate de band tussen hen hechter werd, werd Daniel door dr. Pillai verder ingewijd in de magische leer, opgeslagen in oude boekwerken over de siddha-geneeskunde die hij in zijn bezit had. Hij legde de overeenkomsten uit tussen siddha, de geneeskunde van de Tamils, en *ayurveda*, de andere traditionele geneesmethode die in het noorden was ontstaan, en hij onderwees Daniel omtrent de achttien vermaarde *siddhars* aan wie alle kennis omtrent de siddha wordt toegeschreven. Hij sprak tot laat in de avond met zijn leerling over de religieuze en mystieke tradities van de wetenschap: hoe de god Shiva zijn gemalin Parvati deelgenoot had gemaakt van de grondslagen van de siddha-geneeskunst die alles verder had doorgegeven aan Nandideva, die het op haar beurt had onthuld aan Agasthiar, de grootste wijze van het land der Tamils.

De maanden gingen voorbij. Daniel bracht zijn tijd grotendeels door in de vaidyasalai, waar hij vroeg naartoe ging om laat weer thuis te komen. In de ogen van dr. Pillai waren de bekwaamste dokters degenen die de beste diagnose konden stellen, en hij loodste Daniel geduldig door de acht diagnostische methoden van de siddha-geneeskunst: opname van de pols, onderzoek van ogen en tong, interpretatie van de stem en de kleur van de patiënt en hoe de huid aanvoelde, analyse van urine en ontlasting. Daniel keek, luisterde en leerde.

Tegen de tijd dat zijn eerste jaar als leerjongen van dr. Pillai bijna voorbij was, kon hij al aardig overweg met de grondprincipes van de siddha-geneeskunst. Het zou nog een poosje duren voor dr. Pillai hem zelfstandig patiënten liet onderzoeken, maar Daniels zelfvertrouwen groeide met de dag. Hij leerde dat hij zijn vingers op de pols van een patiënt moest leggen als een musicus die een snaarinstrument bespeelt en hij kon de ziekte van een patiënt vaststellen door het patroon te lezen van een druppel urine in een kommetje olie. Als de druppel uitliep in de vorm van een pijl, een stier, een speer of een olifant, waren de kuttrams niet in balans. Als hij zich vormde tot een paraplu, bloem, ring of wiel, was alles in orde. Hij kon een ziekte vaststellen door de tong van een patiënt aan te raken en te benoemen hoe die aanvoelde. De diepste geheimen van het lichaam gaven zich aan hem prijs terwijl zijn mentor waarderend toekeek.

Toen hij op een avond de kliniek wilde verlaten, riep dr. Pillai hem bij zich en kondigde zonder nadere inleiding aan dat hij Daniel naar het Government Medical College in Melur zou sturen om een graad in de westerse geneeskunde te behalen. 'Ik weet uit ervaring dat kennis van de siddha-geneeskunst alléén geen goede geneesheer van je zal maken, ook al zou je meerdere levens kunnen besteden aan de bestudering ervan. Het is van belang dat je straks in staat zult zijn het ene systeem tegenover een aantal andere te stellen. Daarmee leer je de grootsheid van de siddha-geneeskunde waarderen. Een LMP-diploma zal je zeker van pas komen. Over een maand ga je hier weg.' Daniel kon zijn oren haast niet geloven. Hij dacht aan de vergeefse pogingen van Father Ashworth om zijn vader zover te krijgen hem medicijnen te laten studeren. Wat zou de oude padre trots zijn als hij hem nu kon zien, dacht hij.

33

Lang voordat de grauwe schoot der dageraad zich vulde met licht was Charity al opgestaan en druk in de weer. Normaal zou ze tegen de tijd dat de anderen wakker werden al flink aan het vegen en koken geweest zijn, maar vandaag voelde ze zich vreemd lusteloos en slap. Daniel zou de volgende dag naar Melur, de hoofdstad van het district, vertrekken.

Ze liet zich in de gemakkelijke rieten plantersstoel op de mini-veranda van het huisje neervallen, Daniels lievelingsplekje voordat de kliniek zijn leven had overgenomen, en keek naar buiten, het bescheiden tuintje in. Bij het aanbreken van de dag tekenden zich de contouren van de planten scherper af. Een blauwe mango domineerde de tuin. Hij werd heel hoog en stond fraai naast het pad dat van het hek naar de voordeur liep. Eromheen stonden crotons met tijgerstrepen in een gloedvol palet van kleuren. Charity had de mangozaailing uit Chevathar meegenomen bij haar eerste bezoek thuis na haar huwelijk, en hij was goed aangeslagen. Maar hij had nog niet één keer vruchten gegeven. Ieder seizoen vormden zich wel piepkleine mangootjes, bleekblauw doorschijnend als lapis lazuli, maar die vielen van de steel voordat ze rijp geworden waren – een levend bewijs van het gezegde dat de *Chevathar Neelam* slechts wilde gedijen bij de rode rivier. Een poosje was ze bang geweest dat ook Daniel voorgoed door de verbanning zou zijn aangetast. Het had lang geduurd voor hij zich hersteld had en zij had met hem meegeleden, zijn pijn meegevoeld die zo overstelpend was dat die van haarzelf er bijna door was uitgewist. Toen hij plezier in zijn werk begon te krijgen, was ze blij geweest. En nu kon hij nauwelijks zijn opwinding bedwingen bij het vooruitzicht westerse geneeskunde te gaan studeren! Ze had geprobeerd blij met hem te zijn en gehoopt dat de droefheid die ze diep in zichzelf voelde niet al te zeer aan haar te merken was.

Het huis kwam langzaam tot leven toen Charity zich naar het minuscule keukentje achter in het huis begaf. Ze had beloofd voor Daniel paal *kolukattai* klaar te maken, zijn lievelingsgerecht. Terwijl de melk warm werd, roerde en kneedde zij het gezoete deeg en begon er kleine beetjes vanaf te halen om er bollen van te vormen. Het vuur sloeg niet erg aan en ze richtte haar aandacht op het fornuis. Toen ze in het vuur blies sloegen er wolken rook in haar gezicht, en de tranen stonden in haar ogen. Ze dacht: het is het tragische lot van een moeder haar zoons te verliezen. Eerst Aäron, door dezelfde passie verteerd als zijn vader, gefnuikt en vol haat en bitterheid jegens de overlevenden van zijn familie, en nu haar lieveling, Daniel, die op het punt stond naar een wereld te verdwijnen waar zij hem niet volgen kon. Charity begon te huilen, omdat het verdriet van heden en verleden in elkaar overvloeide en haar te machtig werd.

Solomon was een paar dagen na het grote treffen aan zijn verwondingen overleden, en zij was niet in staat geweest op tijd terug te zijn voor de begrafenis in het dorp. Toen ze met Daniel in Chevathar was aangekomen (haar vader had erop gestaan dat ze haar dochters in Nagercoil zou achterlaten totdat de rust weer wat was weergekeerd), vond ze het er onherkenbaar veranderd in de korte tijd dat ze weggeweest was. In een van de huizen was een detachement van politiemensen gestationeerd. Drie Vedharfamilies, onder wie die van Muthu Vedhar, waren voorgoed verbannen en dat had geleid tot een kleine exodus van Vedharbewoners. De kerk bij de zee, in brand gestoken toen de strijd volop woedde, was een zwartgeblakerde bouwval. De christelijke dorpsbewoners moesten nu voor hun kerkdiensten de hele weg naar de stad afleggen.

Abraham Dorai, die zijn hele leven in de schaduw van zijn broer had geleefd, was thalaivar geworden en zijn vrouw Kaveri bestierde het Grote Huis. Aanvankelijk probeerden Abraham en zijn vrouw verzoeningsgezind te zijn, maar naarmate de weken verstreken, begon Kaveri het huishouden steeds meer naar zich toe te trekken en Charity ruw weg te werken. De meeste bedienden werden ontslagen en wie bleef kreeg te horen dat Kaveri de meesteres was in huis. Uitgeput en murw geslagen zag Charity toe hoe haar invloed werd uitgehold. Haar zwager en zijn vrouw waren niet onaardig tegen hen, deels omdat ze doodsbang waren voor Aäron. De dood van zijn vader en oom hadden haar jongste zoon diep getroffen. Charity's hart ging naar hem uit maar er was weinig wat ze voor hem kon doen, want hij gaf haar en Daniel net zo hard als ieder ander in de wereld de schuld dat ze hem Solomon en Joshua hadden ontnomen. Hij had een hekel aan zijn oom en mocht zijn tante evenmin. Abraham en Kaveri gingen behoedzaam om met de stuurse jongen die mank liep (zijn enige uitwendige litteken van de strijd); je kon nooit weten wanneer hij iets onvoorspelbaars zou doen.

Een paar maanden later kreeg Aäron het met Abraham aan de stok. Iedereen wist dat hij zijn dagen, en ook de meeste nachten, in Meenakshikoil doorbracht met kaarten, daar af en toe aan het vechten sloeg of er verloren rondhing, maar niemand durfde hem iets te vragen. Abraham gaf hem doorgaans wel geld als Aäron dat verlangde, maar deze keer weigerde hij de tien roepies uit te keren die zijn neef hem vroeg. Aäron kookte van woede en toen Abraham voet bij stuk hield, ging hij vreselijk tegen hem tekeer en liep daarna kwaad het huis uit.

Vijf dagen later was hij nog steeds niet terug. Charity probeerde haar zwager over te halen om naar hem op zoek te gaan, maar het was duidelijk dat Aäron hun gebied verlaten had. Charity was totaal van streek en zelfs Abraham was bezorgd. De enige die in haar schik was, was Kaveri, want zij was voor de boze jongen banger dan wie ook geweest. Toen het duidelijk was dat hij niet meer terug zou komen, zorgde ze er snel voor haar greep op het Grote Huis nog verder te verstevigen.

De zaken kwamen nog geen week later tot een crisis. Op een middag gaf Kaveri Kamalambal een klap omdat ze de vloeren niet naar haar zin had geboend. Charity protesteerde en toen viel Kaveri woedend tegen haar uit.

Die avond zei Abraham tegen Charity en Daniel dat het beter was als ze uit Chevathar weg zouden gaan. Hij was bereid een klein geldbedrag aan hen uit te keren, alles wat hij maar bij elkaar kon schrapen, want de tijden waren moeilijk – de boetegelden die de dorpelingen waren opgelegd vanwege de rellen en een alweer mislukte oogst hadden heel weinig overgelaten om van rond te komen. Als zij niet moeilijk zouden doen, was hij bereid de jaarlijkse pachtsom in natura uit te keren: mango's en rijst. Voor het jaar om was, gingen Charity en Daniel met een ossenwagen de grens over en terug naar Charity's geboortestad Nagercoil.

Ze hoorde voetstappen buiten de keuken. Charity veegde haar tranen af en begroette Rachel, haar oudste dochter, nu een mooie zeventienjarige met grote ernstige ogen zoals die van haarzelf. 'Ma, Miriam wil niet wakker worden.'

Charity kon zich maar al te goed indenken hoe het was gegaan. Miriam, de jongste, verwend en vertroeteld, weigerde iets te doen zonder dat ze ertoe gedwongen werd. Gelukkig was Rachel geduldig van aard en werd ze niet gauw boos. 'Geeft niet, *kannu*, we zullen haar straks wel wakker maken,' zei ze glimlachend tegen Rachel. Ze zou haar gauw moeten uithuwelijken; over een paar jaar werd ze te oud bevonden voor een goede partij. Wat zou ze een mooie bruid zijn. En wat zou Solomon genoten hebben als hij haar had mogen weggeven. Charity voelde de tranen alweer branden en begon maar vlug de ochtendmaaltijd klaar te maken.

Later die ochtend bleef ze om haar zoon heen hangen toen hij op zijn gewone plaatsje op de veranda de paal kolukattai zat op te eten. De zon had nog niet haar grootste kracht bereikt voor de slopende hitte van de dag, en de tuin klopte warm vol klank en kleur. In het dorre gebladerte onder de mangoboom ritselden en kwetterden mussen en timalia's. Op het lage stenen muurtje dat het terrein omsloot, was een hagedis traag en schokkerig bezig zijn weg door de tuin te zoeken, terwijl twee eekhoorns elkaar achternazaten, de mangoboom in en uit. In de luwte van de muur had Jacob een rij hibiscusstruiken geplant en de lichtgevende bloemen hadden een paar exotische bezoekers aangetrokken.

'Kijk, amma, honingvogels, die heb ik lange tijd niet gezien,' zei Daniel. Waarom is de wereld zo vol betovering en toch zo droevig, dacht Charity, terwijl ze naar de vogels keken, die als iriserende druppels van goud en smaragd hingen onder het heerlijke talud van bloemen dat ze naar deze magische tuin had getrokken.

34

Gedenkdagen van mislukte revoluties zijn zenuwslopende aangelegenheden voor bewindvoerders en de staat. De smeulende ashopen van de nederlaag gaan weer gloeien en kunnen opnieuw vlamvatten terwijl over het land de rusteloze geesten dolen van martelaren die met het vuur van de revolutie weten door te dringen tot degenen die opnieuw in verzet willen komen, en overal wordt de spanning voelbaarder. Toen het vijftigste gedenkjaar van de onafhankelijkheidsoorlog van 1857 naderbij kwam, zagen de machthebbers in het verenigde India dat met angst en beven tegemoet.

De oorlog had enkele zaken goed duidelijk gemaakt: de verschillen tussen machthebbers en onderdanen, de aanwezigheid van verborgen vijandschap en wantrouwen tussen beide partijen, en de kwetsbaarheid van het Britse imperium in het subcontinent. De Britse kroon was zich er altijd wel van bewust geweest dat wanneer het tot een massale opstand zou komen, het wel eens de teloorgang van haar kostbaarste bezit zou kunnen betekenen. Ze had eenvoudig niet de middelen tot haar beschikking om de miljoenen inwoners van India in bedwang te houden als deze zouden besluiten hun eigen geschillen te begraven en zich gezamenlijk tegen hun machthebbers te keren. Van een herhaling van het jaar 1857, hoe slecht gelukt en kortstondig het toen ook allemaal geweest was, mocht geen sprake zijn.

Bijgevolg werden de Britten in de zomer van 1907, naarmate de gedenkdag naderbij kwam, steeds waakzamer. Van de politierechter op zijn eenzame post in een ondergeschoven district langs de oevers van de glinsterende Irrawaddy in Birma, tot en met de theeplanter in het verre Assam, van de bestuursambtenaren in hun ambtswoningen in de grote gouvernementscentra van Bombay, Bengalen en Madras, tot en met de dienstplichtige soldaat in zijn kampement, van de ongeveer honderdduizend blanke onderdanen van zijne majesteit de koning-keizer vroeg iedereen zich af hoe de reactie op de herinnering aan de opstand zou zijn van de driehonderd miljoen Indiërs.

Chris Cooke was een van degenen die de dreigende storm met een angstig voorgevoel zagen aankomen. Hij had zelf meegemaakt hoe snel de ogenschijnlijk onderdanige bevolking van dit land ineens alle controle over zichzelf kwijt kon zijn en hij maakte zich dikwijls zorgen over de nieuwe verschrikkingen die het herdenkingsjaar ontketenen kon.

Maar de Bengaalse Opstand zat hem deze keer niet dwars. Het afgelopen uur had Cooke, en met hem praktisch iedere Brit uit Madras, in de hal van het Centraal Station vastgezeten. Voor een van de zinloze staaltjes machtsvertoon, waartoe de hoofdstad van het gouvernement zich nogal eens liet verleiden, werd van vrijwel iedereen die meetelde verwacht dat hij op het station aanwezig zou zijn om zijn opwachting te maken voor de gouverneur, wanneer deze de stad verliet of er terugkeerde. Cooke keek nors naar de mensen om zich heen die, gekleed in hun beste pak of uniform, elkaar stonden te verdringen. Wat een volslagen tijdsverspilling, dacht hij; je zou haast denken dat al die belangrijke mensen geen werk hadden, en dat hun leven ervan afhing of ze gouverneur Lawley al of niet een hand mochten geven. En dat alles in de hoop op promotie of een paar extra letters achter hun naam.

Dat was een van de dingen die hij het akeligst vond van Madras, maar er waren er nog een stuk of wat die er niet voor onderdeden – de intriges op kantoor, de roddels op de club, de regelgebonden sociale drukdoenerij – hoewel hij wel altijd genoot van zijn spelletjes cricket in het Chepauk-stadion en van de muziek en het amateurtheater. Maar wat hem echt dwarszat, was het feit dat hij achter een bureau was opgeborgen terwijl hij het leuke aan zijn loopbaan juist gevonden had dat hij geregeld in het veld bezig zou kunnen zijn. In de hoofdstad was je compleet geïsoleerd van de mensen en hun problemen, en dat was niet wat hij gezocht had toen hij zich voor de civiele dienst had gemeld. Als ics-man van de derde generatie was hij opgegroeid met verhalen over de plicht die ambtenaren tegenover hun land en volk hadden. Deel uit te maken van dat stalen netwerk betekende dat je je naar beste kunnen inzette voor de miljoenen waar je verantwoordelijk voor was, en niet dat je de halve dag stond te wachten tot de ene of andere man in de trein zou zitten. Zodra zich een gelegenheid voordeed zou hij een verzoek tot overplaatsing indienen, terug naar Kilanad, of mogelijk nog eerder als hij het leven in de hoofdstad niet langer uithield. Het zou misschien niet de beste tactiek zijn om hogerop te komen – het district waar hij dienst had gedaan was het minst belangrijke van het gouvernement – maar dat liet Cooke koud. Hij was net drieëntwintig jaar geworden en nog steeds niet gebonden door een gezin of andere verplichtingen. Over een jaar of tien kon hij er nog eens over denken zijn straf in de hoofdstad te gaan uitzitten. Zijn buurman stapte per ongeluk op zijn voet, de verzengende hitte maakte zijn stijve boord en pak niet om te harden en Cooke voelde zich plotseling dringend verlegen om frisse lucht. Hij begon zich al duwend een weg te banen naar de rand van de menigte.

Een eindje verder op het perron, nu vrijgemaakt van de gewone reizigers en de gebruikelijke chaos, stonden een paar banken, die voor het merendeel bezet waren door mensen die net als hij het wachten beu waren. Cooke liep naar een lege bank in de verte maar voordat hij daar aankwam, werd hij staande gehouden door een vroegtijdig kalende man met een open, hartelijk gezicht. Als redactiemedewerker van de *Mail* was Nicholas een van de eerste mensen in de stad met wie hij kennis had gemaakt. Ze konden het samen goed vinden en Cooke nam dankbaar de lege plaats naast hem in. Een man met een rood gezicht en karige wenkbrauwen zat ook op de bank en de journalist stelde hen aan elkaar voor. Toen hij hem een hand gaf merkte Cooke met weerzin op dat de man, die vertegenwoordiger was bij een van de grote handelsbedrijven, zweterig aanvoelde. Heimelijk veegde hij zijn handen schoon aan zijn zakdoek.

'Wat een stomme tijdverspilling, niet?' zei Nicholas. 'Het enige wat de gouverneur doet is een reisje van twee dagen naar Coimbatore maken. Daar is toch zeker niet de aanwezigheid van praktisch iedere Engelsman in Madras voor nodig?'

'Protocol,' zei Cooke voorzichtig.

'Protocol ammehoela, kerel,' zei de journalist monter. 'Zouden jullie nu niet juist op jullie posten moeten zijn, met al die onrust in de stad?'

'Er zijn maatregelen getroffen,' zei Cooke.

'Hoor die bureaucraat eens,' zei Nicholas nog altijd even opgeruimd kijkend. 'Maatregelen getroffen, dat klinkt goed. Heb je het verslag in mijn krant gelezen over de grote woede die die Bengaalse knaap Bipin Chandra Pal de vorige week heeft gewekt? Heeft onze Tamil-vrienden praktisch zover gekregen dat ze iedere Engelsman levend willen verbranden!'

'Vast niet,' nam Cooke de spottende toon van zijn vriend over, 'hij wond zich alleen maar een beetje op. Daar hebben die Bengalen toch een handje van?'

Nicholas lachte. 'Vast wel, ja, als je kijkt naar de opschudding die ze hebben veroorzaakt. Maar ik denk dat ze zich altijd wel ergens over opwinden, de verdeling van Bengalen en wat al niet!'

'Dat is een probleem, of niet dan?' zei Cooke bedachtzaam. 'Je kunt de relschoppers vaak niet veroordelen zonder het gevoel te krijgen dat je een tikkeltje oneerlijk bent.'

'Oneerlijk!' sputterde de zakenman tegen. 'Waar hebt u het in vredesnaam over, meneer Cooke? Weet u dat de autochtonen alle Engelse producten willen boycotten? Ze dringen er bij hun landgenoten op aan inheemse producten te kopen. Welk woord gebruiken ze daar ook weer voor?'

'*Swadeshi*,' zei Cooke.

Nicholas viel hem bij: 'Ja beste man, en je kunt maar beter dat andere woord dat met een s begint goed in je oren knopen. *Swaraj*. Vrijheid. Je zult het de komende maanden nog wel vaker horen.'

'Waar gaat het heen met dit land?' zei de zakenman geërgerd. Jullie kerels zouden die hele bende moeten inrekenen. Uit de weg ruimen. Geen greintje mededogen als je geen herhaling van 1857 wilt.'

'Ik geloof niet dat 1857 zich nog eens zal herhalen. Ik denk dat we wel op de inheemse bevolking kunnen rekenen...' Cooke kreeg de kans niet zijn zin af te maken.

'Op de inheemse bevolking rekenen,' zei de zakenman op scherpe toon. 'Sorry, sir, maar dat kunt u toch niet menen.'

'Ach, kom nou, als wij niet op hen konden rekenen, op de grote meerderheid althans, zouden wij toch nergens zijn. Denkt u nu werkelijk dat we heel

India in de hand zouden kunnen houden als ze allemaal samenspanden en besloten ons aan de kant te zetten?' zei Nicholas, die nu Cooke te hulp schoot.

'Nou, dat denk ik ook niet, nee,' moest de zakenman onwillig toegeven. Hij bette met zijn zakdoek zijn gezicht en keek verwachtingsvol het perron af. Maar er was geen spoor van de gouverneur te bekennen. Een locomotief stond ergens stoom af te blazen. Het was dodelijk vermoeiend om in de hitte een gesprek te voeren, maar de stilte duurde niet lang, en de zakenman die kennelijk had zitten nadenken over wat er gezegd was, begon ineens weer zijn wijsheid uit te kramen.

'Ik geloof dat het werkelijke probleem de inlander en zijn schoolopleiding is. Macaulay, in meerdere opzichten een vent uit duizenden, beging een vergissing toen hij bepleitte dat we een ras zouden ontwikkelen dat Indisch van bloed en huidskleur was maar Europees in denken, morele opvattingen en intellect. Daardoor zijn die inlanders over het paard getild en hebben ze te veel verbeelding gekregen. Daardoor hebben we die opstand van de Bengaalse troepen gehad en daardoor hebben we vandaag de dag nog steeds problemen. Houd die onbeschaafde lieden dom en ongeletterd zonder ze te willen bekeren en houd ze onder de knoet, dat is de enige methode.'

Cooke dreigde zich behoorlijk kwaad te maken. 'U gelooft dat toch zelf niet, wel?'

'Jawel,' zei de zakenman botweg, 'je kunt de inlander gewoon niet vertrouwen. Nu niet en nooit niet. Tenzij je aan het hoofd wilt staan van een uiteenvallend Brits Imperium. Doordat we hen destijds vertrouwden is het tot een Bengaalse Opstand gekomen. Is er korte metten gemaakt met God en met vrouwen en kinderen die in koelen bloede werden afgemaakt, aan mootjes gehakt en in een put gegooid. Cawnpore en Lucknow zullen over duizend jaar nog steeds in de herinnering leven, en dat omdat wij niet waakzaam genoeg waren en die bruine man vertrouwden. Telkens als ik een van die Indiërs over onrecht hoor jammeren, hoef ik me 1857 maar voor de geest te halen om ze daarna vrolijk overhoop te kunnen schieten.'

'Wij waren geen haar beter,' zei Cooke. 'Weet u wel dat we al die Indiërs, die we in Cawnpore gevangen hadden genomen, eerst het bloed van de vloer van het gebouw waar de slachting plaatsvond lieten oplikken voordat we ze ophingen? En dat we hele dorpen hebben weggevaagd met onze moord-, verminkings- en martelpraktijken? Devil Wind noemden ze dat.'

'Maar ze verdienden het, die misbaksels, we moesten wel streng zijn om ervoor te zorgen dat het zich nooit zou herhalen. En we moeten vandaag de dag net zo meedogenloos afrekenen met die relschoppers,' zei de zakenman die weigerde verder toe te geven.

'Genoeg erover,' zei Nicholas die op sussende toon tussenbeide kwam, 'waarom zou je zo opgewonden doen. De meeste van die zogenaamde nationalistische leiders genieten geen werkelijke steun en we hoeven ons geen zorgen te maken tenzij ze hun krachten bundelen. Maar dat gebeurt niet, zeker nu niet – nu er een interne machtsstrijd aan de gang is tussen de extremisten en de gematigden binnen het congres en een stuk of wat andere organisaties. Dus als er al wat vuurwerk is hier en daar, zal alles gauw doodbloeden. De Tamil is van nature een schuchter mens en niet goed in staat lang boos te blijven.'

En met reden, dacht Cooke. Engelands eerst veroverde bezit was tijdens de diverse veldtochten alle innerlijke weerstand ontnomen: de Poligar Wars, de slag bij Tipu over de grens, het smoren van de rellen van de Vellore honderd jaar geleden. Nee, de Tamils hadden er behoorlijk van langs gehad en zouden wel genegen zijn zich goed te gedragen. Maar je kon nooit voorzichtig genoeg zijn.

'Denk je werkelijk dat die protestbewegingen op niets zullen uitlopen?' vroeg hij de journalist.

'Dat denk ik, ja,' zei Nicholas. 'Voor wat ik ervan gehoord heb, duidt niets op het tegendeel. Een paar stenengooiende kinderen die het op de politie gemunt hebben, protestbijeenkomsten, de gewone dingen.'

'Voor de inlanders kun je nooit streng genoeg zijn,' zei de zakenman somber. 'Eén verkeerde handeling en je kunt ze maar beter ophangen. Schieten ze hen nog steeds neer?'

'Ik vrees dat ik u niet van dienst kan zijn, sir...'

'Verdraaid, waar blijft Lawley?' riep Nicholas plotseling uit. 'Hij is nog nooit zo laat geweest. Hadden wij iets moeten weten, Cooke?'

'Niet dat ik weet,' zei Cooke.

'Kom, ik ga eens kijken wat er daar gebeurt,' zei de zakenman terwijl hij opstond. Zonder hen nog een hand te geven liep hij weg in de richting van de menigte.

'Wie was dat stuk stront?' moest Cooke weten toen hij buiten gehoorsafstand was.

'O, die kent iedereen, beste kerel. Je moet wat meer uitgaan en kennismaken met die aardige sociale kringen in je stad.'

'Kan me gestolen worden,' zei Cooke. 'Er gaat geen dag voorbij of ik wilde dat ik terug was in het district zelf. Madras begint me op de zenuwen te werken.'

'Dat is de moeilijkheid met jullie *wallah's* van het platteland,' zei Nicholas. 'Het enige waaraan jullie kunnen denken is je ritjes te paard daar, om de nobele heer uit te hangen. Je moet je eens leren ontspannen. Nemen we d'r eentje, als Lawley vertrokken is?'

'Nee, bedankt, ik geloof dat ik maar eens een flink eind ga lopen om de wind door mijn hoofd te laten waaien.'

Het was laat op de avond toen Chris bij de rivier de Adyar kwam, een van zijn lievelingsplekjes in de stad. De zon stond laag aan de horizon en gaf het water de kleur van stroop. Een gloednieuw maantje had een schilfertje geel aan de hemel opengekrabd. De kalmerende rust van de rivier en het dichte struikgewas op de oever, waaruit zo nu en dan een vogelroep te horen was en verborgen geritsel van kleine nachtdiertjes, werkte op hem in als een dringend gewenst medicijn. Maar zijn gevoel van verademing duurde slechts kort, omdat zijn ruzie met de zakenman hem weer kwam plagen. Was onderdrukking de enige manier om dit land in goede banen te leiden? Konden ze de Indiërs voor eeuwig ervan weerhouden de zeggenschap en het bestuur over hun land in eigen hand te nemen? Niet erg waarschijnlijk, dacht hij, vroeg of laat zouden de Engelsen toch iets moeten overdragen. Zag die nurkse kerel niet dat de Britten op zeker moment, tenzij ze de handen ineensloegen met de mensen over wie ze macht uitoefenden, te maken zouden krijgen met iets wat nog veel erger zou zijn dan de Bengaalse Opstand? Toen moest hij denken aan de slagzin van een van de nationalistische leiders waarin deze de Swadeshi-beweging vergeleek met een allesverslindend vuur. Overal, en vaak met veel instemming, was deze leuze in de door Indiërs beheerste media geciteerd. Zouden ze in de verzengende hitte van dat vuur allemaal omkomen? Hij had een hekel aan zichzelf als de paniek zo toesloeg. Dat was ook iets wat hij tegen de grote stad had. Afgesneden van de tastbare werkelijkheid van het platteland, bracht je je tijd door met in te zitten over geruchten, onnauwkeurig krantennieuws en luchtfietserij. God, wat zou ik er niet voor willen geven om weer in Kilanad terug te zijn, dacht hij. Bij de werkelijke problemen, die ik zelf aan zou kunnen pakken en tot een oplossing brengen!

Het was donker geworden en hij kon het pad amper meer zien, dus besloot hij terug te gaan. Ongeveer halverwege deed iets van de rivier en het struikgewas en van de maangestalte in de lucht hem aan Chevathar denken. Die tijd was de rampzaligste geweest in zijn loopbaan. Hij had zonder rust te nemen weken achter elkaar doorgewerkt, vooral omdat de man die boven hem stond geen kennis van het district had, en het was een wonder geweest dat ze de onlusten hadden weten te bedwingen. Hij hoopte dat de opdracht tot overplaatsing spoedig zou komen. Hij zou naar Chevathar terugreizen, het dorp bezoeken waarvoor om het te behouden, zijn vriend de padre zich zo dapper had ingezet. Hadden ze maar naar hem geluisterd. Hij had van zijn vroegere collecteur, Nathaniël Hall, geen bericht meer gehad. Maar hij kreeg een paar jaar geleden van een collega uit Birma te horen dat die achterbakse advocaat Vakeel Perumal weer in Rangoon was opgedoken. Wat onrechtvaardig, dacht hij, dat het dergelijke mensen altijd voor de wind bleef gaan, terwijl de goeden begraven werden en mettertijd vergeten.

35

Diep verzonken in eigen beslommeringen had het gerommel van de nationalistische politiek Chevathar in 1907 ongemoeid gelaten. Het nieuwe jaar begon in het dorp met grauw, somber stemmend weer. Het vooruitzicht op nog weer een slecht moessonjaar, het vierde op een rij, was verschrikkelijk als je erover nadacht – mislukte oogst, mogelijke hongersnood, wat dan weer zou leiden tot onvermogen om de belasting en pachtgelden op land en boerderijen voor het gouvernement op te brengen.

Bij de brug naar Meenakshikoil lieten drie jonge knapen over een van de plassen waartoe de rivier geslonken was, platte steentjes stuiteren, als schokkende projectielen over het nog steeds roestbruine water. Aäron Dorai, de oudste van de drie, hield plotseling op met wat hij aan het doen was, en ging languit op de stenige oever liggen om naar het gesloten gelaat van de hemel te staren. Hij had het knappe voorkomen van zijn moeder geërfd, maar een al te vrouwelijk uiterlijk was hem bespaard gebleven door een krachtige mond en weelderige snor. Hij had zijn jonge jaren ruig geleefd en zag er oud uit voor zijn leeftijd. Nadat hij van huis was weggelopen, was hij in Ranivoor terechtgekomen, waar hij bij een koopman in een graanschuur aan het werk was gegaan. Hij had het daar zes maanden uitgehouden voordat de groezelige winkel met het stof van rijst en tarwe en peulvruchten dat je de adem benam, en de harde bulderende stem van de eigenaar die achter de toonbank lag als een olifant op zijn zenuwen begonnen te werken. Hij trok verder naar Tinnevelly, Puthulum en Mannankoil en werkte een tijdje in elk van die plaatsen, liet zich zo af en toe verleiden tot een klein diefstalletje en hing rond met werkloze nietsnutten voordat hij weer verder trok. Hij was geslagen, had honger geleden, had te maken gehad met onverwachte vriendelijkheid en even onverwachte klappen, maar hij had intens geleefd. Iets meer dan vijf jaar nadat hij was weggelopen besloot hij naar Chevathar terug te gaan.

Hij was verbaasd zijn moeder noch zijn broer noch zijn tante Kamalambal in het Grote Huis aan te treffen. Abraham en Kaveri hadden hun goed ingestudeerde verhaal klaar: Kalamambal, de arme ziel, was aan de cholera gestorven; ze misten haar zeer, maar ze wisten niet zeker of ze hem de waarheid omtrent Charity en Daniel wel moesten vertellen. Met goed geveinsde tegenzin stamelden ze de verzonnen details: zijn moeder en zijn broer, zeiden ze, hadden verklaard niet langer in zulke afgegleden omstandigheden te kunnen leven en terug te willen naar Nagercoil. Niets had hen op andere gedachten kunnen brengen, zelfs niet (zei Kaveri) Solomon-anna's laatste offer ter verdediging van hun familiegoed, waaraan zijn chithappa hen had herinnerd. Aäron begreep de verhulde boodschap direct. 'Ik heb altijd geweten dat mijn broer de naam die hij droeg niet waard was. Maar mijn moeder!' Hij was razend geworden en driftig tekeergegaan terwijl zijn tante en oom probeerden tegelijk gekrenkt en meelevend te kijken. Als gevolg van die onthullingen was Aäron onherroepelijk bevestigd in zijn afkeer voor zijn broer en zijn moeder.

Abraham en Kaveri waren in hun opzet geslaagd. Waar ze niet op hadden gerekend was dat Aäron besloot in Chevathar te blijven. Maar tot hun opluchting werd het algauw duidelijk dat hij geen belang stelde in het boerenbedrijf en ook geen thalaivar wilde worden. Het leven ging voor Abraham en Kaveri min of meer door als voorheen. Het enige wat ze hoefden te doen was Aäron van kleding en voedsel voorzien en zorgen bij hem uit de buurt te blijven wanneer hij een driftbui had. Net als voorheen bracht hij de meeste dagen door met rondhangen in Meenakshikoil, in het gezelschap van drie of vier andere landerige jonge knapen, en met eindeloos theedrinken en beedis roken in de theetenten van de stad, meisjes en oude mannen lastigvallend als ze daar zin in hadden – zo verbeuzelde hij zijn dagen en nachten en kwam alleen thuis om te slapen. Er ging een jaar voorbij, en toen nog een jaar. Hij zat vol onrust en diepe frustratie, maar had geen idee wat hij aan moest met zichzelf.

De afgelopen week was de aandacht van Aäron en zijn vrienden tijdelijk afgeleid door het op handen zijnde bezoek van het Abel Circus, een Europees gerunde voorstelling die nog nooit eerder in Kilanad vertoond was. Omdat de eigenaar bang was voor problemen in de grotere steden van het gouvernement, had hij besloten dat Kilanad, en in het bijzonder de zuidelijkste stad daar, geschikter was voor de 'wintertour' van het circus, die meestal direct na nieuwjaarsdag begon.

Zodra de lelijke plakkaten tegen de muur van enkele huisjes en een paar openbare gebouwen in de stad waren opgehangen, had een koortsachtige opwinding zich meester gemaakt van de inwoners en met name van de volwassen mannelijke bevolking. Abel was een slimme koopman en jarenlange ervaring had hem een scherp inzicht bezorgd in het gedachteleven van betalende klanten. Zijn plakkaten, in één kleur gedrukt op goedkoop wit papier, waren niet fijnzinnig. Op de voorgrond lachte een Europese vrouw uitnodigend (je kon eenvoudig aan de vrijpostig getekende figuur met de overdreven borsten, heupen en dijen het Europese al aflezen omdat ze het haar los en kortgeknipt droeg, enorme lippen had, en een veel te klein bikinibroekje met minibovenstukje droeg), terwijl een allegaartje van leeuwen, tijgers, clowns en dwergen een belabberd getekende, nauwelijks te onderscheiden achtergrond vormde. In de *mofussil* bestond Abels publiek voor het merendeel uit mannen die zich in de ban lieten brengen van de uitgezakte dijen en tieten van de onderbetaalde Anglo-Indische vrouwen met lichte huid die hij in dienst had, en wier optreden voornamelijk bestond uit in een kringetje rondparaderen in te strak of te krap zittende kostuums met veel lovertjes. Slechts een van hen bezat de vaardigheid en het figuur om een eenvoudige trapezestunt te doen, de rest stapte pronkerig heen en weer en liet een onnozele glimlach zien, hoewel voor de meeste zelfs dat al een marteling was, omdat door hun zwaarlijvigheid en likdoorns een gewone handeling als op hoge hakken rechtop over de planken lopen al moeilijk en pijnlijk geworden was. Het publiek lieten die tekortkomingen van de artiesten koud. Het liep als gedweeë kuddedieren naar het circus om collectief de schapengezichten of althans -ogen, diep in de vlezige blanke (of nagenoeg blanke) dijen van hun sternummers te boren.

Maar een week was een lange tijd om alleen van verbeelding te leven: Aäron en zijn vrienden hadden de wulpse dames van het circus besproken totdat het onderwerp uitgeput was en had afgedaan.

'Een vreemdeling in de stad,' zei Nambi, die met het gezicht naar de straat zat, plotseling. Aäron en Selvan draaiden zich om. De man die naar hen toe kwam lopen, was van gemiddelde lengte, en had een haviksneus en een hoog voorhoofd. Hij was een paar jaar ouder dan zij en gekleed in een jibba en veshti vol vuile vegen van de reis. Hij vroeg het drietal de weg naar het huis van de Dorais.

'Waarom moet u dat weten?' vroeg Aäron nieuwsgierig.

'Ik heb de hulp nodig van de thalaivar,' zei de vreemdeling eenvoudig.

'Ik breng u er wel heen, ik ben zijn neef,' zei Aäron en hij kwam overeind. Hij zwaaide zijn vrienden gedag en klauterde tegen de glooiing op naar de straat en toen gingen ze samen op weg in de richting van het Grote Huis.

Onder het lopen stelde de vreemdeling zich voor als S.V. Iyer, een advocaat uit de hoofdstad.

'Melur?'

'Nee, Madras,' zei Iyer en Aärons achting voor hem ging met sprongen omhoog. Er was iets aan de man wat Aäron en zijn kornuiten er al van had weerhouden hem lastig te vallen, maar nu werd het gevoel van respect bij hem nog groter. De vreemdeling vroeg heel belangstellend naar Meenakshikoil, Chevathar en Aärons eigen familie. Gevleid vertelde Aäron hem van de strijd in 1899 waar de ander over gehoord had, het heldendom van zijn vader en zijn chithappa Joshua.

'Een tragische zaak,' zei Iyer. 'We hadden mannen zoals zij goed kunnen gebruiken.'

Ze waren nu vlak bij het huis. Aäron vroeg de vreemdeling waarom hij Meenakshokoil wilde bezoeken.

'Dat zal ik je straks wel vertellen, vooral omdat ik denk je hulp nodig te hebben.'

'Hoezo dan?' vroeg Aäron.

'Ook dat zul je wel zien, maar de voornaamste reden dat ik hier ben is iets waar we allemaal, stuk voor stuk, bij betrokken moeten raken.'

De ogen van de jonge advocaat begonnen te glinsteren, maar voordat hij kon uitweiden over wat hij gezegd had, waren ze al thuis. Abraham kwam naar voren om hen te begroeten. Na de inleidende beleefdheden, legde Iyer uit wat hij in Meenakshikoil en Chevathar kwam doen.

'Revolutie, aiyah, revolutie. Het is de taak van ieder van ons om de blanke man de zee in te gooien. Hij heeft India onderdrukt en ons al te lang geknecht. En nu heeft hij Bengalen ook al in stukken gedeeld.'

'U moet wel voorzichtig zijn met wat u zegt. U weet dat ik als thalaivar de autoriteiten verantwoording schuldig ben voor deze plaats. U mag niet zulke onvoorzichtige taal uitslaan.'

Iyer sloeg geen acht op de waarschuwing van Abraham.

'Aiyah, ik predik hier geen opstand of verraad. Of misschien ook wel. Maar wat wij willen zeggen is dat India voor ons Indiërs is. We moeten Indische ondernemingen steunen, Indische stoffen dragen, Indiërs voor ons de besluiten laten nemen en niet het bestuur van dit land overlaten aan een paar blanke mannen met weinig aandacht voor onze belangen.'

'De Engelsen hebben ons bestuurd, dat is waar, maar hun beleid was wijs. Voordat zij hier kwamen was het nog dorp tegen dorp en radja tegen radja...'

'Met alle respect, aiyah, ik moet u in de rede vallen en met u van mening verschillen. Kijk maar eens naar uw eigen dorp, uw eigen district. Jaar na jaar zijn de regens uitgebleven, de oogsten verdord en dreigt er hongersnood. En het enige wat de blanke man doet, is de belastingen verhogen en onze hulpkreten zijn aan dovemansoren gericht. Dus wat doen wij dan? We zingen mantra's en dragen nutteloze rituelen aan de goden op die we om regen vragen en om geld en zaad voor nieuwe gewassen die onze families in leven moeten houden. Stel u eens voor dat eigen mensen voor ons verantwoordelijk waren. Als die in gebreke zouden blijven konden wij hen om rekenschap vragen zonder voor hen op onze knieën te hoeven liggen...'

'Genoeg grote-stadswoorden. Wij zijn vreedzame mensen en ik ben een functionaris met verantwoordelijkheidsgevoel. Ik wil niets te maken hebben met dit soort zaken.'

Iyer kon zich met moeite inhouden. 'Het spijt me dat ik u beledigd heb, aiyah, maar wilt u toch niet onze bijeenkomst bijwonen?'

'Nee, nee, dat kan ik helaas niet doen.'

'Ik kom wel, ik kom wel,' zei Aäron.

Abraham zei niets; hij had al lang geleden alle pogingen om zijn neef in goede banen te leiden, opgegeven.

Toen ze naar de stad terugliepen, vertelde Iyer zijn jonge vriend verhalen over revoluties en martelaren, vuurhaarden in het oosten en het noorden die de bedrukte ziel in het zuiden opstandig maakten. Hij vertelde hem van de scheuring in de congrespartij tussen de gematigden die in verzoening geloofden en de extremisten. Namen als Bipin Chandra Pal en Lal Laipat Rai kwamen over zijn lippen als waren het bezweringen, en ze wakkerden de verbeelding van zijn toehoorder aan.

Ze kuierden over de brug naar Meenakshikoil. De stad was nu een pension rijk (waar Iyer logeerde), een middelbare school, drie hotels – een voor militairen, een *idli-sambhar*-gelegenheid, en een hotel waar men de hele dag door snelle hapjes serveerde en *speshul tea-kaapi* – en een indrukwekkend complex gouvernementsgebouwen, allemaal het gevolg van het overheidsbesluit om de plaats in een volwaardige taluqa-residentie te veranderen, met een echte tahsildar in plaats van een assistent aan het hoofd. Shanmuga Vedhar was direct na de rellen naar Ranivoor overgeplaatst en de nieuwe man, een brahmaan, was grondig doorgelicht op zijn kastengezindheid; de overheid was vastbesloten voorzover dat in haar macht lag een herhaling van de tragedie te voorkomen.

Ze gingen even zitten in de theewinkel en bestelden twee speshul kaapi's. Terwijl Iyer bleef praten, raakte Aärons gemoed steeds voller van zijn verhalen. Voordat ze uiteengingen beloofde Aäron de oudere man dat hij hem zou helpen tijdens de bijeenkomst in Meenakshikoil die de volgende dag aan de rand van de stad gehouden zou worden, een goed eind van het politiebureau en het kantoor van de tahsildar vandaan.

De hele volgende dag spraken Aäron en zijn vrienden met mensen die ze uitnodigden om naar de bijeenkomst te gaan, waar de advocaat hun zou laten horen hoe ze van de regering gedaan konden krijgen wat ze wilden. Nerveus dat de plaatselijke autoriteiten de bijeenkomst zouden verhinderen, legde Iyer geheimhouding op aan alle mensen die waren uitgenodigd; de aanwezigheid van Aäron en zijn bende zorgde voor toegeeflijkheid.

Tegen halfzeven die avond, terwijl het nog steeds licht was buiten, hadden zo'n honderd mensen zich verzameld op een groot stuk land waar ook het Abel Circus over een paar dagen zijn tenten zou op slaan. Aäron en zijn vrienden, zeven in getal, stelden zich op achter Iyer.

'Is er hier iemand in wie de geest huist van een onwillige die zijn plicht liever niet nakomt, zoals Krishna op het slagveld aan Arjuna liet weten?' Met deze openingszin begon Iyer snel aan zijn uiteenzetting van de stelling dat de blanke man een blaam was op het bruine gezicht van het moederland. Hij was indrukwekkend om te zien zoals hij daar stond voor de mensen uit de stad, maar het was snel duidelijk dat hij geen ervaren spreker was en hij verloor al spoedig de aandacht van zijn toehoorders. Aäron werd ongerust, maar zijn bezorgdheid verminderde toen Iyer het over een andere boeg ging gooien: de offers die patriotten voor de zaak van de natie hadden gebracht. Dat beloofde flink stevige kost te worden, maar Iyers onervarenheid trad opnieuw aan het licht. In plaats van zijn verhalen met aanschouwelijke voorbeelden te illustreren, gaf hij een droog relaas zonder enige dramatiek van de moedige daden van de martelaren. Hij raaskalde een poosje door over hoe dankzij de Japanners de schijnbare onkwetsbaarheid van de blanke man dubieus was geworden; hij stak een tirade af over de verschillen tussen de bejaarde mannen van het congres en de Mahajana Sabha van Madras aan de ene, en van jonge extremisten als hijzelf aan de andere kant.

'Sta op, broeders en zusters van Meenakshikoil en Chevathar, zoals onze grote vaderlandse dichter Subramania Bharati gezegd heeft,' riep Iyer luid en hij liet zijn vuist op en neer dansen om zijn woorden kracht bij te zetten. In de invallende schemering kon Aäron veel van de toehoorders blikken om zich heen zien werpen of met elkaar zien praten. Enkelen begonnen zelfs stilletjes weg te lopen. Hij liep op Iyer toe en zei dringend tegen hem: 'Anna, u moet het over plaatselijke dingen hebben. Anders krijgt u hier geen aanhang.' Iyer keek verstoord over de interruptie, maar nam tot Aärons opluchting zijn raad aan. De helden van de Russische revolutie sloeg hij over en hij begon te praten over watertekorten en hongersnood, belastingen en de wetten die voor het land golden.

Het effect was als een elektrische schok onmiddellijk te voelen. Iyer sprak met overtuiging over de kwalen die de regio belaagden en zei toen zo hard mogelijk: 'En wat moet nu ieder van ons doen? We moeten dit onrecht bestrijden. We moeten het duivelse Britse Imperium in het hart treffen door hun ons geld en de vruchten van onze arbeid te ontzeggen en door zaken die de blanke man ons aanbiedt, zijn handelsbelangen, van de hand te wijzen waardoor we die van onszelf zullen bevorderen. En broeders en zusters van Meenakshikoil en Chevathar, die gelegenheid zal er door Gods wil al volgende week zijn. Wanneer het Abel Circus hier in de stad komt, moet er niet een van jullie naartoe gaan. Aäron en zijn vrienden zullen jullie in die actie voorgaan. *Vande Mataram.*'

Aärons ogen schoten vuur naar Iyer. De halve glimlach waarmee hij naar de menigte had zitten kijken toen die de woorden van zijn nieuwe vriend indronk, verdween van zijn gezicht om plaats te maken voor een blik van ongeloof. Het Abel Circus boycotten! De voorstelling waar ze weken over hadden lopen dromen! Die marmerwitte vrouwendijen die zo flitsend waren opgedoemd voor hun begerige ogen en waardoor hun gedachten zo totaal in beslag genomen waren en die hun verbeelding zo geprikkeld hadden! In één klap werd hem een meedogenloos inzicht gegund: dat de Revolutie van zijn vaandeldragers altijd offers verlangt die groter zijn dan ze aankunnen of kunnen bevatten, en die hen in ruil daarvoor slechts de belofte aanbiedt van een niet volkomen te doorgronden, eindeloos wijkend ideaal. Maar ondanks de verpletterende teleurstelling die hij voelde, zette de gedachte zich in te mogen zetten voor een zaak, ook als hij die niet begreep, hem in vuur en vlam. Bovendien had Iyer zijn verbeelding geprikkeld. Hij deed hem denken aan zijn chithappa Joshua, met diens passie en idealisme.

Terwijl die gedachten door zijn hoofd woelden, kwam hij naast Iyer staan en zei vastberaden: 'Mijn vrienden en ik zullen ervoor zorgen dat Abel Circus hier geen enkele klandizie krijgt.'

36

'Jezus Christus, Rachel is uw kind, laat alstublieft geen onvertogen woord, geen enkele vergissing haar vooruitzichten in de war sturen. Heer, wil in uw oneindige wijsheid, genade en goedheid, uw dochter overvloedig zegenen.' Toen Charity eenmaal de verantwoordelijkheid openlijk in 's Heren hand had gelegd, probeerde ze al het mogelijke te doen wat menselijkerwijs gedaan kon worden om ervoor te zorgen dat Rachels huwelijk vlot zou verlopen. Ze werd nog vroeger wakker dan normaal, verdubbelde de tijd die ze in gebed doorbracht en besteedde ieder ander moment aan koken, naaien en druk in de weer zijn met het regelen van tientallen dingetjes die gedaan moesten worden. Een traditionele bruiloft was een doodvermoeiende, ingewikkelde, kostbare aangelegenheid en ze gunde zich geen ogenblik rust totdat de plechtige geloften waren afgelegd. Een bruidegom kende net als zijn familie zijn waarde, en liet bij de minste provocatie zijn ongenoegen blijken. Nog maar nauwelijks drie weken geleden was toch ook het huwelijk van de dochter van Savitri afgelast omdat de payasam bij de verlovingsplechtigheid niet zoet genoeg geweest was. Haar vriendin was totaal overstuur geweest. 'De waarde van mijn dochter op de huwelijksmarkt is te grabbel gegooid. Misschien moet ze nu de rest van haar leven wel ongetrouwd blijven. Wat heb ik misdaan dat mij zoiets moet gebeuren?' had ze gejammerd. En terwijl ze haar vriendin had getroost, waren de gedachten van Charity met haar op de loop gegaan – ze zou bij Rachels verlovingsplechtigheid niet alleen persoonlijk op de bereiding van de payasam moeten toezien, maar ze zou ook haar plannen klaar moeten hebben als om de een of andere reden het dessert de proef niet kon doorstaan. Misschien kon ze een extra zware gouden ketting aan de bruidegom geven, een nog wat grotere bruidsschat misschien, hoewel ze op weinig terug kon vallen als de huwelijkskosten eenmaal betaald waren.

Ze was al met de voorbereidingen voor Rachels huwelijk begonnen zodra Daniel in Nagercoil was teruggekomen, een LMP-diploma op zak waarmee hij de geneeskunst kon bedrijven. Op een morgen had ze hem vol verwachting in haar stem gevraagd of hij er al aan toe was te gaan trouwen, en ze had het standaard antwoord gekregen: 'Voor mij geen huwelijk tot ik de naam die ik draag waard ben!' Ze had zich gestoord aan die opmerking, wat Jezus haar maar moest vergeven. Wanneer zou hij zijn verleden eens afschudden, zijn verantwoordelijkheden oppakken, voor zijn familie zorg dragen? Vergeef me, Heer, dacht ze, maar ik word er zo moe van. Op die ogenblikken miste ze Solomon het meest. Als die nog geleefd had, was Daniel vast al getrouwd, en Aäron, kon iemand haar iets over Aäron vertellen? En hoeveel gemakkelijker zou het geweest zijn huwelijkskandidaten te vinden voor de kinderen van Solomon Dorai, de mirasidar en thalaivar, die werden uitgehuwelijkt, dan voor de dochter van een weduwe, die zelf de dochter van een schoolhoofd was.

Ze kon zich wel laten gaan, maar Charity had haar dromerijen al haar leven lang weten te verbergen achter een enorm pragmatisme, dus vermande ze zich en zei tegen haar zoon: 'Als jullie zoons geen van beiden aanstalten maken je te settelen, zal Rachel het moeten doen. Als we het nog langer uitstellen, vinden we geen goede partij.' Haar stem had vast wat verbitterd geklonken, want Daniel had haar verschrikt aangekeken en toen gezegd: 'Ja, amma, laten we maar meteen naar een jongen voor haar zoeken.' Toen was het huwelijksnetwerk beginnen te zoemen en binnen veertien dagen hadden ze een aanzoek ontvangen dat hun wel aanstond. Ramdoss was ambtenaar op het kantoor van de collecteur in Madura en hij was heel in de verte nog familie van de man van Jacobs zuster. Er werd een bruidsschat voorgesteld en overeengekomen nadat erover onderhandeld was. Het zou de bescheiden financiële middelen van Charity behoorlijk onder spanning zetten, maar van een compromis kon geen sprake zijn. Niet lang daarna kondigden de moeder, zusters en een stel tantes van Ramdoss aan dat ze van plan waren op bezoek te komen. Charity beknotte nog meer op haar slaap naarmate de datum van het bezoek naderbij kwam, en de laatste nacht sliep ze helemaal niet. Het was de eerste grote hobbel die genomen moest worden, wilde het huwelijk plaatsvinden.

De moeder en zusters van Ramdoss leken heel veel op elkaar – ze waren bijzonder klein, maar bij wijze van compensatie ook heel slank, licht van huid en aardig om te zien. Toen ze het pad naar de voordeur opkwamen, dacht Charity bij zichzelf dat het waarachtig wel leek of ze over de grond kropen in plaats van liepen. Glimlachend verwelkomde ze de dames, bood ze verfrissingen en kleine geschenken aan en toen werd Rachel binnengeleid, mooi en waardig, gekleed in haar op twee na beste sari, een glanzende pauwblauwe *conjeevaram*. Charity vond haar beeldschoon, maar die gedachte werd onmiddellijk op de vlucht gejaagd door andere:

- Was ze niet een tikkeltje te donker?
- Ze was twintig jaar. Zouden ze haar niet te oud vinden?
- Had ze haar aanstaande (als het huwelijk doorgang zou vinden) schoonzusters wel voldoende voorkomend begroet?
- Was de bruidsschat groot genoeg geweest? Die was wel vastgesteld, maar je kon nooit weten.

De moeder van Ramdoss stelde Rachel de gebruikelijke vragen. Of ze zong? Danste? Kon ze koken? Rachel was behoorlijk bedreven in al die kunsten maar was ook maar één Tamil-bruidje daar niet toe in staat? Charity voelde zich steeds zenuwachtiger worden. Alles hing af van wat de moeder van Ramdoss nu doen zou. Tot ieders verbazing wenkte ze Rachel dichterbij, maakte naast zich op de pas gekochte nieuwe rieten bank een plaatsje voor haar vrij en vroeg op zachte toon: 'Zul je mijn zoon gelukkig kunnen maken, dochter?'

Consternatie onder de diverse verwanten van de familie van de bruid. Waar kwam die vrouw vandaan? Geluk? Wat voor vraag was dat nu? Natuurlijk wilde iedereen gelukkig zijn maar eigenlijk gingen de zaken om andere dingen: was ze wel licht genoeg? Was ze niet te groot? Had ze de juiste leeftijd? Pasten de kaste en onderkaste wel bij elkaar? Kon ze zonen krijgen? Was het een mooie bruidsschat? Had haar familie de juiste status? Er ontstond een geroezemoes in de kleine kamer. Alleen Charity glimlachte toen Rachel haar hoofd fier ophief en zei : 'Ja, mami, ik zal hem gelukkig maken. Mijn leven zal geen ander doel hebben dan dat.' Dat was het enige, maar het was genoeg. De moeder van Ramdoss leunde naar voren, brak een stukje kokos af waarop ze begon te knabbelen, het teken dat het meisje was geaccepteerd.

De datum voor de verloving werd vastgesteld voor januari. Hoewel de eerste hobbel genomen was, zouden de komende maanden spannend zijn want je kon maar nooit weten wat de broze connectie tussen de beide families nog weer in gevaar kon brengen. Charity verwelkomde hele invasies van familieleden in het kleine huisje, gaf ze te eten en zorgde voor onderdak in verschillende huizen in de stad. Sommigen zouden een actieve rol spelen bij de trouwerij; anderen zouden de noodzakelijke achtergrond vormen voor een geslaagde verbintenis.

Tegen de tijd dat de verloving plaatsvond, was het huisje volledig bezet door verwanten. Het was te klein om het verwachte aantal gasten te kunnen herbergen, dus was er een pandaltent opgezet onder de enorme cashewnotenboom in de achtertuin.

Het gezelschap van de bruidegom bestond uit wel zeventig mensen en ze kwamen aan te midden van veel vrolijkheid en verwarring. Ze werden hartelijk verwelkomd en in de pandaltent ondergebracht waar ze bescheiden transpireerden in de hitte die 's winters in Nagercoil nog mild was. Het geschreeuw van de koks en andere bedienden, het geschreeuw van kleine kinderen die tussen de volwassenen liepen, het gekras van de kraaien, het gekwetter van de eekhoorns en *mynahs*, alle herrie en rumoer werd langzaam de luwte ingesluisd van het hoogtepunt van die middag – het moment dat de bruid haar toekomstige echtgenoot voor het eerst te zien zou krijgen. Charity begeleidde Rachel, die gekleed was in een donkerrode sari, het huis uit. Met gebogen hoofd keek de aanstaande bruid strak voor zich uit naar de grond. Ze had maanden in angst en afwachting van dit ogenblik doorgebracht. Zou hij knap zijn? Zouden zijn ogen vriendelijk staan? Zijn lippen welgevormd zijn? Zou hij licht van huid zijn en kracht uitstralen? En zou hij haar hart feller doen kloppen? De hele morgen terwijl ze zich aan het baden, aankleden, poederen en opmaken was geweest, had Rachel dromerig nagedacht over dit ogenblik dat ze haar ogen naar die van hem zou opslaan. Toen keek ze in het open gelaat met de krachtige mond van Ramdoss en barstte bijna van vreugdevolle vervoering. Maar ze stond zichzelf niet meer dan een klein lachje toe en neeg onmiddellijk weer haar hoofd. Charity die vlak achter haar stond, zag de ogen van de jongeman groot worden van waardering en beleefde even een moment van treurige weemoed toen ze terugdacht aan haar eigen eerste ontmoeting met haar echtgenoot. Ze was toen nog maar een kind en het was in het begin allemaal zo verwarrend geweest.

Een paar woorden tussen bruid en bruidegom, gewoon voor de vorm en niet om te onthouden, toen namen de plichtplegingen het weer over – er werden bijbels en gouden kettingen uitgewisseld, Rachel kreeg sari's en in ruil daarvoor kreeg Ramdoss baar geld en bloemen aangeboden. Toen werd de lunch aangekondigd met de zeven gangen die de traditie voorschreef. Charity had persoonlijk toegezien op de bereiding van twee soorten groente, kip, sambhar en rasam, appalam en payasam. Het eerst werd het gezelschap van de bruidegom bediend. Charity wachtte angstvallig op het eerste complimentje en begon zich pas toen wat meer te ontspannen. Ze zou nog door meer feesten en plechtigheden heen moeten voordat Rachel echt met Ramdoss getrouwd zou zijn, maar de verloving was succesvol verlopen en ze was tevreden. De bruiloft werd vastgesteld voor de eerste de beste gunstige dag.

Eindelijk was het de ochtend van de bruiloft en de vrolijke klanken van het fanfarekorps galmden in de nauwe straat van Jacobs huis. De CHRISTELIJKE KAPEL VOOR BRUILOFTSMUZIEK van Nagercoil, zoals een er nogal verloren bijhangend vaandel meldde, was een vreemd allegaartje: elf mannen op een verscheidenheid van niet bij elkaar passende instrumenten – nadeswarams en cimbalen, een grote bastrommel, een trompet en een stel hoorns – die met elkaar een niet om aan te horen potpourri van gezangen en welbekende Tamilliederen, 'Rule Brittannia' en opwekkende marswijsjes voortbrachten. De oprichter ervan was een gepensioneerde dirigent van fanfarekorpsen die niets anders kende dan marsmuziek en populaire deuntjes, dus de band had de neiging daarop terug te vallen zodra zijn beperkte repertoire van gezangen was uitgeput. Maar niemand die daar werkelijk bezwaar tegen had, want het maakte flink lawaai. Het gezelschap van de bruidegom had algauw een flinke menigte toeschouwers op de been gebracht. Tegen de tijd dat ze het huisje bereikten, stonden er zo'n tweehonderd man. Ramdoss en zijn oudste zuster, die allebei wat uit de toon vielen en er verhit uitzagen in hun westerse kleren, openden het hek en liepen op de woning af. Rondgebogen stengels van bananenplanten aan weerszijden van de voordeur, bloemen en andere traditionele versieringen moesten ervoor zorgen dat het gezelschap van de bruidegom niets van eventueel onheil te duchten zou hebben. Daniel verwelkomde hen met slingers en de jonge Miriam besprenkelde hen enthousiast met geurig rozenwater. Ze kregen sandelhoutpasta op hun voorhoofd en toen gaf de zuster van Ramdoss aan Charity de sari die de trouwdracht moest zijn van Rachel – schitterende conjeevaram-zijde in de kleuren wit en goud. De vrouwen gingen het huis binnen en de mannen, Daniel, Jacob, Ramdoss en zijn naaste mannelijke verwanten, bleven in Jacobs kamer wachten terwijl de bruid werd aangekleed.

Niemand die veel zei. Als ze hadden willen praten, maakte de herrie van de band buiten dat wel erg moeilijk. De bruid en bruidegom wierpen elkaar zenuwachtig een vluchtige blik toe en zochten hun toevlucht bij hun eigen verwanten.

Charity's broer had de reis vanuit Ceylon niet kunnen maken en zou dus de traditionele plechtigheid van het weggeven van de bruid niet kunnen vervullen. Jacob zou hem vervangen. Rachel nam de gouden kettingen van haar grootvader in ontvangst, er werd een kort gebed over het paar uitgesproken en toen werden ze naar de gehuurde rijtuigen gebracht om hun afzonderlijke ritjes naar de grote kerk in de stad te maken, waar de bruiloft zou worden ingezegend.

De plechtigheid verliep vlot. De volgepakte kerk hield haar adem in toen Ramdoss zenuwachtig friemelde met de *thali* die hij om de hals van de bruid moest vastmaken, maar Daniel stond erbij om hem te kalmeren. En toen was het voorbij en de spanning die voor het huwelijk was opgelopen, ontlaadde zich in een groot feest in de pandal onder de cashewboom.

Charity gunde zich geen rust. Ze zag toe op de bereiding van elk van de elf schotels die opgediend moesten worden. Bergen goudwitte rijst waar de damp vanaf sloeg, geurige met kip bereide kerrieschotels en schalen gebraden schapenvlees, bakken vol sambhar en avial, rijk gekruid met kokos, grote hoeveelheden zachte kwarkrijst, kartonnen containers met zoete parappu payasam en wankele stukken halva, glimmend van de ghee. Vroeg in de avond was de laatste feestganger vertrokken of aan het weggaan om de roes uit te slapen.

Maar met Charity's inspanningen was het nog steeds niet gedaan. Er moesten nog geschenken worden uitgedeeld aan de familiekapper en de *dhobi* voor hun aandeel in de feestelijkheden, de ingehuurde kooksters moesten betaald worden en ze moest nog van alles regelen voor Rachels reis naar het huis van haar man. Ze stuurde haar vader weg om wat rust te nemen en zag toe op het inladen van de zeven dozen murukku, athirasam, halva, appalams, kokosnoten, bananen en ongekookte rijst die de volgende lichting zouden vormen van bruidsgeschenken aan het huis van haar schoonzoon. Ze omhelsde haar dochter vluchtig en keek toe hoe Rachel op de wagen klom. Er zou nog tijd genoeg zijn voor uitgebreid afscheid nemen wanneer de plechtigheden voorbij waren. Later op die avond bracht Charity haar eerste bezoek aan het huis waar Ramdoss en zijn familie verblijf hielden. De ossenwagen waarin ze reed was volgeladen met potten en pannen, twee *almirah's*, (een met een spiegel, een zonder), drie rieten stoelen en een rieten tafel, alles wat het paar nodig had om een huishouden op te zetten. Er werd een feest gegeven in het huis van Ramdoss om zijn schoonmoeder te verwelkomen, hoewel de familie van de bruid ervoor betaalde, en Jacob overhandigde aan de bruidegom en zijn zus gouden ringen.

De volgende dag kwam Rachel met Ramdoss terug naar haar eigen huis, en werden er veshti's en andere kleren aan de naaste mannelijke verwanten van de bruidegom geschonken.

Niet een keer had Charity met de ogen geknipperd naar aanleiding van de kosten, hoewel alleen zij wist dat haar financiële middelen nagenoeg uitgeput waren. Die zondag, voordat ze naar de kerk ging, telde en hertelde ze haar geld voor de laatste huwelijksplechtigheden – het feest van zeven dagen waar alle familieleden van de bruidegom te eten en te drinken kregen. Zes zilveren roepies was alles wat ze nog had en ze wist dat het niet genoeg was. Ze ging naar de kerk met haar gezin, bleef na de dienst met haar vrienden en verwanten koffiedrinken en bracht de rest van de dag net als anders door. De volgende dag ging ze naar de straat van de juweliers en verpandde de gouden thali van haar eigen trouwdag, het enige voorwerp van waarde dat ze nog bezat. Sinds ze die na het overlijden van Solomon van haar hals had genomen, had ze hem bewaard voor de trouwdag van Daniel, maar als die ooit plaatsvond zou de Heer wel zorgen, dacht ze vermoeid.

Het zevendaagse feest was bijzonder goed bezocht en de gasten waren nog nooit eerder zo luxueus op hun wenken bediend. Charity week zelfs gewaagd af van de traditie van uiteenlopende schotels te bereiden, en serveerde alleen haar biryani met vis. De familie van Ramdoss vond het allemaal heerlijk en het scheelde niet veel of ze dreigde door haar voorraad heen te raken voor iedereen verzadigd was. In de vroege ochtenduren begonnen de festiviteiten eindelijk af te lopen. Charity zag Rachel het huis insluipen en liep haar achterna. Haar dochter ging naar haar oude kamer en begon de mooi beslagen houten almirah te doorzoeken. Charity tikte haar op de schouder en toen ze zich omdraaide liepen de tranen over haar wangen.

'Was je iets aan het zoeken?'

'Ja, nee, amma, ik keek alleen maar even, ik zocht naar iets wat ik mee zou kunnen nemen als ik hier wegga.'

O, mijn lieve mooie Rachel, dacht Charity en toen begon de emotie die ze diep in zichzelf had weggestopt los te komen en haar te machtig te worden. Ze hield haar dochter stijf vast en huilde als ze zelden tevoren gehuild had. Ze huilde om de spanning en de pijn van de afgelopen dagen te breken, ze huilde bij het vooruitzicht haar dochter te verliezen, ze huilde over de afwezigheid van Solomon en Aäron, en ze huilde om zichzelf. Ze dacht aan haar verpande thali, en hoe mooi die zou hebben gestaan om de hals van Daniels bruid en toen huilde ze nog harder. Haar verdriet groeide en gold alle moeders en dochters, overal in de wereld maar in haar eigen hoekje nog het meest, waar een meisje een noodzakelijk kwaad was, slechts goed genoeg om zonen ter wereld te brengen. Ze voelde de pijn van de vrouwen in de dorpen die hun babydochtertjes vergif te drinken gaven of in het water gooiden om ze te verdrinken, ze leed intens mee met de jonge bruiden die werden afgewezen of verkracht of mishandeld... Ze hield haar dochter stevig vast en bad dat ze een tiental zonen zou baren zodat haar iets van de pijn als vrouw geboren te zijn bespaard zou blijven. De intensiteit van Charity's verdriet gaf extra voeding aan dat van Rachel en hun smart kreeg onmetelijke proporties. Het verdriet dreef uit dat kleine kamertje weg en zonk als een sluier over de achtergebleven gasten. Iedere vrouw die daar aanwezig was, voelde de kracht ervan. Ze hielden hun tranen nog in, hoewel sommigen niet helemaal met succes, terwijl de mannen ongemakkelijk begonnen te schuifelen en vaag een enorm heimwee bespeurden dat hen allen verteren zou, als ze eraan toegaven.

Geleidelijk aan kreeg Charity haar tranen weer in bedwang. Ze nam de betraande wangen van haar dochter koesterend tussen haar handpalmen en zei: 'Geen huwelijk is volmaakt, kannu, totdat we allemaal eens flink hebben gehuild. Nu weet ik dat je gelukkig zult zijn.'

37

Ruim een decennium daarvoor had Queen Victoria, gekleed in een japon van zwarte moiré met zilveren bloemen, ter gelegenheid van het diamanten jubileumjaar van haar regering de grootste show ter wereld voor zich laten opvoeren. Vijftigduizend manschappen, voorafgegaan door twee van de indrukwekkendste militairen van het Britse leger (kapitein Ames, die met zijn bijna twee meter letterlijk de grootste man van de strijdkrachten was, en de legendarische veldmaarschalk lord Roberts van Kandahar) marcheerden door de straten van Londen. Achter hen kwamen de cavaleriesoldaten van Australië en de huzaren uit Canada, de soldaten uit Rajasthan die op een kameel reden en de koppensnellende Dyaks uit Borneo, Chinese politiemannen uit Hong Kong en prinsen uit India, Cyprioten en Maori's, Jamaicanen en Ceylonezen.

Nu was de concurrentie de achterstand aan het wegwerken. Rusland en Duitsland bewapenden zich in een bezeten tempo en de patriottische Britten maakten zich ernstig zorgen. De bezorgdheid van de grootste wereldmacht was niet misplaatst, want de etterende wond van de Balkan dreigde Europa weer opnieuw aan te steken, toen Turken, Serviërs, Montenegrijnen en Oostenrijkers hun allianties verbraken en massale slachtingen onder burgers aanrichtten, en hun zucht tot bloedwraak in een felle vendetta nauwelijks konden bedwingen. In de hoofdsteden van de grootmachten bleven de kanselarijen tot laat in de nacht open toen er steeds heftiger over oorlog gediscussieerd werd.

In het Britse Imperium begonnen zich scheuren te vertonen. In India voerden de extremisten hun activiteiten tegen de bewindvoerders op. Een paar maanden na de Abel Circus-actie ontvingen Aäron en zijn beste vriend Nambi een boodschap van Iyer dat ze naar Tuticorin moesten gaan waar de revolutionairen van plan waren een grote demonstratie te houden om tegen de arrestatie en gevangenneming van drie vooraanstaande nationalistische leiders te protesteren.

Aäron en Nambi, hooguit in vage lijnen bekend met de grillige wendingen van de revolutionaire beweging, wisten weinig van de eigenlijke beweegreden voor de protestbijeenkomst, maar ze waren opgetogen van de partij te mogen zijn nu er iets te doen viel. Toen ze in Tuticorin aankwamen, troffen ze een aantal heetgebakerde jongelui aan die door de nauwe straten van de havenstad zwierven. Daar hun superieuren pas veel later zouden arriveren, begon het tweetal Tuticorin te verkennen. Het bleek een smoezelige wirwar van straten en winkels te zijn. Ze troffen er weinig aan dat hen kon boeien en waren blij toen ze zich bij de groeiende menigte voor de Pettai-moskee konden aansluiten. De aanstichters van de verhitte gemoederen kwamen ook en begonnen de relschoppers tot razernij op te zwepen. Aäron en Nambi stonden bijna vooraan in de mensenmassa en begonnen de leuzen krachtig mee te scanderen.

Toen klonken er paardenhoeven met een geluid van staal op steen. Er kwam een legertje politieagenten aangereden met aan het hoofd de nieuw aangestelde magistraat van het district, Robert William d'Escourt Ashe. Ze gaven de menigte bevel uiteen te gaan. Die mededeling werd met stenen beantwoord. Aäron was dolblij toen hij links van de magistraat een politieagent met een rood gezicht zag terugdeinzen toen zijn projectiel diens bovenarm trof. Hij bukte zich opnieuw om naar stenen te graaien toen hij een zucht door de menigte hoorde gaan. Weer overeind gekomen verstrakte hij ter plekke door wat hij zag. Enkele politiemannen waren van hun paard afgestapt. Anderen te voet voegden zich bij hen. Met bajonetten in de aanslag maakten ze zich gereed om aan te vallen. Zenuwachtig keek Aäron om zich heen of hij zijn vriend zag. Net toen hij hem opmerkte, had Nambi, de ogen wijd opengesperd van opwinding, een flinke brok steen uit de straat gepeuterd, en slingerde die naar een politieman. Hij was te zwaar om de afstand van zo'n vijftien meter die de beide groepen van elkaar gescheiden hield, te overbruggen. Onmiddellijk begon Nambi naar een ander projectiel op zoek te gaan. Door wat hij zag tot actie aangespoord, ging Aäron ook op zoek naar projectielen. De herrie en opwinding van een soortgelijk gevecht, lang geleden, zat weer vers in zijn geheugen. Hij vond een steen en slingerde die naar de politiemacht. Hij had bijna het gevoel alsof Joshua-chithappa zijn elleboog een zetje gaf. Toen liet Aäron zich ineens gaan en schreeuwde zo hard hij kon: 'Weg met de Engelse honden en hun slaafse meelopers.' Hij gooide nog een steen, maar die trof op geen stukken na doel.

Nu waren de politieagenten in slagorde opgesteld en Ashe gaf het bevel aan te vallen. Met de bajonetten in de aanslag stormden de mannen voorwaarts, maar werden door een stortvloed van stenen en scheldwoorden tegengehouden. Daarop volgde onmiddellijk een tweede kanonnade van projectielen en verwensingen en de gesloten linie begon gaten te vertonen. Enkele politiemannen waren gewond en bloedden hevig. De ruimte tussen de menigte en de politiemacht was tot ongeveer negen meter geslonken en van die afstand kon Aäron de uitdrukking in de ogen van de vijand zien: boosheid, angst en verwarring. Nog meer geschreeuwde bevelen, en de menigte jubelde toen de aanvallers achteruit weken. De officieren trokken zich met hun paarden terug en toen werd tot ontzetting van de menigte het bevel gegeven de geweren in aanslag te brengen. Aäron wist de magistraat van die afstand in het vizier te krijgen en concentreerde zich op zijn ogen. Hij zag de ontzetting, maar ook de razernij. 'V-u-u-r-r-r.' Het bevel kwam er langgerekt uit, de geweren knalden kwaad en de relschoppers begonnen neer te vallen. Kreten als 'Rennen, rennen' vermengden zich met 'Ai, ze hebben me kapotgeschoten' en met uitroepen van pijn en doodsangst. Aäron rende voor zijn leven met Nambi achter zich aan. De straten van Tuticorin waren voor hen onbekend, maar ze waren jong en hadden de vaart er goed in ondanks de licht gehandicapte gang van Aäron. Ze hadden weldra alle achtervolgers achter zich gelaten.

Toen de avond inviel leek het of ze uren hadden rondgelopen. Het beetje geld dat ze bij zich hadden was al uitgegeven en de prikkeling om te vechten bestond voor hen allang niet meer. Het gevoel van ontreddering dat ze toch al hadden, werd nog erger toen ze beseften dat ze geen idee hadden waar ze waren. Toen ze door een arme vervallen wijk van de stad liepen, waar olielampjes zwak flakkerden in de vochtige duisternis, viel Nambi's oog op een vrouw die op de stoep van een vrij groot huis zat. Haar sari zag er onevenredig duur uit. Ze nam de twee jonge mannen aandachtig en met grote belangstelling op.

'Niet naar haar kijken, met je ogen naar de grond voorbijlopen, dat is een prostituee of een duivelin. Als ze een prostituee is hebben we geen geld en als ze een duivelin is zal ze ons met huid en haar verslinden,' zei Nambi met hese fluisterstem.

Aäron vond de reactie van zijn vriend vermakelijk. Was dat nu de held van nog maar een paar uur geleden, die onbevreesd stenen had gegooid naar gewapende politieagenten? Maar Nambi leek echt doodsbenauwd. Aäron volgde het voorbeeld van zijn vriend en liep met neergeslagen ogen en een ietwat versnelde pas voor de vrouw langs. Hij dacht dat hij haar, toen ze haastig voorbij liepen, hoorde zeggen: 'Ben je verdwaald?' Zijn blik ging haar kant uit en stuitte toen op prachtige antracietkleurige ogen, maar Nambi sleurde hem aan zijn mouw mee en hij strompelde verder.

Uren later vonden ze het station. Ze slaagden erin op een langzaam rijdende goederentrein te klauteren die de goede kant opging en dommelden in slaap. Tegen de vroege ochtend werd Aäron wakker en kon niet meer in slaap komen. Hij zat in een deuropening en tuurde de nacht in waaruit het landschap zich langzaam los liet pellen. Donkere rookgrijze ogen bleven een tijdje in zijn hoofd spoken.

Twee dagen nadat ze in Meenakshikoil waren teruggekomen, troffen ze Iyer aan die in de theewinkel op hen zat te wachten. Hij bestelde drie glazen speshul-thee en hoorde hen toen uit over de actie in Tuticorin. Zijn ogen keken woest toen ze hem vertelden over het bevel tot schieten. 'Die Engelse honden zullen nog een zware prijs moeten betalen,' mompelde hij. 'Wie denken ze wel dat ze zijn om naar ons land te komen om op mensen te schieten? Welke zonden hebben we in ons vorige leven begaan dat we de vloek van de blanke man over ons heen krijgen?'

Ze wachtten totdat Iyer gekalmeerd was voor ze verdergingen. Zodra ze klaar waren met hun verhaal zei Iyer dat hij ze binnenkort nieuwe opdrachten zou geven. Intussen moesten ze hun tijd goed besteden en zichzelf bijscholen aangaande de slechte dingen die het land waren aangedaan door de Britse imperialisten.

'Beseffen jullie wel hoeveel schade ze ons berokkend hebben?'

'We weten alleen wat u ons verteld hebt, anna,' zei Aäron.

Tussen Iyers wenkbrauwen verscheen een diepe frons als een vogel in vlucht. 'Lezen jullie dan geen kranten?'

'Nee.'

'*India?*'

'Nee.'

'*Swadeshimitran?*'

'Nee.'

'De *Hindu?*'

'Nee.'

'De *Indian Patriot?*'

'Nee.'

'*Vijaya?*'

'Nee.'

'Nee, nee, nee! Is dat alles wat je kunt zeggen?'

'Ja. Ik bedoel nee,' zei Aäron. Hij voelde zich belachelijk en begon zijn geduld te verliezen, toen duidelijk werd dat Iyer het zijne ook begon te verliezen. Misschien wel omdat hij besefte dat dit hen geen steek verder zou brengen, zei de oudere man: 'Om als revolutionair goed oppositie te kunnen voeren moet je onze kranten en tijdschriften lezen, je op de hoogte stellen van de gebeurtenissen; het is de enige manier om de broeders en zusters met wie je zult samenwerken enig besef bij te brengen...' Toen schoot hem iets te binnen: 'Jullie kunnen toch wel lezen?'

'Ja, anna,' zei Aäron met enige trots, 'ik heb een overgangsdiploma van de vierde klas en Nambi heeft het tot en met de derde klas gebracht.'

'Heel goed, dan moet je nu je opleiding waarmaken. Jullie horen spoedig van mij.'

Gedurende een aantal weken lazen Aäron en Nambi de nieuwsbladen stuk die in Meenakshikoil werden verkocht en ze werkten zich ijverig door de kleurrijke reportages en commentaren met alle feiten en verzinsels heen. Maar toen de dagen verstreken zonder dat ze iets van Iyer hoorden, werden ze het lezen en nadenken erover algauw beu. De oude vertrouwde gevoelens van balen en verveling kregen weer vat op hen. Aäron had verschillende kaarten van zijn moeder ontvangen in de tijd dat Rachel ging trouwen, maar niet de moeite genomen te reageren. Hij was blij geweest voor zijn zuster. Hij dacht met genegenheid aan haar terug en hoopte dat ze gelukkig zou worden, maar zijn boosheid jegens zijn moeder en broer zaten te diep in hem verankerd om ook maar even te overwegen iets terug te schrijven. De laatste brief van zijn moeder, die een paar dagen na Iyers bezoek was bezorgd, had hem razend gemaakt, want ze vroeg of ze naar een bruid voor hem op zoek mocht gaan. Die keer was hij in de verleiding gekomen om toch te antwoorden. Waarom, had hij willen schrijven, die plotselinge bezorgdheid, die zogenaamde belangstelling? Waar was u toen mijn vader en ik u werkelijk nodig hadden? En mijn lieve broertje Daniel, die knappe dokter van Nagercoil! Waarom zorgt u niet dat die bange schijtluis gauw getrouwd raakt? Dat is toch wat u eigenlijk graag zou willen, niet? Waarom is hij nog niet getrouwd? Is er soms iets vreselijk verkeerd met hem? Natuurlijk zou hij die brief nooit schrijven, maar die avond verzamelde hij een paar vrienden om zich heen en ze dronken met zijn allen zo veel toddy dat hij drie dagen achter elkaar ziek was.

Niet lang daarna vervielen hij en zijn vrienden weer in hun oude gewoonten – vrouwen de stuipen op het lijf jagen als ze naar de markt liepen, winkeliers beroven, gevechten uitlokken. Het meeste geld dat ze buit maakten ging op aan de verderfelijke arak en eigengebrouwen toddy. Het geld raakte spoedig op en dan ging de bende op zoek naar meer. Op een ochtend waren Aäron en Nambi op weg naar de kruidenierszaak van Swami. Dat bracht altijd wel een of twee roepies op. Toen ze de winkel met de open voorkant naderden, zei Nambi: 'Die ouwe zak heeft zichzelf wat bescherming bezorgd.' Zes mannen, die lui in de schaduw van de luifel hadden gezeten, kwamen actief in de benen en stelden zich over de hele breedte van de voorkant op.

'Kom op, Aäron, laten we gaan.'

'Ben jij bang voor die kerels? Die komen er wel achter dat ze mij beter niet voor de voeten kunnen lopen.'

'We kunnen ze niet alle zes aan. Ze maken ons af.'

'Ik ben niet bang, Nambi, en dat kun jij maar beter ook niet zijn. Als je tegenover die gewapende politiemannen wel je mannetje stond, wat kunnen die hoerenzonen dan nog voor je betekenen?'

'Dat was anders, toen liet ik me door de opwinding en boosheid van de grote massa meeslepen.'

'Nou, laat je dan nu maar door mijn boosheid meeslepen. Hoe haalt die rottige slapjanus van een Swami het in zijn hoofd? Ik weet nog goed hoe hij als een knipmes voor mijn vader boog.'

Ze waren nu bij de winkel, maar de mannen versperden hun de weg. Aäron wist vaag enkelen van hen thuis te brengen. Vissers uit het dorp verderop, vast en zeker een paar stevige vechtjassen. Even flitste er een scheut van ongerustheid door hem heen. Hij stond op het punt ze voorbij te lopen toen hij Swami's stem vanuit de winkel hoorde. 'Ik wil geen moeilijkheden, Aäron-*thambi*, ik ben een vredelievend mens en ik heb niets dan respect voor de Dorais. Je vader Solomon was een groot man.'

'En jij bent een stuk stront, Swami.'

Er was een groepje mensen te hoop gelopen die een rel roken. Ergens kraste een kraai, een stoffig droog geluid op die hete dag. Aäron keek om zich heen. Nambi was zich al aan het terugtrekken.

'Thambi, doe nou niet, we moeten toch in vrede met elkaar samen leven...'

'Nee, helemaal niet...' schreeuwde Aäron en stoof op de man af die het dichtst bij hem stond. De man schoot handig opzij en de anderen zaten meteen boven op hem en sloegen er flink op los met hun knuisten. Hij viel neer, en ze beukten met harde schoppen en stompen in op zijn lichaam.

Aäron lag acht dagen in bed. Zodra hij wat rond kon hobbelen, ging hij het huis uit. De eerste dag kwam hij met zijn gekneusde lichaam niet veel verder dan de veranda, maar algauw maakte hij korte loopjes naar de kokosnootbosjes. Hij ging nooit meer de richting van de stad uit.

Ongeveer een maand nadat hij in elkaar was geslagen, liep Aäron de weg naar het strand af. De lucht trilde in de witte hitte van de dag en in de verte kon je nauwelijks de vissersschepen onderscheiden in het harde licht dat je vanaf de zee tegemoet blikkerde. Hoe gemakkelijk zou het zijn om aan alles maar een eind te maken, bedacht Aäron, het enige wat hij hoefde te doen was de warme oceaan in lopen en blijven doorlopen totdat hij geen vaste grond meer onder zich zou voelen. Het zou allemaal snel voorbij zijn. Geen mens zou hem missen. Zijn oom en tante zouden eenvoudig denken dat hij van huis was weggelopen en ze zouden zelfs de moeite niet nemen zijn moeder en Daniel op de hoogte te brengen. En de brieven van zijn moeder, die keurige kaarten die ze hem nu al acht jaar lang iedere week had geschreven, hoe lang zou het duren voordat die ook stopten? Waarschijnlijk gebeurde dat pas als ze doodging, want al had hij op geen enkele ervan gereageerd, ze had die stroom van kaarten niet een keer afgebroken. Opnieuw welde de boosheid in hem op toen hij terugdacht aan de laatste die ze geschreven had. Kaveri had hem hardop voorgelezen met iets van leedvermaak in haar stem, want Charity had haar wens hem gesetteld te zien nog eens herhaald. Toen zijn tante hem met geveinsde bezorgdheid had gevraagd of ze op de kaart terug moest schrijven, had hij haar een woedende blik toegeworpen en haar de rug toegekeerd. Maar al te lang kon hij zijn boosheid niet volhouden. De hitte en het diep ellendige gevoel dat hem vanbinnen bekroop, wisten al het andere uit. Weer bedacht hij hoe gemakkelijk het zou zijn als hij er een eind aan maakte, een eind maakte aan de vierentwintig troosteloze jaren die hij geleefd had.

Verder weg op het strand bewogen omfloerste schimmen in de zinderende hitte en riepen sluimerende herinneringen wakker aan het gevecht van destijds. Joshua-chithappa, zijn vader Solomon, hoe vaak had hij in gedachten de beelden opgeroepen van de manier waarop zij hadden gevochten! Hij herinnerde zich de dag dat hij over de put was gesprongen, de kracht van zijn oom die hem van zijn eigen beperkingen verlost had. Zijn vader noch zijn oom zouden het goed vinden als hij zichzelf van het leven beroofde. Hij zag zichzelf weer vechten met de leider van de Marudar toen hij de dood van zijn oom wilde wreken, en toen viel hem iets in: hoe lang was het geleden dat hij met een silambu had gezwaaid? Als hij er een in handen had gehad, zou hij die rouwdouwers er zo van langs gegeven hebben dat Swami hem voor de rest van zijn leven vrij spel had gelaten in zijn winkel. Hij raapte een gevallen bloeikolf van een kokosnoot op en stroopte het verdroogde loof ervan af. Het was een lelijke knots die te licht en onregelmatig was om hem enigszins gebalanceerd te kunnen hanteren, maar hij zwaaide er bedreven mee in het rond en probeerde er toen nog aandachtiger grip op te krijgen. Hij was zo in zijn pogingen verdiept dat het een poosje duurde voor hij het geluid van applaus hoorde, een nietig geluid tegen de uitgestrektheid van de zee en de lucht.

Daar kwam Iyer te voorschijn uit de rij palmbomen die naar het strand toe leidden.

'Nambi heeft me verteld van je strubbelingen in de stad,' zei hij, nadat de eerste beleefdheden waren uitgewisseld.

'Ik zie Nambi niet meer,' zei Aäron stug.

'Ja, dat weet ik...' Een pauze en toen zei Iyer: 'Wat je gedaan hebt, was verkeerd. De revolutie heeft het niet op arme winkeliers gemunt.'

'U hoeft mij niet te vertellen wat ik doen of laten moet,' zei Aäron woest.

'De revolutie is groter dan wie van ons ook, Aäron,' zei Iyer kalm.

'Uw stomme revolutie kan me niets meer schelen,' zei Aäron, nog steeds woedend.

'Dat merk ik. Ik ben mijn tijd hier aan het verdoen,' zei Iyer. Hij maakte aanstalten om weg te gaan toen Aäron, die bliksemsnel nadacht, hem tegenhield. Enkele ogenblikken geleden nog had hij erover gedacht zichzelf van kant te maken... zijn korte bemoeienis met Iyers organisatie was de enige tijd in zijn leven geweest dat hij ooit het gevoel had gehad iets zinnigs te doen, en nu zou hij dat allemaal zomaar weggooien. Hij deed zijn best de wanhoop uit zijn stem te weren en zei: 'Wacht, wacht, anna, ik wil het opnieuw proberen... Wat wilt u dat ik doe?'

Iyer zei tegen hem dat er vrijwilligers nodig waren om deel te nemen aan een hachelijk avontuur – het smokkelen van in het Franse gebied Pondicherry gedrukte verbannen of verboden opruiende lectuur naar het Britse India. Aäron aarzelde niet – hij wilde er graag aan meedoen.

Bij zijn tweede opdracht (iedere 'muilezel' werd slechts tweemaal ingezet uit angst dat de gezichten al te bekend zouden raken bij de gefrustreerde autoriteiten) merkte Aäron bij het betreden van de tweedeklas coupé in Pondicherry dat er al een jonge vrouw in een blauwe katoenen sari had plaatsgenomen. Het was eigenlijk ongehoord dat een vrouw alleen reisde, maar hij was nog verbaasder toen ze hem aansprak. 'Shekhar, ik ben je nichtje, Jayanthi. Ik ben vroeg gekomen omdat mijn lessen eerder afgelopen waren dan ik verwacht had.' Wat waren die extremistische leiders toch vindingrijk, dacht hij vol bewondering. Dat ze een jonge vrouw bereid hadden gevonden die taak op zich te nemen, was een meesterzet. Wie zou haar daar ooit toe in staat achten? Maar zou op het perron haar tas niet gecontroleerd moeten worden op verboden lectuur?

Alsof ze zijn gedachten geraden had, zei ze: 'De autoriteiten zijn van tactiek veranderd. Nu controleren ze de bagage in de trein.' Op het moment dat ze het zei zag hij twee stevige Europese sergeanten langzaam door het gangpad lopen die de bagage doorzochten.

Ze rommelden door hun tassen, vonden niets strafbaars (de opruiende lectuur was knap verstopt) en liepen verder.

Toen de trein sneller ging rijden, nam Aäron zijn reisgenote onverholen op. Hij was buiten zijn familie om nooit met een vrouw alleen geweest en vond het een verwarrende ervaring. Ze had zich in een roman verdiept die ze uit haar handtas had gehaald toen de trein het station was uitgereden en had er niet één keer van opgekeken. Hij spande zich in de titel te lezen. *Sense and Sensibility*. Hij had nooit van de auteur gehoord. Was zij dus de verveelde dochter van een rijk man uit de stad met een superieure Engelse opleiding die dit erbij deed voor het avontuurlijke ervan? Toen bedacht hij dat ook hij zich uit verveling bij de extremisten had aangesloten. Vreemd, maar die gedachte vond hij niet prettig. Hij keek een poosje strak naar buiten door het raam en toen gleden zijn ogen weer naar de plaats tegenover hem. Een paar koolzwarte ogen zaten hem koeltjes op te nemen en hij keek in paniek van haar weg. Toen hij opnieuw haar richting uit keek, was ze verdiept in haar boek. Wat moest hij tegen haar zeggen, dacht hij, om een gesprek aan te knopen, een beetje aandacht te krijgen? Hoe bitter wenste hij gestudeerd en wijs te zijn zodat hij de grote bewegingen in de geschiedenis met haar kon bespreken, misschien zelfs wel de fijnere kneepjes van de revolutie. Maar over de revolutie mocht je nooit openlijk praten.

Op het station gingen ze uiteen zonder een woord gewisseld te hebben. Aäron zag Jayanthi nooit weer. Maar een tijdlang voelde hij zich volstromen met een heerlijk gevoel van gelukzaligheid als hij aan haar dacht, en dat deed hij vaak. Het was verwarrend en hinderlijk, maar hij kon het niet helpen. Soms zei hij zomaar hardop haar naam, Jayanthi, om zich daarna meteen belachelijk te voelen dat hij een valse naam zo eerbiedig uitsprak. Hij keek naar iedere jonge vrouw die op haar leek als om haar door een toverkunstje in Jayanthi te veranderen. Hij zag haar in gedachten naast zich. Hij dacht eraan hoe zijn lippen zouden voelen op de hare, hoe ze over die antracietkleurige ogen zouden bewegen en ze zachtjes zouden zoenen als ze gesloten waren.... Maar ook voor de meest intense ervaringen is nieuwe brandstof nodig. Toen de weken voorbijgingen werd de herinnering steeds zwakker en na een tijdje dacht hij helemaal niet meer aan haar.

38

Dr. Pillai liet zich een paar dagen voor de moesson zou inzetten niet meer op de vaidyasalai zien. Hij had de dag ervoor tegen Daniel gezegd dat hij er een poosje tussenuit zou trekken en dat zijn assistent tijdens zijn afwezigheid de verantwoordelijkheid over zou nemen. Toen hij eenmaal zijn aanvankelijke onzekerheid had overwonnen, merkte Daniel dat de eerste dag eigenlijk wel goed was gegaan.

Al meer dan een week had hij met niet al te lastige gevallen te maken gehad, maar de jonge boer die hij nu al een halfuur had onderzocht, stelde hem voor raadsels.

Hij leed aan aanvallen van hevige hoofdpijn die door geen enkele hoeveelheid medicijnen te verlichten was. Daniel had alles wat hij wist geprobeerd. Hij had de patiënt de pols genomen, naar zijn tong en ogen gekeken en niets abnormaals gevonden. De urine van de jongeman rook een beetje zurig, wat kon duiden op een lichte ontregeling van de kapham, maar daar kon de hoofdpijn niet van komen. Hij wist dat hij het er goed van afbracht en de patiënten die hij een behandeling gaf leken er blij mee te zijn, maar één verkeerde diagnose, één erkend geval van onkunde was voldoende om zijn broze reputatie op het spel te zetten. Het denkbeeld het af te moeten laten weten was te erg om niet serieus te nemen. Hij onderzocht de patiënt nog weer eens. De jongeman leek volledig gezond behalve dat hij zijn hoofd een beetje raar scheef hield. Daniel nam hem mee naar het raam, draaide zijn hoofd naar het licht en glimlachte toen bij wat hij zag.

'Snuif je wel eens wat spul?' vroeg hij de dorpeling.

'Ja, aiyah,' antwoordde de patiënt, 'maar sinds een paar dagen niet meer, dat doet zo'n pijn...'

Daniel keek peinzend voor zich uit. 'Heb je wat van dat spul bij je?'

Toen de man knikte, vroeg Daniel hem er flink wat van op te snuiven.

Hij keek toe hoe de patiënt het spul pakte en met een pijnlijk gezicht in zijn neus stopte. Toen begon hij onbedaarlijk te niezen. Daniel riep Chandran toe hem een lange smalle onderzoekstang te brengen. Hij hield het hoofd van de dorpeling stevig vast terwijl hij een lange bloedzuiger uit diens neusgat te voorschijn trok. 'Je moet voortaan niet in hetzelfde waterbassin als de koeien en buffels gaan baden,' zei hij toen hij de boer wegstuurde. Hij stond op het punt de volgende patiënt binnen te roepen toen hij besefte dat er nog iemand in de kamer was. Hoe lang had dr. Pillai daar al gestaan?

'Uitstekend gedaan, thambi. Er is geen een dokter die zijn kundigheden alleen uit boeken haalt. Een goede dokter heeft intuïtie nodig, ervaring en gezond verstand.' Toen was hij weer weg. Daniel besefte dat hij nog met de bloedzuiger in zijn vingers stond en ontdeed zich er haastig van.

In de maanden die volgden leerde dr. Pillai hoe Daniel metalen als kwik en mercurisulfide gebruiken moest om het afsterven van cellen af te wenden; hij liet hem zien hoe je gifstoffen als arsenicum en doornappel kon gebruiken, niet om te doden maar om te genezen; en hij gunde hem zelfs een blik op de risicovolle therapie van de zogenaamde *varma*, waarbij de dokter de levenskernen van ernstig zieke patiënten direct beïnvloedde, een behandeling die als gevaarlijk gold en alleen was voorbehouden aan de bekwaamste geneesheren, want ze kon tot de dood of tot blijvend letsel leiden.

Dr. Pillai begon zich nu meer van de kliniek los te maken om ertussenuit te knijpen. Sommige van die uitstapjes, vertelde hij Daniel, dienden om naar zeldzame kruiden te zoeken in het oude Palanigebergte waar hij zijn eigen opleiding tot dokter had genoten. Met iedere afwezigheid groeide het zelfvertrouwen van Daniel om zelfstandig praktijk te voeren, maar hij was totaal onvoorbereid op dr. Pillais aankondiging dat hij de kliniek helemaal aan hem wilde overdoen.

Het had de hele dag hard geregend. Nadat de laatste patiënt was weggegaan, had Daniel een tijdje zitten luisteren naar de regen die buiten tegen zijn raam tikte en geprobeerd nog wat energie te verzamelen om naar huis te gaan, toen dr. Pillai zijn kamer binnenliep. Hij zei zonder verdere inleiding: 'Het is de plicht van iedere beoefenaar van de siddha om zich, als de tijd daarvoor rijp is, aan de doelbewuste zoektocht naar de volmaaktheid te wijden – in de siddha, in ons leven, in ons zoeken naar de Heer, in onze navolging van de *kaya kalpa*. Het wordt tijd dat ik me van alles wat daarvan afleidt losmaak... Het wordt voor mij tijd om me terug te trekken.'

'Maar uw praktijk dan, aiyah, alles wat u hebt opgebouwd?' viel Daniel hem geschrokken in de rede.

'De dokters uit de oude tijd waren wandelende asceten. Ze bezaten niets en ze hadden niets nodig. Niet allen worden geroepen, maar als we de roep hebben gehoord... Mijn tijd is gekomen. Mijn patiënten zijn bij jou in goede handen, thambi. Je bent altijd een voortreffelijk apotheker geweest, maar ik ben werkelijk diep onder de indruk van de ontwikkeling van je talent om een goede diagnose te stellen.'

Er gingen weken voorbij en dr. Pillai was nog steeds op de vaidyasalai. Daniels aanvankelijke paniek was bedaard. Maar hij wist dat zijn mentor zomaar weg kon zijn zodra hij daar opeens toe besloot, omdat hij het al had aangekondigd. Daniel kon weinig meer doen dan zich er zo goed mogelijk op voorbereiden.

Zonder tegen Charity te zeggen dat de kliniek binnenkort in zijn handen zou overgaan, zei hij dat hij er wel voor voelde om te trouwen. Charity liet er geen tijd overheen gaan en schreef direct naar haar broer Stephen in Nuwara Eliya in Ceylon. Ze waren overeengekomen toen zijn tweede dochter Lily geboren werd, dat zij het bruidje voor Daniel zou zijn, maar het had er nog om gespannen of de bruiloft wel zou plaatsvinden. Toen Lily achttien was geworden, had Stephen nog maar één jaar willen wachten.

Charity's broer kwam veertien dagen voor de bruiloft met zijn familie over, en met alle soorten geschenken en goud om voor de festiviteiten te betalen.

Toen ze Lily, een lang slank meisje met een verrukkelijk wipneusje, had mogen verwelkomen, had Charity gehuild. Maar deze keer waren het tranen van vreugde. In de kerk, toen Daniel de thali om de hals van de bruid had gehangen, had Charity instemmend in haar zakdoek gesnotterd.

Rachel was niet in staat de bruiloft bij te wonen omdat ze zwanger was. Charity's eerste kleinkind werd drie dagen na de kerst geboren. Het was een grote lelijke baby, maar in de ogen van zijn moeder en grootmoeder was hij de mooiste jongen ter wereld. Op de eenenveertigste dag na zijn geboorte werd Jason in het familiekerkje in Tinnevelly ten doop gehouden. Charity reisde naar het huis van haar schoonzoon met de geschenken voor het kind: een zilveren riem, een gouden ketting en een gouden ring. Direct na de kerkelijke plechtigheid bracht ze met een kohlstift heimelijk een grote stip aan op het wangetje van de baby om de werking van het boze oog te weren.

39

'Welke kaste in ons midden is het gevaarlijkst, gevaarlijker dan de cobra, dodelijker dan een cycloon?' vroeg Neelakantha Brahmachari aan de ongeveer vijftig dorpelingen die zich onder de heilige vijgenboom verzameld hadden.

Er kwam geen reactie, dus begon de spreker zijn gehoor te bewerken. 'Zouden het soms de brahmanen zijn? Ik ben een brahmaan en jullie weten hoe levensgevaarlijk ik kan zijn!' De menigte moest lachen en Aäron bedacht hoe geweldig het was dat een lid van een gemeenschap die al eeuwen beschuldigd werd van onderdrukking en discriminatie, de spot kon drijven met zichzelf. Die revolutie was toch echt iets geweldigs! De spreker, een stevig gebouwde jongeman van net in de twintig, lachte uitdagend. 'Kom op, ik wacht op een antwoord! Ik heb iets gehoord over de grote wijsheid die in dit dorp zou schuilen!'

'De Andavars,' riep iemand.

'Nee, nee, de Vedhars,' bracht een ander ertegenin.

'De Tamasiks,' gilde een stem.

De spreker riep om stilte. 'Nee, vrienden. Het gevaarlijkst in ons midden is de blanke man die namens een verre koning van overzee is gekomen om onze rijkdom, ons welzijn, ons hele bestaan onderuit te halen. Voor hem zijn wij nog minder dan een straathond die je met een trap wegjaagt.'

Aäron had naar tientallen sprekers geluisterd en zich dikwijls afgevraagd waarom ze steeds toespelingen maakten die een landelijke bevolking weinig zeiden. Maar deze jongeman leek zonder veel moeite de aandacht van zijn gehoor vast te houden. Hij begon nu warm te lopen voor zijn eigenlijke onderwerp. 'Wat iedere blanke man gelooft is het volgende: dat u en u en u, wij allen, van oorsprong minder zijn dan hij.' Hij wachtte met opzet lang: 'En het wordt steeds erger. Ooit was er een blanke blaaskaak met de naam Macaulay die, nadat hij precies drieënhalf jaar in India had doorgebracht, over onze geneeskunst, literatuur en taal, die al een bloeiend bestaan leidden toen Europa nog steeds een oord vol barbaarse lieden was, niet anders wist te zeggen dan dit: wij zouden "over medische inzichten beschikken die een Engelse hoefsmid beschaamd zouden doen staan, over een sterrenkunde die de meisjes van een Engelse kostschool zouden doen giechelen, over een geschiedenis waarin lange koningen van wel drie meter en langdurige regeringen van wel dertig duizend jaar veelvuldig voorkwamen, en over een bodemgesteldheid die leek te zijn ontstaan uit zeeën van stroop of zeeën van boter".' De spreker zag dat zijn laatste kwinkslag over hoefsmeden, stroop en meisjesscholen zijn gehoor wat in verwarring bracht. Hij herstelde zich snel.

'Als dit hun mening over ons is, waarom zijn ze dan hier? Het antwoord is eenvoudig, broeders en zusters: om ons die mondjesvol rijst te ontzeggen en de hals van onze dochters de gouden thali's, om onze koeien en ossen op te eten, zodat hun kinderen lekker kunnen groeien ten koste van die van ons. Ze zijn een vloek op ons leven, broeders en zusters, en het is de plicht van ieder van jullie je bij de grote strijd aan te sluiten.'

Later die avond aten Aäron, Iyer en Neelakantha Brahmachari gezamenlijk in het huis van een aanhanger. Ze waren allemaal in dit anonieme dorp bijeengekomen om toekomstige strategieën voor de regio uit te zetten, ver van de priemende ogen der autoriteiten die nu serieus bezorgd waren over de golf van nationalistische activiteiten in het tot nog toe rustig gebleven gouvernement. Toen ze klaar waren met hun eenvoudige maaltijd van sambhar en rijst met een enkel rauw uitje en twee groene chilipepers per persoon, nam Iyer Aäron even apart.

'Nu is het moment aangebroken waarop zich onze wegen scheiden, Aäron,' zei hij zonder enige inleiding. 'Jij bent klaar voor de volgende stap. Je zult van nu af aan samenwerken met Neelakantha.' Aäron was hier niet op voorbereid. Iyer was zijn enige steun en toeverlaat geweest op elk kritieke moment van de afgelopen anderhalf jaar. Alsof hij zijn gedachten geraden had, stak hij zijn hand uit en pakte Aäron bij de schouder. 'De revolutie is er niet voor om hechte banden te smeden, Aäron. Ze is groter dan wij zijn. We moeten bereid zijn tot alle offers die ze van ons vergt.' Om de dreun wat te verzachten, zei hij erachteraan: 'Maar je zult het wel goed met Neelakantha kunnen vinden. Ik heb weloverwogen gekozen.'

Iyer had zijn vervanger bepaald met zorg uitgezocht. Toen ze over de weg naar het station in het volgende dorp liepen, wisselde Aäron zijn ervaringen uit met Neelakantha. En zijn aanvankelijke bewondering werd nog groter. Hij kwam erachter dat Neelakantha een journalist uit Madras was die in de beweging was meegezogen door een Bengaalse revolutionair. Hij hoorde bij een groep onder de naam Satya Vrata Sangram, maar dacht erover zijn eigen organisatie te beginnen, waarvoor Iyer hem had aangeraden Aäron in dienst te nemen. 'Ik neem binnenkort contact met je op,' zei zijn nieuwe vriend toen ze uiteengingen.

Het hele jaar 1909 reisde Aäron kriskras door het gouvernement, samen met tientallen andere jonge idealisten zoals hij, en probeerde in het bewustzijn van de mensen de nationalistische geest wakker te schudden. Een kleine toelage van vijfentwintig roepies per maand, die betaald werd door de organisatie, voorzag in al zijn lijfelijke behoeften, en veelvuldige bijeenkomsten met een flink aantal inspirerende leiders hielden het vuur in zijn revolutionaire gezindheid.

Hij werd opgewekt van het reizen, vooral 's nachts – van de grote zwarte locomotieven die de schaars verlichte stations sissend en stomend in- en uitreden, en stoom uit alle geledingen lieten ontsnappen terwijl ze zich met hun vurige hart door de eindeloze duisternis lieten jagen. Hij vond het heerlijk aan te komen op stoffige landelijke stationnetjes – Maniyachi, Kovilpatti, Tenkasi, Sankarankovil, Rajapaliyam, Sirivilliputtur, Shencottah – en in stadjes die hij nooit meer terug zou zien maar die niettemin indruk op hem hadden gemaakt. Hij bedacht een ezelsbruggetje om ze stuk voor stuk te onthouden, meestal een plaatselijke bijzonderheid of gebeurtenis die zich in zijn geheugen liet prenten – een laan met reusachtige tamarindes in Tenkasi, een rijk versierde tempel in Palani, een kleurrijke markt in Kumbakonam. Hij dacht vaak aan Joshua-chithappa en diens reishonger – wat had hem zo voortgedreven? Aäron kon er nu althans iets van begrijpen: de opwinding over nieuwe plaatsen die zijn geest verruimden, het gevoel van vrijheid dat door de anonimiteit over je kwam...

Aäron sprak in ieder stadje en dorp waar hij kwam, hetzij voor kleinere groepen in theehuizen of voor groter publiek als hij zich voornam een paar dagen langer in een plaats te blijven. Hij was geen geboren redenaar, maar sprak van binnenuit en dat maskeerde meestal iedere tekortkoming in zijn voordracht. Hij was blij dat Iyer hem nog een kans had gegeven om te bewijzen dat hij best overweg kon met de kunst van het lezen en schrijven en het woord voeren. Hij las traag en moeizaam en vond veel van de stof waar hij doorheen ploegde saai en vervelend, maar hij hield vol. Hij wilde voor de revolutie wel alles doen. Hij hield van het gevoel dat het hem bezorgde met iets zinnigs bezig te zijn, maar vond het besef van broederschap dat het aanwakkerde minstens zo belangrijk. Hij dacht nu steeds minder aan zijn eigen familie; en als het gebeurde, voelde hij zich niet langer zo razend worden. Hij begon zich zelfs af te vragen hoe het zou zijn om ze nog eens terug te zien. De zeldzame keren dat hij Chevathar aandeed was het nieuws dat de kaarten van Charity bevatten, die Kaveri bewaard had, alweer oud geworden. Zelfs toen hij hoorde van het huwelijk en het succesvolle beroep van Daniel werd hij niet meer zo door woede overmand als vroeger. Levensvervulling is niet de beste grond voor haat en Aäron had zich sinds lang niet zo tevreden gevoeld. Solomon en Joshua waren altijd in zijn achterhoofd aanwezig, maar hij betreurde ze niet zo hartstochtelijk meer als hij eens gedaan had.

Tegen het einde van het jaar 1909 kwam hij weer in Tuticorin, waar hij voor de eerste keer actief aan de beweging had deelgenomen. Hij herinnerde zich zijn angst en opwinding van die keer. En toen kwam er een herinnering boven aan de mysterieuze vrouw in de vervallen wijk. Antracietkleurige ogen. Jayanthi's ogen. Ineens voelde hij zich heel alleen. Toen de eenzaamheid dieper tot hem doordrong besloot hij de sporen na te trekken van de mysterieuze vrouw.

Toen zijn werk er die avond op zat, ging hij in zijn eentje op pad. Hij zwierf urenlang rond en was op het laatst zo verschrikkelijk moe dat hij besloot de zoektocht te staken. Hij liep een groezelige, bijna lege theewinkel binnen en bestelde thee met een vadai, bleef met zijn rug tegen de muur aan zitten en sloot zijn ogen. Zonder ook maar enigszins verbaasd te zijn merkte hij dat hij door een bekende wijk liep. Hij herkende de armetierige krotjes die langs de weg stonden en het grote woonhuis dat er midden uit oprees. Toen hij daar aankwam zag hij dat het ooit een indrukwekkend huis geweest moest zijn, het onderkomen van de een of andere fabelachtig rijke Hollandse koopman of Engelse graanhandelaar. Het was groen uitgeslagen, de muren waren door de moessons en de regen verkleurd en de brede stenen treden, waar stukken vanaf waren, leidden omhoog naar de door pilaren ondersteunde veranda. Enkele ramen hingen scheef. Hij voelde zich een beetje angstig toen hij de stoeptreden op ging en over de veranda liep en zijn voeten het stof deden opwaaien. Het huis leek verlaten. Hij liep door. Pal naast de voordeur lichtte een klein glimmend bronzen plaatje op. Daar stond maar een enkel woord in gekrast: VIDUTHALAI. Vrijheid. Verlossing. Hij trok aan het belkoord. In de verte achter in het huis klonk een bel, maar er gebeurde niets. Hij stond op het punt opnieuw aan het koord te trekken toen de deur plotseling openging. Tot zijn teleurstelling zag hij niet de mysterieuze vrouw die hij zich zo goed herinnerde, maar een bejaarde bediende.

Hij wilde zich net verontschuldigen en weer weggaan toen de bediende zei: 'Vanakkam aiyah, we hadden u verwacht.' Hij had het gevoel dat er grote ongrijpbare mysteries vol licht op hem lagen te wachten en toen volgde hij de bediende door een lange betegelde gang. Hij werd binnengelaten in een schitterende salon. Kastanjebruine gordijnen verborgen er het uitzicht, en reusachtige met franjes versierde *punkahs* zorgden ervoor dat de temperatuur gelijkmatig bleef. Minstens tien sofa's stonden als de kroonbladeren van een reusachtige bloem gerangschikt rondom een glimmend opgewreven granieten tafel in het midden die direct onder een veelarmige kroonluchter stond. Er lagen al twee of drie mensen op de sofa's toen Aäron binnenkwam. De bediende leidde hem naar een sofa die nog niet bezet was. Toen, als op afspraak, klonk er opeens muziek vanachter een prachtig uitgesneden walnoten kamerscherm en er verschenen bedienden met zilveren dienbladen met sorbets en rozijnen en noten. Toen ze allemaal voorzien waren, verdwenen de bedienden weer en kwam er een oud klein dametje de marmeren trap afgelopen. Ze was gekleed in een saffierkleurige sari en de tint van haar huid was maar een fractie donkerder dan haar witte haar.

Ze kwam op hen af en zei opgetogen: 'Ik weet nooit welke bezoekers de dag weer brengen zal maar ik ben nooit teleurgesteld in de zeldzame juwelen die dit huis aandoen. Stuk voor stuk zijn jullie gevormd door machten waaronder de meeste mensen bezweken zouden zijn en daar ben je me des te liever om.' Aäron wierp een vluchtige blik op de drie andere mannen in de kamer. Op de sofa naast hem zat een vreselijk corpulente man wiens ogen, kin en neus in vlezige kwabben verzonken lagen en om wiens uitgezakte buik de stof van zijn jibba losjes slobberde. Verderop lag een oudere man met een welvarend voorkomen, maar met een moedervlek die zijn halve gelaat ontsierde zodat het, als je er vanaf een bepaalde kant naar keek, net leek of hij keurig in tweeën verdeeld was. Aan de andere kant van de kamer zat een onwaarschijnlijk knappe man, ongeveer van zijn eigen leeftijd, met scherpe gelaatstrekken en boze ogen. De verworpenen der aarde! Nauwelijks was die gedachte bij hem opgekomen of een helende nevel vervulde zijn geest en wiste de gedachte, die hij vergeefs probeerde verder te ontwikkelen, net zo hard weer uit.

'Jullie zijn allemaal een leven lang naar mij op zoek geweest en hebt je weg naar mij weten te vinden en ik beloof je dat het je, wanneer je eenmaal door mijn handen gegaan bent, nooit meer zal ontbreken aan dat ene ding waar iedereen naar zoekt, maar dat slechts weinigen vinden. Wat het is, dat ding dat liefde heet? Laten mijn meisjes en ik jullie dat nu eens duidelijk maken. Want alleen door te leren hoe je moet beminnen kom je erachter hoe je moet leven, en als je eenmaal weet hoe je bemind hebt, weet je hoe je moet doodgaan.' Toen pakte ze een kristallen belletje van een bijzettafeltje en klingelde er even mee, waarna er vier buitengewoon aantrekkelijke meisjes naast haar verschenen. Licht, donker, slank, sensueel, het enige wat ze gemeenschappelijk hadden, waren hun gevoelige, koolzwarte ogen.

'Hier zijn ze, waarde gasten, mijn lieve meisjes, die jullie je voor ogen hadden getoverd in de creaties van je diepste verlangens. Ze zijn nu van jullie zolang je ze nodig hebt. Ik vraag er niets voor terug en ik wil je op het hart drukken ze goed te behandelen, want op het moment dat je ze iets aandoet zullen ze zich terugtrekken en zal voor jullie de weg naar Viduthalai voor altijd geblokkeerd zijn.'

Aäron en de andere mannen konden hun ogen niet afhouden van de jonge schoonheden. De oude dame gunde ze een paar minuten en stuurde haar beschermelingen toen naar boven.

'Er zijn een paar eenvoudige regels die dit huis in acht neemt. De meisjes hebben geen naam en je mag niet al vooraf een keuze maken. Ze zijn me stuk voor stuk even dierbaar en zoals je wel zult ontdekken, zijn ze dat ook voor jullie. Of je hier nu één nacht bent of vele, je mag maar één naam kiezen waarmee je de partner voor jezelf aanspreekt. Ze zullen allemaal op die naam reageren en de keuze is geheel aan jullie. Zolang ze de naam dragen die jullie hun gegeven hebt, zal die een sieraad voor hen zijn en zullen zij de mensen zijn die jullie willen dat ze zijn. De enige ware realiteit, waarde gasten, is de realiteit die niet echt is.'

Nu was Aäron opgehouden nog langer te vechten tegen de nevel die tot in alle nisjes van zijn hoofd was doorgedrongen, en alles wat die dame zei sprak hem zeer aan. Hij hoefde niet te aarzelen toen hem gevraagd werd een naam te kiezen: Jayanthi. Hij zag zich in een toestand van plezierige opwinding achter de bediende aan over de marmeren trap lopen. Boven aan de trap liep naar weerszijden een gang met een weelderig tapijt. Er kwamen witgeschilderde deuren op uit. Hij zag dat op elk ervan in sierlijke letters een naam gekrast stond. De laatste deur droeg de naam Jayanthi. De bediende klopte aan en trok zich toen terug.

Ze zat op het bed, gekleed in een blauwe katoenen sari, net zoals die ene keer toen hij haar gezien had. Maar dit meisje was donker en sensueel, haar borsten lagen vol en gespannen onder de dunne katoen van haar blouse. Die andere Jayanthi was slank geweest, bijna zonder sekse. Toch was dit wel Jayanthi, daar was hij zeker van. Hij liet de tegenstrijdigheid voor wat ze was, en ging naast haar zitten.

Ze zei tegen hem hoe knap ze hem vond en hoeveel voldoening het haar zou geven het hem naar de zin te maken, onschuldige gemeenplaatsen die hem vervulden met overweldigende warmte en geluk. Hij voelde haar handen over hem heen gaan, toen ze zijn gezicht streelde, zijn haar, en toen, zo vanzelfsprekend dat het leek alsof hij zijn hele leven geoefend had voor dit moment, bedreef hij de liefde met haar in het grote hemelbed – liet hij zich gaan, met zijn gretige tong en ogen en handen over haar volle borsten met de honingkleurige puntjes er middenop, over de holte van haar middel, haar geronde grote dijen en toen bij haar naar binnen...

Avond aan avond was Aäron geregeld bezoeker van Viduthalai. Elke avond opnieuw ging hij naar boven met een andere Jayanthi en elke avond leerde hij weer een andere waarheid. *Je moet beminnen om te kunnen leven. En om dood te kunnen gaan.* En toen, op een avond, was Aäron niet eens verbaasd geen spoor van Viduthalai aan te treffen, toen hij in de sloppenwijk aankwam...

Er stond iemand aan hem te schudden. Hij deed zijn ogen open en de eigenaar van de theewinkel vroeg hem of hij klaar was. Aäron keek naar het onaangeroerde glas thee met vadai voor zich en lachte, bedankte de man en ging weg. De weg terug naar het pension waar hij sliep, liep dwars door een heel arme wijk. Toen hij langs een troosteloos allegaartje van krottige optrekjes liep, keek een jonge vrouw die haar zuigeling de borst gaf hem hoopvol aan. 'Op zoek naar liefde, aiyah? Deze hier is goedkoop, acht roepies per uur.'

De vreemdeling gaf haar een zilveren roepie. Toen lachte hij haar toe en liep weg, iets strompelends in zijn gang.

In de volgende plaats waar hij stopte, Tenkasi, liep hij op het station tegen Neelankantha Brahmachari aan. Hij was verbaasd. Hij had gedacht hem wel een maand lang niet te zullen zien. De journalist vertelde Aäron dat hij eerder dan gepland, zijn eigen organisatie had opgezet. In feite had hij net contact met hem willen opnemen. Neelakantha's organisatie had als naam de Bharatha Matha Broederschap, en stelde zich een gewelddadige revolutie ten doel.

'We moeten het onze doen om onze kameraden daadwerkelijk steun te bieden,' zei Neelakantha. 'Zij hebben alles voor de zaak opgeofferd en Madras moet het zijne eraan bijdragen. We hebben geprobeerd met de autoriteiten te onderhandelen, we hebben geprobeerd met hen in overleg te treden, zoals onze gematigde vrienden in het congres hadden voorgesteld, maar waar heeft het toe geleid? Nergens toe. De weg naar de toekomst is nu duidelijk. Het is geen gemakkelijke weg, maar we moeten hem gaan. Het gouvernement treedt met de dag bruter op en we moeten terugvechten. Ben je nog steeds bereid je bij ons aan te sluiten?'

Aäron hoefde niet lang te aarzelen. 'Ja, ik wil me graag bij jullie aansluiten.'

'Uitstekend. Kom me vanavond opzoeken,' zei Neelakantha en hij verdween in de menigte.

Aäron had niet zoveel te doen in Tenkasi. Hij bracht wat tijd door in de drukke straten en op de markt en keerde toen terug naar het tempelgasthuis waar hij verblijf hield. Die avond begaf hij zich op weg naar het adres dat Neelakantha hem gegeven had. Hij vond de plek zonder veel moeite. Een zwijgzame jongeman leidde hem door het benauwde voorkamertje naar een groter vertrek vol ernstige jonge lieden met enorme *tilaks* op hun voorhoofd. In een hoek stond een beeltenis van de godin Kali met haar afschrikwekkende voorkomen, en ervoor lagen offergaven. De flakkerende *vilaku's* maakten het akeligs dat het beeld leek uit te broeden nog verschrikkelijker.

Neelakantha stelde Aäron voor aan de vergadering. Aäron kreeg vibuthi en bloemen aangereikt om aan de godin te offeren. In een chembu werd een hoopje kumkumam, rood opglanzend in het gedempte licht, met water aangemengd waarna hem gevraagd werd dat op te drinken.

'Drink hiervan, broeder, zoals u het bloed van de onderdrukker zult drinken. Vanaf deze dag is uw leven gewijd aan het doel van de totale swaraj met alle middelen die u ter beschikking staan. Wilt u mij herhalen...'

Toen hij het kartonnen bekertje naar zijn lippen bracht, schoot hem levendig de herinnering te binnen aan de dag dat hij over de grote waterput gesprongen was. Soms was het enige wat je kon doen om verder te komen, je stappen ferm en zonder aarzelen nemen, ook al had je nog zo weinig idee van wat je verderop te wachten stond... Toen nam hij een volle teug van het bittere drankje en probeerde niet te kokhalzen.

Aäron herhaalde een simpele eed en bevestigde dat zijn eigen leven maar een kleine prijs was voor de bevrijding van Moeder India. Een stuk papier werd een document waarop de eed werd geschreven, en Aäron kreeg een naald overhandigd. Hem werd opgedragen in zijn duim te prikken en zijn bloedende duim op de eed af te drukken. Daarmee was de plechtigheid voorbij. Nu waren het alleen nog de instructies van zijn leider, die Aäron nodig had.

40

Pas na twee jaar had Daniel voldoende zelfvertrouwen om de kliniek in zijn eentje te kunnen runnen. Zoals hij al had gevreesd, was dr. Pillai op een dag zonder waarschuwing weggegaan en het aantal patiënten was onmiddellijk drastisch gedaald. Daniel moest ze niet alleen terugwinnen; hij moest ook leren de paniek die hem overviel, telkens als hij besefte dat dr. Pillai niet in de buurt was, te bedwingen. Maar langzamerhand begonnen de dingen beter te gaan. Zijn zelfvertrouwen groeide en dat vertrouwen bracht hij over op zijn patiënten en zijn assistenten. Zijn faam als goede apotheker en dokter die een scherpe diagnose kon stellen en de meest obscure kwaal kon genezen, verspreidde zich door het district. Algauw waren er meer patiënten dan hij aankon.

In die tijd zag zijn familie hem nauwelijks. Zijn vrouw Lily had binnen een paar maanden na het huwelijk al bij Charity haar beklag gedaan over zijn afwezigheid. Charity had eerst ergernis voelen opkomen. Wat wilde het meisje nog meer? Ze had een degelijke, knappe jongeman aan de haak geslagen, was dat niet voldoende? Toen herinnerde ze zich haar eigen ervaring als jonge bruid, ver van haar ouderlijk huis, hoe doodsbang en uit het lood geslagen ze geweest was. Maak je maar niet ongerust, had ze tegen Lily gezegd, het zou allemaal vanzelf weer goed komen als de nieuwigheid van het huwelijksleven eraf was en ze aan haar omgeving gewend zou zijn.

Lily had het met Charity's hulp geklaard en het was na verloop van tijd allemaal beter gegaan. Toen Daniel zekerder werd van zichzelf, maakte hij zich minder bezorgd om zijn werk. Hij en Lily kregen een dochtertje, Shanthi, en het duurde niet lang of Lily was in verwachting van hun tweede kind. Daniel zag in de week maar heel weinig van zijn dochtertje, maar op zondag kon hij uren naar Lily en zijn moeder zitten kijken als ze met het meisje tuttelden met kwikjes en strikjes, verhaaltjes en spelletjes. Voor hem schoot er niet veel meer over dan haar af en toe een tijdje vasthouden, en zijn dochtertje leek zijn onhandigheid aan te voelen. Ze begon zich los te wringen en te huilen als hij haar vasthield totdat hij haar aan haar moeder teruggaf.

Op een zondag, toen Shanthi bijna twee jaar was, bereidde de familie zich voor om voor de ochtenddienst naar de kerk te gaan. Daniel was zoals altijd het eerst klaar en zat in de planterstoel op de veranda op de anderen te wachten. Shanthi bleek abnormaal onhandelbaar. Haar haar was gedaan, met jasmijn en strikjes erin, en ze zag er heel leuk uit in haar keurige Engelse rokje en met echte schoentjes aan, maar telkens als Charity haar gezichtje probeerde te poederen, draaide ze zich los uit haar armen. Toen Daniel zijn dochtertje al haar vernuft zag aanwenden om tegen haar grootmoeder in te gaan, wilde de glimlach niet meer van zijn gezicht wijken. Wat heeft zij mijn leven veranderd, dacht hij. En het was waar, pas sinds de geboorte van zijn dochtertje was hij zich in Nagercoil wat op zijn gemak gaan voelen, hoewel hij er al een paar jaar gewoond had. Shanthi hoorde hier thuis en op een vreemde manier had dat hem het gevoel gegeven hij hier ook hoorde.

Nu hij zijn dochtertje in haar grootmoeders armen zag tegenstribbelen, kwamen zijn eigen kinderjaren weer bij hem boven, hoe hij met de Engelse eerwaarde naar schelpen en vissen in de getijdenpoelen had gezocht, hoe hij zijn broer had gadegeslagen als die over putten sprong of in de rivier zwom, hoe hij met zijn vader was gaan jagen op kalongs en watervogels. Hij moest weer lachen toen hij terugdacht aan zijn eerste dag op school in het dorp, in zijn nieuwe kleren en begeleid door een nadeswaram-speler en drummer, en hoe de koster van de kerk met zijn krakerige valse stem liederen gezongen had – alles voor de eerstgeboren zoon van de belangrijkste man van het dorp.

Die levendige herinneringen riepen een enorm heimwee in hem op naar de plaats waar hij geboren was. Per slot van rekening lagen daar in Chevathar toch zijn wortels, mijmerde hij. Dat voelde hij het sterkst in de eerste uren van de ochtend en als de avond inviel. Want de dageraad was in elke plaats weer uniek en dat zou altijd zo blijven: in Chevathar was het zingen van de vogels in de bomen en het licht dat hing in de kasuaren, het loeien van de koeien en het gesnater van de watervogels weer anders geweest dan hier of waar ook maar. Dat gold ook voor de schemering – wanneer het licht van de dag als oud stof door de naderende nacht werd weggeveegd en de geluiden van het dorp bezig waren tot rust te komen, was dat allemaal zo heel anders dan hier in de stad. Ik mis Chevathar, dacht hij. Nergens anders zal ik ooit zo mijzelf kunnen zijn.... Weliswaar waren de dingen voor hem toch weer in orde gekomen nadat hij was weggegaan uit Chevathar, maar de hunkering naar die plaats zou nooit wijken.

Hoe zou het toch met Aäron zijn, die vraag kwam altijd weer boven. Hij had nooit gedacht dat het verdriet om zijn broer zo groot en zo langdurig zou zijn maar het welde van tijd tot tijd uit zijn diepste innerlijk naar boven. Dat waren de momenten dat hij ophield met wat hij aan het doen was en zich volledig overgaf aan zijn gevoel van gemis. Lange ervaring had hem geleerd dat dit de beste manier was om de wonden van het verleden te helen. Om ze volledig opnieuw door te maken en ze dan van je af te zetten en vervolgens je dagelijkse bezigheden weer te hervatten. Dat deed hij nu ook. Op Charity's geregelde brieven aan Aäron kwam nooit een antwoord, maar zo nu en dan kwam er wel eens wat omhooggedwarreld uit de ondoordringbare diepte die Chevathar geworden was. Een vormelijk briefje met klachten, gewoonlijk van Abraham, die zeurde over het een of ander waardoor hij de magere toelage die hij had toegezegd nog niet had kunnen sturen, of vol beschuldigingen aan Aäron. De laatste brief van nu alweer enkele maanden geleden, had een grimmig beeld geschetst. Aäron was al enige tijd zoek geweest. Men zei dat hij zich had aangesloten bij de nationalisten, die herrieschoppers die nergens voor deugden en die schande over de familie zouden brengen. Charity had er bij Daniel op aangedrongen iets te ondernemen, maar wat? Ze hadden geen idee waar Aäron was. Ze wisten niet bij welke groep hij hoorde. Daniel mompelde onhoorbaar een kort gebed voor zijn broer. Nog even en dan zou hij zichzelf weer uit dat moeras van die triestigheid hebben opgetrokken. Hij had zich voorgehouden dat Aäron niet zijn verantwoording was, dat het een volwassen man betrof die volledig in staat was voor zichzelf te zorgen en zijn eigen beslissingen te nemen. Ik heb nu mijn eigen verantwoordelijkheden, en mijn eigen familie. Als en wanneer hij ooit mijn hulp nodig heeft, zal ik voor Aäron klaarstaan en de oude draad weer opnemen.

Hij keek naar het tafereeltje voor zich: zijn vrouw, zijn moeder, zijn dochtertje en zijn zuster Miriam, die zojuist was binnengekomen. Het verleden achter je laten, hield hij zichzelf voor. Je hoort hier. Dit is de geboorteplaats van je moeder, jij hoort daar nu ook. Leer te kijken door de ogen van Shanthi: misschien zal ze nooit aan de zoete weelde van de neelam van Chevathar kunnen ruiken, maar ze kent de onvergelijkelijke smaak van de kleine honingbanaan; ze zal misschien niet naar schelpen uit de Golf van Mannar hebben kunnen zoeken, maar voordat jij hier kwam had jij ook nog nooit een honingvogel als een groene smaragd in de zon zien glinsteren! Hij begon in zijn stoel te schuiven van ongeduld. Maar Shanthi en haar grootmoeder lagen nog steeds hevig in de clinch met elkaar. Hij bulderde naar Shanthi: 'Als je paati nu geen poeder op je gezichtje laat doen, laten we jou hier achter, begrepen?'

Shanthi begon te jammeren.

'O, laat die kleine pisasu toch. Doe dan maar geen poeder op haar gezichtje,' zei Daniel geërgerd.

'Zodat iedereen ziet hoe donker ze is? Wie wil er dan met haar trouwen?'

'Amma, ze is nog geen twee jaar.'

'Ja, maar je weet hoe de mensen zijn.'

Daniel verzonk in gedachten. Iedereen in de kamer, behalve Shanthi, had voor het dagje uit poeder opgedaan. Hij wist hoe belangrijk het was dat de poriën van de huid vrij konden ademen in het warme vochtige klimaat van de stad, maar hijzelf had, als ieder ander, ook al de gewoonte aangenomen zijn gezicht te poederen met de nieuwe Engelse talkpoeder die tegenwoordig zo in was. Alleen de allerarmsten deden het zonder. Alle andere bewoners van de stad liepen als angstaanjagende tantristische *sadhu's* rond, die met hun lijkwitte maskers op rondspookten op crematieplaatsen.

Daniel stond op uit zijn stoel en ging naar de *muttham* om de poeder van zijn gezicht te wassen. Hij liep weer terug naar de kamer waar de ijzersterke wil van het meisje even onverzettelijk bleek te zijn als die van haar grootmoeder.

'Shanthi gaat zonder poeder naar de kerk,' zei hij.

Charity, Lily en Miriam keken hem aan alsof hij gek geworden was.

'Zonder poeder? Maar dan lacht iedereen haar uit.'

'Zie je op mijn gezicht nog iets van poeder?' vroeg hij op scherpe toon.

Dat legde de vrouwen het zwijgen op, maar niet voor lang. Ze begonnen tegen hem in te gaan en hielden pas op toen Daniel beloofd had dat hij voor Shanthi een plantaardige crème zou maken, waar de huid zonder dat ze werd aangetast lichter van werd, als ze haar nu ongepoederd naar de kerk zouden laten gaan.

De volgende ochtend kon Daniel bijna niet wachten op een korte onderbreking in de stroom van patiënten om zich terug te trekken in de ruimte waar hij zijn poeders en drankjes maakte. Hij was nu lang genoeg dokter geweest om te weten dat zijn vaardigheid als apotheker groter was dan zijn andere medische vaardigheden; hij voelde zich heel vrolijk dat hij de gelegenheid had zijn talent tot het uiterste te beproeven. Allereerst nam hij alles wat hij wist over pigmentatie van de huid nog eens door. Zou hij op de een of andere manier de activiteit van de melanocyten kunnen vertragen of zou het effectiever zijn de dode cellen van de opperhuid er eerst af te laten schuren zodat de huid er letterlijk lichter uit zou zien? Dat alles zonder de huid te beschadigen! Hij had zich lange tijd niet zo opgewonden gevoeld. Hij begon de ingrediënten klaar te leggen – wilde kurkuma, mercurisulfide, sandelhout, medicinale neem-olie, melk van jonge kokosnoten, ghee, kassiebloemen, aloëwortelsap, koeienmelk, honing... Algauw had hij meer dan vijftig planten en kruiden en *kuzhambu's* voor zich liggen die hij van de verschillende planken en uit kasten gehaald had. Hij begon te mengen en te wegen, fijn te stampen en boven het vlammetje te houden, bezinksels en mengsels te maken. Er gingen uren voorbij. Zijn assistent Chandran kwam een paar keer binnen om hem eraan te herinneren dat er patiënten zaten te wachten, maar voor het eerst sinds hij in dr. Pillais vaidyasalai was komen werken, wuifde Daniel hem ongeduldig weg en zei hem de patiënten zijn verzoek over te brengen nog iets langer te wachten. Toen Chandran een derde keer kwam, liet hij zich met tegenzin van zijn proeven in de alchemie losscheuren.

De rest van zijn patiënten handelde hij haastig af om maar weer gauw aan zijn laboratoriumtafel terug te kunnen zijn. Hij werkte de hele avond door en toen het laat werd, stuurde hij een van zijn assistenten naar huis met de bood-schap dat hij de nacht in de vaidyasalai door zou brengen. Hij kwam de eerst-volgende vijf dagen en nachten niet meer naar huis. Toen die tijd om was, waren er vierenzestig metalen, kruiden, oliën, zalven en andere ingrediënten door elkaar gehusseld, uitgeprobeerd, bewaard of weggegooid. Op de och-tend van de zesde dag liet Daniel, uitgeput, zijn ogen gaan over een bruin geleiachtig goedje op de bodem van een retort. Het zag eruit als stroperige *gingelly*-olie. Hij smeerde het royaal uit over zijn linkerarm. Een hele maand daarna deed hij iedere dag die lotion op zijn arm en zorgde ervoor dat dat gedeelte van zijn arm niet met water in aanraking kwam. Om te voorkomen dat iemand de gevolgen zou zien van zijn experiment, begon hij jibba's met lange mouwen te dragen. Zijn arm begon bepaald vreemd te ruiken maar Daniel liet zich niet van de wijs brengen. Toen Lily aan Charity vroeg om er-tussen te komen, haalde die machteloos haar schouders op en zei: 'Wanneer die Dorais eenmaal ergens door gegrepen zijn, laat zelfs een olifant in *musth* ze koud.'

Na vijf weken riep hij opgetogen uit dat het stuk van zijn linkerarm dat hij met de lotion had ingesmeerd beduidend lichter van kleur was dan de rest van de huid. Hij maakte nog meer gelei volgens dezelfde formule en deed een laagje ervan over zijn hele arm, wreef het goed in tot er geen spoor meer van te zien was. Negen weken later was er een duidelijk effect zichtbaar, maar niet zo erg dat het onrustbarend was. Daniel deed er nog een kleurtje door om het mengsel de aangename tint van gebroken wit te geven, en vulde er toen een klein glazen potje mee dat hij normaal gebruikte om er *thylams* voor zijn pa-tiënten in te doen. Al die tijd dat hij aan het experimenteren was geweest, had hij op een naam zitten broeden, maar er was er maar een die hem werkelijk aanstond. Hij schreef die nu voluit op een stuk papier, in het Engels en in de taal van de Tamils – DR. DORAIS MAANBLANKE THYLAM – en bleef er lange tijd naar staren. Toen liep hij in het donker naar huis.

Daniel stelde zijn vertrek naar de kliniek de volgende ochtend uit. Lily, hoogzwanger, was bezig Shanthi klaar te maken. Triomfantelijk haalde Daniel zijn potje lichtmakende crème te voorschijn en vroeg haar het voor het kind te gebruiken. Toen zijn vrouw aarzelde, liet hij haar zijn linkerarm zien, met de kleur van iets te donkere tarwe. Binnen een paar dagen gaf de familie zich gewonnen.

De weken daarna verspreidde zich het gerucht van de wonderbaarlijke nieuwe crème door de stad. De vaidyasalai kon nauwelijks aan de vraag voldoen en tot Daniels verbazing wilde het gros van de patiënten die aan zijn deur verschenen en waarvan zeker de helft bestond uit arme plattelandsbewoners, nu voor een halve anna een klein potje maanblanke thylam meenemen (het was ook beschikbaar in een hoeveelheid van zes anna's), tegelijk met hun andere medicijnen.

41

De nieuwe eeuw was nauwelijks een decennium oud of het ontluikende nationalisme van India begon al te verpieteren en af te sterven. Gematigden en extremisten waren ieder een eigen weg gegaan en in hun gescheiden optreden gevoelig geweest voor de vleiende taal van de onderdrukker. De Britten hadden naar het scheen de strijd al gewonnen voor die begonnen was. Toen Aurobindo Ghosh uit de gevangenis werd vrijgelaten, verzuchtte hij neerslachtig als een vergeefs strijder voor het vaderland: 'Toen ik de gevangenis inging, gonsde het hele land van de roep om Bande Mataram, en je hoorde er de hoop van het volk in, de hoop van miljoenen mensen die net weer waren opgekrabbeld uit hun verworpen staat. Toen ik de gevangenis uitkwam probeerde ik die roep weer op te vangen, maar er was alleen maar stilte. Het land was in slaap gesust.' Kleine groepjes jonge mannen en vrouwen in India en daarbuiten stelden vast dat vooruitgang alleen mogelijk was als je het tempo probeerde te forceren. In Bengalen, in Maharashtra, in Londen, in Madras, overal beraamden ze hun plannen. In het besef dat je voor elke massabeweging jaren van voorbereiding nodig had, kwamen de jonge revolutionairen tot de conclusie dat de snelste manier om de Raj in het defensief te drukken, extreem geweld tegenover diens ambtenaren zou zijn.

Een maand nadat hij zich bij de Bharatha Matha Broederschap had aangesloten, ontving Aäron een oproep om naar een bijeenkomst in Trivandrum te gaan. Ze kwamen bij elkaar in een laag boerenhuisje aan de rand van de stad.

Het huis zag er heel gewoon uit met een platgestampt erf ervoor en in de wind heen en weer zwiepende bananenbomen, scharrelende kippen in het zand, en een vrouw in *mundu* en blouse die op de stoep voor het huis zat te zonnen. Even dacht Aäron dat hij naar de verkeerde plek gekomen was, toen stond daar de gestalte van Neelakantha in de deuropening. Hij wenkte hem naar binnen.

Het huis had vertrekken die vanuit een muttham in de open lucht overgingen. Hier vond de bijeenkomst plaats. Aäron herkende enkelen uit Neelakantha's groep tussen de ongeveer twintig mannen die er zaten. Ze kregen te horen dat ze waren uitgekozen voor een speciale missie en dat ze de komende weken zouden meedoen aan een trainingsprogramma. Ze moesten de volgende ochtend om vier uur bij elkaar komen en klaarstaan om te vertrekken naar een onbekende bestemming.

De volgende avond laat kwamen Aäron en nog twaalf anderen na een lange dag reizen, waarbij ze per ossenwagen en te voet steeds dieper het gebied van Travancore binnengedrongen waren, in Thengatope aan, een dorpje aan de kust van Malabar. De reusachtige palmbomen waar het dorp zijn naam aan te danken had, stonden zo dicht op elkaar, dat de mannen maar vaag een glimp van de Lakshadweep Zee konden opvangen. Het dorpshoofd droeg hun zaak een warm hart toe en het dorp zelf was zo afgelegen dat er geen gevaar bestond onverwacht gesnapt te worden. Ze werden in twee groepjes verdeeld en die kregen elk een klein huisje toegewezen. Neelakantha stond aan het hoofd van Aärons groep. De dertien man, onder wie drie instructeurs, beschikten met zijn allen over drie pistolen en een grendelgeweer. De nieuwe rekruten begonnen het uit elkaar halen en in elkaar zetten van de vuurwapens te oefenen. Omdat de munitie schaars was, richtten ze hun wapens op de rij kokospalmen langs het strand en haalden van de ongeladen pistolen de trekkers over.

De dagen vielen algauw in een regelmatig patroon: ze stonden op bij het krieken van de dag en begonnen met kriskras tussen de palmen en de acacia's door hard te lopen, waarbij ze goed moesten uitkijken voor de lange witte stekels van de acacia waarmee het overgrote deel van de weg bezaaid lag. Het laatste stuk, het moeilijkste, ging over het rulle wegglijdende zand op het strand. Aäron, die gedacht had dat zijn licht slepende been hem dwars zou zitten, kwam erachter dat zijn natuurlijke atletische talenten hem een voorsprong op de meeste anderen in de groep gaven en vooral op de jongens uit de grote stad. Na het hardlopen kwam het ontbijt, een dunne *kanji* die erg vies smaakte en dan volgde de wapentraining met driloefeningen en theorie. Controversioneel gedachtegoed en theorieën van Marx, Alfieri, Annie Besant, Aurobindo

Ghosh, Subramania Iyer, V.O. Chidambara Pillai en Bal Gangadhar Tilak vormden de grondslag voor de indoctrinatie. Aäron had moeite de leraar, die hij ook niet erg overtuigend vond, te volgen en na een paar dagen geloofde hij het wel en haakte af. Hij merkte dat de meeste anderen het net zo saai vonden als hij. Na afloop van de eerste week gingen zowel de leraren als vijf rekruten terug naar Trivandrum. De dag daarop voegde zich bij de vijf die nog waren achtergebleven, onder wie Neelakantha en Aäron, een belangrijke leider van de organisatie, die hun korte training moest voltooien. Aäron had voor mannen als Iyer en enkele anderen met wie hij te maken had gehad, ontzag, leiders met moed en durf die zich volledig aan hun zaak gaven, maar vergeleken bij M.S. Madhavan waren het maar slappe groentjes. Hun nieuwe mentor was een tenger gebouwd man met een scherp benig gezicht en iets nadrukkelijks in zijn manier van spreken. Maar zijn oogopslag verried zijn eigenlijke aard: zijn ogen, gril en vlak als die van een giftige adder duidden op de harde man onder zijn gewone buitenkant.

Zijn komst prikkelde het kamp tot koortsachtige bedrijvigheid. Madhavan was een stedeling die van wanten wist en die de halve wereld was afgereisd om aan de voeten te mogen zitten van leermeesters in de kunst van revolutionair geweld en terreur. Aäron had diep ontzag voor 's mans drieste handigheid met kleine wapens en hij luisterde met aan angst grenzende aandacht naar de verhalen over zijn tijd bij de Berbers en Russische revolutionairen in ballingschap en over de opdrachten die hij had uitgevoerd. De groep hing aan zijn lippen, maar hun onverbloemde heldenverering leek op hem geen enkel positief effect te hebben. Hoe hard hij ook zijn best deed dat niet te laten merken, het was duidelijk dat hij hen maar een stelletje stuntels vond.

Na een paar dagen etaleerde hij een schitterend modern geweer dat hij had meegenomen, een snel achter elkaar vurend .303 grendelgeweer met een magazijn voor zes kogels. Hij had ook een flinke voorraad munitie bij zich en de eerstvolgende dagen deed de bulderende branding van de Lakshadweep Zee dienst als achtergrondmuziek voor de venijnig ketsende knallen van de Lee Enfield.

Er ging een maand voorbij. Toen kondigde Madhavan aan dat hun training voorbij was en dat ze de volgende dag op hun eerste missie moesten. Hij wilde hun geen verdere details geven en zei alleen maar dat ze, voor ze op weg zouden gaan, grondig geïnstrueerd zouden worden. Die avond verliet Aäron het kamp om wat rond te lopen tussen de kokospalmen, en in zijn hoofd krioelde het van gedachten, even onsamenhangend en verward als de korte grillige golven van de branding die tegen de kust aan sloegen. Nu kon hij zich niet meer terugtrekken. Hij dacht aan zijn vader, aan zijn chithappa Joshua, zijn vrienden in Chevathar. Als ik doodga, zal het enige wat mij spijt zijn dat ik tussen vreemden doodga, zei hij tegen zichzelf. En toen verwierp hij die gedachte en vond haar laf. Dat soort dingen zou Daniel misschien denken. Hij had al een poosje niet meer aan Daniel en zijn moeder gedacht en zou wel eens willen weten wat zij ervan vonden als ze hem hier zo zagen. Ze zouden hem waarschijnlijk dringend smeken niet door te gaan met wat hem ook te wachten stond. Zwak, zwak, altijd maar zwak, hij was blij dat hij van ze af was.

Toen hij in het kamp terugkwam, hoorde hij Madhavans stem en bleef ongezien achter een koskospalm staan luisteren. Madhavan zei tegen Neelakantha hoe onder de maat hij hen allemaal vond – als mensen, als nationalisten, als strijders voor de zaak van land en vrijheid. 'Als dit het leger is dat de blanken eruit moet trappen mogen de *devas* wel gauw uit de hemel dalen om ons moederland bij te staan.'

Meer hoorde Aäron niet omdat Madhavan en Neelakantha buiten gehoorsafstand gelopen waren. Hij zou hun morgen wel eens laten zien wat hij waard was, dacht Aäron grimmig. Hij zou zorgen dat die gevoelloze adder hem om genade zou smeken omdat hij hem zo verkeerd beoordeeld had.

Ze stonden om vijf uur op. Ze kleedden zich aan in de aluminium weerschijn van de vroege ochtendlucht en begaven zich op weg. Madhavan had hen kort geïnstrueerd over het doel van de operatie: een politiepost over de grens in Brits-India. Ze zouden die aanvallen en vernielen en zich uit de voeten maken met wat ze maar aan wapens en munitie mee konden nemen.

Per ossenwagen en te voet bereikten ze uiteindelijk twee dagen later hun bestemming: een paar lage huisjes die aan weerszijden van een zandspoor boven de grijsbruine aarde uit staken. Het pad leidde naar een witgekalkt gebouw dat helder oplichtte in het schrille licht van de dag. Dat was de nieuwe politiepost die er was neergezet om een eenheid oproerpolitie te herbergen die de rust in het om zijn woelingen bekendstaande gebied moest handhaven. De eenheid was nog niet gearriveerd en het gebouw stond onder beheer van een politiecommandant. Gedurende een dag en een nacht hielden Madhavan en zijn groep de activiteiten van het politiehoofd en de beide mannen onder hem in de gaten. De volgende ochtend werd een van de beide agenten naar een ander dorp weggeroepen om er een diefstal uit te zoeken. Toen waren er alleen nog de hoofdcommandant, een man van middelbare leeftijd met een flinke hangbuik, grote droevige ogen, een kalend hoofd en een licht gebogen gang, en zijn ondergeschikte, een dorpsjongen die nog maar pas kwam kijken. De hoofdcommandant bracht de meeste tijd binnen in zijn eigen huis door, dat eigenlijk niet zo heel veel groter was dan de huisjes ongeveer honderd meter verderop. Zijn jonge maat hing op de veranda van het nieuwe gebouw rond, turend in het niets.

Op de avond van de tweede dag bracht Madhavan hen op de hoogte van wat hun te doen stond. Ze moesten de commandant doden. De groep stond perplex. Ze hadden de man ruim dertig uur gadegeslagen. Je zag onmiddellijk dat het ging om een doodgewone onschuldige dorpsagent – vader van de zeven kinderen die ze in en om het huisje geteld hadden, de echtgenoot van het arme vrouwtje dat van de vroege ochtend tot de late avond in touw was. Ze hadden de man in zijn diensturen bezig gezien, gekleed in zijn versleten uniform, en ze hadden hem in zijn vrije tijd voor zijn huisje zien staan kletsen met alleen een lungi aan, waaronder zijn buik bolde als een aardverzakking. Die konden ze toch niet vermoorden?

'Jullie doelwit is een fatsoenlijk man,' merkte Madhavan na een korte stilte op. 'Hij neemt net genoeg steekpenningen aan om zijn buik te kunnen vullen en hij doet zijn best geen mens iets in de weg te leggen, hij woont hier al zijn hele leven en heeft zeven opgroeiende kinderen (is er twee aan de pokken kwijtgeraakt), hij houdt er geen liefje op na, slaat zijn vrouw alleen maar als het echt nodig is en dan niet eens hard ook, en hij geeft maar heel weinig geld aan toddy uit. Hij doet als mens in goedheid niet veel onder voor jullie eigen vaders, ooms en broers. Maar hij is net zo goed een man die hier de blanken vertegenwoordigt, en om die reden zul je hem moeten doden. Zo langzaam en pijnlijk mogelijk, in het bijzijn van zijn vrouw en kinderen, zodat jullie daad nauwkeurig zal worden overgebracht aan de autoriteiten. Die moord zal zijn vrouw en kinderen berooid achterlaten, de baby zal wel sterven en de meisjes komen niet goed aan de man. En toch moeten jullie, hoewel je dat allemaal weet, hem doodmaken omdat hij een symbool is van de bezetting die dit land in zijn greep houdt. En door hem te vermoorden zul je jezelf bevrijden van alle aarzelingen die je zouden kunnen weerhouden van de juiste handelingen in het belang van onze nobele en rechtvaardige zaak.'

Madhavan had net zo goed tegen stenen beelden kunnen praten. Zelfs Neelakantha leek geschokt. De politieman gaapte en stak een beedi op, waarbij zijn verkleurde tanden goed zichtbaar waren voor de toeschouwers die niet meer dan een meter of zeven verderop goed verscholen achter een rotsachtige heuvel lagen.

Hoe breng je een man om het leven? In koelen bloede? Als je net als ieder ander een denkend, voelend, onzeker mens bent en je probeert een redelijk bestaan te leiden, je bent iemand die niet aan al te grote woede ten prooi is gevallen, je bent normaal, hoe breng je dan een man om die jou geen kwaad deed? Denk je dan aan hem als een walgelijke zak vol schijt en pis en vuiligheid voor wie het een zegen zou zijn als jij hem van dit armzalige stukje aardbodem dat hij bezet houdt zou laten verdwijnen? Of schilder je hem inwendig af als een monster zodat je hem met gemak uit de weg kunt ruimen? Geen enkele smoes, kwamen ze langzaam tot de ontdekking, zou de vreselijke waarheid helemaal verhullen – dat hun doelwit iemand was die niet zo heel veel verschilde van henzelf, iemand die leefde en ademde en die het leven wel eens zo moe was dat hij soms dacht hoe heerlijk het zou zijn om er niet meer te zijn, en die dan toch doorging met leven en zijn best deed er iets van te maken, zijn werk goed te doen, zich niet de boosheid van zijn meerderen op de hals te halen, zijn vrouw en kinderen te onderhouden. Zou het door een of andere slimmigheid in je hoofd mogelijk worden dat je in die arme nutteloze functionaris in dienst van de staat je víjand zou gaan zien?

Alsof hij hun gedachten raadde kwam Madhavans vlijmscherpe stem door hun verwarring heen. 'Zet al die emotionele nonsens maar meteen uit je hoofd,' zei hij op ijzige toon. 'Je doet met hem precies zoals je met een dier zou doen. Je probeert hem in het vizier te krijgen terwijl hij rondloopt, legt je wang stevig tegen de kolf van je geweer, ontsluit de veiligheidspal en houdt je vinger gebogen aan de trekker. Niet overhalen, maar zachte druk uitoefenen zoals je dat op de borsten van je geliefde zou doen, en meegaan met de snelheid van zijn beweging. Dan helemaal overhalen. Richten, spannen en overhalen... Oefen steeds maar weer in je hoofd op die volgorde en dan zul je alle twijfels gauw hebben uitgewist!'

Die avond kuierde de politieman vlak voordat het helemaal donker zou worden met een olielamp in zijn hand naar de post. Hij overlegde kort met zijn jongere collega en wilde weer teruggaan naar zijn huis. Daar is hij nooit meer aangekomen. Madhavan had gericht en geschoten.

De kogel sloeg in de rechterknie van het slachtoffer en hij viel voorover met de lamp naast zich waarvan als door een wonder het glas heel was gebleven. Hij begon te schreeuwen, een schril onwezenlijk geluid dat zich door de steeds dieper invallende duisternis verspreidde. Toen schoot Madhavan de jongere agent op de veranda neer en haast werktuigelijk verscheen, als een jonge loot, op de borst van de jongen een stroompje bloed. Hij leek de kogel zonder pijn in zich op te nemen, want hij gaf geen kik. Doodstil, alsof hij zijn moordenaar niet meer last wilde bezorgen dan absoluut noodzakelijk, viel hij opzij en buiten het gezichtsveld achter de balustrade. Bedaard legde Madhavan aan zijn onervaren leerlingen uit: 'Nu vul ik het magazijn opnieuw. Zes schoten, voor elk van jullie een, en een voor mij. Als een van jullie aarzelt, is die kogel voor hem. Je moet je kogel precies op de plek laten neerkomen die ik aanwijs. Ieder schot dat je afvuurt moet de stervende man de maximum hoeveelheid pijn bezorgen.'

Met van een lungi gescheurde repen stof die hun gezicht moesten maskeren liepen de moordenaars achter Madhavan aan naar de plek waar de politieman lag te schreeuwen. Toen ze om hem heen stonden, staarden zijn van pijn verwilderde ogen hen aan. Het was of hij een poging deed de man die het dichtst bij hem stond, Madhavan, vast te grijpen, die nonchalant opzij stapte en zijn voet in de bloederige massa van de knie van de agent zette. Die gaf een heel harde schreeuw en leek zijn bewustzijn te verliezen. Voordat Madhavan een poging kon doen hem tot leven te wekken, gingen zijn ogen weer open. Madhavan liep op Aäron af en gaf hem het geweer. 'Schiet hem in de buik.' Was dat minachting die hij in de ogen van de ander zag, vroeg Aäron zich een ogenblik af, het geweer stevig in zijn handen. Er kwam een golf van weerzin over hem heen en hij deed geen poging het wapen te richten op de man die op de grond lag te kronkelen.

Daar was weer de stem van Madhavan. 'De buik. Maak je maar flink dik met die opgekropte gevoelens van minachting voor mij, slappe idioot die je bent, zuig je maar lekker vol met dat wanhopige verlangen om dat vergooide leven van je nog wat inhoud te geven en zorg dat die man een kogel in zijn buik krijgt.'

Aäron sloeg zijn ogen op, ontmoette de effen blik van de ander en keek toen weg. De politieman aan zijn voeten was nu binnensmonds half verstaanbare en door pijn gesmoorde woorden aan het scanderen. Tot zijn ontzetting besefte Aäron dat hij om genade vroeg. Er bewoog iets in de duisternis, hij hoorde voetstappen van de vrouw van de man die naar hem toe gerend kwam. Met een onverschillige armzwaai sloeg Madhavan haar tegen de grond.

'De buik. Anders is het enige wat we gedaan hebben een mankepoot van hem maken. Net als jij.'

Toen knapte er iets in het hoofd van Aäron. Het geweer werd op Madhavan gericht, aarzelde een seconde, en met een doffe klap kwam de kogel in de buik van de politieman terecht. Het bloed was donker in het diffuse licht van de olielamp, en de kreten, hoewel luider, klonken vreemd gesmoord en leken als in een droom van ver weg te komen. Aäron liet het geweer vallen en liep weg. Nog drie schoten, nog één, en het geschreeuw hield op, alsof er aan alle geluiden een abrupt einde was gekomen.

42

Zephaniah Pick had in 1811 een kleine apotheek gevestigd aan de Poonamallee Road in Madras. Honderd jaar later zat daar zijn achterkleinzoon als Z. PICK, CHEMIST. Behalve dat hij op de voorgevel in een zwierig krullerig handschrift de letters opnieuw had laten schilderen, had Zachariah Pick maar weinig veranderingen in de zaak zelf aangebracht en die was een plaatselijk monument geworden. Er liep een houten toonbank over de hele lengte van de winkel die uitkwam in een knus hokje achter glas waar Zachariah zat om het geld in ontvangst te nemen en een oogje te houden op de drie mannen die bij hem in dienst waren.

Hij had nu al een paar jaar ook een plank bevoorraad met inheemse medicijnen en zalfjes. Sommige van zijn Indiase klanten hadden kennelijk een voorkeur voor die vies uitziende drankjes boven de gewone Engelse medicijnen die hij verkocht. Het was een verstandige beslissing geweest, want toen de nationalistische bruten waren begonnen met het boycotten van uitheemse spullen, was de winkel van Zachariah aan vernieling ontsnapt toen hij de twee beleefde jongemannen die de apotheek bezochten zijn voorraad siddha- en ayurvedische medicijnen had kunnen laten zien. Toen de acties feller werden, breidde Zachariah zijn voorraad inheemse middeltjes uit en gaf ze bovendien een opvallende plaats.

Pas nog had zijn speciale vertegenwoordiger hem een heel sierlijk achtkantig potje gebracht met een opzichtig roze etiket erop, dat zich liet aanprijzen als DR. DORAIS MAANBLANKE THYLAM. Zacharia wilde er wel een stuk of tien van inslaan en proberen ze aan de man te brengen. Dezelfde week viel zijn oog op een advertentie op de voorpagina van de *Hindu*: DR. DORAIS MAANBLANKE THYLAM, JE GEZICHT GLANST ERVAN ALS DE PONGALMAAN!

Er stond zelfs nog een simpel in elkaar geflanst rijmpje bij:

DR. DORAIS MAANBLANKE THYLAM brengt licht
Geeft gloed aan het duister en glans aan je gezicht
Een thylam koel als sneeuw op je huid
En je ziet er nog blanker dan blank mee uit.

Allemachtig, die stomme inlanders, dacht Zachariah geërgerd. Begrepen ze dan niet dat wit wit is en zwart zwart en bruin bruin en dat wat je ook doet... Maar hij moest toegeven dat het een goed idee was, gezien het feit dat iedere moeder in het subcontinent bad dat haar dochter alsjeblieft licht mocht zijn. Anders zat er niets anders voor haar op dan naar de talkpoeder te grijpen. Die dr. Dorai kon hier nog wel eens rijk mee worden, bedacht Zachariah. Hij had gelijk.

Hij was in twee dagen door zijn voorraad dr. Dorais maanblanke thylam heen en kon zichzelf wel opvreten van spijt toen hij vier lange maanden moest wachten voor hij die weer kon aanvullen.

Daniel was totaal onvoorbereid op de grote vraag ernaar. In een wanhopige poging eraan te voldoen, liet hij een ongebruikt gedeelte van dr. Pillais grote praktijkhuis ombouwen tot een kleine bedrijfsruimte en daar vaten, distilleertoestellen en eenvoudige machines neerzetten voor het bottelproces. Aangezien de vraag de nieuwe aanmaak verre overtrof, schafte hij verfijndere apparaten voor de productie aan en nam mensen in dienst, onder wie twee jonge apothekers om over de kwaliteit te waken. Hij prees zich gelukkig met zijn vooruitziende blik die hem contact had doen opnemen met een familie van traditionele glasblazers in het verre Sivasaki om het speciale potje te laten maken waarin de crème zat. Het duurde niet lang of iedere apotheek in het Gouvernement van Madras en het gebied van Travancore had dr. Dorais thylam in huis.

Daniel Dorai was hard op weg een heel vermogend man te worden.

43

Op een ochtend werd Charity met een zalig geluksgevoel wakker. Zomaar zonder speciale reden maar tegelijk om meer redenen dan ze zelf bedenken kon. Als één voor één aangestoken kaarsjes flakkerden ze aan in haar hoofd en toen ineens werden al die flakkerende lichtjes met elkaar één grote steekvlam die haar hele binnenste deed opgloeien van warmte en vervoering. Haar schoondochter Lily had onlangs het leven geschonken aan alweer een schattig klein meisje. Ze hadden haar Usha genoemd. Rachel was voor de derde keer zwanger. Charity bedacht dat ze er nooit genoeg van zou krijgen nieuwe kleinkinderen welkom te heten in de wereld. Ze kon het ogenblik dat haar dochter weer zou baren, nauwelijks afwachten. De zaken van Daniel gingen uitstekend en daar was ze heel blij om voor hem – hij leek eindelijk over de verpletterende ervaring heen te zijn dat zijn vader en broer niets meer van hem moesten hebben. Haar eigen vader zag er gezond en tevreden uit. Maar er waren meer dingen, die je met je verstand niet goed bevatten kon. Ze probeerde ze ook maar niet te begrijpen; op dit moment telde alleen maar haar geluksgevoel dat niet was stuk te krijgen. Ze stond van haar slaapmat op, keek een volle minuut naar de slapende mensen in het vertrek en bedacht hoe gelukkig ze zichzelf kon prijzen zo'n familie om zich heen te hebben.

Het prettige gevoel liet haar die hele ochtend niet in de steek. Rachel, die slechter sliep naarmate haar zwangerschap vorderde, was de eerste die bij haar in de keuken kwam.

'Hoe staat het met het kleintje?' vroeg Charity zachtjes fluisterend aan haar dochter.

'Het houdt me 's nachts uit de slaap, dat kleine drommeltje,' zei Rachel terwijl ze melk aan de kook bracht.

'Ga jij dan nu nog wat rusten, ik doe het hier wel,' zei Charity.

'Maar ik kan niet slapen, amma,' zei Rachel klagelijk.

Maar Charity wilde er niet aan. 'Toch moet je rust nemen,' zei ze streng. 'Maak Lily maar wakker, die helpt me wel.'

'Laat mij dan de koffie zetten, dat moet u niet gaan doen.'

'Ga nu, kannu,' zei Charity simpel.

Met tegenzin liep Rachel de keuken uit. Bij de deur draaide ze zich om. 'Weet u waar ik zo'n zin in heb, amma, in idiyappam. Met veel kokosmelk en suiker.'

Charity lachte gelukkig. Wat genoot ze ervan hoe baby's al maanden voordat ze geboren werden de wereld naar hun hand konden zetten.

'Jij krijgt dadelijk je idiyappam, kannu. Ga nu maar rusten. En vergeet niet te praten met je kleintje, dat heeft zijn dagelijkse portie liefde hard nodig!'

Toen ze de vorige avond in de keuken aan de gang was geweest, had ze door het open raam Rachel en Lily met elkaar horen praten. En ze was zonder het eigenlijk te willen even met haar werk opgehouden om te luisteren. Lily vertelde Rachel van iets nieuws dat zich was gaan voordoen in het dagelijkse patroon van haar huishouden. Ze had op zekere dag haar oudste dochtertje voor het slapen gaan overladen met nog meer koosnaampjes dan ze doorgaans gewend was. En de avond daarop, toen ze naar bed was gebracht, had Shanthi tegengestribbeld en haar niet willen laten gaan. Na veel aandringen had ze uiteindelijk haar moeder de reden van haar verdriet willen vertellen – Lily was twee koosnaampjes van de vorige avond vergeten te zeggen – lief zonnetje met je glitteroogjes en mijn hemelmeisje nog zoeter dan Chevathar neelam. Sinds die keer had Lily alle tweeënvijftig koosnamen die ze ooit voor haar dochtertje had gebezigd moeten onthouden. Rachel had stralend gereageerd en gezegd dat ze voor haar dochtertjes (ze was er zeker van dat Stella een zusje zou krijgen) meteen zou beginnen aan een lijstje met namen die ze de ongeboren baby in haar buik al zou toe fluisteren. De beide vrouwen hadden vrolijk gelachen en in de keuken had Charity even haar ogen gesloten – dat maakte een grote familie nou zo prachtig, die zorgde altijd weer voor nieuwe verrassing en vertedering. Wie bedacht nou zoiets – tweeënvijftig koosnaampjes voor een kind!

Op dat moment kwam Lily bij haar in de keuken en de twee vrouwen troffen alle voorbereidingen voor de eerste maaltijd van de dag. Toen droegen ze hun koffie door het nog slapende huis naar de stoep buiten. Daar namen ze stil plaats en bleven genoeglijk naar de kristalheldere lucht van de ochtend zitten kijken. Charity dacht aan het nieuwe kind dat eraan kwam. Als het een meisje was bestond er maar één naam die goed was – Malligai! Ze was blij geweest dat Rachel die naam ook zo mooi had gevonden. Solomon was altijd dol geweest op de geur van malligaibloesem in haar haar. Ze begon opeens heftig te blozen. Ze moest zich schamen op haar leeftijd zulke gedachten te hebben. Een grootmoeder van vier kleinkinderen en de vijfde onderweg. Ze begon maar vlug te praten om de verwarring te verbergen. 'Hoe is het met je vader, Lily? Komt hij binnenkort hier naartoe?'

Lily was stomverbaasd. Ze had een paar dagen eerder bericht gehad van haar vader, maar wist zeker dat ze Charity de brief had laten lezen.

'Niet voor Kerstmis, mami. Ik heb u toch de brief laten lezen?'

'O ja, natuurlijk, hoe kan ik dat nu vergeten,' zei Charity bedeesd lachend. Terwijl ze verder babbelden keerde haar kalmte weer terug. Toen kwam het in haar op dat ze het wel heel goed met haar schoondochter kon vinden. Waar heb ik al dat geluk aan verdiend, dacht ze.

Toen Lily nog maar net haar intrede in het huishouden van de Dorais gedaan had, hadden ze zich allemaal moeten aanpassen. Haar leven in het huis van haar vader in het theedistrict van Ceylon was verre van traditioneel geweest. Haar ouders hadden geprobeerd hun eigen tradit250 zoveel mogelijk aan te houden, maar de infiltratie van nieuwe invloeden uit Europa en Sinhala was niet tegen te houden geweest. Als gevolg hiervan was Lily niet goed voorbereid op een paar dingen waar ze zich in Nagercoil bij neer moest leggen. Op een dag was ze de kamer ingelopen waarin Daniel en Jacob met een paar mannelijke familieleden thee zaten te drinken. Toen ze een lege plaats zag naast Daniel, was ze daar gaan zitten. Het gesprek was gestokt en toen helemaal stilgevallen. Daniel had haar strak aangekeken en ze besefte intuïtief dat ze een verschrikkelijke blunder had begaan. Toen had ze Charity zien wenken en was dankbaar de kamer uitgegaan. Tot haar ontzetting was Charity, zodra ze in de keuken waren, streng en vermanend geweest. Ze had gezegd dat een getrouwde vrouw onder geen beding haar echtgenoot en familie te schande mocht zetten zoals zij net had gedaan – door zich bij de mannen te voegen, ook al waren ze familie. Tevergeefs bracht Lily ertegenin dat ze in het huis van haar vader vrij had mogen verkeren met iedereen die op bezoek kwam. Charity had bot gereageerd: 'Je bent hier niet in het huis van je vader.' Daniel was als een razende tekeergegaan tegen zijn vrouw, maar Charity was tussenbeide gekomen en had gezegd dat het niet weer zou gebeuren.

Die vergissing had Lily nadien nooit meer gemaakt, maar er waren andere moeilijkheden geweest. Omdat ze een jonge vrouw met pit was, was het een paar keer tot een aanvaring gekomen met haar echtgenoot en met Miriam, haar schoonzus, en zelfs een gedenkwaardige keer met Jacob Packiam, toen ze de geweven zonneblinden van zijn kamer had willen vervangen door sitsgordijnen. Maar Charity was altijd in de buurt geweest om haar door moeilijke momenten heen te helpen, ook al had haar schoondochter haar soms erg onbuigzaam gevonden. Lily had in Nagercoil heel wat nachten gehuild en wakker gelegen in de eerste maanden dat ze er woonde, maar onder Charity's geduldige begeleiding had ze zich leren aanpassen. 'Je moet niet proberen de dingen om je heen te veranderen, dat is vrijwel onmogelijk,' was de raad van Charity aan de jonge bruid waarbij ze aan de wijsheid van haar eigen schoonmoeder terugdacht. 'Je kunt beter zoveel mogelijk jezelf veranderen. Dat is wel zo gemakkelijk. En wanneer jij anders wordt, volgen alle goede dingen vanzelf.'

Wanneer Rachel kwam logeren, kon Lily het altijd heel goed met haar vinden. De twee jonge vrouwen brachten uren met elkaar door en praatten en lachten heel wat af onder het uitwisselen van nieuwtjes over hun kleine kinderen. Van tijd tot tijd wilde het nog wel eens tot een botsing komen tussen Lily en Miriam, maar Charity's jongste dochter lag eigenlijk met iedereen in de clinch. Van jongs af aan verwend, was Miriam opgegroeid tot een moeilijk kind. Haar knappe gezichtje was in de puberteit grof geworden en Charity had zich afgevraagd of dat iets te maken kon hebben met haar boze buien. Wat er ook de reden van was, Miriam was opvliegend van aard. Nu ze aan haar dacht, bekoelde het geluksgevoel van Charity enigszins. De vorige week was er nog een flinke ruzie geweest: Miriam tegen de rest. De nieuwste eis van haar dochter was dat ze nu meteen uitgehuwelijkt wilde worden. Ze had maar een voorwaarde – dat haar echtgenoot een spiksplinternieuwe auto zou hebben. Daniel had vierkant zijn toestemming geweigerd en zijn grootvader had hem daarin gesteund. In deze moderne tijden was het voor een jongedame goed om een middelbareschoolopleiding te volgen. Een huwelijk kwam later wel. Charity had het wel fijn gevonden, Miriam gesetteld te zien, maar ze kon moeilijk iets tegen de redenering van de mannen inbrengen. Ze was zich bewust van de grote waarde die haar vader en haar zoon aan een goede opleiding hechtten. Ze hadden aan die van Rachel niets kunnen doen – tegen de tijd dat ze in Nagercoil was komen wonen, was ze te veel jaren niet meer naar school geweest – maar voor Miriam had Jacob speciale toestemming gekregen dat ze bij hem op school mocht komen zodra ze daar oud genoeg voor zou zijn. En nu waren grootvader noch broer bereid haar opleiding af te breken. Tot Miriams woede en frustratie was Charity de mannen bijgevallen.

Eergister had Miriam haar nukkig stilzwijgen verbroken met een diepe klacht: 'Voor Shanthi ben je de lieve paati, voor Usha de lieve paati, voor Jason de lieve ammama, voor Stella de lieve ammama, al dat liefs gaat naar hen, en mij vergeet je helemaal.' Toen ze dat gezegd had, barstte ze in tranen uit en Charity had achter het kregele dametje het eenzame meisje ontwaard. Zonder iets te zeggen had ze Miriam in haar armen genomen die maar niet op kon houden met snikken en haar sari en haar blouse nat gemaakt had. Met Miriam komt het wel goed, dacht Charity nu. Met een beetje geluk trouwt ze in de goede familie, zullen de scherpe kantjes er wel afslijten en groeit ze uit tot een mooie jonge vrouw. Zodra ik voor Rachel haar idiyappam gemaakt heb, kook ik een feestmaal voor mijn familie. Het is een dag dat je dankbaar moet zijn voor wat je allemaal in de schoot is gevallen. In huis hoorde ze Usha, die was begonnen te huilen. Lily rende naar binnen om bij haar jongste te zijn en toen hield het huilen weer op. Glimlachend begaf Charity zich naar de keuken.

Laat op de middag zaten de vrouwen op het erf achter het huis bij elkaar. Het was maar een kleine tuin die grotendeels overschaduwd werd door de torenhoge cashewnotenboom. Een kleine papaja stond bij de muur en naast de buiten-wc had een grote hibiscusstruik zijn glanzend groene bladerkleed uitgespreid. Rachels echtgenoot Ramdoss moest die dag terug naar Tinnevelly en Daniel was hem weg gaan brengen. Jacob lag in zijn kamer een dutje te doen. Dus hadden de vrouwen de tijd aan zichzelf. Miriam die ook even bij hen had gezeten – om het weer goed te maken, dacht Charity – liep het huis weer in. Op datzelfde moment werd Jason gestoken door een rood miertje waar hij te veel belangstelling voor had getoond. Toen verzamelde Charity de drie oudste kinderen om zich heen en begon hen dingen bij te brengen over de mierenhoopjes op het achtererf: de ongevaarlijke rappe zwarte met hun opgestoken achterlijfjes konden je gek kriebelen, maar die kleine rode die in slagorde over de grond kropen – als je daar een steek van kreeg, deed het pijn. Ze wees hen op de grote logge zwarte mieren die glansden als papajazaadjes en zich traag door barsten in de schors van de cashewnotenboom voortsleepten, en ze waarschuwde hen er nooit te dicht bij te komen: van een beet met die enorme scharen konden hun lijfjes opzwellen door het gif. En toen hees ze op elke heup een kleindochter en liep met hen en met Jason, die haar bij de sari vasthield achter zich aan de hele tuin door op zoek naar de gevaarlijkste mieren van allemaal, de zwart-rode *kaduthuva*-mieren. Toen ze er een vond, maakte ze hem dood met haar voet en liet hem aan de kinderen zien. 'Weet je nog van die pisasus waar ik je van verteld heb, die je het liefst mee zouden nemen naar hun vreselijke wereld in de ingewanden van de zee waar ze je met huid en haar op zouden eten? Deze mier is nog veel erger dan de pisasu's. Als je er een ziet, moet je er zo ver mogelijk vandaan blijven, hoor je? De kinderen knikten met van schrik en verbazing wijd opengesperde ogen. Voldaan leverde Charity hen af bij Rachel en Lily en trok zich terug in de keuken.

Toen ze die avond de maaltijd aan het bereiden was, had zich tussen haar plezierige gevoelens stiekem opeens de herinnering aan Aäron gedrongen. En meteen was haar stemming minder vrolijk. Waar was toch haar mooie jongen, vroeg ze zich af. Wat zou hij nu aan het doen zijn? Ze zette haar akelige voorgevoelens van zich af. Het zal wel goed komen met Aäron; God waakt over hem en op een dag komt hij terug. Terwijl ze zich vooroverboog om het vuur aan te steken dankte ze voor haar volmaakte dag. Zelfs de schaduw die Aäron erover wierp nam daarin zijn eigen plaats in: te veel geluk deed een mens geen goed; daar moest wel diep verdriet op volgen, omdat de wereld streefde naar een balans.

44

Terwijl de moordenaars in hun afgelegen landelijk kampement in training waren, kwamen de hoogste leiders van de diverse organisaties bijeen om het volgende doelwit te kiezen. Er werden verschillende namen genoemd – rechters van het hooggerechtshof, districtsrechters, collecteurs, leden van de uitvoerende raad van de gouverneur, de gouverneur Arthur Lawley zelf. En ook weer verworpen – niet prominent genoeg, te zeer beveiligd, te onbekend, te populair. De lijst van namen slonk geleidelijk tot er nog maar drie over waren: L.M. Wynch, de collecteur van het district Tinnevelly die de grote Swadeshi leider V.O. Dhidambara Pillai had opgepakt en in de boeien geslagen; A.F. Pinhey, de met speciale zaken belaste rechter die hem veroordeeld had; en R.W.D. Ashe die op ongewapende demonstranten in Tuticorin had geschoten en nu districtsrechter van Tinnevelly was. Op Ashe viel uiteindelijk de keuze.

De groep ontving het nieuws van hun volgende opdracht gelaten. Vanchi Iyer werd voor het karwei aangewezen. Sankara Iyer en Aäron Dorai zouden hem bijstaan.

Het trio volgde de gangen van Ashe een week lang. Ze deden een poging hem in zijn huis te vermoorden, maar waakzame schildwachten deden hen terugschrikken naar binnen te gaan. Vanchi besloot het nog een keer op klaarlichte dag te proberen op een openbare plaats, als de lijfwachten van het beoogde slachtoffer niet in de buurt waren. Op 17 juni 1911 gingen Ashe en zijn vrouw de stad uit met vakantie. Ze reden naar Tinnevelly Bridge Junction en werden naar hun coupé in de wachtende trein begeleid. Die zou pas een paar minuten later vertrekken en ze installeerden zich op hun plaats. Toen zag de districtsrechter tot zijn verbazing een broodmagere, ziekelijk uitziende man, die een groene jas met een witte *dhoti* aanhad en wiens voorhoofd rijkelijk met *vibhuti* was ingesmeerd, hun coupé binnen komen.

'Gereserveerd, gereserveerd. Toegang verboden,' zei Ashe met zijn handen een afwerend gebaar makend. Te laat besefte hij dat de brahmaan geen onopzettelijke indringer was. Toen het pistool in de hand van de vreemdeling werkelijkheid was geworden, nam Ashe zijn *sola topi* af en slingerde die naar hem toe. Maar als afweermanoeuvre hielp dat jammerlijk weinig. Vanaf hun uitkijkpost op het station hoorden Sankara en Aäron het pistool afgaan, zagen Ashe in elkaar zakken en zagen Vanchi het toneel ontvluchten. De moordenaar rende een toilet op het perron in en toen ging het pistool nog een keer af. Aäron en Sankara lieten zich in de menigte opgaan.

De politie trad met opmerkelijke doeltreffendheid op. Van de negentien verdachte samenzweerders die ze in verband met de moord op Ashe zochten, ontsnapte er een naar Pondicherry, een ander sneed zichzelf de keel door en een derde nam vergif in. M.S. Madhavan werd in Virudhunagar doodgeschoten toen hij de politieagent die zijn gangen gevolgd was, probeerde om te brengen. Er stonden vijftien mannen terecht, onder wie Neelakantha Brahmachari en Aäron Dorai. Negen van de verdachten werden veroordeeld volgens Artikel 121A van het Indiase Wetboek van Strafrecht en kregen gevangenisstraf opgelegd. Aärons vonnis luidde zes jaar strenge hechtenis.

45

Toen Charity op een ochtend de kamer van haar vader binnen ging, deed zijn houding haar al vermoeden dat er iets mis was. En toen ze beter keek, werd haar ergste vrees bevestigd. Charity stond zelf versteld van de kalmte waarmee ze de dood van haar vader opnam. Toen Solomon was overleden, had het verdriet haar een prangende pijn bezorgd, maar bij de begrafenis van haar vader was het vooral een vredig gevoel dat haar beheerste. Ze dacht: hij is een goed mens en daarom is hem een rustige dood beschoren geweest.

Ze besloten Jacob te begraven zonder zijn zoon op te wachten. De reis van Nuwara Eliya zou te lang duren. Toen Charity, voordat de kist verzegeld werd, voor de laatste keer naar het gezicht van haar vader keek, kwam er opeens een gedachte in haar op. In al die jaren, bedacht ze, heb ik mijn vader nooit met zijn naam aangesproken. Gewoonte- en traditiegetrouw gebruikte ik beleefdheidsvormen om een eerbiedige afstand te bewaren – nu wil ik meer. De rouwende omstanders die zagen hoe Charity's lippen bewogen, dachten dat ze een gebed aan het prevelen was, maar het enige wat ze zei was: 'Jacob, Jacob Packiam.' De naam klonk stroef en ongewoon uit haar mond maar ze herhaalde hem steeds maar weer en telkens als ze haar vader bij de naam noemde trok ze hem een stukje meer naar zich toe, zoals ze nooit eerder gedaan had. Het verlies drong nu echt tot haar door en toen stortte ze in en huilde bij zijn kist.

Veertien dagen later moest ze alweer een dode betreuren. Rachel overleefde de geboorte van haar derde kindje niet, een dochtertje dat maar enkele uren langer dan haar moeder leefde. Charity was buiten zichzelf van verdriet. Ramdoss had pas een aanbod van Daniel aanvaard om hem met de uitbreiding van zijn zaak te komen helpen. Hij was volop bezig geweest naar Nagercoil te verhuizen toen de ramp toesloeg. Toen Charity die lieve kinderen van Rachel zag die toch al overstuur waren door de verhuizing en nu ook nog zonder moeder zaten, stopte ze haar eigen verdriet diep weg. Ze mocht haar kleinkinderen niet teleurstellen; ze mocht haar dochter niet teleurstellen.

Als een grimmig spookbeeld op de achtergrond was er dan nog Aärons arrestatie en rechtszaak. Daniel, die moest optreden in de hem onbekende rol van familiehoofd na de dood van Jacob, deed hard zijn best zijn broer op te zoeken. Hij schreef elke invloedrijke persoon aan die hij maar bedenken kon, met een verzoek om hulp. Zijn grootste hoop was gevestigd op de vriend van zijn vader, Chris Cooke in Madras. Maar Cooke moest bekennen dat hij niet in staat was te helpen. Het gouvernement deed geen enkele concessie aan de samenzweerders. Ze waren vastbesloten hen tot voorbeeld te stellen. Aäron werd van medeplichtigheid beschuldigd aan een moord op een functionaris van de staat en daar bestond geen clementie voor. Toch gaf Daniel de hoop nog altijd niet op... Misschien was er sprake van een rechterlijke dwaling, was zijn broer ten onrechte in hechtenis genomen, was hij onschuldig. Toen Aäron tot gevangenisstraf veroordeeld werd, was het verdriet zo overweldigend en onverdraaglijk dat het hun gevoelsleven murw had geslagen. Ze vervulden hun dagelijkse plichten werktuigelijk en in het huis werd het stil en koud. De kinderen waren hun natuurlijke uitbundigheid kwijt en slopen als triestige diertjes door het huis, zelfs bij Miriam kwam het tot geen enkele woede-uitbarsting en ze deed haar best haar moeder en schoonzuster behulpzaam te zijn. Mensen die op condoleancebezoek kwamen, gingen zodra ze maar konden weer weg omdat ze geschokt waren door het immense verdriet van de familie en heimelijk blij dat het hun niet was overkomen.

Toen Aäron tot de gevangenis veroordeeld was, stortte Charity eindelijk helemaal in. De meer dan tien jaar durende vervreemding van haar zoon was altijd een groot zeer geweest dat pijnlijk wroette in haar diepste innerlijk en nu werd dat nog groter en bezoedelde al het andere van haar wereld. Daniel kreeg er voor het eerst erg in dat er iets mis was, toen ze hem op een ochtend met zijn koffie wakker maakte. Zoals altijd was hij al wakker, al waren zijn ogen met de laatste sliertjes slaap die ze nog probeerden binnen te houden, nog dicht. In plaats van de koffie naast hem neer te zetten en weg te gaan, hoorde hij haar opeens met een stem zo vals als een adder roepen: 'Weg, Satan. Scheer je weg bij dat raam. Blijf van mijn laatste zoon af.'

Daniel schrok wakker en zei: 'Wat is er, amma?' Ze keek hem niet aan, maar bleef furieus strak naar het gesloten en geblindeerde raam kijken. En vinnig zei ze nog een keer: 'Ga achter mij, Satan. Hoe durf je te denken dat je dit huis des Heren mag betreden?' Daniel sprong op, maakte haastig zijn lungi vast en schudde zijn moeder zachtjes door elkaar, terwijl hij vroeg wat er aan de hand was. Met schrille gespannen stem zei ze hem dat er een gemeen mannetje met zwarte kleren aan in het raamkozijn gehurkt zat. Daniel keek naar de plek die ze aanwees, maar zag niets. Hij bracht haar mopperend en wel naar haar eigen kamer terug, rolde haar slaapmat uit en gaf haar een drankje om te kalmeren. Toen droeg hij Lily op de taken voor die dag over te nemen.

Na het voorval van de duivel in het raamkozijn werd het gedrag van Charity steeds vreemder. Ze kon zomaar naar mensen in de kamer toe lopen en dan met een vreemde raspende keelstem tegen hen beginnen te praten over de gigantische duivel die ze in hun ogen bespeurde en hoe die echt moest worden uitgebannen als de wereld een beter oord moest worden. Een andere keer sprak ze de persoon die het dichtst bij haar zat aan met 'Aäron', en begon ze te huilen en om vergiffenis te vragen omdat ze zo'n harteloze moeder was. Lily maakte zich zorgen om het welzijn van haar kinderen en liet ze nooit meer met hun grootmoeder alleen, hoewel Charity geen tekenen van agressie vertoonde. Haar haar, tot op laat-middelbare leeftijd nog altijd zwart, begon nu wat witter te worden.

Daniel ging zich ernstig zorgen maken toen ze 's avonds, wanneer de lantaarnopstekers de stad verlichtten, de deur begon uit te gaan en wildvreemde mensen aan te klampen om ze voor het hellevuur en de pest te waarschuwen die hen zouden verteren als ze hun zondige wegen niet verlieten. Hij begon haar volgens de siddha-geneeswijze te behandelen en sprenkelde olie op haar hoofd om haar koortsachtige geest verkoeling te brengen, liet haar de dampen van kruiden inhaleren en masseerde haar met geneeskrachtige oliën. Toen niets leek te helpen, liet hij zich schoorvoetend overhalen het advies van Lily en de plaatselijke voorganger (die al wekenlang zonder enig merkbaar resultaat voor Charity had gebeden) op te volgen om zijn moeder mee te nemen naar de kerk in Ranivoor, een stad die een dag reizen in noordwestelijke richting lag.

Charity protesteerde niet toen Daniel haar aankondigde dat ze een reisje gingen maken. Twee dagen later roetsjten ze in een *jutka* over een smal weggetje dat als de scherpe gleuf van een open boek velden smaragdgroene rijst doorsneed. Uiteindelijk bereikten ze hun bestemming, Sint-Luke's kerk, waarvan de beschermheilige in het hele district vermaard was om zijn succesvolle genezing van mensen die van boze geesten bezeten waren. De eigenlijke kerk stond een beetje buiten de drukte van de in het district op een na grootste stad Ranivoor. Hun route voerde hen langs de volgepakte grote marktstraat, een aantal verspreid staande imposante regeringsgebouwen en een lelijk laag gebouw dat als gevangenis dienstdeed. Iets verderop hield de mengelmoes van gebouwen op en kwamen ze bij de rand van de stad. Daar rees de Sint-Luke's-kerk voor hen op.

Er was een kleine nederzetting om het massieve gebouw heen ontstaan, twee rijen huizen en winkels. Haastig opgetrokken kiosken verkochten rozenkransen, crucifixen, prenten met een afbeelding van het roze gezicht van de heilige Lucas, ringen, amuletten, kettingen, gebrande pinda's en mungbonen. De straten krioelden van de families die waren meegekomen met de mensen die hulp van de heilige zochten. Elke gemeenschap was aanwezig – hindoes van binnen en buiten de kasten, moslims, christenen – en iedere laag van de maatschappij was er vertegenwoordigd: de arme boeren en arbeiders, en de rijke in dure katoenen en zijden stoffen gestoken landeigenaren en stedelingen liepen door elkaar. Toen Daniel in een van de huizen die reizigers van maaltijden voorzag onderdak had gevonden, installeerde hij Charity en trotseerde de drukte om voor zichzelf eten en proviand te halen.

Bij een van de winkels hoorde hij een rinkelend geluid achter zich en toen hij om zich heen keek, zag hij een man van gemiddelde lengte met warrig haar over de straat lopen, met wijdopen starende ogen. Hij was op conservatieve wijze gekleed, maar had geen schoenen aan. Er ging een eigenaardige schok door Daniel heen toen hij besefte dat de enkels van de man met twee grove ijzeren ringen aan elkaar vastgeklonken zaten. Niemand die zich om hem leek te bekommeren en nadat hij Daniel een tijdje met lege ogen had aangestaard, schuifelde de man weer verder en zijn slepende gang deed kleine wolkjes stof opdwarrelen. Nu begon Daniel in de gaten te krijgen dat een groot deel van de mensenmassa een lege blik in de ogen had. Velen leken aan hun lot te zijn overgelaten nu hun families even pauze hadden genomen. Hij vermoedde dat dit ongevaarlijke gekken waren. De stedelingen waren er kennelijk wel aan gewend. Toen hij ernaar vroeg, kreeg hij te horen dat de duivelbezweringen diezelfde avond nog zouden beginnen, na een speciale kerkdienst.

De korte avonddienst, een dagelijkse aangelegenheid, verliep met een minimum aan ceremonieel en liturgie. De voorganger, een man met een gekwelde blik in zijn sterk uitpuilende ogen en met een weerbarstige baard, hield het bij een van buiten geleerde preek die hij kennelijk al jaren had gehouden, over Jezus die de boze geesten uitdreef. De uit Lucas gehaalde tekst ging over een bezetene die de zoon van God in het land van de Gadarenen tegemoet was gekomen.

En Jezus vroeg hem: 'Wat is uw naam?' Hij zeide: 'Legioen.' Want er waren veel geesten bij de man ingetrokken.

De voorganger sprak over de talrijke ontmoetingen van Christus met de vele gestalten van de duivel. Hij sprak over de macht die Christus zijn zeventig discipelen had gegeven:

'Zie, ik heb u de macht gegeven om slangen en schorpioenen te vertrappen en over al het geweld van de vijand heb ik u macht gegeven.'

Zijn stem klonk steeds bezielder.

'En dat is de macht die de Here Jezus geven wil aan alle mensen die hem met een nederig hart aanroepen.'

Hij zegende de menigte en trok zich haastig terug.

Toen ze in rijen achter elkaar de kerk uitstroomden, sluisden vrijwilligers de grote massa naar een open ruimte rondom een op pilaren rustende overkapping. Op de vloer lag een dikke laag zand. De overkapping was tegen een stenen uitsparing aangebouwd met daarin een in felle kleuren beschilderd terracotta beeld van de heilige Lucas. Het beeld van de heilige was afgeschermd door een ijzeren valhek. Een gestage stroom gelovigen liep in een rij voor het beeld langs. De open ruimte stond tot op de laatste millimeter volgepakt met mensen, voor het merendeel in lungi's en goedkope sari's geklede dorpelingen die een avondje uit waren. Pindaverkopers probeerden hun waar te slijten en wisten handig hun weg te banen door de geduldige menigte. Hier en daar flakkerden zwakjes toortsen, ternauwernood de mensen die er het dichtst bij stonden licht verschaffend. De overkapte ruimte daarentegen baadde in het licht van tientallen lantaarns als onder spotlights een podium waar weldra de toneelspelers zullen aantreden.

Precies op het juiste moment slaakte een onopvallende jongeman die zich aan de rand van de menigte had opgehouden een luide kreet en stoof zo hard als hij kon op het heiligenbeeld af. Luid jammerend maakte hij een reuzensprong en knalde met een misselijkmakende doffe dreun voorover met zijn hoofd tegen de ijzeren staven. Zijn geboeide handen sloegen rinkelend tegen de heiligenkooi aan. En toen vloog hij voor een tweede keer op de heilige af. De menigte was in extase en slaakte een zucht van verrukking. Hier hadden ze op gewacht. Achter Daniel stond een man met zijn buurman te praten. 'Zag je dat? Als jij of ik met het hoofd tegen die stangen waren opgeknald zou het als een kokosnoot in tweeën gespleten zijn. Het kan alleen maar de duivel in hem zijn die hem voor verwonding behoedt. Boze geesten kunnen het met de heilige niet zo goed vinden en daarom proberen ze hem aan te vallen.'

'Zoiets heb ik nog nooit gezien.'

'Ja, ja, is me dat een schouwspel. Ik kom hier nu al bijna zeven jaar, minstens een keer per maand. Dit is beter dan wat voor *therakoothu* of villupaatu ook.'

En dat was ook zo. De brullende man kreeg nu gezelschap van twee mooie in hun beste sari's geklede jongedames, hun gezichten zo effen als maskers. Ze maakten dartele capriolen door de verlichte ruimte en het was of ze zich op stalen veren lieten stuiteren terwijl van achter uit hun keel geweeklaag en gekreun klonk. En vervolgens, met lange aanlopen als van putspringers, zweefden ze gelijktijdig door de lucht om na een paar perfecte radslagen met een doffe klap op de grond terecht te komen.

'Heb je die sari's gezien? Zelfs toen ze ondersteboven hingen, zakten die niet tot hun middel omlaag. Die zijn vast door de boze geesten aan hun lijf vastgeplakt,' zei de dorpeling die er kennelijk verstand van had. En het leek ook echt ongelofelijk dat, wat voor waanzinnige duikelingen de meisjes ook maakten, er in hun glad zittende kleding en kapsel geen kreuk of smet kwam.

Daniel werd misselijk van de kermisachtige atmosfeer. Hij had Charity niet hiernaartoe gehaald om voor iedereen te kijk te staan. Ze was de hele avond rustig gebleven, slechts opkijkend als er een bijzonder rumoerige kerel op het verlichte toneel aan de gang was. Omdat hij haar niet niet met het beeld durfde te confronteren, nam Daniel haar via een lange omweg mee naar het vertrek in de kerk waar de geestelijke smekelingen ontving. Toen het hun beurt was, legde Daniel de situatie uit, terwijl Charity onbewogen naast haar zat. De padre probeerde met Charity te praten, maar ze wilde geen antwoord geven. Het algauw opgevend omdat de menigte achter hen opdrong, sprak hij een kort gebed uit, sprenkelde water over haar heen, sloeg een kruis en gaf Daniel een strookje papier waarop een tekst uit de bijbel stond geschreven, en een goedkope koperen pendant met de vage beeltenis van de heilige erop. De duiveluitdrijving was ten einde. 'Buig voor de heilige. Dan zullen de boze geesten in haar zich aangesproken voelen.'

'Zal ze genezen?'

'Hangt van haar geloof in de Heer af. Het kan zijn dat ze meteen geneest, het kan ook wel een poosje duren.'

Daniel wilde nog een paar vragen stellen, maar de padre had zich al naar de volgende bezoeker gewend. Zenuwachtig ging hij Charity voorzichtig voor in de rij gelovigen die voor het heiligdom langstrok. Toen ze het beeld naderden groeide Daniels bezorgdheid, maar hij had zich geen zorgen hoeven maken. De boze geesten in zijn moeder lieten zich door de aanwezigheid van de heilige niet oprakelen. Charity liep zwijgend voor het beeld langs.

De volgende dag gingen ze weer naar huis. Daniel viel terug op zijn behandeling volgens de siddha-methode. Maanden gingen voorbij zonder dat Charity verslechterde, en hij begon zich minder zorgen te maken. Toen kwam haar verdriet op een heel onverwachte manier opnieuw tot uiting.

46

De bedelaars van Nagercoil hadden zich goed georganiseerd. Hoewel ze met meerderen waren, hadden ze een heel professioneel systeem opgezet waar alle leden van hun broederschap baat bij zouden hebben. Er werden goed afgebakende gebieden uitgezet voor iedere bedelaar of bedelaarsgroep en zo kon niemand oneerlijke concurrentie bedrijven. Sommigen postten bij tempels en pelgrimsoorden, anderen zwierven rond op crematieplaatsen of kerkhoven en het merendeel doolde gewoon kriskras door de stad, kwam op vaste dagen in bepaalde straten en zorgde ervoor niet al te vaak op dezelfde plaats te staan zodat die beste huisvrouwen van Nagercoil hen niet beu zouden worden.

Op een ochtend, toen het nog heel vroeg was, kwam de oude vrouw die was ingehuurd om het huis op orde te houden toen Charity ziek geworden was, met dikke wallen onder haar ogen de kamer van Lily binnenrennen en schreeuwde: 'De keuken staat in brand, het huis staat in brand.'

Lily liep met de dienstbode mee naar de keuken waar ze vlammen rondom het lemen fornuis zag kronkelen. Het was zo volgestopt met brandhout en kokosnootdoppen dat een gedeelte van de keuken in brand leek te staan. Boven op dat gretige vuur stond een grote voorraadpot vol met iets dat naar een stoofgerecht rook. Charity zat rustig naar het vuur te kijken. Het was drie uur in de ochtend.

Lily liep op haar schoonmoeder toe en vroeg bezorgd of alles goed met haar was. Charity mompelde iets terug. Later zou Lily haar echtgenoot vertellen dat het klonk als 'honger moet je stillen,' maar ze wist het niet zeker. Voorlopig hielp ze Charity de stoofpot met kip klaar te maken. Er zat genoeg in de grote voorraadpot om minstens twintig mensen te eten te geven, maar Charity wist niet te vertellen waarom ze zoveel gekookt had. Vanaf die dag verslond de kachel in de kleine keuken van de vroege ochtend tot de late avond enorme hoeveelheden brandhout, omdat Charity en de oude hulp maar eten bleven koken en een verbazingwekkende verscheidenheid aan gerechten brouwden – appams, dun, zacht en knapperig, torenhoge puttu, gul besprenkeld met geroosterde kokosnoot, athirasam, kruimelig als vochtige geurige aarde, bergen idiyappam, licht en transparant als spinnenwebben, schalen vol stoofpot en gezoete kokosnootmelk, neimeen kolambu, kerrie met garnalen en bergen biryani die het hele huis en zijn omgeving van geurtjes doortrokken.

De familie kon maar een fractie van die geweldige feestmaaltijden aan en daar profiteerden de bedelaars van. De regelmatige bezoekers kwamen iedere zaterdag langs en lieten hun tinnen bakjes of halve kokosnootdoppen tegen de ijzeren stangen van het hek rammelen om de mensen van het huis opmerkzaam te maken op hun komst. Zodra Charity's kookwoede begonnen was, verspreidde zich het nieuws dat er iets te halen viel, als een lopend vuurtje. Het duurde maar een paar dagen of het huis werd rond lunchtijd een dagelijkse pleisterplaats voor tientallen bedelaars die er ongeduldig bleven wachten op hun aandeel in de bergen biryani waar sappige stukken schapenvlees of kip uit staken (om de een of ander reden maakte Charity nooit biryani met vis klaar) of hun bord dosai of hun plak halva, die glom als glanzend gewreven graniet, of tamarinderijst, of wat Charity die dag ook maar besloten had klaar te maken.

Soms was het eten wat eigenaardig: halva die naar uien smaakte bijvoorbeeld, of zoete biryani, omdat Charity al te ver ging met haar geëxperimenteer. Maar meestal aten de bedelaars er goed van. Sommigen maakten niet eens meer hun dagelijkse ronde omdat ze bij het huis bivakkeerden, dat was wel zo gemakkelijk.

Het was een kostbare aangelegenheid, maar Daniel had besloten de nieuwe bevlieging van zijn moeder te financieren zolang die therapeutische waarde had. Geleidelijk aan werden de kooklustige buien van Charity minder fanatiek, tot grote teleurstelling van de bedelaars. Een paar maanden later reageerde ze niet meer op het gerammel met de borden bij het hek. Het enorme verdriet dat haar uit haar evenwicht had gebracht, leek uiteindelijk toch door haar waanzinnige werklust te zijn verjaagd. Daniel was nog wel steeds bezorgd. Er gingen veertien dagen voorbij en toen nog een maand, en ze gedroeg zich nog steeds heel normaal. Langzaam liet hij zijn waakzaamheid verslappen. Maar het was duidelijk dat de lange weg terug naar gezondheid zijn tol gevergd had. Haar spraak was trager, haar doen en laten minder spontaan, en haar haar was volkomen wit geworden. Voor haar volledige herstel zou meer nodig zijn – misschien wel de veilige terugkeer van Aäron. Daniel verdubbelde zijn inspanningen om de autoriteiten zo ver te krijgen dat hij zijn broer zou mogen bezoeken.

47

De Grote Oorlog trok rakelings langs het grondgebied van India. Meer dan honderdduizend Indiase soldaten sneuvelden of werden gewond bij Mons en Verdun, en bij Ypres en Galipoli, maar voor het subcontinent zelf duurde de dreiging maar kort. Algauw nadat de oorlog begonnen was, verscheen voor de kust van Madras de Emden, een ranke slagvaardige Duitse kruiser, die de smoorhete stad begon te beschieten. Het effect was opmerkelijk. Rond de zeventigduizend mensen, bijna een kwart van de bevolking, raakten in paniek en begonnen de stad uit te stromen. Maar een moedige, of overmoedige, menigte mensen dromde samen op de Marina om beter te kunnen kijken. Tot hun afgrijzen kwam het Duitse slagschip tot de conclusie dat het geen kunst was om Madras te beschieten en voer het verder zuidoostwaarts langs de Aziatische kust waar het door de Australische slagkruiser Sydney verjaagd werd. Drie mensen vonden de dood en er vielen dertien gewonden als gevolg van het korte verblijf van de Emden in de wateren van India, maar het schip had een verpletterende indruk gemaakt: nog jaren later noemde men iedere bullebak waar dan ook in het gouvernement, een Emden.

Maar de oorlog had ook nog andere, verstrekkender gevolgen. Om te beginnen sloten alle politieke organisaties die voorheen tegen de Britten geweest waren hun gelederen om als een man achter hen te staan. Deze nieuwe steun voor de overheersers droeg ertoe bij dat de strijd van de extremisten in het zuiden de genadeslag kreeg. De gewelddadige revolutie werd op andere plaatsen nog wel een poosje voortgezet, maar in Madras was het slechts een kwestie van tijd voordat ze de status van hooguit een voetnoot in de annalen toebedeeld zou krijgen.

In zijn ruime kantoor dat over de Marina uitkeek, zat Chris Cooke na te denken over de revolutionairen en in het bijzonder over Aäron Dorai. Hij vroeg zich af of hij Aärons betrokkenheid had kunnen voorkomen als hij was teruggegaan naar het district Kilanad en naar Chevathar, zoals hij zich ooit had voorgenomen. De gedachte riep een schuldgevoel in hem op. Hoewel hij naar beide districten overplaatsing had weten te bewerkstelligen na zijn eerste opdracht in de hoofdstad, had hij in Kilanad geen dienstperiode uitgezeten. Een huwelijk en twee kinderen verder had hij verzocht om te worden teruggeplaatst naar Madras. Zijn vrouw was dol op de stad. Er waren betere scholen. En hij was eigenlijk ook wel van zijn werk daar en van de afleiding van een metropool gaan houden. Hij maakte er nieuwe vrienden, nam deel aan amateurtoneelvoorstellingen, genoot van zijn uitstapjes naar Ooty in de zomer – zijn leven begon alle kenmerken van een bevoorrecht koloniaal bestuurder te vertonen.

Hij had met ontzetting kennisgenomen van het nieuws over de moord op Ashe. Maar hij had ook medelijden voelen opkomen met de ongelukkige familie Dorai. Eerst Solomon, nu diens zoon. Wanneer zou er eens een einde komen aan hun ellende? Het had hem verdriet gedaan niet te kunnen ingaan op de verzoeken van Daniel, maar hij had er niets aan kunnen doen. Tot zeer onlangs.

De regering van Brits-India stond onder grote druk om de schatkist voor de oorlog te spekken en toen zag Cooke de kans waarop hij had gewacht. Toen hij de rondzendbrief van de rijksbelastingdienst had ontvangen waarin ze hem vroegen zijn inspanningen te vergroten, schreef Cooke dezelfde dag nog naar Daniel. Omdat hij op de hoogte was van diens voorspoed, schreef Cooke dat een royale bijdrage aan de oorlogsinspanningen Aärons zaak mogelijk zou kunnen helpen. Hij kon niets beloven, maar... Het was misschien het beste als Daniel hem in Madras op kwam zoeken om de dingen te bespreken.

Een paar dagen later maakte Daniel de reis naar de hoofdstad. Toen zijn assistent hem binnenbrachtt, liet Cooke alle plichtplegingen achterwege en omhelsde Daniel hartelijk. Wat was die serieuze jongen zoals hij hem nog kende, gegroeid! Zijn gezicht en voorkomen hadden nog meer aan ernst gewonnen en hij straalde zelfvertrouwen uit. Hij zag er van top tot teen uit als de man die tot de vermogende bovenklasse van India behoort, en was dat ook. Cooke dacht: als er voor ieder van ons een bepaalde leeftijd is waarop we op ons best zijn, dan is Daniel nu, mid-dertiger, in zijn bloeiperiode. Maar toch was de zware opgave om Aärons tragedie de baas te worden duidelijk van zijn gezicht af te lezen. Hij zag er tobberig en bezorgd uit en Cooke had met hem te doen.

Hun zaak werd snel beklonken. In ruil voor een royale donatie zou Aärons gevangenenstatus worden opgekrikt en de regering zou zelfs kunnen overwegen hem een jaar eerder te laten gaan dan ze blijkens de duur van het vonnis verplicht was. Daniel ging meteen met de voorwaarden akkoord.

Cooke nodigde hem uit nog een paar dagen langer te blijven toen hij hoorde dat dit Daniels eerste bezoek aan de hoofdstad was.

48

India tegen India. Daar zijn we goed in. Verschillen van kaste, gemeenschap, taal en godsdienst houden onze samenleving al duizenden jaren verdeeld. Des te verrassender dat wij in de huidige tijd de totaal onverdiende reputatie hebben gekregen een tolerant volk te zijn, een voorbeeld voor de rest van de wereld hoe je een plurale samenleving moet laten functioneren. In werkelijkheid zijn we maar al te bereid ons alleen 'aan te passen' wanneer het ons uitkomt, en ons gedrag toont in het algemeen aan dat we niet goed in staat zijn om te gaan met de grote diversiteit waaraan onze natie rijk is. Als we niet actief onverdraagzaam zijn, zijn we suf en laks. Dat maakt ons een dankbare prooi van walgelijke ijveraars voor kasten- en groepsbelangen (doorgaans priesters en politici) die altijd klaarstaan de afgunst en wrok uit te buiten die wij tegenover elkaar koesteren.

Toen in de negentiende eeuw India tot een geheel werd gesmeed door de Britten, namen ze ons niet ons Indiase karakter af – waarvan een omschrijving misschien wel is het nagenoeg totale onvermogen om gemene zaak met elkaar te maken. In plaats daarvan waren ze er vlug bij deze noodlottige karaktertrek te exploiteren. Ten zuiden van het Vindhyasgebergte haakten ze in op een van de langstlopende veten in het land, die tussen brahmanen en niet-brahmanen. In het verleden hadden de brahmanen de niet-brahmanen er flink onder gehouden, maar tegen de twintigste eeuw was er het begin van een terugslag. De meeste leidende geesten van de onafhankelijkheidsbeweging waren brahmaan, hetgeen hun het ongenoegen van de machthebbers op de hals haalde. Enkele invloedrijke niet-brahmaanse politici besloten handig van de gelegenheid gebruik te maken en met de Britten samen te werken. Hun doel: de positie van de onderdrukte gemeenschappen te bevorderen door politieke macht te grijpen. De bekendste niet-brahmaanse partij was de Justice Party (erfgenaam van organisaties als de Madras Dravidian Association) die op 20 november 1916 officieel gestalte kreeg tijdens een vergadering van circa dertig niet-brahmaanse leiders, die bijeen waren om de South Indian People's Association te vormen. Een van de gelegenheden in Madras waar de leden van de Justice Party in Madras graag naartoe kwamen, was de Cosmopolitan Club waarin Cooke kamers voor Daniel had gevonden.

Daniel was bij de Cookes te eten gevraagd op zijn laatste avond in de stad. Hij had besloten Europees gekleed te gaan, in het pak dat hij maar een keer eerder gedragen had, namelijk tijdens zijn bruiloft. Hij had ruimschoots de tijd genomen voor het strikken van de das, maar tot zijn verrassing ging hem dat gemakkelijk af. Hij vulde zijn tijd met wat door zijn kamer heen en weer te lopen en aan zijn kleren te wennen en besloot toen zijn Engels te oefenen. Hij was de taal voldoende meester, zij het stijfjes uit boeken geleerd, maar had haar in jaren niet gesproken. Hij had zijn gesprekken met Cooke een bezoeking gevonden en vreesde voor de avond. Hij mompelde een paar Engelse zinnetjes, hoewel hij zich een beetje belachelijk voelde toen hij tegen een lege leunstoel 'Hoe gaat het?' zei. Toen liep hij de trap af naar de grote lounge beneden bij de ingang, waar zijn gastheer had gezegd hem te zullen opwachten. Hij nestelde zich in een comfortabele leunstoel en pakte een exemplaar van de *Mail* op. Terwijl hij daarin zat te bladeren werd hij zich bewust van iemand die hem strak aanstaarde. Hij keek op en zag een opmerkelijk lelijke man met woeste plukken haar die bij zijn oren uitstaken.

'U bent hier vast nieuw, sir,' zei de man toen Daniel zijn ogen ontmoette.

'Ik ben hier te gast. Ik wacht hier op iemand. Mr. Cooke.'

'Ja, ja, Mr. Chris, dat is een goed mens. De Britten zijn goede mensen. Bent u ook gesteld op de Britten?'

Daniel had niet werkelijk over de zaak nagedacht en daarnaar gevraagd te worden was wel het laatste wat hij verwacht had, zeker door een vreemde, dus nam hij rustig de tijd voor het antwoord. Om te beginnen al niet erg in politiek geïnteresseerd, had hij, doordat zijn kliniek, zijn familie en zijn groeiende bedrijf alle aandacht van hem vroegen, voor de politieke gebeurtenissen van iedere dag nog minder interesse gehad. Maar hij vermoedde dat hij in de verte wel waardering had voor de Britten. Zijn grootvader Jacob had bewondering voor hen, net als veel Indiase christenen, vooral voor de zendelingen vanwege de moeite die ze hadden gedaan om de ellende van de groepen uit lagere kasten te verlichten. Verder had zijn vriendschap met Father Ashworth tijdens zijn kinderjaren hem al bij voorbaat voor de blanken ingenomen. De arrestatie van Aäron had hem hevig ontsteld en hij was tijdelijk ijverig de kranten gaan lezen. Maar de tragische ontwikkelingen binnen de familie hadden al het andere uit zijn geest gebannen. Toen hij zijn pogingen om Aäron te mogen spreken had hernomen, had de onbuigzaamheid van de autoriteiten hem verschrikkelijk geërgerd, maar deze ontmoeting met Cooke had zijn vertrouwen in de Britten gedeeltelijk weten te herstellen. Alles bij elkaar leek het erop dat hij niets tegen hen had. Toen hij tot het besef kwam dat de vreemde man op een antwoord van hem zat te wachten, zei hij: 'Zo slecht denk ik niet dat ze zijn.'

'Heel goed, sir, heel goed. Zou ik de goede naam van u misschien ook mogen weten?'

'Dr. Daniel Dorai.'

'Christen? Andavar-christen?' Hoewel het heel koel was, lag er een glans van zweet over het kwabbige gezicht van de man.

'Ja.' Zijn ondervrager praatte Engels, dus Daniel, nog steeds niet erg op zijn gemak, besloot zijn antwoorden kort te houden.

'Ikzelf Vardaraja Mudaliar.'

'Aangenaam kennis met u te maken, sir.'

Op dat moment ging er bij zijn nieuwe vriend een lichtje branden. Hij fronste zijn voorhoofd. Daniel keek toe hoe een zweetdruppel in het rimpelgootje ontstond en kronkelend naar beneden liep in een borstelige wenkbrauw.

'U bent toch niet toevallig de vermaarde dr. Dorai? Mijn hele familie gebruikt uw thylam, sir, en ik ben ook van plan het te gaan gebruiken.'

Toen Daniel zei dat het klopte, klonk het meteen scherp: 'U weet toch wel wie ik ben?'

Daniel moest erkennen dat hij dat niet wist.

'Maar sir, mijn naam staat vermeld in een verslag over de Justice Party, in de krant die u leest.'

Toen hij Daniel zag aarzelen, vormden zich opnieuw diepe gootjes in zijn voorhoofd, deze keer van ergernis. 'U bent niet op de hoogte van de Justice Party?'

Daniel kon gelukkig zeggen dat hij van de partij gehoord had.

'We zijn momenteel met een hoogst belangrijke zaak bezig, sir,' zei Mudaliar. 'We hebben het op ons genomen de samenzwering te breken. Daar weet u van?'

Dit was een zenuwslopende ervaring. Daniel was blij dat hij zijn Engels kon oefenen, maar zijn nogal zwakke zicht op politieke aangelegenheden en actuele gebeurtenissen maakte dat hij zich bepaald niet op zijn gemak voelde in het gezelschap van Mudaliar. Er werd een antwoord van hem verwacht maar omdat hij er niet het flauwste vermoeden van had op welke samenzwering Mudaliar zinspeelde, nam Daniel het zekere voor het onzekere.

'Ik weet het niet,' zei hij.

'U moet toch de *facten* kennen,' zei Mudaliar. 'Zonder de facten komt de waarheid nooit aan het licht.' Het duurde even voor Daniel door had dat zijn metgezel het had over de *'feiten'*. Niet dat het ertoe deed, want Mudaliar lette al niet meer op hem. Daniel verlangde plotseling vurig te kunnen ontsnappen aan de klauwen van de ander. Hij wierp een heimelijke blik op zijn horloge, maar voordat hij had kunnen zien hoe laat het was, had Mudaliar met zijn zweterige hand de zijne beetgepakt.

'Duizenden jaren achtereen hebben de brahmanen ons er listig weten onder te houden, Mr. Daniel,' zei hij hartstochtelijk. 'Ik zal me tot de facten beperken om het te bewijzen. Wees zo goed mij ze voor u uiteen te zetten.' Hij hief zijn dikke wijsvinger omhoog. 'Ik wil u wel zeggen, meneer, die facten zijn onweerlegbaar omdat ze door het gouvernement van Madras zijn verzameld. Er waren het afgelopen jaar driehonderdnegenenveertig brahmaanse tahsildars tegen honderdvierendertig niet-brahmaanse hindoe-tahsildars. Onder christenen en moslims waren er nog minder. Onder de brahmanen was het percentage mensen met een academische opleiding 70 procent. U bent christen, Mr. Daniel, weet u wat het percentage onder de christenen was? 5,3 procent! Hoe heeft dit kunnen gebeuren? Hetzelfde geldt voor de instituten voor rechtsgeleerdheid, en voor de lerarenopleidingen, overal niets dan brahmanen en nog eens brahmanen... Sir, laat mij de uitlating aanhalen van een illustere Justicite die tegenover de commissie van de Royal Public Services in Madras verklaarde: "Al duizenden jaren is de brahmaan zowel de beheerder als het oogmerk geweest van de hele intellectuele cultuur als gevolg waarvan de andere kasten in een intellectueel zeer onvoordelige positie zijn komen te verkeren."'

Hij liet Daniels hand los om zijn voorhoofd af te vegen met zijn schouderdoek. Toen werd hij door een paar forse mannen die er welgesteld uitzagen begroet en hij stelde hen voor aan Daniel, die zijn handpalmen tot een namaskaram vouwde. Ze schonken hem een brede lach terug. Vardaraja Mudaliar rees met zijn volumineuze gestalte op uit zijn stoel en maakte aanstalten om weg te gaan. 'U bent geen lid van onze partij, sir?'

Daniel schudde zijn hoofd, maar Mudaliar was nog niet klaar. 'Dat komt nog wel,' zei hij. 'Alle mensen die goed nadenken moeten zich bij de strijd aansluiten. Zoals de grote dichter Subramania Bharati, zelf een brahmaan, ook al zei: "Nu India feitelijk ontwaakt voor een Nieuw Tijdperk, zullen mijn brahmaanse landgenoten er goed aan doen vrijwillig al hun oude pretenties te laten varen en daarmee ook de zotte en antinationale gewoonten die op zulke aanspraken teruggaan, om zo de weg vrij te maken voor een nieuwe orde van vrijheid, gelijkheid en broederschap tussen de mensen van India..."' Vardaraja Mudaliar keek Daniel met een veelzeggende blik aan. Even kwam Daniel in de verleiding om te antwoorden dat hij geen moeite had met brahmanen, maar elke verdere gedachtewisseling bleef hem bespaard, want toen was Cooke gearriveerd. De drie mannen wilden ook hem in hun gesprek betrekken, maar hij wist, zeer tot Daniels bewondering, soepel aan hun grijphanden te ontglippen. 'We zijn al aan de late kant voor een etentje, heren. Wilt u ons nu excuseren.' Hij loodste Daniel tussen de stoelen door naar het portiek, waar zijn auto en chauffeur stonden te wachten.

Toen de auto de oprit afreed, de drukte van Mount Road tegemoet, richtte Cooke zich tot Daniel: 'Wat vond je van onze vriend, Vardaraja?' Hij sprak de naam uit als 'Werderja' en voor het eerst voelde Daniel zich minder beschroomd over zijn Engels.

'O, hij is nogal fanatiek. Maar politiek ligt me niet zo en bij kasten en religies voel ik me helemaal niet op mijn gemak. Daar ben ik mijn vader en broer al aan kwijtgeraakt. In feite...' toen hield hij op, verlegen omdat hij besefte dat

Cooke enkel maar wat beleefde opmerkingen had gemaakt en hem niet had uitgenodigd zijn hart uit te storten.

'Jazeker, dat begrijp ik,' zei Cooke diplomatiek, waardoor Daniels gêne nog groter werd. Waarom voelde hij zich zo opgelaten in de grote stad? Hij keek door het raampje naar buiten en het duizelde hem van alle mensen daar, van het verkeer, de vele lichten, de rijkdom, het geschitter... Hij dacht aan het moment waarop hij voor het eerst in Nagercoil was aangekomen. Hij had het stedelijke tempo van leven alarmerend gevonden, maar dit hier was van nog een heel andere orde. En toch had hij de merkwaardige gewaarwording dat, ondanks alles, het hele spul dat hier overeind stond niets meer was dan een armzalig pulserende rand van schuim en licht op een veel grotere diepte van duisternis. Met een beetje aardbeving zou het verdwijnen en niet meer achterlaten dan de tijdloze rotsen en zand.

De auto baande zich een weg door de grote zakelijke wijken van de stad en zijn gastheer wees hem op de vermaarde warenhuizen en vestigingen van wat eens de eerste stad van het land was geweest: Spencers, Whiteway Laidlaw, P. Orr & Sons, Higginbothams, C.M. Curzon & Co. Ze stopten bij enkele winkels en Daniel kocht een paar met parels bezette oorringen voor Lily, een Singer-naaimachine voor Charity, en wat speelgoed voor de kinderen. Maar hij was niet zo dol op winkelen en ging dankbaar in op het voorstel van zijn gastheer om voor het eten nog een tochtje te maken. Toen ze over Mount Road reden, wees Cooke nog een paar bijzondere plekken aan – het Lyric Theatre, het hotel D'Angelis, een gebouw met de naam Hindu, en de kantoren van de *Mail*.

Ze verlieten de hoofdwegen en reden door een wirwar van kleine straten waarbij de auto zich meter voor meter een weg moest banen door drommen mensen op de wegen en trottoirs. Overal waar Daniel keek was het druk en bruiste het van leven. Opnieuw had hij het gevoel stuurloos rond te dobberen. Hij vroeg zich af hoe de mensen die hier woonden daartegen konden, tegen die drukte van de stad, het overweldigende ervan, het onverbiddelijke.

Na enige tijd staken ze een brug over een trage rivier over en reden over een brede straat met weinig verkeer en amper nog mensen. De vertrouwde geur van de zee vulde zijn neusgaten. Lantarens wierpen hun stoffige licht een paar meters over het strand, daarachter was alleen nog maar de nacht die zich over de zee zonder einder uitstrekte. De volgepakte stad had misschien wel nooit bestaan. Hij wendde zijn hoofd naar het andere raampje om erdoorheen te kijken en was verbijsterd over wat hij zag: een enorme steil oprijzende wand van gebouwen, wel tientallen meters hoog, waar lichtjes in dansten. Hij besefte dat hij hier twee dagen geleden ook was, toen hij Cooke ging opzoeken. De gebouwen waren overdag al indrukwekkend geweest, maar nu werkelijk schitterend, een triomf van menselijk kunnen en streven.

'Fantastisch, hè?' zei Cooke. 'Ik weet niet waarom we ooit besloten hebben Madras te laten schieten voor Calcutta.'

'Zoiets als dit heb ik nog nooit gezien.'

Cooke lachte. 'Hoort bij onze tactiek, beste jongen. We konden Londen nooit hiernaartoe meenemen om indruk op jullie te maken, dus besloten we onze eigen paleizen te bouwen en jullie te laten zien dat we net zo groots kunnen uitpakken als welke maharadja, zamindar of mirasidar dan ook. Het is een imposant gezicht zo bij elkaar, of niet soms? Ik rijd vaak langs deze weg naar huis om me eraan te vergapen.'

Hij mompelde de namen van de gebouwen terwijl ze er voorbijreden – Chepauk Palace, universiteitsgebouwen, Presidency College, Senate House, PWD-gebouw, Ice House... ziet eruit als een wat vreemd gerezen cake. Ze lieten de lange rij gebouwen achter zich en reden de rustige wijk Adyar binnen, waar Cooke woonde in een royaal uitgebouwde bungalow aan de oever van de rivier.

In de salon met een hoog plafond dronken ze vluchtig een glaasje met Barbara, de vrouw van Cooke, een kleine gestalte met verrassend blauwe ogen. Toen ze voor de maaltijd de eetkamer binnenliepen, legde Cooke even zijn arm om de schouders van zijn vrouw. Ze vormden een knap echtpaar samen, dacht Daniel – de lange atletische gestalte van Cooke, zijn bruine haar nog vrijwel zonder plukjes grijs ondanks zijn middelbare leeftijd, en zijn pittige kleine vrouwtje. Toen kwamen de twee kleine kinderen van Cooke, een jongen en een meisje, hun ouders en hun gast welterusten zeggen voordat ze onder de hoede werden genomen van hun gouvernante.

De maaltijd verliep heel plezierig en Barbara, die van geschiedenis een beetje een hobby had gemaakt, onthaalde Daniel op verhalen over Madras. Het eten was heerlijk. Terwijl de maaltijd voortkabbelde, voelde Daniel zich een beetje jaloers worden op de Cookes. Hij zou ook een huis als dit kunnen hebben als hij wilde, bedacht hij. Hij had het geld ervoor. Maar, bescheiden als hij was, had hij nooit enige ambitie gekoesterd voor een groter huis in Nagercoil. En bovendien, waar zou hij dat voor nodig hebben? Als je er goed over nadacht, waar hadden de Cookes dan zo'n groot huis voor nodig? Ze waren maar met z'n vieren.

Zijn overpeinzingen werden afgebroken toen Barbara opstond om de kamer uit te lopen omdat de gouvernante haar had ontboden bij haar dochter die die dag niet lekker was geweest. Cooke stelde voor dat ze zich op de veranda zouden terugtrekken voor de koffie met een sigaartje. Daniel sloeg de sigaar af.

'Weet je het zeker? Het is een Spencer's Light of Asia. Heb nog nooit een beter merk gerookt.'

'Heel zeker,' zei Daniel. Ze zaten kalmpjes van de rustige avond te genieten. De geur van frangipane kwam over hen heen gewaaid.

'Staan er nog steeds frangipanes in Chevathar te bloeien? Ik kan me herinneren dat ik de geuren ervan lang voor ik ze werkelijk aantrof, kon ruiken.'

'Ik ben er niet...' Daniel aarzelde. Zijn gastheer was toch niet geïnteresseerd in de vermoeiende geschiedenis van zijn familie! 'Er staan nog een paar bomen, maar de rest is weg.' De opmerking maakte een stroom van herinneringen los en hij verlangde hevig naar Chevathar.

'Jammer. Maar verandering heeft zo zijn gevolgen, neem ik aan. Ik hoor dat Meenakshikoil een bloeiperiode beleeft.'

'Ja, dat klopt.'

'En je eigen business? Jij bent een vermogend man, Daniel. Je vader zou trots op je geweest zijn.'

Toen kwamen er opnieuw herinneringen boven, aan Solomon, Aäron, Chevathar, hij duwde ze weg en moest vechten om zich niet te laten gaan. Daarna zaten ze een poosje zwijgend bij elkaar. Cooke blies een weelderige wolk rook uit en vroeg toen terloops: 'Waarom is Aäron zo betrokken geraakt bij die terroristen?'

'Dat weet ik niet, meneer Cooke. Misschien geloofde hij in hun strijd.'

'Een onschuldig man doden, gewoon omdat hij zijn werk deed?'

'Dat was verkeerd,' zei Daniel. Ja, dat was het zeker, dacht Cooke. Zeker.

'Ben jij in politiek geïnteresseerd, Daniel?'

'Niet echt...'

'Dan lijk je op Barbara. Die heeft politiek van de eettafel verbannen,' zei Cooke met een lachje. Toen vroeg hij: 'En hoe heeft die Vardaraja Mudaliar je zover gekregen dat je naar hem luisterde? Hypnose?'

Daniel koos voor een diplomatiek antwoord. 'Hij kan goed zijn woordje doen. Ik vond zijn inzichten over de Justice Party boeiend.'

'O ja, onze vrienden van de Justice Party. Lijkt erop dat zij de enige vrienden zijn die we nog over hebben... Ze hebben zo hun eigen bedoelingen, maar ze willen tenminste met ons samenwerken. Montagu is een goed en fatsoenlijk mens, maar hij moet het opnemen tegen een verbijsterende verscheidenheid aan krachten en tegenkrachten. De Indiase nationalisten moeten zich dat goed realiseren. De hervormingen die hij voorstelt, de gebieden waarvan hij oppert dat daar de Indiase bevolking zelf kan deelnemen aan de besluitvorming, zijn het beste wat hij kan doen. Waarom ziet het Congres dat niet in?'

'Meneer Mudaliar zei iets over brahmanen. Hij dreunde heel wat feiten en getallen op.'

'O ja, dat is net iets voor die oude Vardaraja. Hij is leraar wiskunde geweest, weet je. Maar dat is het belangrijkste punt op de agenda van de Justice Party. Ze hebben het gevoel dat ze moeten opkomen voor de rechten van tientallen miljoenen niet-brahmanen die door de brahmanen op oneerlijke wijze eronder zijn gehouden. Kan niet zeggen dat ik ze dat kwalijk neem.' Cookes sigaar was al bijna tot het peukje toe afgebrand. 'Sorry, ik verveel je met die politiek.'

'Nee, het is best boeiend.'

De Engelsman vroeg zich af of dit het juiste moment was om tegen Daniel te zeggen wat hij al die tijd voor zich had gehouden. Maar zijn gast zou de volgende dag al weggaan en een andere gelegenheid zou hij niet krijgen.

'Er is iets wat ik je nog wilde vertellen,' begon hij en hij probeerde luchtig te klinken. 'Nadat ik jou geschreven had, heb ik de hoofdintendant Rolfe, die het beheer voert over de gevangenis van Melur, een telegram gestuurd en hij stuurde me er een terug met de boodschap dat Aäron ziek is. Tbc, ben ik bang.'

'Hoe ernstig?' vroeg Daniel.

'Niet al te ernstig, schijnbaar, maar er zijn via de geëigende kanalen instructies uitgegaan dat hij naar Ranivoor moet worden overgebracht. Daar is een beter bemande, kleinere gevangenis met een gloednieuw ziekenhuis.'

'Ik ga onmiddellijk naar Ranivoor toe.'

'Nee, wacht nog veertien dagen of zo, ik moet al die paperassen eerst in orde hebben.'

'Maar mijn broer is er niet te slecht aan toe?'

'Ik heb me laten verzekeren dat dat niet zo is, nee, maar ik moet erbij zeggen dat ik, door jou toestemming te geven naar Ranivoor te gaan, uitdrukkelijk de wensen van Aäron zelf negeer.' De stem van Cooke werd nu zacht. 'Ik hoop dat jij je broer zult kunnen spreken, Daniel.'

Toen was er niets meer te zeggen. Kort daarna werd Daniel naar de club teruggereden. De hele weg staarde hij zonder iets te zien door het raampje naar buiten terwijl de stad haar ogen sloot voor de nacht. De onverlichte gebouwen vielen als een donkere massa over het voertuig. Hij vond dat ze er nu als grafstenen uitzagen.

De auto maakte een slinger, om een man met slechts een rafelige lungi aan te ontwijken die plotseling van het trottoir afstapte. Daniel zat meteen rechtop, met een schok wakker geschud uit zijn dromerij. Hij vroeg de chauffeur langzamer te rijden en liet zich toen weer terugvallen in de zitting van zijn stoel. Zijn gesprek met Cooke had alleen maar bevestigd wat hij al vermoedde, maar de onthulling dat Aäron niet wilde dat zijn familie hem kwam opzoeken, was een diepe teleurstelling. Waarom haatte zijn broer hen zo? Hij herinnerde zich hoe erg hij het gevonden had dat Aäron niets meer van hem wilde weten, maar zijn tragedie had al het andere overschaduwd. Nu wilde Daniel nog maar één ding: zijn broer terug, voor zichzelf, voor Charity! Hij lachte verdrietig toen hij bedacht wat zijn moeder hem verteld had over de tijd na Aärons geboorte. Totdat het nieuwe broertje had kunnen lopen, was Daniel zijn felste beschermer geweest, die voortdurend in de buurt van de baby bleef, maar zodra het kind zijn eerste wankele stapjes had gezet, liet hij geen gelegenheid voorbijgaan om hem omver te duwen. 'Zo'n pestkopje als je was. We moesten je constant in de gaten houden om ervoor te zorgen dat het hummeltje geen blijvende beschadiging op zou lopen,' had Charity gezegd. Was dat al het breekpunt geweest? Wat absurd, dacht hij.

Toen de auto Mount Road opreed, begon hij alles wat hij nodig had om Aäron weer gezond te maken bij zichzelf na te gaan. Als de tbc niet al te ver was voortgeschreden, zou ze niet zo moeilijk zijn te genezen. Het enige wat daarvoor nodig was, was het goede dieet, volop frisse lucht en water. En als alles goed ging, hoefde Charity er niet eens wat van te weten, want tegen de tijd dat Aäron zijn straf had uitgezeten, zou de ziekte onder controle zijn. Hij werd rustiger toen hij in gedachten bezig was met de praktische aspecten rond de huidige toestand van zijn broer. Terwijl de auto de oprit naar de Cosmopolitan Club indraaide, dacht hij: ik wil er niet aan dat we als familie met elkaar niet weer een geheel zouden kunnen vormen.

49

Hoofdintendant Rolfe had gelogen. Aäron Dorai was zeer ernstig ziek en zijn tbc had een kritisch stadium bereikt toen hij werd overgebracht naar de kleinere gevangenis in Ranivoor. Rolfe had de gevangenisarts opgedragen een verslag voor Madras te schrijven waarin de ware toestand van de gevangene verhuld werd, en hij regelde snel het transport van Aäron naar zijn nieuwe bestemming.

Hij bracht de gevangene persoonlijk het nieuws van zijn transport over. Aäron lag op de ziekenafdeling, een smoorheet raamloos hok met zeven bedden naast de keuken. Er zat schimmel op de verkleurde muren en de zaal stonk naar braaksel en diarree. De hoofdintendant, die zelden in de ziekenzaal kwam, bleef bij de deur staan en riep: 'Dorai, je moet morgen worden overgeplaatst. God sta je bij en waag het niet dood te gaan, zeikerd.'

De gevangene deed zijn ogen open en in het binnenste putje van zijn pupillen gloeide licht. De huid, die strak over de botten van het uitgeteerde gezicht lag, bewoog, en met stijgend ongeloof besefte Rolfe dat de gevangene een poging deed om te glimlachen. Hij werd razend. Kon hij dat gehate gezicht maar tot pulp stampen, het leven uit dat skeletachtige lichaam slaan, die gruwel voorgoed van de aarde laten verdwijnen. Maar de angst voor vergelding vanuit Madras was te groot. Hij draaide zich om en liep de deur uit.

Aäron Dorai was tijdens de eerste vijf jaar van zijn gevangenisstraf zeventien keer overgeplaatst. Dat kwam doordat de regering vastbesloten was het ontstaan van populaire verzetshaarden rondom de revolutionairen te beletten. Om hun geest te breken werden ze bijzonder slecht behandeld, afgeranseld, en voor het minste of geringste tot eenzame opsluiting of tot het verrichten van de smerigste karweitjes veroordeeld. In sommige gevangenissen was de hoofdintendant humaner dan in andere, maar Aäron kreeg altijd de rottigste karweitjes te doen, de slechtste onderkomens en hij werd voor de geringste overtreding gestraft. In de gevangenis van Coimbatore lieten ze hem de zware oliepers trekken; in de gevangenis van Palayamkottai werd hij tewerkgesteld op de gevreesde afdeling waar jutevezels geschift moesten worden en waar het vel van zijn handpalmen letterlijk afgestroopt werd; in de gevangenis van Sivakasi wilden ze hem als een gewone arbeider stenen in stukken laten breken. Maar in de gevangenis van Melur was hij bijna doodgegaan.

Hoofdintendant Rolfe haatte de nieuwe gevangene, de enige van de samenzweerders die naar zijn gevangenis was overgebracht. Hij had toch al een vreselijke hekel aan inlanders en het feit dat zij het waagden een Engelsman van het leven te beroven maakte hem razend. Als hij zijn zin gekregen had, zouden alle samenzweerders, alvorens doodgeschoten te worden, stuk voor stuk eerst flink gemarteld zijn. Hij zou, dacht hij, nog meer gedaan hebben dan dat; hij had onmiddellijk honderd Indiërs laten executeren en iedere inlander die dichter dan drie meter in de buurt van een Europeaan zou komen op zijn buik door het stof laten kruipen.

Toen hij de broodmagere gevangene voor het eerst onder ogen kreeg, met die enorme koortsachtige ogen in zijn afgetobde gezicht, was hij geschokt geweest. Hoe had dat knaagdier de Engelsen te grazen kunnen nemen? Daar kwam hij gauw achter. Hij had hem in zijn eerste week drie keer laten afranselen en al die tijd in een isoleercel laten opsluiten. Maar hoe hard hij ook zijn best deed, hij kon de geest van de gevangene niet breken. Rolfe gaf het niet op. Iedere morgen liet hij Aäron naar zijn kantoor brengen voor wat spelletjes. Dan schold hij hem uit en maakte hem belachelijk en probeerde steeds nieuwe methodes te bedenken om hem onderuit te halen. Aäron bleef gelaten en onvermurwbaar tijdens die hele martelzitting waarin met hem de draak werd gestoken, en hij wakkerde daarmee de razernij van zijn kwelgeest alleen nog maar meer aan.

Op een ochtend liep Rolfe op Aäron af en gaf hem een keiharde klap. 'Ik wil dat je met de bewaker hier de straat op gaat en openlijk rondbazuint dat je een hoerenzoon bent...' Het was de eerste keer dat de gevangene tijdens een zitting in het kantoor van de hoofdintendant het woord nam zonder daartoe gedwongen te zijn. Hij zei: 'U bent abuis, intendant. U hebt het niet over de moeder van mij, maar over die van u.' Als hij gehoopt had dat zo'n provocerende uitlating meteen aan alles een einde zou hebben gemaakt, zat hij er niet ver naast. Rolfe tuigde hem razend maar tegelijk met een weloverwogen systematiek af, voordat hij hem uiteindelijk overgaf aan de gevangenen die hij belast had met de taak passende straffen uit te delen aan recalcitrante medegevangenen. In zijn gevangenis werden die gevangenen, net als in sommige andere gevangenissen binnen het gouvernement, Zwartkappen genoemd en dat waren doorgaans niet de meest zachtzinnige of minst sadistische. Rolfe droeg hun op voorzichtig te zijn. Hij was er zelf bijna ingestonken en zijn boekje te buiten gegaan, bedacht hij, maar zo gemakkelijk kwam Aäron niet van hem af. Bovendien had hij uitdrukkelijke instructies gekregen: politieke gevangenen mochten geen martelaar voor hun zaak worden.

Op Sethu, een enorme kerel, die levenslang had gekregen wegens moord op zijn vrouw, zeven kinderen en schoonfamilie, rustte de taak de onuitgesproken orders van de hoofdintendant uit te voeren. Aäron werd naar een hoek van de kantine gedreven. Daarop werden zijn voeten onder hem vandaan geslagen en drukten twee verkrachters hem neer. Toen rekten ze zijn goede been op een van de metalen tafels zo ver mogelijk uit, waarop Sethu met de kritische nauwgezetheid van een chirurg ieder botje ervan brak. Hij deed dat met een metalen pijp. Aärons geschreeuw hield pas op toen hij zijn bewustzijn verloor. Een halfuur later was het oordeel van de gevangenisarts die hem in de ziekenzaal onderzocht enkel een herbevestiging van Rolfes vertrouwen in Sethu's deskundigheid. Er was geen schrammetje op de huid van de voet te zien, maar Aäron zou nooit meer zonder hulp kunnen lopen.

Hij werd overgedragen aan de *cumbly*-weefafdeling, waar wol in kalkbrij werd gedompeld en dan gekaard en tot grove dekens geweven. De gevangenen werkten er in een grote, groezelige ruimte waar het stof van de wol in de zware lucht hing. Op een dag zakte Aäron in elkaar en gaf bloed op. De gevangenisarts stelde tuberculose vast en schreef rust voor en beter eten dan de koude klonterige kanji met komkommer, de doorsnee gevangeniskost.

Rolfe was het daar niet mee eens. 'Laat hem net genoeg opknappen dat hij weer aan het werk kan.' Zodra Aäron in staat was de ziekenboeg te verlaten, werd hij voorzien van een stel houten krukken die op de eerste dag van zijn vrijlating tot intens genoegen van de hoofdintendant onder hem vandaan werden geschopt, als Sethu en zijn medegevangenen een verzetje nodig hadden. Aäron beklaagde zich niet. Zijn ogen schoten vuur van boosheid, maar hij zei niets. Hij werd nogmaals aan het werk gezet op de weefafdeling.

In minder dan een maand was zijn conditie zo verslechterd dat hij bijna onophoudelijk moest hoesten. De gevangenisarts zei kort en goed tegen Rolfe dat de gevangene nog hooguit een paar weken te leven had als hij geen gemakkelijker werk kreeg. Toen deelde Rolfe hem in bij de schoonmaakdienst van de toiletruimten.

De toiletten in de centrale gevangenis van Melur waren zo smerig, dat de panchama-gevangenen die tot taak hadden ze schoon te maken, in staking waren gegaan. Ze hadden geweigerd toe te geven aan wat voor vleiende woorden of dreigende taal ook. Uiteindelijk had Rolfe vuilnismannen van buiten ingehuurd om het werk te doen. Er zat niets anders op dan hen vijf keer hun gewone loon te betalen, dus bezuinigde hij door het aantal schoonmaakbeurten omlaag te brengen van eens per week naar eens per maand.

De toiletten waren helemaal in het achterste deel van de gevangenis, zes hokjes naast elkaar, elk met een cementen gat in het midden. Ze waren berekend op de behoeften van zestig gevangenen, maar de gevangenis had nu zevenhonderd gedetineerden. De stank die er vanaf sloeg had zich tot in alle hoeken en gaten van de gevangenis verspreid. Van een afstand was er alleen maar een bewegend tapijt van vliegen te bespeuren die af en aan vlogen en over alle ontlastingsproducten kropen die tegen de vloeren van de hokjes aangekoekt zaten. Aangezien het al enige tijd geleden was dat ze voor het laatst gereinigd waren, stond de urine er, nergens uitgezonderd, een paar centimeter hoog, en daarin dreven de drollen als eilandjes. De wc's waren zo vies dat de gevangenen begonnen waren hun ontlasting buiten te deponeren, en overal lagen daar kleine bergjes poep.

Hoofdintendant Rolfe stuurde een bewaker eropuit om in de ziekenboeg een antiseptisch middel te halen. De bewaker en hij depten hun zakdoek in dat middel, bonden die voor hun neus en gingen kijken hoe gevangene numero 114301 zijn nieuwe werkje ervanaf bracht.

Ze troffen Aäron zittend met zijn rug tegen de muur aan, zijn krukken naast zich. Er kropen vliegen over zijn gezicht, ogen, mond en haar, maar hij deed geen poging ze weg te vegen. De takkenbezem, zijn enige instrument om de vuiligheid mee schoon te maken, lag in een plas urine.

'Laat hem onmiddellijk aan het werk gaan,' schreeuwde de hoofdintendant, de woede in zijn stem enigszins gedempt door de doek voor zijn gezicht. De bewaker zocht voorzichtig zijn weg tussen de drollen en gaf Aäron toen met zijn voet een trap. 'Aan het werk, jij smeerlap,' brulde hij.

Aäron reageerde niet.

De bewaker schopte hem nog een keer, zo hard dat Aäron op zijn zij viel. Hij bleef even zo liggen, toen ging hij langzaam weer rechtop zitten. Hij maakte geen aanstalten de bezem te pakken. De voet van de bewaker schoot opnieuw uit, maar Aäron leek de trappen net zo weinig te merken als de wolk vliegen op zijn gezicht. Razend geworden begon de bewaker hem af te rossen en liet een regen van schoppen en slagen op het magere geraamte neerkomen. Toen hij hem bewusteloos had geslagen, knoopten hij en de hoofdintendant hun gulp los en loosden hun pis over de bewusteloze man.

Toen Aäron bijkwam in de ziekenboeg, ontving hoofdintendant Rolfe de order tot overplaatsing. De gevangene werd een goed bad toegestaan, zijn haar (dat bijna wit zag van de luizeneieren) werd afgeschoren, en hij kreeg een stel nieuwe kleren aan voordat hij aan zijn reis naar zijn nieuwe thuis begon.

50

Daniel was eerst ontdaan geweest en vervolgens razend geworden toen hij Aäron in de ziekenafdeling van de gevangenis in Ranivoor zag liggen. Het was er mooi ruim en nieuw, maar dit uitgemergelde menselijke wezen bevond zich op de rand van de dood en was helemaal niet slechts een licht geval van tbc. Hij overlegde met de hoofdintendant en de jonge gevangenisarts, die diep ontzag voor hem had, en er werd besloten dat Daniel zolang hij in Ranivoor was, de medische behandeling van zijn broer op zich zou nemen.

Geruime tijd na zijn aankomst in de zaal, waar Aäron als enige lag, sliep de zieke, en zijn ademhaling ging stroef en pijnlijk stokkend. Daniel zat naast zijn bed en zijn hoofd werkte koortsachtig. Hij had zo lang op dit moment gewacht, er was zoveel wat hij zijn broer had willen zeggen, maar Aärons conditie had hem volledig van zijn stuk gebracht. Hij had zijn broer willen zeggen hoe veel hij om hem gaf, hoe graag zijn familie hem terug wilde zien, maar hij was ook van plan geweest Aäron het verdriet voor de voeten te werpen dat hij hun bezorgd had, vooral Charity. Nu kon daar allemaal geen sprake van zijn. Deze man had al Daniels vaardigheden als dokter nodig, wilde hij overleven, hoewel Daniel diep in zijn hart wist dat zijn pogingen waarschijnlijk tevergeefs zouden zijn. Hij wist wanneer een patiënt te ver heen was. Het maakte hem wanhopig, maar hij vocht tegen het gevoel; opgeven was het laatste wat hij doen mocht. Als hij opgaf, zou Aäron helemaal geen kans meer maken.

Hoe lang hij gewacht had, wist hij niet, maar plotseling kreeg hij in de gaten dat de ogen van zijn broer open waren. Inwendig kromp hij ineen van de haat in Aärons blik.

'Ga weg. Laat mij in vrede sterven.' De inspanning die het praten hem kostte, zorgde voor een hoestbui. Er kwamen bloedvlekken op de doek waarmee Daniel zijn lippen afveegde. Met grote moeite begon Aäron weer te praten. 'Waarom ben je hier? Als je me toen in de steek kon laten, waarom moet je nu dan komen?'

'Ik heb jou nooit in de steek gelaten. Appa stuurde mij weg.'

'Godzijdank wel, ja. Anders hadden we in het stof mogen bijten aan de voeten van Muthu Vedhar.'

'Thambi, als we een beroep hadden gedaan op Muthu Vedhars gezonde verstand, hadden we misschien tijd gewonnen. Het gevecht kunnen vermijden.'

'Vermijden. Ben je gek geworden? En zo moeten we ook van die Britten afkomen?'

Aäron sloot zijn ogen terwijl hij de opkomende hoest probeerde in te houden. Toen hij zijn ogen weer open deed, zei Daniel: 'Je kunt beter niet praten. Ik ga nu weg, maar als je iets nodig hebt, ben ik in de buurt.'

'Vanwaar die bezorgdheid ineens? Ga weg, ik walg van je.'

Een hoestbui teisterde als een storm zijn skeletachtige lichaam. Daniel wenkte met verwoede gebaren de gevangenisarts die juist de zaal binnen kwam lopen. Aäron kreeg een snelwerkend slaapmiddeltje toegediend. Daniel zou een andere keer terugkomen; hij wist dat zijn aanwezigheid de stervende man erg opwond. Niet lang nadat zijn broer in een onrustige slaap was gevallen, verliet hij de ziekenzaal met tegenzin.

In het goedkope pension dat hij gekozen had omdat het dicht bij de gevangenis lag, kon hij de slaap maar moeilijk vatten. Hij lag te woelen en te draaien en nadat hij de gedachte aan slapen had opgegeven, liep hij naar het raam en keek naar de met afval bezaaide steeg onder zich. Daniel kon zich niet herinneren dat Aäron en hij als kinderen veel ruzie met elkaar hadden gemaakt, maar ze hadden van jongs af aan ook niet veel gemeenschappelijks gehad. Ze waren allebei heel anders, zo anders dat je nauwelijks geloven kon dat ze uit dezelfde ouders waren geboren. Maar hadden ze echt hun leven lang een hekel aan elkaar gehad, en was het feit dat ze door hetzelfde bloed, en door niets anders verbonden waren reden geweest elkaar te haten? Nee, nee, dat kon niet. Daniel had altijd van zijn jongere broer gehouden, ook toen Aäron niets met hem samen wilde doen. Het was duidelijk dat Aäron nog steeds een hekel aan hem had, maar het was toch niet onmogelijk dat ze elkaar nader zouden komen? O Aäron, dacht hij verdrietig, je hele leven mocht ik al niet bij je zijn; misschien dat we nu, als God het wil, onze verschillen kunnen vergeten en opnieuw beginnen. Er was nog zoveel dat hun, de op de wereld losgelaten zonen van Solomon, te doen stond. Ze hadden beiden in hun leven reizen gemaakt, hadden tegenspoed en het geluk van overwinningen gekend en ze zouden niet klein te krijgen zijn! Ze zouden het verleden achter zich laten. Ze waren beiden sterk genoeg en samen zouden ze elke uitdaging aannemen, groot of klein. Dank u, Heer, dat u Aäron weer bij me terug hebt gebracht, dacht Daniel. Uw wegen zijn raadselachtig, maar geef ons alstublieft nog een kans voor een gezamenlijke toekomst.

Zodra de hoge stalen hekken van de gevangenis de volgende ochtend opengingen, stond hij binnen. Hij slaagde erin toestemming van de hoofdintendant te krijgen de gevangene nog voor de bezoekuren op te zoeken. Aäron lag het grootste deel van de dag bewusteloos en zijn ademhaling reutelde in zijn keel als dorre bladeren die wegwaaien in de wind. Daniel huiverde toen hij keek naar het uitgemergelde lichaam en bedacht wat voor verschrikkingen dat had moeten doormaken. Wat hadden ze met hem uitgespookt, met die sterke prachtige jongeman, die hij nog voor zich zag als zo ongelofelijk mooi dat het leven er geen krasje op leek te kunnen maken. Maar ze hadden zijn geest niet kunnen aantasten, zoveel was wel duidelijk geworden uit zijn korte ontmoeting met zijn broer. Nee, ze konden doen wat ze wilden, maar ze konden de stalen kern die in mensen als Aäron school, in mensen als Joshua-chithappa, nooit kapot krijgen... Wat hadden ze toch, dat ze in hun vluchtige bestaan zo veel schittering uitstraalden dat ieder ander in hun schaduw moest staan? En waarom was hun leven van zo korte duur? Had hun Schepper hun een of andere noodlottige karaktertrek meegegeven waaraan ze al te gronde waren gegaan voordat ze tot een alledaags bestaan gedwongen werden? Was het voorbestemd dat zij als helden zouden leven en sterven en daardoor in de ogen van hen die naar hen opkeken, voorgoed volmaakt zouden zijn?

Laat in de middag deed Aäron zijn ogen open en had grote moeite om ze op Daniel te laten rusten. De haat laaide op. Toen hij begon te praten, was zijn stem zo zwak dat Daniel hem nauwelijks kon horen. 'Waarom ben je nog altijd hier?'

'Ik ben gekomen om jou hier vandaan te halen, thambi. Om jou weer gezond te krijgen. Jou naar de familie terug te brengen.'

'Welke familie?' siste Aäron. 'Abraham-chithappa heeft me allang verteld wat die familie waard is. Ik wil er niets mee te maken hebben.' Zijn zwakke stem klonk minachtend. Langzaam en pijnlijk draaide hij Daniel zijn rug toe.

Plotseling woedend wilde Daniel het uitschreeuwen: 'Weet jij wel wat wij hebben doorgemaakt? Heb jij daar enig benul van, klein misselijk mannetje dat je bent? Weet jij wel dat amma er krankzinnig van werd toen ze hoorde dat jij naar de gevangenis moest? Weet jij dat Rachel dood is, en thatha dood? Weet jij iets van die verschrikkelijke tijd die wij hebben gehad...' Tot zijn afgrijzen besefte Daniel dat hij de woorden niet alleen maar gedacht had, maar in zijn boosheid hardop uitgesproken. Hij vocht uit alle macht om zich in te houden. Wat wilde hij nu, Aäron doodmaken? Kon hij dan nooit iets goed doen als het zijn broer aanging?

Aäron draaide zich om, terug naar hem, met die enorme schitterogen in zijn uitgeteerde gezicht.

'Wat zei je daarnet?'

'Niets, niets, de woorden ontglipten me, sorry, thambi, ik wilde je niet overstuur maken...'

'Amma... Rachel... Thatha...' De pijn in Aärons stem was niet mis te verstaan.

'Het spijt me zo, thambi, wat een stomme kerel ben ik toch. Alsjeblieft...We hebben nog alle tijd van de wereld om verder te praten als je beter bent. Span je nu niet te veel in, rust...'

Aäron viel hem in de rede. 'Is er nog meer? Zeg me, is er nog meer?'

'Thambi, we kunnen later wel praten. Alsjeblieft...'

De gebarsten lippen vormden een kort zinnetje: 'Geen tijd!' En toen zei Aäron, die moest worstelen om de woorden eruit te krijgen: 'Had ik dat geweten, had ik dat geweten, al die jaren dat ik amma haatte... Jou... Mijn god, broer!'

Dwars door Daniels dodelijke bezorgdheid heen welde er een grote vreugde in hem op toen Aäron die beleefdheidsvorm jegens hem gebruikte. Hij leunde voorover, pakte de benige hand van zijn broer, waar de knokkels absurd uitstaken, en legde die in zijn eigen hand. 'Rusten, thambi, je moet rusten...' zei Daniel en de tranen liepen hem over de wangen. 'We zijn weldra allemaal weer bij elkaar...'

'Wat heb ik gedaan...' begon Aäron, toen hij door een hoestbui werd overvallen.

'Genoeg, thambi, we praten later nog wel, dit doet je geen goed. Hier, neem je medicijn maar...'

Aäron wuifde het drankje weg. 'Laat me uitspreken, anna, zo veel kracht heb ik niet meer.'

De tranen liepen Daniel nog steeds over zijn gezicht. Hij deed geen poging ze weg te vegen.

Aäron zei: 'Zo veel spijt... Weinig kan ik er nu nog aan doen. Kon ik amma maar zien, Rachel...'

'Maar dat ga je ook...'

'Ik ben bang van niet, anna, hen niet en mijn geliefde Chevathar niet.' Aäron pauzeerde even en ging toen meteen verder. 'Weet je, een van de dingen die me overeind hielden was altijd maar weer de herinnering aan Chevathar. Van mijn familie moest ik niets meer hebben, daar had chithappa wel voor gezorgd, maar Chevathar, o, Chevathar was er altijd, dat hield me gaande. De ironie wil dat ik de plek die het belangrijkste in mijn leven werd, altijd maar bleef ontvluchten...' Zijn stem zakte weg omdat zijn krachten het begaven. Tegen de protesten van Daniel in worstelde hij zich naar nieuwe woorden, om af te maken wat hij wilde zeggen. 'Is het niet vreemd dat we de belangrijkste dingen pas beseffen wanneer het te laat is? Misschien is dat Zijn manier om ons eraan te herinneren hoe nutteloos en onbeduidend we eigenlijk zijn.'

Omdat de zieke man langdurig lag te schudden onder een hevige hoestbui, diende Daniel hem snel het slaapdrankje toe; Aäron mocht zich beslist niet langer inspannen. Toen het leek te werken en het geteisterde gezicht van zijn broer zich begon te ontspannen, leunde Daniel weer achterover.

Op dat moment deed Aäron zijn ogen weer open. 'Jij moet teruggaan, anna,' zei hij traag, 'je hoeft niet dezelfde spijt te voelen als ik. Je mag dan weinig op mij lijken, maar je bent wel de laatste van ons...'

Aäron sliep de rest van de dag. Daniel wist van de hoofdintendant toestemming te krijgen de nacht in de ziekenzaal door te mogen brengen. Hij bleef wakker liggen en luisterde naar de moeizame ademhaling van zijn broer terwijl hij bad dat Aäron beter mocht worden. Heel vroeg in de ochtend doezelde hij weg. Hij dacht dat hij zijn broer 'Jayanthi' hoorde zeggen en dat hij de vrouw, jong en mooi, met ogen die zo donker waren dat ze alle licht leken op te nemen, naar hem toe zag gaan...

In de ochtend, toen hij wakker werd, was Aäron dood, om zijn lippen het begin van een glimlach.

51

Enkele kilometers voor Chevathar paste het landschap dat zich buiten de jutka voor Daniels ogen ontvouwde precies bij het beeld dat in zijn herinnering was gaan herleven. De weg was een in de rode aarde getrokken glinsterende blauwzwarte streep. Kleine clusters van lemen huisjes schoten op uit een schijnbaar levende aarde, waar zo nu en dan iets massiefs doorheen prikte, blauw, groen of wit, alles omzwachteld en overkuifd door het saaie groen van de kokospalmen en het nog saaiere groen van de olijfbomen of de arekapalmen. Terwijl hij de vertrouwde details in zich opnam, werd hij overweldigd door een diepe ontroering. God, hoe heb ik zo lang weg kunnen blijven. Aäron had gelijk, Chevathar is de plek waar ik thuishoor. Hij leunde zo ver hij kon uit het voertuig naar buiten om alles wat zich aandiende voor zijn herinnerende blik in zich op te nemen.

Ze reden een stukje door onbewoond gebied. Dit landschap vol gruis en stenen bezat een schoonheid die niet aan nostalgische gevoelens kon worden toegeschreven. De hand die dit goddelijke landschap schilderde, had hier en daar felle klodd. aangebracht als de geniale wilde toets die contrast gaf aan de sobere aardekleuren van de achtergrond – het sprankelende rood van een koraalboom dat zich door het vlammende rood van het bos vlecht, en de spetters geel van de gouden regen die zich slechts lieten temperen door het zachte donkerpaars van de jacaranda. Ieder nieuw vergezicht dat hij gretig op zich in liet werken, raakte hem heviger dan het vorige.

Ik zal Chevathar voor jou heroveren, Aäron, zwoer hij plechtig. Ik zal het voor ons allemaal heroveren. Het spijt me dat het zo lang heeft geduurd. Opnieuw vroeg hij zich af, of terugkeer naar Chevathar misschien het medicijn was dat zijn moeder nodig had. Hij moest weer denken aan wat er direct na de dood van zijn broer gebeurde. Toen hij in Nagercoil was teruggekeerd, had hij het nieuws voor Charity geheimgehouden; hij wist niet of zij er wel tegen opgewassen zou zijn. Op haar vraag hoe het met Aäron was, had hij gezegd dat het wel goed met hem ging, en toen leek ze gerustgesteld. Drie dagen later was ze, voordat ze aan het werk ging, eerst naar hem toe gekomen. 'Ik heb vannacht gedroomd dat Aäron bij zijn vader in de hemel was.' Toen Daniel haar als door de bliksem getroffen had aangekeken, had ze met een ijl vlak stemmetje gezegd: 'Je bent een goede zoon, Daniel, maar je mag niet tegen me liegen.' Hij was doodsbenauwd geweest dat ze een nieuwe inzinking zou krijgen, maar ze had al zo veel verdriet te verduren gehad dat het wel leek of het haar gevoelsleven murw had geslagen. Het deed hem pijn in haar ogen de lege blik te moeten zien, het gebrek aan belangstelling voor haar kleinkinderen en familie, maar hij was tegelijk opgelucht dat ze zichzelf geen schade berokkende. Toen de weken voorbijgingen en haar toestand geen tekenen van verslechtering vertoonde, begon hij plannen te maken voor zijn reis naar Chevathar.

Meenakshikoil, waar hij tegen het korte uur van de schemering aankwam, was een openbaring. Lichtende doorkijkjes vanaf de drukke groentemarkt lieten een stad zien die was gegroeid en uitgebreid. De weg dwars door de stad voerde langs twee scholen die er niet hadden gestaan toen Daniel uit Chevathar was weggegaan, en langs een gloednieuwe gevangenis en flink wat winkels. Eindelijk kwamen ze bij de oude brug die naar het dorp leidde.

Toen de jutka eroverheen ratelde, spande Daniel zich in om elke glimp ervan op te vangen, elk geurtje en elk geluid. Het dorp zag er in grote lijnen nog hetzelfde uit, behalve dat er een paar stenen huizen bij gekomen waren en dat het er stoffiger en smeriger was dan vroeger. Een stelletje straathonden rende een tijdje blaffend achter de jutka aan en toen was het paard er al doorheen en ratelden de wielen Anaikal voorbij en het braakland met acacia's, waar als vanouds mestgeur vanaf sloeg. De Murugan-tempel was netjes opgeknapt, zag hij. Nog een paar minuten en toen waren ze bij het Grote Huis.

Daniel was hevig geschokt door wat hij zag. Het was alsof de vitaliteit en grandeur die hij in zijn verbeelding met zijn ouderlijk huis verbonden had, eruit weggetrokken waren. De grote neem- en regenbomen, de overdaad aan palmen, de teakboom die achter het huis groeide, alles zwart afgetekend tegen de grijze deken van de lucht, zagen er beslist boosaardig uit, als dode geesten die het huis, dat ze eens tot bescherming hadden gediend, nu bedreigden. Zelfs in het schemerlicht kon Daniel zien dat het huis in een vergevorderd stadium van verwaarlozing verkeerde. Het dak had de helft van zijn pannen verloren, ramen hingen scheef in de kozijnen, het was duidelijk al in geen jaren meer gewit, en de tuin lag bedolven onder dor blad en ander afval. Hij liep om het huis heen. Het zag er allemaal levenloos uit en toen kwam er een donkere schim uit het grimmige halfduister te voorschijn en hij kon de hond nog juist op tijd ontwijken. Hij raapte een steen op en gooide die naar het beest, dat jankend afdroop. Hij bleef om het huis lopen en op ramen en deuren bonzen, en eindelijk klonk er een beverige stem: 'Wie is daar?'

Het grootste gedeelte van de reis had het bedrog van zijn oom (want hoewel Aäron zijn geheim met zich had meegenomen was het niet moeilijk geweest er zelf achter te komen) hem beurtelings razend gemaakt en voor raadsels gesteld. Waarom had Abraham dat gedaan? Waarom hadden hij en zijn vrouw Aäron tegen diens familie opgezet? Hij kon zich gemakkelijk de grote lijnen van hun lastercampagne voorstellen en de details waren nu niet meer van belang – Abraham en Kaveri hadden het verwarde gemoed van Aäron volgestopt met zorgvuldig verzonnen feiten omtrent zijn moeder en hemzelf toen ze Chevathar en de geboortegrond van hun voorouders hadden opgegeven voor de verblindende pracht van Nagercoil, over hun voorspoed terwijl ze hem verwaarloosden. De rest was waarschijnlijk vanzelf gegaan, vanwege Aärons trots. En wat was het allemaal onnodig geweest. Nooit hadden hij of Charity Abraham om iets gevraagd, ze hadden zich zelfs niet met protesten verweerd toen ze verstoken waren gebleven van de schrale toelage die hij had toegezegd nadat hij hen uit het huis had gezet. En zijn broer? Waarom had hij niet eens de moeite genomen alles na te trekken? Daniel dacht terug aan zijn laatste woorden. Wilde Aäron hem híer naar terug laten gaan? Of was hij te lang weggeweest om het huis in deze vervallen staat gezien te kunnen hebben?

De eerste aanblik van Abraham Dorai had hem verbijsterd. Zijn oom was altijd vel over been geweest, maar nu staken in zijn gezicht en op zijn borstkas de botten helemaal uit. Slechts gekleed in een smoezelige dhoti, zag hij eruit als een bedelaar. Hij stond met zijn ogen te knipperen naar de man tegenover zich en wist Daniel gedurende enkele langdurige seconden niet thuis te brengen, waarna er opeens een brede grijns over zijn gelaat gleed.

'Daniel-thambi, ben jij dat werkelijk? *Vaango, vaango.*' Hij riep hard naar zijn vrouw en liep toen naar voren om zijn neef te begroeten. Toen kwam Kaveri te voorschijn en begroette Daniel even uitbundig als haar man had gedaan. En toen bleven ze een tijdje onzeker bij elkaar staan, omdat ze niet wisten hoe het nu verder moest. Daniel zag met verbazing hoezeer man en vrouw op elkaar waren gaan lijken – hun gelaatstrekken hadden definitief vaste lijnen gekregen die zo aan eenzelfde mal konden zijn ontleend. Hij herinnerde zich nog hoe ze waren. Kaveri, kort, gezet en vrij licht, en Abraham, lang en donker. Nu waren hun gezichten gegroefd en hun haar was wit. Een huwelijk dat decennialang kinderloos gebleven was kon dat kennelijk aanrichten, dacht Daniel peinzend.

Hij vond de gedachte onverwacht humoristisch. Maar er was niets grappigs aan de manier waarop zij zich gedragen hadden. Door hun hebberigheid en zelfzucht hadden zij zijn familie uit elkaar gedreven, Solomon te schande gemaakt, de dood teweeggebracht van zijn broer en de krankzinnigheid van zijn moeder.

Grimmig stemde hij toe te blijven voor de nacht. Hij sloeg het avondeten af en vroeg alleen een glas water. Kaveri bracht hem een beker karnemelk. Hij ging buiten op de veranda zitten om die op te drinken, zoals zijn vader vaak gedaan had, en luisterde naar het relaas van Abraham, hoe moeilijk de tijden waren geweest. Alle dorpen waren door het gouvernement verkocht of overgenomen tegen vrijstelling van schatplicht en nu bezat hij nog slechts twaalf hectare land hier en in een dorp verderop in het noorden. Dat was de reden dat hij Charity niet meer de geregelde schenkingen had doen toekomen van manden mango's en rijst, zoals was toegezegd.

'Jullie zijn slechte mensen,' zei Daniel, 'Ik heb met Aäron gepraat voordat hij stierf en hij heeft me alles verteld.'

Kaveri kwam juist op de veranda en begon hevig te snikken. 'O, die arme verblinde jongen toch. En we waren nog wel zo lief voor hem en hebben hem steeds alles gegeven en nu is hij gestorven, moge zijn ziel rust vinden bij Jezus. Wanneer zal er eens een einde komen aan onze zorgen na alle offers die we hebben gebracht...'

Daniel viel haar met barse stem in de rede. 'Die offers van jullie bracht je alleen maar uit eigenbelang. Als de helft van alles wat ik gehoord heb...' Verder kwam hij niet. Zijn tante en oom bij wie de tranen door de gleuven en groeven van hun gelaat biggelden, bogen diep voorover tot ze zijn voeten raakten, waarop hij in afgrijzen opsprong. Ze vroegen hem hen te vergeven. Ze waren alleen maar zo geworden door hun armoede en de grote schuldenlast die op hen drukte. Ze bleven doorpraten tot diep in de nacht, terwijl de muggen en andere insecten hun om de oren zoemden. Onder het luisteren werd Daniel eerst razend, vervolgens kreeg hij met ze te doen. Hij beklaagde hen om hun ellendige leven en om hun inhaligheid en onzekere bestaan, waardoor ze geen moment rust hadden gekend. Toen ze in herhaling begonnen te vallen en zich aanstelden, riep hij hen een halt toe en sprak zijn oordeel uit. Hij had erover gedacht hen te laten boeten maar nu anders besloten. Hij zou hun drieduizend roepies betalen, precies het bedrag dat zijn moeder en hij van hen ontvangen hadden voor het huis en het land, en daarmee moesten ze voorgoed uit Chevathar weg trekken. De oude man en vrouw barstten in tranen uit zodra hij was uitgesproken en Daniel liet zich overhalen de voorwaarden een beetje te wijzigen: de vergoeding zou even hoog blijven, maar ze zouden een paar bunders met rijst en kokospalmen mogen behouden en toestemming krijgen een klein huisje in het dorpje ten noorden van Chevathar te bouwen. 'Ik bewijs je hiermee veel meer mededogen dan jullie ooit voor mijn moeder hebben gehad, of voor mij. Ik hoop bij God dat het goed is wat ik doe,' zei Daniel, voordat hij hen uit zijn ogen deed verdwijnen.

De volgende ochtend stond hij vroeg op en de geluiden van de dageraad brachten in hem het gevoel boven dat hij eindelijk thuis was gekomen. Hij liep naar de zendingspost en zag tot zijn verdriet de zwartgeblakerde ruïnes van de kerk. Op het kerkhof bracht hij lange tijd bij de graven van zijn vader en Father Ashworth door. Hij dacht aan niets speciaals en liet zijn gevoelens vrij spel met het ruisen van de wind door de kokospalmen en de zware deining van de zee tegen het verlaten strand. De herinneringen overspoelden hem en de belevenissen van zijn familie die het diepst in zijn ziel gegrift stonden kwamen weer boven en hij liet ze rustig over zich heen komen... Toen hij eindelijk opstond om terug te gaan, was hij uitgeput door het opnieuw beleven van de tragedies en hoogtepunten in de geschiedenis van de Dorais. Maar het was noodzakelijk geweest, want het had hem geholpen zijn besluit te nemen. Nu wist hij absoluut zeker wat hem te doen stond.

52

Daniel Dorai was vijfendertig jaar en een van de rijkste mannen in Nagercoil, toen hij het besluit nam zich opnieuw op voorouderlijke bodem te vestigen. Zijn hele familie, behalve Charity die zich niet voor of tegen het idee uitsprak, was in consternatie over zijn nieuwe obsessie. Toen Lily en Ramdoss, zijn zwager, hem rekenschap vroegen, was het enige wat hij zei: 'In Chevathar heeft altijd een Dorai gewoond. Het wordt tijd dat ik terugga, nu mijn vader en mijn broer gestorven zijn. Ik ben een vreemde in mijn eigen land geworden en ik zou het graag opnieuw willen leren kennen.' Ze deden wat ze konden om hem op andere gedachten te brengen, maar hij was niet te vermurwen en toen lieten ze hem met rust, in de hoop dat de hoge werkdruk hem uiteindelijk van zijn plannen af zou brengen.

Maar dat gebeurde niet. Hoewel het nog jaren duurde voor Daniel eindelijk terugging naar Chevathar, bleef hij bij zijn besluit. Intussen waren er dringender zaken die zijn tijd opeisten. Hij moest goed op zijn bedrijfje letten dat zich in een razend tempo aan het uitbreiden was; er waren de gebruikelijke op-dringerige verwanten en vrienden, en met hun vragen moest tactvol worden omgegaan; de kinderen vroegen aandacht, zowel die van hemzelf als die van Rachel; en ten slotte was er nog Miriam die haar eigen plek moest krijgen.

Zijn grondig verwende zuster had moeizaam haar huishouddiploma be-haald en nooit nagelaten iedereen die maar luisteren wilde te vertellen dat haar leven geruïneerd was. Als ze een oude vrijster zou worden, wist ze pre-cies wiens schuld dat was. Ze had het benul gehad zich te gedragen toen haar familie moeilijke tijden beleefde, en toen het jaar rouwen om Aäron voorbij was, begon Daniel maatregelen te treffen voor haar huwelijk. Hij had zich zorgen gemaakt of Charity wel van de partij zou kunnen zijn, maar hoewel zijn moeder niet de hele verantwoordelijkheid op zich nam, begon ze zich er wel voor te interesseren. Na talloze aanzoeken te hebben gewikt en gewogen, want aan ouders die hun zoons ten huwelijk wilden geven aan de zuster van dr. Dorai was er geen gebrek, lieten Charity en Daniel hun oog vallen op een jonge advocaat aan wie ze de voorkeur gaven boven afstammelingen van rijke families met veel land. Aruls familie was welvarend, maar Daniel was vooral onder de indruk van de vastberadenheid van de jongeman om aan een eigen carrière te bouwen. Hij huwelijkte zijn zuster uit met rijkeluisvertoon. De feesten duurden bijna een maand en de bruidsschat behelsde boven op de tra-ditionele geschenken en het bedrag aan geld ook nog een spiksplinternieuwe Ford racewagen.

Maar ondanks de onmetelijke hoeveelheid verplichtingen die hem in Nager-coil bezighielden, reed Daniel dikwijls naar Chevathar. De deftige verschijning van zijn zonniggele Oldsmobile die langzaam door de stoffige straten van het dorp reed, viel na een paar jaar al niet meer op. Hij liet zich op die tochten altijd vergezellen door Ramdoss en door een verre neef van Charity, die Santosham heette en hem had geholpen de kleine fabriek te bouwen waar zijn patentge-neesmiddelen werden vervaardigd. De drie mannen liepen geduldig de tiental-len kleine boeren af die in en rond Chevathar land bezaten, en voerden onder-handelingen over hun grond. Doorgaans verkochten de boeren maar al te graag, want dr. Dorai bood bijna het dubbele van de marktprijs. Dikwijls had-den de nieuwverworven landerijen ooit aan Solomon toebehoord. Het werden steeds meer hectares. Tegen het einde van 1918 bezat Daniel honderddrieën-zeventig hectares in Chevathar en Meenakshikoil.

Op nieuwjaarsdag 1919 stuurde hij een brief naar het hoofd van elke fa-milie van de Dorai-clan. Er gingen honderddrieëntwintig brieven de deur uit, waarin hij een eenvoudig plan uiteenzette. Hij wilde een familiekolonie van de

Dorais opzetten in Chevathar. Hij was bereid iedere projectgegadigde een halve hectare land te geven (wie meer wilde hebben, kon dat krijgen voorzover het beschikbaar was) tegen een vijfde van de marktprijs. De enige voorwaarde was dat ze voor minimaal de periode van hun eigen leven in Chevathar zouden blijven wonen. En als hun erfgenamen het weer wilden verkopen, zou dat alleen maar aan eigen familie kunnen. Na herhaalde aanmaningen kreeg hij achtentachtig brieven terug. Een paar andere mensen dachten dat er bedrog in het spel was, weer anderen waren overleden en de rest was niet geïnteresseerd. Er kwamen vragen, nadere verklaringen, een niet te stelpen stroom van bijzonderheden, maar dr. Dorai loste geduldig ieder probleem dat werd opgeworpen op, alsof hij zich met pas opgedane bekeringsijver aan de zaak gegeven had.

Hij begon de noodzakelijke regelingen te treffen. Hij nam assistenten en medewerkers in dienst om de kliniek en de fabriek in Nagercoil te runnen, en stelde een datum vast voor de verhuizing: over twee jaar op 27 september, de geboortedag van Aäron. Op zijn volgende tocht naar Chevathar begon hij te werken aan zijn eigen huis. Hij had besloten dat het moest staan waar het Grote Huis nu nog stond. Van nature bescheiden besloot Daniel Dorai tegen zichzelf in te gaan en het schitterendste huis te bouwen van de hele taluqa en misschien wel van het district. 'De roem van de Dorais is al veel te lang teloorgegaan. Ik wil een huis hebben dat wel honderd jaar mee kan en een waardig eerbetoon is aan mijn vader en mijn broer,' legde hij uit aan Santosham en Ramdoss. De enige ruimte die hij van het oude geraamte wilde laten staan, zou het vertrek zijn dat zijn vader had gebruikt.

53

De verwaarloosde acaciaboom aan de rand van het moeras wierp een morsige schaduw. Santosham had er nu al zes maanden onder gezeten wanneer hij de inspanningen gadesloeg van zo'n honderd man die van 's ochtends vroeg tot 's avonds laat aan Daniel Dorais 'duizendjarige huis' – zoals het plaatselijk bekendstond – werkten. Hij was een kleine opgewekte man met een grote vormeloze neus, en een van de eersten die van Daniels nieuwe obsessie met familie profiteerden. Hoewel hij zijn ingenieurstitel nooit behaald had en het leven nogal gemakkelijk opnam, had hij zich aangaande bouwzaken wel een basiskennis verworven via een aannemer in Nagercoil. Wat Santosham niet wist omtrent zwevende timpanen en stortbeton, werd ruimschoots goedgemaakt door zijn vermogen hard te werken en door zijn talent met onorthodoxe oplossingen aan te komen voor schijnbaar onoplosbare problemen. Daniel was meer dan tevreden over de karweitjes die Santosham voor hem had opgeknapt en zag er niet tegenop hem de opdracht te verstrekken tot de bouw van het huis.

Zodra hij zijn plek en zijn aannemer had uitgezocht, was Daniel naar Madras getogen om zijn architect uit te kiezen. Hij had er drieëntwintig aan de tand gevoeld voor hij zijn keuze liet vallen op Colin Snow, die al tot de derde generatie leerlingen behoorde van Mad Mant, halverwege de negentiende eeuw de originele bedenker van de Indo-Saraceense stijl waarin Indiase barok vermengd was met Engels gezond verstand teneinde een zeldzaam mooie nieuwe kruising van stijlen voort te brengen. Bij die Saraceense grandeur was het alleen wel zo dat er een enorm bedrag aan geld voor nodig was, en zelfs Daniels aanzienlijke fortuin zou maar net toereikend zijn. Zijn architect en hij besloten daarop tot iets minder weelderigs. Ze reden een week lang kriskras door de stad voordat ze uiteindelijk hun oog lieten vallen op een van de fraaie huizen met tuinen op de oevers van de Adyar als model voor het huis van de Dorais.

Nadat hij een waarborgsom had betaald, had Daniel Snow uitgenodigd Chevathar zo gauw mogelijk te bezoeken. De architect was een paar dagen later naar het dorp gekomen om het terrein voor het monumentale bouwwerk te inspecteren: zeven hectares land aan de rivier, inclusief de plek waar het Grote Huis had gestaan. Het enige probleem was dat in al die jaren de Chevathar zijn loop gewijzigd had en een aanzienlijk deel van het land waarop Snow zou moeten bouwen was drassig, zodat het er wemelde van muggen. Hij had voorgesteld dat Daniel een ander terrein zou uitzoeken, maar die wilde daar niets van weten. En iets kleiners wilde hij ook niet in overweging nemen. Zijn aanwijzingen aan zijn architect waren helder: het bouwwerk moest een monumentale schrijn worden voor de onoverwinnelijke geest van de Dorais, en de grootsheid van de familie aan de hele wereld duidelijk uitstralen.

Snow ging prat op zijn talent elementen van de directe omgeving in zijn ontwerp te kunnen opnemen. Maar wat kon je nu met moeras?

De architect en de aannemer bespraken de praktische uitvoerbaarheid van een fundament van palen, een nog betrekkelijk nieuwe gedachte in de bouwindustrie, maar ze zagen er uiteindelijk van af. Het zou hebben betekend dat ze alles, op de chunam en stenen na, per trein en per boerenkar hadden moeten aanslepen uit de hoofdstad van het district of zelfs van nog verder weg. Ten slotte kwam Santosham met een oplossing die vooral zijn aangeboren slimheid aantoonde: ze zouden een hele reeks ondiepe putten graven, kriskras door het drassige land, waaraan via afvoerkanalen het water onttrokken zou worden. Was het water eenmaal weg, dan konden de putten weer worden opgevuld met gebroken tegels, zand, kiezels en vermalen steen, dat stevig werd aangestampt zodat het allemaal zo hard als graniet zou worden in de brandende zon. Daarbovenop zou het fundament worden gelegd. Snow had meteen tien keer zo veel ontzag voor zijn collega, want Santosham kwam met hetzelfde voorstel als zo'n honderd jaar daarvoor de Schotse ingenieurs die het moeras droeglegden waarop de schitterende St. Andrew's Kirk in Madras nu stond. Toen Snow dat zei, keek Santosham hem niet-begrijpend aan – hij had de grote kerk nooit gezien en wist nog minder hoe die gebouwd was.

Het werk vorderde langzaam en was saai, en zeven maanden nadat hij was begonnen had Santosham nog maar tachtig ondiepe putten gegraven, iets meer dan de helft van alle putten die er nodig waren. Daniel werd ongeduldig en verdubbelde het aantal arbeidskrachten tot vierhonderd man, maar het was warm, moeizaam en smerig werk. De arbeiders, die slechts een schamele lendendoek droegen, werkten terwijl ze half in het water stonden. Als ze dieper groeven gingen ze helemaal kopje-onder, maar ze bleven doorgraven en hielden hun adem een poosje in voordat ze proestend en spetterend weer boven kwamen. Terwijl de maanden verstreken, bleef het moeras onveranderlijk drassig. Santosham was dikwijls de wanhoop nabij. En toen, in de negende maand, werd de vaste grond zichtbaar, en daarna ging het heel snel.

Het gekwetter van mussen, mynahs en kraaien werd overstemd door een nieuw geluid – het getik van honderden botte hamers waarmee de vrouwen onder het arbeidsvolk aan het lastige karwei begonnen van het versplinteren van grote keien tot hoopjes fijne scherven die bij de constructie gebruikt zouden worden. Er steeg rook op uit steenovens en iedere dag kwamen er krakende ossenwagens met allerlei bouwmateriaal langs.

Toen de fundamenten eenmaal gelegd waren, waren de muren rap opgetrokken. En toen kreeg Daniel tijdens een van zijn bliksembezoeken in Chevathar, ruzie met zijn architect. Hij had pas nog het naburige vorstendom Mysore bezocht en was erg onder de indruk van de kunstige gevellijsten en overkappingen die als puntmutsen uitstaken boven de ramen en deuren van de paleisachtige bungalows. Hij wilde dat Snow die aparte puntdakjes ook in zijn ontwerp zou opnemen, maar de Engelsman, voor wie de lijnen van zijn gebouw heilig waren, weigerde dat.

'Dr. Dorai, hoewel dit uw huis is waar u voor betaalt, moet u toch begrijpen dat ik volledig verantwoordelijk ben voor de vorm ervan, waaraan u uw goed-keuring hebt verleend, anders werkt het gewoon niet. Als u een imposant huis wilt, moet u mij de dingen op mijn manier laten doen.'

Daniel keek in diep gepeins verzonken naar de architect en zei toen: 'Ik dank u voor alle moeite die u hebt gedaan, maar dit is mijn huis en ik wil de dingen op mijn manier gedaan hebben. Dat is de enige manier waarop het zal werken.' Snow ging dezelfde dag nog weg en verwenste zijn cliënt, maar zijn kwaaie humeur trok wat bij door de royale gift die hij ten afscheid had ontvangen.

Tot zijn grote verbazing zag Santosham zichzelf nu belast met de ver-antwoordelijkheid voor het hele project. Binnen een paar dagen kwamen zijn beperkingen aan het licht. De aannemer zag een enorme slaapkamer ont-staan, om vervolgens te ontdekken dat er geen raam in zat. Op een van zijn pe-riodieke inspectietochten was Daniel om het gebouw heen gelopen voordat hij onder de indrukwekkende *porte-cochère* stil bleef staan. Hij keek lange tijd aandachtig naar de voorkant van het gebouw, de glinsterende zuilen van Palla-varam-gneis, de diepe erkers, en toen draaide hij zich om en schreeuwde naar Santosham die hem zenuwachtig was gevolgd: 'Ezel die je bent, nu ben je an-derhalf jaar bezig geweest dit huis te bouwen en kijk eens wat je gedaan hebt!'

'Wat dan, anna?'

'Je bent vergeten er een voordeur in te zetten.'

'Maar we zijn altijd door de achterdeur binnengekomen, anna!'

'Wat was je dan van plan te doen, sufferd, het huis honderdtachtig graden draaien?'

'Nee, anna, ik zal de deur er nog in maken.'

'Dat is je geraden ook, en ik zal voor een beetje assistentie zorgen.'

Binnen veertien dagen kwam er een andere architect, deze keer uit Mysore. Samuel Brown had verscheidene bungalows gebouwd met de aparte puntdak-jes die Daniel zo graag wilde. Het werk ging nu veel sneller.

Brown werd opgedragen een passende tuin voor het landhuis te ontwerpen. In een land waar zand en steen de overhand hadden was hij vast van plan het huis te laten dobberen op een zee van groen en uitbundige kleuren. Hij legde een groot gazon aan; het groen werd onderbroken door priëlen waarin als in een branding het roze en wit van bougainvilles verstoof en met het geel van eierdooiers klimrozen dreven. Hij legde een beschutting aan van kasuarbomen en gaf de enkele banyan, de heilige Indische vijg en de neemboom die de jaren van verwaarlozing hadden overleefd, een interessant karakter door er dingen omheen te zetten. Sommige van de dreigend hoog opgeschoten woudreuzen kregen onder aan hun voet een kring van hibiscussen en crotons, andere mochten smeedijzeren banken en tafels beschaduwen. De rode aarde van Chevathar werd hier en daar opgehoogd tot kleine bergjes en versierd met zeeschelpen en bloeiende heesters, tuinbeelden en fonteinen.

Al voordat met het huis begonnen werd, was een legertje tuinlieden begonnen de eeuwenoude mangobossen in ere te herstellen. Weldra had het nieuwe landhuis door enting, snoei, aflegging, bemesting en herplanting een elegante kraag van Chevathar Neelams gekregen op een stuk grond van achthonderd meter bij anderhalve kilometer, die de contouren volgde van de halfronde veranda aan de achterkant van het huis en het terrein tussen het huis en de rivier bestreek. Naar het midden van het gazon aan de voorkant werd voorzichtig een grote mangoboom overgeplant. De tuinopzichter werd speciaal belast met de zorg voor deze boom en kreeg een waarschuwing dat hij op straffe van onmiddellijk ontslag of erger, deze prachtboom als familiejuweel altijd gezond moest houden, altijd groots en indrukwekkend. Hij nam zijn taak serieus op. Om de andere dag liet hij honderden bladeren met de hand schoonmaken. De vruchten werden in het oogstseizoen glad en glanzend gewreven en twee jongetjes uit het dorp zorgden dat eekhoorns en kraaien er geen aandacht voor hadden.

54

Aan de buitenrand van Meenakshikoil, even voor de winkels begonnen, was een grote open plek van korrelige rode aarde met hier en daar wat droge plukjes gras. De helft ervan was door een school als sportveld in beslag genomen. De meeste dagen kwam het tot leven onder de schorre kreten van schooljongens die op het oneffen terrein probeerden te hockeyen.

Op een avond stapten Ramdoss, Santosham en Daniel in de Oldsmobile en reden naar de stad. Toen ze het hockeyveld passeerden, zag Daniel een groot vuur bij de verste doelpalen. Een grote groep schooljongens stonden er in hun ondergoed omheen. Verbaasd beval Daniel de chauffeur te stoppen en stuurde Santosham eropaf om poolshoogte te nemen.

De aannemer kwam met een van de jongens terug. Hoewel hij een beetje schrok toen hij Daniel voor zich zag, gaf de knaap vrijmoedig antwoord op zijn vragen. Ze hadden niet naar school willen gaan, zei hij, en een vreugdevuur ontstoken met hun kleren, als reactie op een oproep die Gandhi-thatha had doen uitgaan.

'Wat heeft dit allemaal te betekenen?' vroeg Daniel aan Ramdoss.

'Zijn jongste initiatief, anna. Ze noemen het de Non-coöperatiebeweging,' antwoordde Ramdoss. Na de dood van Aäron was Daniels afkeer van politiek zo toegenomen dat hij zelfs de kranten niet meer wilde lezen. Hij vertrouwde erop dat Ramdoss hem op de hoogte zou houden. En hoewel Gandhi's aanwezigheid nu zo alom voelbaar was geworden dat zelfs Daniel over hem gehoord had, wist hij weinig af van de Non-coöperatiebeweging. Ramdoss praatte hem snel bij. Gandhi had beloofd binnen een jaar zijn land van de Engelse heerschappij te bevrijden en een beroep op zijn landgenoten gedaan niet langer met de Britten samen te werken. Leerlingen en studenten moesten wegblijven van scholen en collegebanken, en juristen moesten de rechtsgang boycotten. Uitheemse kleding diende verbrand te worden en toddystokerijen geboycot.

'En hij verwacht dat dat allemaal gebeurt?' vroeg Daniel ongelovig.

'Het is al volop aan de gang, anna, deze jongen hier vóór u is er een sprekend voorbeeld van.'

'Weet je ook waarom je dat doet?' vroeg Daniel de jongen streng.

'We moeten het schoolsysteem en de uitheemse kleding boycotten, aiyah,' antwoordde de jongen stijfkoppig.

'Jullie moeten onmiddellijk weer naar school gaan, jij en je vriendjes,' beval Daniel. 'Zonder onderwijs worden jullie een stelletje nietsnutten.'

Zonder af te wachten en te kijken of ze zijn bevel wel opvolgden, stapte hij weer met Ramdoss en Santosham in de auto en gaf de chauffeur opdracht door te rijden. 'Moet dit aan de tahsildar melden,' zei hij geërgerd. 'Dit is te gek voor woorden en ik hoop dat Narasimhan er wat aan kan doen.'

P.K. Narasimhan, de tahsildar, was iemand voor wie Daniel een heleboel tijd had. Afkomstig uit een familie van Tanjore geleerden, bezat Narasimhan een encyclopedische kennis van de klassieken, maar ook van gangbare zaken. Je was ervan verzekerd dat je met hem een pittige discussie kon voeren. Hij had heel efficiënt hulp geboden toen Daniel aan zijn kolonie begonnen was, en die was zijn bezoeken aan het kantoor van de tahsildar zeer plezierig gaan vinden. Maar toen Daniel deze keer vroeg of hij iets kon doen aan de spijbelaars, zei hij dat hij machteloos stond. Hij zei het in het Engels, de taal waarop hij van tijd tot tijd overging, vooral wanneer hij zijn gedachten zorgvuldig wilde overwegen en formuleren. Het had Daniel aanvankelijk wat in verlegenheid gebracht, maar hij was er mettertijd aan gewend geraakt.

'De orders van het gouvernement zijn dat er niets tegen ondernomen mag worden,' zei Narasimhan. 'Wij willen niet als onderdrukkers te werk gaan, vooral niet na de gewelddadigheden van Dyer in Jallianwala Bagh en de rellen in Punjab.'

'Maar Punjab ligt aan het andere eind van de wereld,' wierp Daniel tegen. 'Waarom kunnen wij onze jongens niet gewoon op school houden?'

'Meenakshikoil is niet de enige plaats, anna, die ermee te maken heeft gehad. Het hele land is in opschudding,' zei Ramdoss. 'Het zijn niet maar simpele dingen waartegen geprotesteerd wordt. Geen van de onlangs genomen maatregelen, de Rowlattwet niet en de aanbevelingen van de Huntercommissie niet, lijkt aan te slaan...'

'Dat is juist, ben ik bang,' zei de tahsildar. 'Onze laatste berichten melden dat meer dan negentigduizend leerlingen en studenten hun school en collegebanken vaarwel hebben gezegd en er wordt in iedere straat uitheemse kleding in brand gestoken. Er is geen enkele manier waarop we die zaak kunnen tegenhouden. Het enige waarop we kunnen hopen is dat het vanzelf dood zal bloeden.'

'Maar volgens Ramdoss wil Gandhi binnen een jaar jouw meesters het land uit hebben,' zei Daniel.

'Dat is wat hij zegt, ja,' zei de tahsildar met een zucht, 'maar zelfs Mr. Gandhi krijgt niet altijd gedaan wat hij wil.' Toen vervolgde hij: 'Maar ik denk dat u de methoden die Mr. Gandhi hanteert wel bijzonder boeiend zult vinden.'

'O,' zei Daniel.

'Hebt u wat tijd, dan zal ik ze met alle plezier onder een kop koffie met u bespreken.'

Daniel knikte. Santosham ging weg om aan de administratie te werken, waarvoor ze naar het kantoor van de tahsildar waren gekomen, terwijl Ramdoss en Daniel zich op de harde houten stoelen neerzetten. Narasimhan belde een bediende en bestelde koffie, waarna hij Daniel vroeg: 'Kent u het verhaal van mijn naamgenoot in de *Bhagavatam?*'

Daniel kende het verhaal vaag, en had geen idee wat het met Gandhi te maken zou kunnen hebben. Maar hij had best wat tijd over en de tahsildar wist een verhaal altijd goed te vertellen. 'Is hij niet een van de verschijningsvormen van de god Vishnu?'

'Heel goed, sir,' zei de tahsildar. 'Dat is juist en hij kwam in het leven als volgt.'

De door tegenspoed geteisterde Hiranyakashipu, begon de tahsildar, was een man van meer dan gewone ambitie. Hij wilde de onbetwiste Heer der drie werelden worden, onoverwinnelijk in de strijd, maar hij hunkerde vooral naar onsterfelijkheid. Om zijn doelstellingen te verwezenlijken bracht hij jarenlang in buitengewone boetvaardigheid voor de god Brahma door. Toen hij in diepe meditatie op de berg Mantara zat, werd hij omringd door mierenhopen en welig tierend onkruid dat hem aan het gezicht onttrok. Zo verslingerd was hij aan zijn doelbewuste passie van boetedoening dat Brahma nauwelijks een andere keuze had dan al zijn wensen in te willigen. Hiranyakahipu wilde maar een ding: de zegen der onsterfelijkheid. De schepper van de drie werelden zei dat het niet in zijn vermogen lag om aan dat verzoek te voldoen, omdat hij zelf niet onsterfelijk was, maar hij kon hem zeker het geschenk van immuniteit verlenen voor eigenlijk alles wat normaal bedreigend voor hem zou kunnen zijn.

'Hiranyakashipu probeerde te denken aan alles wat hem overkomen kon,' zei de tahsildar. Hij hield even op toen de bediende de koffie uitdeelde. Toen ze bediend waren, ging hij door met zijn verhaal.

Hiranyakashipu wenste dat niets van het door de god Brahma geschapene, wapens of mensen, dieren of andere levende of niet-levende dingen, voor hem dodelijk zou zijn. Die wens willigde Brahma in. Hiranyakashipu trad nog verder in details en probeerde alle mogelijke gevaren te bedenken die hem konden bedreigen. Hij vroeg om bescherming tegen goden, demonen en iedere vorm van ziekte. Ook aan dat verzoek werd voldaan. Hij zou niet dood mogen gaan binnen, noch buiten zijn huis, op klaarlichte dag noch midden in de nacht, op de grond noch in de lucht. Met dat alles stemde Brahma in. Ten slotte vroeg zijn toegewijde discipel hem of hij de heerser over het heelal mocht worden, met een fortuin dat nooit slinken zou. Ook dat stond Brahma toe en toen daalde Hiranyakashipu van het Mandaragebergte af.

Er gingen eeuwen voorbij en alle gunsten die Brahma aan Hiranyakashipu verleend had zorgden ervoor dat hij de onbetwiste heerser over de drie werelden werd. Het ellendige voor zijn onderdanen was dat zijn tirannieke geest niet voor zijn eerzucht onderdeed. Goden, demonen en gewone stervelingen baden tot de god Vishnu om verlossing van dit monster.

Hiranyakashipu had maar één zwakke plek, zei de tahsildar: zijn zoon Prahlada, die tot zijn vaders ontzetting een trouwe aanhanger was van de god Vishnu, de enige god voor wie de tiran bevreesd was. Hiranyakashipu had iedere vorm van overreding geprobeerd om zijn zoon van die trouwe toewijding af te brengen, maar tevergeefs. Toen probeerde hij hem om het leven te brengen. Hij had hem door wilde olifanten willen laten vertrappen, had cobra's, kraits en giftige adders op hem afgestuurd, hem van steile rotswanden naar beneden laten vallen en levend laten begraven, hem laten vergiftigen en in brand proberen te steken. De zoon overleefde elke krankzinnige poging hem koud te maken, en het maakte de vader nog razender. Ten slotte besloot Hiranyakashipu hem eigenhandig te vermoorden.

Op een dag viel hij zijn zoon zoals gewoonlijk weer eens lastig met een van zijn lange toespraken. Maar ook deze keer was Prahlada niet te vermurwen. Op een vraag van zijn vader zei hij dat de god Vishnu alomtegenwoordig was. De in woede ontstoken Hiranyakashipu wees naar een pilaar in zijn raadshal en vroeg hem of daar de god soms ook in huisde. Waarop zijn zoon doodkalm ja zei, dat was zo. 'Goed,' zei de tiran, 'dan zal ik je nu doodmaken. En jij laat je god uit de pilaar komen om je te redden.'

Terwijl hij dat zei, liep hij met getrokken zwaard op zijn zoon af. Toen begon de pilaar met een donderend geluid in elkaar te storten en werd de aanstormende tiran de weg geblokkeerd door een wonderlijk wezen. De kop en krachtig gespierde tors waren van een leeuw, maar vanaf zijn middel had hij een menselijke gedaante.

Hiranyakashipu keek recht in de schrikbarende ogen van de verschijning voor hem, en besefte dat zijn laatste uur had geslagen. Maar hij was geen lafaard. Hij trok zijn zwaard en viel de leeuwmens aan. Zijn nietige aanvalspoging werd met een kleine beweging tenietgedaan, waarna hij werd opgepakt en naar de drempel van het paleis gedragen. Toen was hij niet meer binnen en niet meer buiten het huis. Het was halfduister, geen dag en geen nacht. Hij bevond zich in de klauwen van een wezen dat geen dier was en ook geen mens. Hij was gevangen in zijn greep en bevond zich daardoor niet op de grond en ook niet in de lucht. De leeuwmens was bepaald geen schepping van Brahma, en het enige wapentuig dat dit wezen op het punt stond te gebruiken waren zijn klauwen en tanden. Terwijl zijn ingewanden uit hem gescheurd werden, begreep Hiranyakashipu dat niemand machtiger kon zijn dan de Heer.

'Dat was buitengewoon mooi verteld, Narasimhan,' zei Daniel. 'maar wat heeft dat met Gandhi te maken?'

'Het vernuft, sir, het vernuft,' zei de tahsildar. 'Geconfronteerd met een ontstellend complex probleem, kwam de Heer met een oplossing die ingewikkeld was en origineel en uiterst effectief. En dat is nu precies wat Mr. Gandhi aan het doen is, en het gouvernement lijkt er volledig door van de kaart te raken.'

'U klinkt alsof u de man bewondert, Narasimhan.'

'Niet de man, maar zijn methode. Ik geloof niet dat het gouvernement ooit te maken heeft gehad met een grotere dreiging dan deze. De heer Gandhi lijkt te beschikken over een diep, bijna mythisch begrip van wat nodig is om onze onderling zo verdeelde landgenoten tot een hechte strijdbare eenheid te smeden.'

'Denkt u dat hij het Britse bewind omver zou kunnen werpen?' vroeg Daniel zachtjes.

'Die vraag kan ik niet beantwoorden, sir,' zei de tahsildar. Ze dronken in stilte kleine slokjes van hun koffie. Na een poosje zei Narasimhan: 'Maar wat ik beslist moet benadrukken is dat ik nog nooit een ernstiger bedreiging voor de regering ben tegengekomen dan deze die nu door Mr. Gandhi is uitgedacht. Hij beantwoordt geweld met geweldloosheid, leugens met waarheid, onze pogingen tot onderdrukking met actieve non-coöperatie. Wat kun je anders met zo'n man doen dan afwachten en hopen dat hij een vergissing begaat?'

'Ik wens je veel geluk met hem, Narasimhan,' zei Daniel, die opstond om weg te gaan. 'Maar je moet die jongens weer op school terug zien te krijgen. Als Gandhi erin slaagt de Britten uit het land te schoppen, zal hij mannen en vrouwen die een opleiding hebben genoten en het land kunnen besturen, hard nodig hebben.'

'O, maar ik geloof niet dat de Britten er overhaast vandoor zullen gaan, sir. Ze zullen nog wel wat verzinnen om die Gandhi van repliek te dienen.'

'Misschien dat je gelijk hebt, Narasimhan, maar ik heb geen tijd om daarover in te zitten, ik moet mijn kolonie stichten. En als er een ding is waarvan ik zeker ben, dan is het dat de politiek dat niet mag verstoren.'

Na ongeveer een jaar non-coöperatieve beweging begon het gouvernement zich harder op te stellen tegen de opposanten, vooral omdat de toekomstige koning van Engeland beloten had een reis door India te maken. Zijn bezoek werd vergast op demonstraties en zwarte vlaggen, waarmee de Indiase volksmassa's hun ongenoegen kenbaar maakten. Niet het minste effect daarvan was voelbaar in Chevathar, waar Daniels totale veroordeling van iedere vorm van politieke bemoeienis ervoor gezorgd had dat het werk aan zijn landhuis probleemloos verliep. Uiteindelijk waren Brown en Santosham, die met drie ploegen van de vroege ochtend tot in de schemering doorwerkten aan hun mammoetproject, met de voltooiing ervan slecht twee maanden achter op hun schema. Het huis was een merkwaardige mengelmoes van twee stijlen geworden, maar het werkte wel. Van bovenaf gezien leek het nog het meest op een reusachtig waaiervormig palmblad met zijn achtenvijftig vertrekken die vanaf de porte-cochère straalsgewijs uitliepen als de schubben van een sparappel. De muren waren ingesmeerd met een mengsel van eierschaalkalk, rivierzand, melk en in palmsuikerwater gegiste kadukka – de befaamde Madras-spiegelvernis – zodat ze glommen als glanzend gewreven marmer. Rondom het huis stonden groepjes blauwe mangobomen.

Het huis werd met het nodige feestgedruis en ritueel ingewijd. Na een korte dankdienst in de nieuwe kerk die op de ruïnes van de oude weer was opgetrokken, begaf de gemeenschap zich naar de woning. De nieuwe voorganger sprak een zegenbede uit en Daniel hield een korte toespraak. 'Ik betreur het dat we hier niet op de datum dat mijn broer jarig zou zijn in konden trekken, omdat hij het was die mij uiteindelijk deed besluiten naar Chevathar terug te keren. Maar ik weet dat Aäron ons zal vergeven dat we net iets te laat zijn, want dit schitterende landhuis is de moeite van het wachten waard geweest.' Hij pauzeerde even en na Brown en Santosham te hebben opgezocht te midden van het publiek feliciteerde hij ze openlijk met hun meesterwerk. Toen zei hij: 'Elke naamgeving van iets waar we veel waarde aan hechten dient met zorg te geschieden. Dit huis representeert de vruchten van jaren moeizame arbeid door mijn familie. Ik heb er nu maanden over gedaan een naam te vinden die goed zou passen bij onze hoop en verwachtingen, en die, wat nog belangrijker is, de essentie van deze plek in woorden zou kunnen vastleggen. Uiteindelijk ben ik na veel tijd in meditatie en gebed te hebben doorgebracht op de naam gekomen die ik het meest toepasselijk vind, een naam die de herinnering aan onze achtenswaardige voorouders eer aandoet, evenals de plek waaraan wij zijn ontsproten. Broers en zussen, tantes en ooms, leden van mijn geachte familie, met grote voldoening verklaar ik dat dit huis van nu af aan deze naam zal dragen: Huis van de Blauwe Mango's, Neelam Illum.'

55

De nieuwe nederzetting strekte zich tot mijlenver buiten Chevathar uit en vormde een opvallend contrast met het bestaande dorp, waarvan het meer dan de helft in zich had opgeslokt. In plaats van kronkelweggetjes liepen er kaarsrechte paden van fijngestampte rode aarde doorheen, omzoomd met ashoka's, jacaranda's, gulmohars en regenbomen. De wegen hadden keurige naamborden gekregen: Solomon Avenue, Aaron Crossroads, Ashworth Lane. Sommige historische plekken werden zorgvuldig instandgehouden. Daniel liet een bosje van bomen planten rondom de put waar Aäron overheen was gesprongen, om die plek een fraai aanzien te geven maar ook om ervoor te zorgen dat niemand het ooit opnieuw zou proberen. De Murugan- en Amman-tempels bleven staan, maar het acaciabos werd geruimd om plaats te maken voor charmante boerenhuisjes en moestuinen. De echte woudreuzen werden niet omgekapt, daar zorgde Charity voor. Met haar onverflauwde liefde voor bomen liet ze nog honderden nieuwe aanplanten op het pas gerooide land. Dorpslummeltjes kregen netjes een zakcentje voor het nat houden van de kwetsbare jonge loten en voor het wegjagen van de koeien en geiten die er een lekker maaltje in zagen. Zoals Daniel had gehoopt, deed Chevathar haar goed.

Kort na zijn terugkeer had Daniel lang en diep nagedacht over de vraag of hij de nieuwe thalaivar van Chevathar zou moeten worden: die functie was sinds mensenheugenis door een Dorai bekleed. Uiteindelijk was hij tot het besluit gekomen dat de familiekolonie meer recht kon laten gelden op zijn tijd. Hij liet de dorpsoudste, die hij had aangesteld toen hij Abraham had weggestuurd, zijn baan behouden. Ramdoss zou toezicht op hem houden. Om de nederzetting goed te laten functioneren stelde Daniel een commissie van wijze mannen samen, afkomstig uit de drieëntwintig eerste vestigingsfamilies. Twee weken nadat ze waren aangekomen, kwam de commissie bijeen om de regels op te stellen waaraan de kolonie zich diende te houden. Ze stelden twaalf geboden op, waarvan de meest omstreden regel was dat elke politieke activiteit binnen de kolonie uit den boze was. Een aantal neven maakte bezwaar, maar Daniel paste zijn vetorecht als voorzitter toe. 'Ik ken de politiek van nabij,' zei hij, 'en ik heb er een verschrikkelijke hekel aan. Ik ben er een broer aan kwijtgeraakt en voorzover het van mij afhangt, wil ik er niet nog meer familie door verliezen.' Maar zelfs Daniel moest het voorstel dat hij te berde bracht om ook alle sporen van het kastensysteem uit de familie te wissen, intrekken. 'Het christendom wil van geen kasten weten en we zien allemaal de gevaren van de kastenstrijd,' zei hij. 'Ik zou willen voorstellen dat wij de naam van onze kaste laten vallen en alleen de rituelen bij geboorte, huwelijk en dood instandhouden.' Hij vond geen enkele medestander voor zijn idee en zelfs Ramdoss had bedenkingen. 'Het is allemaal best en aardig om binnen deze gemeenschap dat kastenstelsel af te schaffen, anna,' zei hij, 'maar we zijn ook nog eens lid van een maatschappij. Het bepaalt onze identiteit. Je kunt niet de hele wereld veranderen.'

Niet in staat zijn familie over dit onderwerp op een andere mening te brengen, moest Daniel genoegen nemen met een klein troostprijsje. Vanaf die dag zou zijn naaste familie de naam van zijn kaste, Andavar, weglaten. 'Als jullie je door je kaste gebonden wilt voelen, dan repecteer ik jullie wens,' verklaarde hij, 'maar ik verlang vurig vrij te zijn!' Het laatste punt op de agenda was de naam van de nederzetting. Daniel voelde er veel voor om haar een anoniem onderdeel van Chevathar te laten blijven, maar Ramdoss kwam weer tussenbeide: 'De wereld moet ons kunnen vinden, anna. We kunnen niet zonder naam.' Daniel gaf zich onmiddellijk gewonnen. Ze noemden hun kolonie Doraipuram.

Een maand nadat ze naar Chevathar verhuisd waren, bracht Lily hun derde kind ter wereld, een jongen. Er verschenen geen bijzondere sterren aan de hemel en er waren geen giftige cobra's die met hun schilden boven de baby verschenen, niets aan zijn lijfje – neus, oortjes, ogen, keel, piemeltje, hoofdje – was abnormaal en hij had ook geen bijzondere gaven of eigenschappen, maar de nieuwgevestigde bewoners waren meer dan gelukkig. Dit was een uitermate gunstig voorteken. Vooral omdat het kind de zoon was die Daniel zich zo vurig gewenst had. Eenenveertig dagen na de geboorte, toog de familie naar de kerk om het kindje te laten dopen. Daniel had een naam voor zijn zoon bedacht, al een tijdje geleden. Hij had met de gedachte gespeeld die aan zijn dochters te geven, maar Lily was ertegen geweest en hij was voor haar gezwicht. Deze keer kwam merkwaardig genoeg de tegenstand van Charity, wier bemoeienis met familieaangelegenheden, hoewel groter dan voorheen, nog steeds niet ver ging. 'Te onchristelijk,' mompelde ze toen Daniel haar vroeg wat ze van de naam Thirumoolar vond, een van de grootste siddha-heiligen. Maar deze keer was hij vastbesloten zijn wil door te zetten en de baby werd onder die naam gedoopt. Hoewel Charity uiteindelijk toch haar zin kreeg. Kannan, haar koosnaampje voor het jongetje, werd algauw de enige naam waarop het reageerde. Na een paar maanden was zijn vader nog de enige die hem bij zijn doopnaam noemde.

De baby bracht Charity weer tot leven en nam al haar tijd en energie in beslag. Zodra hij zuigeling af was, leek hij een permanent plaatsje gekregen te hebben op de heup van zijn grootmoeder. Hij ging overal met haar naartoe – naar de keuken, waar ze weer was begonnen, zoals ze dat vele jaren eerder gedaan had, toezicht te houden op het koken van enorme maaltijden, en naar de mangobossen en de tuinen van Doraipuram tijdens lange wandelingen. Het werd een vertrouwd gezicht, dat stel samen: het nietige dametje, helemaal in het wit gekleed, met de enorme baby op haar heup (zo groot in feite dat ze helemaal doorboog om haar evenwicht te bewaren). Ze neuriede deuntjes om hem in slaap te wiegen en zong liedjes om hem te laten eten. Het liedje waar hij het meest verzot op leek, was een versje over blauwe mango's:

Saapudu kannu saapudu
Eet mijn liefje eet
Neela mangavai saapudu
Eet de blauwe mango

Onaku enna kavalai
Pijn of zorgen heb je niet
Azhakana mangavai saapudu
Enkel maar die mooie mango
Prisutha maana devadhuta
Engelen in de hemel boven
Un ulukathai kaaval
Waken over je wereldje
Saapudu kannu saapudu
Eet mijn liefje eet
Neela mangavai saapudu
Eet de blauwe mango

Eerst was Lily een beetje geïrriteerd geweest door dat bezitterige gedrag van Charity over haar jongetje. Maar gaandeweg raakte ze ermee verzoend en was ze er zelfs blij mee. Kannan was niet alleen een heel goed geneesmiddel voor haar schoonmoeder; het feit dat er eigenlijk elk moment dat hij niet sliep iemand was die op hem lette, gaf haar de tijd die ze zo hard nodig had om in de aldoor groeiende behoeften van Neelam Illum te voorzien.

Nu hij zijn familie weer had teruggevonden, was Daniel vrijwel geen moeite te veel om aan elke grillige wens ervan tegemoet te komen. De achtenvijftig vertrekken, waarvan de meeste binnen enkele maanden in tijdelijke slaapkamers veranderden, waren bijna altijd met verwanten gevuld. Dan waren er nog kinderen, in leeftijd variërend van vijf tot vijftien jaar, aan Daniel toevertrouwd zodra hij zich bereid verklaard had te zullen voorzien in de een of andere behoefte. Lily en Charity zagen toe op de bereiding van de maaltijden en regelden dagelijks de andere huishoudelijke zaken voor bijna honderd mensen.

56

Geloof je echt dat de Chevathar Neelam de lekkerste mango van de wereld is?' vroeg Daniel aan Ramdoss.

'Dat denk ik wel, hij is in ieder geval de lekkerste die ik ooit gegeten heb.'

'Ik vraag me af, wat hem zo bijzonder maakt,' zei Daniel peinzend.

'Zou het de bodem kunnen zijn?'

'Waarschijnlijk wel. Maar er is flink wat entaarde aan te pas gekomen, lange tijd geleden.'

Het was de zomer van Daniels tweede jaar in Doraipuram, en Ramdoss en hij waren bezig toezicht te houden op de oogst van de blauwe mango's. Het was vier uur in de ochtend, de tijd waarop van oudsher de Chevathar Neelams geplukt werden om ervoor te zorgen dat ze hun zoete smaak behielden en mooi gelijkmatig rijpten. 'Ik zou dat graag eens voor mijzelf vaststellen,' zei Daniel ineens.

'Wat vaststellen?' vroeg Ramdoss.

'Dat de Chevathar Neelam de lekkerste mango van de wereld is.'

In zijn jaren met Daniel samen was Ramdoss erachter gekomen dat zijn zwager heel moeilijk van iets was af te brengen als hij het eenmaal in zijn hoofd had gezet. 'Wat staat je precies voor de geest?' vroeg hij.

Daniel wachtte een poosje met zijn antwoord en keek zwijgend toe hoe de mannen die de mango's plukten, in het doodstille voorochtendlijke uur als schimmen heen en weer bewogen en met reusachtige vlindernetten, leek het wel, voorzichtig de vruchten van de takken trokken, waarna ze ze in rieten manden, gevuld met stro, legden.

'Ik zou de lekkerste mango's die er zijn wel eens willen proeven om mezelf ervan te vergewissen dat de Chevathar Neelam de allerlekkerste is!'

De moed zonk Ramdoss in de schoenen. De tijd, de kosten en het gereis! 'Maar, anna, ze hebben hier in Doraipuram uw leidende hand hard nodig, we kunnen niet de hele wereld afreizen om mango's te proeven.'

'We hoeven ook niet buiten de grenzen van India te gaan, dat heeft zelf de grootste mango's van de hele wereld. Ik heb altijd al een Alphonsos, Langdas, Chausas en Maldas willen eten. Het heeft geen zin te proberen mij van mijn voornemen af te brengen, Ramdoss, ik ben dit van plan en we gaan.'

Hij hield zijn woord. De grote mango-*yatra* begon in Kerala, waar Daniel, Ramdoss en de vier tuinlieden die van de partij waren, de Ollour proefden, een vrucht met geel vruchtvlees, een dikke gele schil en een harsachtige nasmaak. Het was een vrucht die ze allemaal wel kenden omdat je haar ook aantrof op de markten van Nagercoil en Meenakshikoil.

Toen de zomer vorderde begonnen er tientallen soorten mango's rijp te worden. De groep uit Doraipuram werkte alle fruitmarkten in het zuiden af en maakte kennis met veel bekende mango's zoals de vorstelijke Jehangiri, genoemd naar een keizer, de Banganapalli met zijn zoete, lichte, witgele vruchtvlees, en de zeldzame en heerlijke Himayuddin met een hemelse smaak. Op de fruitmarkten van Madura aten ze kogelronde Rumanis met zo'n dunne schil dat die zelfs voor een baby al zacht genoeg was, en Mulgoas, zo enorm groot dat soms de weegschaal doorsloeg tot het gewicht van drie kilogram, en ook nog de hoog aangeslagen Cherukurasam.

Toen moesten ze zich naar het westen haasten want de pluktijd van de Alphonso was nu op zijn hoogtepunt. Nadat ze hadden vastgesteld dat het niet praktisch was om naar Ratnagiri, Bulsad en Belgaum te reizen, waar de vermaarde Alphonso-boomgaarden de lucht met hun geur vulden en zelfs de rijstvelden geurig deden ruiken, togen ze in plaats daarvan naar Bombay. Direct vanuit de trein begaven ze zich naar de Crawford Market. Lang voordat ze hun oog op de vermaardste mango van het land konden laten vallen, hadden ze de geur ervan opgesnoven omdat die boven de andere geurtjes van rottende kool en maïs en zweet en lampolie uitsteeg. Ze sloegen een hoek om en ineens lagen ze daar – allemaal gouden Alphonso's trapsgewijs gerangschikt in rijen naast elkaar achter de hevig gebarende, schreeuwende handelaren en hun even luidruchtige klanten. Daniel at zijn eerste Alphonso, en toen de smaak – met iets pittigs en iets honingachtigs en een overdaad aan frisse lichte toetsen op een donkere zware ondertoon – langzaam zijn verhemelte streelde, begreep hij waarom die zo begeerlijk was. Hij zou graag nog langer in het westen zijn gebleven maar in het korte seizoen moest er nog een hele afstand worden afgelegd, en niet lang daarna zaten ze in een trein die naar het oosten reed, met als laatste herinnering aan de grote westerse mango's een glas mangosap, zo dik en zoet als helder zonlicht, afkomstig van die andere klassieke parelvrucht, de Pairi.

Toen ze weer onderweg waren, verdiepte Daniel zich in de overlevering aangaande de mango. Hij ontdekte dat de vrucht bijna overal op het subcontinent groeide en dat er bijna duizend soorten bestonden. Ramdoss wist zijn vriend handig af te brengen van alleen al de gedachte ze allemaal te willen proeven en hij stelde in plaats daarvan voor dat ze zich om praktische redenen zouden beperken tot de allervermaardste. Hij had vernomen dat de *Mangifera indica* tweeduizend jaar eerder ergens in de mysterieuze noordoostelijke hoek van het land was gaan groeien, en door reizigers en andere lieden spontaan was verspreid door heel Zuidoost-Azië, China en de Maleise Archipel. Gretige Portugese kooplieden en avonturiers waren de eerste withuiden geweest die er in de beginjaren van de zestiende eeuw op stuitten. Nadat ze er onmiddellijk voor bezweken, hadden ze de vrucht in Afrika en Zuid-Amerika ingevoerd. Ongeveer terzelfdertijd had ze een andere route afgelegd naar West-Indië, de Filippijnen en van daar naar Mexico. In de negentiende eeuw was ze ook opgedoken in boomgaarden in Californië, Florida en Hawaï.

Overal waar ze kwamen op hun reis, kregen ze fascinerende verhalen over de vrucht te horen, een lekkernij die onder kenners zo hoog werd aangeslagen dat mensen die ervoor vielen tot allerlei uitspattingen kwamen. Het liefdesavontuur met de mango van de Mughal-keizer Akbar deed de obsessieve verknochtheid van de Dorais aan de vrucht verbleken. Omdat hij de dingen nooit half deed, had de keizer een legertje *mali's* opgedragen in Darbhanga een boomgaard van honderdduizend bomen aan te leggen. Nog meer de zaak van de vrucht toegedaan was de *nawab* Wajid Ali, sjah van Lucknow, die in het hele land geprezen werd om de voortreffelijke kwaliteit van zijn mangoboomgaarden waar meer dan dertienhonderd soorten gekweekt werden; de haremfeesten van de prins met mango's waren alom vermaard, evenals de door hem gegeven mangoparty's, waarop onder de muzikale klanken van de *tabla* en de *santoor* in paviljoens die in de boomgaarden werden gebouwd, de adel bijeenkwam om mango's te proeven, die van de bomen werden geplukt door vrouwen, speciaal geselecteerd op hun lange spitse vingers – waarmee ze de vruchten beter konden vastpakken.

Ze brachten een week in het oosten door en stelden zich op de hoogte van de fijne kanten van de Malda, ook wel de Bombay Green genoemd, die een subtiele smaak had, bijna alsof er geen smaak aan was, tot je opeens iets zaligs op je tong proefde. Ze probeerden ook de Himsagar en de Bombai, niet te verwarren met de Bombay Green. En Daniel was zeer in zijn sas met de uitnodiging door een bejaarde nawab, Murshidabad, voor diens feestmaal waarop de mango's gekeurd zouden worden. Nadat hij zijn gasten minzaam had uitgenodigd hun plaatsen in te nemen aan de hoofdtafel, liet de nawab aan Daniel zien hoe hij de vrucht at. Eerst kauwde hij op een pikant gekruide grof gedraaide kabab zodat zijn verhemelte helemaal fris was en toen peuterde hij een klein stukje vruchtvlees uit de Gulabkhas, een mango die naar rozen smaakte. 'Dat is beslist een aparte manier van mango's eten,' zei Daniel tegen Ramdoss. 'Waarom hebben wij niet aan zoiets gedacht?'

Ze moesten nog een andere belangrijke streek waar mango's gekweekt werden bezoeken voor de lange reis terug naar huis. Daniel had een heleboel gehoord over de Malihabadi Dussehri en toen hij die proefde, duurde het niet lang of hij gaf zich gewonnen aan de mare die ervan uitging. Maar hij ontdekte dat de faam van de mango, de beste van het land te zijn, helemaal niet zo'n zekere was, want er waren ook mensen die liever de Langda die eer gunden, die volgens de legende voor het eerst was gekweekt door een lamme fakir uit de heilige stad Benares. Toen Daniel met die vrucht kennismaakte was hij ondersteboven van haar goede eigenschappen – de lichtgroene schil, het oranjegele vruchtvlees en bovenal de smaak: een uitgesproken zoete smaak met iets pikants erdoor, waardoor het pittig bleef. Ze besloten niet te wachten tot de vrij laat geoogste Chausa op de markten zou verschijnen: het lukte Ramdoss Daniel over te halen zijn plannen om ook nog Lahore en Rangoon te bezoeken te laten varen en ze namen de trein naar huis. Op de terugweg bleef Daniel maar doorpraten over de tientallen soorten die ze hadden geproefd. Hij haalde voortdurend zijn aantekeningen erbij, memoreerde de kenmerkende eigenschappen en probeerde zo eerlijk mogelijk vast te stellen welke mango de allerheerlijkste was.

Een week nadat hij in Doraipuram was teruggekeerd, kon Daniel nog altijd niet de winnende mango kiezen. Die avond, onder hun dagelijkse wandeling, zei hij tegen Ramdoss: 'Je weet, Ramu, hoe we maandenlang geprobeerd hebben uit te vinden of de Chevathar Neelam lekkerder is dan enige andere mango.'

'Ja,' zei Ramdoss, op zijn hoede. Maar Daniel zette het gesprek niet voort want hij was in diep gepeins verzonken. Hij zag zich in gedachten zijn hand uitsteken om een Chevathar Neelam te plukken in zijn vaders boomgaard, de vrucht waarin het gouden licht van de zon was opgeslagen. Hij rukte de warme geurige schil ervan af met zijn tanden, beet toen flink diep in het vruchtvlees waarbij het sap in gele straaltjes van zijn gezicht en hals en zelfs zijn armen droop, en liet zich door de weergaloze smaak ervan bedwelmen. 'Ramu,' zei Daniel langzaam, 'we hebben een lange weg afgelegd om uit te vinden wat ik altijd al geweten heb. Het staat buiten kijf dat de Chevathar Neelam de allerlekkerste mango van de hele wereld is.' Toen zei hij er tot ontsteltenis van Ramdoss nog achteraan: 'Nu we dat eenmaal weten, moeten we overal bekendmaken hoe geweldig hij is.'

Zoals altijd wanneer hij gegrepen werd door weer een nieuwe obsessie, was er maar een doel waarvoor dr. Dorai zich ging inzetten. Hij besteedde al zijn geld en aandacht aan de mangobossen, verrijkte de grond, en nam maatregelen tegen gewone ziekten en plagen. Verschrikte insecten of boorkevers op stam of loot van de mangobomen, en bloesemmugjes vielen bij bosjes dood neer toen een legertje tuinlieden, desnoods met hun blote handen, tegen hen ten strijde trok.

Rond het oogstseizoen, was Daniel toe aan zijn eerste Blauwe Mango Festival om de vrucht van Doraipuram feestelijk in te wijden. De mooiste mango's waren al met zorg geplukt om ze verder te laten rijpen in de enorme voorraadkamers aan de achterkant van Neelam Illum. Op de afgesproken dag werden ze uit de geurige voorraadkamers te voorschijn gehaald en naar de pandal gebracht die was opgezet aan de oevers van de Chevathar. Daniel had heel wat snufjes afgekeken van de feestelijkheden die hij in Murhidabad had bijgewoond, maar er waren een paar dingen waar hij als enige de hand in had gehad.

Hij had de legendarische wevers van de streek aan het werk gezet om honderd matjes met een speciaal mangopatroon erin te vlechten, en die op de rode aarde aan de oever van de rivier laten leggen. De collecteur die de belangrijkste gast was (de nawab van Murshidabad was niet in staat geweest de reis te maken) zat aan de hoofdtafel samen met Daniel, Ramdass, Narasimhan, andere plaatselijke hoogwaardigheidsbekleders en de hoofden van de eerste vestigingsfamilies. Een band speelde zachte muziek en de mangobomen werden door lampen beschenen. Terwijl het vruchtvlees feestelijk op kleine schaaltjes werd rondgedeeld, kauwde iedere gast op een pittige *vadai* (een variant waar Daniel behoorlijk trots op was) voordat ze de vrucht proefden. Toen het officiële keuren van de Neelam voorbij was, werden er andere soorten aangeboden, zevenenzeventig in totaal. De collecteur moest het opgeven na tweeëntwintig soorten mango's, Narasamhin kon er twaalf meer aan en alleen Daniel en Ramdoss proefden ze allemaal.

Het officiële proeven was slechts een onderdeel van de festiviteiten. Gelach en vrolijkheid klonk overal op tussen de mangobomen waar honderden bezoekers deelnamen aan de mango-eetwedstrijden en andere staaltjes van kunnen en uithoudingsvermogen en pretmaken.

Toen het feest om twee uur in de ochtend eindelijk was afgelopen, verklaarde iedereen ondanks het opspelen van de maag, dat het een groot succes was geweest. 'We moeten dit ieder jaar doen,' zei dr. Dorai tegen Ramdoss en Lily toen hij de laatste gasten uitzwaaide. Dat hoorden ze zwijgend aan en Daniel legde die reactie positief uit.

57

Doraipuram groeide nog steeds. Er kwamen almaar nieuwe families binnenstromen en tegen het einde van het derde jaar na de stichting bood de nederzetting onderdak aan honderdvijftig mensen van wie sommige banden met de verwantschapsgroep niet meer dan zeer zwak te noemen waren. De zwager van de echtgenoot van een achterachterneef bijvoorbeeld. Er zaten gepensioneerde piloten onder, geologen, dokters, ingenieurs, accountants, kantoormensen. Als ze eenmaal in Doraipuram waren wierpen ze zich op het boerenwerk met een ijver die verdienstelijk was voorzover hun enthousiasme niet een onheilspellend gebrek aan ervaring maskeerde. Het zaad werd door ratten opgegeten, oogsten verwelkten, vruchten gingen rotten en planten dood door overmatige bewatering. Allerminst ontmoedigd broedden de kolonisten nog ambitieuzer plannen uit. De kosten waren niet belangrijk, want Daniel financierde de meeste projecten.

Een oom die gestopt was met zijn tandartspraktijk, besloot tulpen te gaan kweken nadat hij over de grote tulpenrage in de zeventiende eeuw had gelezen toen een enkele tulpenbol meer kon opbrengen dan een schilderij van Rembrandt. De helft van de dure bollen die hij uit Holland had geïmporteerd, werden door de borstelratten opgegeten en de meeste andere kwamen niet eens op. Een zestal, waaruit zich wel loten boven de rode aarde hadden uitgewerkt, verwelkten onder de brandend hete zon. Nog steeds niet uit het veld geslagen ging de vroegere tandarts de volgende avond naar Neelam Illum waar Daniel zijn dagelijkse bespreking hield met de oudsten van de nederzetting. Hij had een paar nieuwe voorstellen die bepleit moesten worden: het fokken van struisvogels om het vlees ervan, en krokodillen vanwege het leer. Terwijl hij in zijn rieten leunstoel zat schitterden zijn ogen van de opwinding. Beide ideeën stonden hem buitengewoon aan en hij vroeg hoeveel geld daarvoor nodig zou zijn. De tandarts deed vaag, wat Ramdoss, die er ook bij zat, bepaald niet aanstond. 'Te kostbaar. Dat kost veel te veel geld,' zei hij met grote stelligheid.

'Maar dat ziet er toch heel veelbelovend uit,' zei Daniel. 'En ook heel rendabel.'

'Net als de tulpen?'

Daniel leek ontstemd. Niemand anders zou hem openlijk hebben durven tegenspreken, maar Ramdoss was zijn grootste vriend en vertrouweling geworden.

'De nederzetting slorpt al het geld op en je financiële middelen zijn niet onuitputtelijk,' zei Ramdoss, toen de anderen te ver weg zaten om het te kunnen horen.

'Mijn familie is heel belangrijk voor me, Ramu, het kan me niet zoveel schelen hoeveel geld het kost. Bovendien, waar klaag je nu over? We hebben drie goede moessons achter elkaar gehad en het gaat ongekend goed met de verkoop van onze producten, het is dat God voor ons zorgt.'

'God zorgt heus niet dat de tulpen gaan bloeien in Doraipuram,' zei Ramdoss kalm. 'Hij heeft wel meer dingen om zich zorgen over te maken dan de dwaze plannen van de Dorais.'

Mopperend en met tegenzin liet Daniel zich overreden. Hij riep een halt toe aan de al te drieste plannen en begon meer tijd te steken in zijn laboratoriumwerk waar hij goed in was – maakte mengsels van kruiden en metalen en gifstoffen om met een niewe serie geneesmiddelen te komen. Hij had zijn bedrijf bijna vijf jaar verwaarloosd en hoewel zijn blankmakende crème nog steeds goed verkocht, was de bezorgdheid van Ramdoss vooral ontstaan doordat de verkoop ervan was gaan tanen. Binnen een jaar tijd bracht Daniel vijf nieuwe producten op de markt – een zalfje tegen puisten, een tonic die de huid gezond en vitaal zou houden, een ontharingscrème, een hoofdpijnstiller en een middel tegen maag- en darmstoornissen. In Meenakshikoil werden posters gedrukt om zowel de nieuwe middelen als de rest van de serie aan te prijzen, en die werden op stations opgehangen en aan de buitenkant van de ossenwagens.

De kolonie hield niet op met consumeren, maar nu was de geldstroom precies omgekeerd omdat Ramdoss' voorzichtige beleid en Daniels talent als farmaceut weer effect begonnen te sorteren.

Met zijn groeiende rijkdom en vermaardheid trok Daniel als een magneet vooraanstaande en goede mensen aan, die hun diensten kwamen aanbieden. Doraipuram was een verplichte stop voor passerende ambtenaren, officiële functionarissen (zowel Britse als Indiase), geestelijken, ambitieuze politici, die beleefd herinnerd werden aan de afkeer die hun gastheer had voor het politieke bedrijf, en minder hooggeplaatste vorsten. Daniel zorgde er wel voor de politici en ambtenaren op een afstand te houden maar de trots op zijn kolonie waarborgde een warm welkom voor iedereen die de brug over de Chevathar overstak. Terwijl de wereld naar hem toekwam, rees de ster van Daniel en steeg zijn roem tot een hoogtepunt.

Het was alweer een goed moessonjaar. En het jaar daarop ook. Steeds meer families vestigden zich in Doraipuram.

58

Families floreren op roddels. Die houden de wijdst vertakte families bij elkaar en geïnteresseerd in het wel en wee van hun afzonderlijke loten. Maar ze hebben ook het vermogen grote schade aan te richten. Een van de onverwachte gevolgen van Daniels passie zijn familie om zich heen te vergaren was de snelle verspreiding en intensivering van de roddels. In het verleden waren gefluisterde ontboezemingen over bepaalde personen binnen de perken gebleven van brief-wisselingen, geruchten op familiebijeenkomsten, bruiloften, geboorten, begrafenissen en bezoeken. Ze waren best wel in de hand te houden geweest omdat ze maar sporadisch en terloops ter sprake kwamen. Maar nu werden de roddels een groot probleem. Bijna de helft van alle familieleden die naar de kolonie waren verhuisd, was ouder dan vijftig jaar en zag naar hun pensioen uit met tijd om van hun kleinkinderen te genieten. Voor de mannen had Daniels aanbod een nieuw levenscontract betekend, maar de oudere vrouwen leverde het niets op. In hun woonplaats zouden ze het nu voor het zeggen hebben gehad over inwonende families en er druk mee zijn geweest, maar hier woonden ze voor het merendeel alleen met hun echtgenoot samen. Er was volop goedkope hulp voor de huishouding en de vrouwen merkten dat ze een heleboel tijd over hadden. Toen dienden de roddels zich aan om hun ledigheid op te vullen. Tussen families onderling brak gekibbel uit, verwanten praatten niet meer tegen elkaar en Daniels geweldige visioen werd van binnenuit aangetast door iets boosaardigs.

De koningin van de roddel was een enorm dikke vrouw die Victoria heette. Die tante in het bijzonder werd al snel de meest gevreesde bewoonster van Doraipuram, geen geringe prestatie als je zag hoe zij en haar man, toen ze nog maar pas in de kolonie woonden, het mikpunt van spot waren geweest. Haar echtgenoot, Karunakaran, was maar heel flauw aan de familie gelieerd. Hij had op de een of andere manier over het project gehoord en was er snel bij geweest zijn connecties met de clan te benutten. Hij had zijn baan eraan gegeven en was met zijn vrouw naar Doraipuram getogen, waar hij vrijwel onmiddellijk geprobeerd had te laten merken dat hij er was. Omdat hij zo graag veel indruk wilde maken, had hij van Daniel geld geleend en een motor gekocht. Het probleem was dat hij in zijn inhaligheid en haast zich de tijd niet gegund had om te leren hoe je met die motor om moest gaan. Tot grote hilariteit van de nederzetting had hij een monteur uit Meenakshikoil gehuurd om parttime als zijn chauffeur dienst te doen. Wanneer het echtpaar naar de stad ging, zat Karunakaran altijd achter op de motor, terwijl zijn vrouw in een ossenwagen volgde.

Maar het gegniffel sloeg weldra om in verbijstering, toen Victoria bewees hoe gevaarlijk ze kon zijn. Iedere ochtend sleepte ze haar zware lijf, na het eten van een copieuze maaltijd, van het ene huis naar het andere, het schaarse witte haar even slordig om zich heen als de sjofele sari die ze droeg en van ieder huishouden nam ze zoveel mogelijk achterklap in zich op om elders even later gemene praatjes kwistig rond te strooien. Na een tijdje had ze een kliekje vrouwen om zich heen verzameld die onder de bewoners van Doraipuram totale verbijstering teweegbrachten. De mannen die zich door hun bizarre projecten lieten meeslepen, hadden het gevaar niet in de gaten, maar de vrouwen merkten het maar al te goed.

Op een avond, onder het voorbereiden van de warme maaltijd in de grote keuken van Neelam Illum, barstte tot Charity's verbazing Lily opeens in tranen uit. Charity nam haar mee naar haar eigen kamer om te vragen wat er aan de hand was. Toen kwam aan het licht dat Victoria aan haar buurvrouw verteld had die het weer had doorverteld aan een nicht, en die aan Miriam, waarop deze het na kerktijd dringend in het oor van Lily had gefluisterd, dat ze Shanthi hadden zien zoenen met de jongen van Mangalam in het mangobosje bij de monding van de rivier.

'Ik ben vreselijk tegen Shanthi tekeergegaan, mami, maar ze durfde er een eed op te doen en beriep zich op Jezus, de maagd Maria, en zelfs op mij en haar vader dat ze niets verkeerds had gedaan. Ze is een goed meisje, en ik weet dat ze de waarheid spreekt. Dat geroddel en die smerige achterklap beginnen de spuigaten uit te lopen. Ik kan er niet meer tegen.'

'Heb je het tegen je man gezegd?' vroeg Charity.

'Nee, mami. Die is veel te druk, ik kan met zo iets frivools niet bij hem aankomen.'

'Frivool, frivool, dat mens kan de hele kolonie verpesten en waar blijven we dan met ons geweldige experiment?' zei Charity. Ze was een tijdje stil en zei toen: 'Maak je er maar niet zo druk om, ik zal er wel iets op verzinnen. Je zegt maar tegen Shanthi dat ze goed op moet passen en zich niets aan moet trekken van wat ze over haar zeggen.'

Een paar dagen later nam Charity Lily in een hoekje van de tuin apart en zei: 'Ik heb iets op ons probleem gevonden. Goede werken.' Toen Lily haar met een niet-begrijpende blik aankeek, zei ze: 'Die vrouwen hebben te veel tijd om handen. We moeten ze aan het werk zetten.'

De maanden daarop was Charity een en al bedrijvigheid. Hoewel ze al in de zestig was en zichtbaar afgetobd door het verdriet uit haar verleden, leek ze overal tegelijk te zijn en tantes en omaatjes en de verschillende generaties nichtjes tot allerlei activiteiten aan te sporen. Er werd een groepje aan het werk gezet om de kinderen van arbeiders leesles te geven; een ander groepje moest zich over kleuters onder de vier jaar ontfermen; en de padre werd overstelpt met vrouwengroepjes die liefdadigheidsbazars organiseerden of aan bijbelstudie wilden doen.

Maandenlang hield Charity de vrouwen bezig, tot het werk in eigen huis, dat zich ophoopte naarmate de kolonie groeide en volwassener werd, hen meer in beslag nam. Hun huishoudelijke taken, het gastvrouw spelen voor verwanten die hen kwamen opzoeken, en de bruiloften, begrafenissen, feesten en functies in het kerkelijk leven, zorgden dat ze niet veel tijd meer hadden om stil te zitten. Weldra hadden de meeste vrouwen voor die hele Victoria geen aandacht meer. Ze sleepte zich nog wel van het ene huis naar het andere voort, maar de bezoekjes aan haar vroegere vertrouwelingen en samenzweerderige kliekgenoten duurden maar kort omdat die inwendig kookten van ergernis en wilden opschieten met hun karweitjes. Een paar maanden later kwam er ook een einde aan het vertrouwde tafereel van haar slepend trage gang door de nederzetting. Ze was zo dik geworden dat haar benen haar gewicht niet langer konden dragen. Zeker een jaar zat ze de hele dag voor het raam terwijl haar echtgenoot door de kolonie zwierf en probeerde binnen te dringen in de levens van anderen, om voedsel en inlichtingen te vergaren die hij met zijn vrouw thuis kon delen.

Nu ze niet langer de aanzienlijke macht was van weleer, werd er zelfs een beetje meewarig gedaan over Victoria. En voor de enkeling die nog beducht voor haar was, was er algauw geen aanleiding meer zich zorgen te maken, toen haar overbelaste hart een paar maanden later, vermoeid van het pompen van bloed door haar monsterlijke lichaam, het begaf.

Doraipuram had nog nooit een betere begrafenis meegemaakt. Alle mensen die bang voor haar waren geweest, bezorgden Victoria de meest grandioze uitvaart die ze zich had kunnen wensen. Op het zestien dagen durende rouwfeest kookte Charity tot Daniels intense verbazing haar vermaarde biryanimaaltijd met vis. Na haar inzinking bewaarde ze die voor de allerspeciaalste gelegenheden.

59

Op een ochtend schrok Daniel nog voor het aanbreken van de dag in paniek wakker. Toen hij uit het raam keek, zag hij een schimmige stoet voorbijtrekken die allemaal in het wit gekleed langzaam door de dunne nevel schreden, die soms over de streek neerdaalde. Ervan overtuigd dat zijn moeder, die zich al bijna dertig jaar in het wit kleedde, iets verschrikkelijks zou overkomen, rende hij naar haar kamer en riep haar naam. Toen hij haar daar niet aantrof, begon hij als een gek naar haar op zoek te gaan voor hij eindelijk op het idee kwam eens in de keuken te gaan kijken. Charity was bezig op het fornuis melk aan de kook te brengen.

'Amma, voel je je wel goed?' vroeg hij bezorgd.

'Natuurlijk wel. Zie je dat dan niet? Wat heb je?'

'O niets, niets,' zei hij verstrooid. Het gevoel van onbehagen was nog niet van hem geweken en dus schoot hij in zijn *chappals* en sloeg een doek om zijn schouders en volgde de voetsporen van de processiegangers. Ze waren hem al een eindje voor, maar Daniel liep snel en het lukte hem ze in te halen. Hij bleef een meter of vijfentwintig achter hen aan lopen en keek verbaasd toe hoe ze, terwijl ze zachtjes gebeden en mantra's prevelden, de zoutziederij voorbij en slingerend over het strand op de aanzwellende oceaan af liepen. Misschien zouden ze zich allemaal gaan verdrinken, bedacht hij in paniek. Hij stormde achter hen aan. 'Staan blijven, stoppen, ik beveel jullie stil te blijven staan. Zeg wat je van plan bent.' Doodgemoedereerd vervolgden de processiegangers hun weg. Maar een paar stappen voor het water haalde Daniel hen in. 'Heb je niet gehoord dat ik naar jullie riep stil te blijven staan?' vroeg hij. Enkelen van hen kwamen hem bekend voor, maar de meesten waren onbekenden.

'Maar één politieagent van het gouvernement,' zei een oude vrouw. 'Bent u gekomen om ons te arresteren?'

Daniel keek haar aan of ze gek was. 'Arresteren?' stamelde hij.

'Nee, hij is niet van het gouvernement, dit is Daniel Dorai, de grote dokter aiyah,' mompelde een van de mensen die hij kende.

'In dat geval kunnen we onze missie beter vervolgen,' zei de leider van de groep. Als één man liepen ze pardoes op het water af, vielen op hun knieën en schraapten wat van het korstige zoute zand. Na een kort gebed, keerden ze op hun schreden terug.

'Zijn jullie gek geworden?' schreeuwde Daniel, toen hij met de stoet mee terugliep. De leider, een tamelijk jonge man die gekleed ging in niet meer dan een lendendoek, en die een dikke zwarte stok oppakte, keek hem met schitterogen aan. 'Nee, anna, wij zijn niet gek. Het enige wat we doen is onze heilige plicht vervullen zoals Mahatma die heeft voorgeschreven. Hij is vele duizenden kilometers verderop in het westen ook bezig tegen de de tirannieke zoutwet van de Britten in te gaan, net zoals onze wijze broeder Rajaji dat in Vedranyam aan het doen is. Zou u ook graag zelf zout willen bereiden?'

'Nee, in het geheel niet,' zei Daniel verontwaardigd. 'Over welk protest heb je het?'

'Het laatste van de Mahatma, anna,' zei de leider vriendelijk en hij zette zijn bedaarde gangetje voort. Daniel zag ze gaan en wist niet meer wat hij ervan moest denken. Zoals altijd had hij deze laatste ontwikkelingen gemist, vooral omdat Ramdoss weg was. Hij moest nodig een bezoek gaan brengen aan Narasimhan en erachter proberen te komen wat er gaande was.

De volgende middag bezocht hij zijn vriend de tahsildar in Meenakshikoil. 'O ja, ik heb ze allemaal moeten arresteren omdat ze de wet overtraden. Opdracht van het gouvernement. Maar ik moet zeggen dat het een heel slimme zet was, echt heel slim. Het was waarschijnlijk een slecht idee van het gouvernement om over zout accijns te gaan heffen, het gaat te veel mensen aan, maar wat Mr. Gandhi gemakshalve vergat erbij te zeggen toen hij zijn verontrusting kenbaar maakte, was dat de meeste andere heffingen zijn kwijtgescholden. Maar hij weet precies wat hij aan het doen is. Het staat hier allemaal in de krant. Lees zelf maar,' zei Narasimhan en hij overhandigde Daniel een exemplaar van de *Mail* en van de *Hindu*. Die nam vluchtig de verslagen door die handelden over de grote mars van vijfentwintig dagen van Ahmedabad naar het kleine kustplaatsje Dandi. Op 6 april 1930 waren Mahatma en zijn volgelingen naar de kust gelopen om zelf zout uit het zeewater te bereiden. Dit schreef de speciale verslaggever van de *Hindu* erover:

De plek die ervoor was uitgezocht was een stukje drassige grond van twee vierkante meter waarop zich glinsterende korstjes zout hadden afgezet, nog niet gezuiverd maar toch met de mogelijkheid het gewone doorsneezout op te leveren. De zon was net boven de oostelijke kim verschenen en stuurde zijn milde stralen alle kanten uit. Er was een grote groep van vijfhonderd mensen bijeengekomen om de historische plechtigheid bij te wonen. Er heerste diepe stilte en behalve het geklik van camera's was er geen enkel geluid. Mahatmaji hield zich aan gene zijde van het drassige terreintje op. Naast hem stonden Mrs. Sarojini Naidu, Miss Tyabjee, Shrimathi Mithuben Petit en dr. Sumant Mehta. Om halfzeven raapte Mahatmaji een handjevol zoute drab op. Zijn volgelingen deden bijna gelijktijdig hetzelfde. Niemand, behalve de vrijwilligers die zich hadden aangediend, werd tot het afgezette stukje terrein toegelaten en niemand durfde het ook te betreden. De grote handeling had al plaatsgehad nog voordat de menigte, die zich verzameld had en eerbiedig stond toe te kijken, tot het besef was gekomen dat de zoutwet was overtreden.

Toen Daniel van de krant opkeek, zei Narasimhan lachend: 'Indrukwekkend, niet? Ik weet niet of mijn werkgevers die man kunnen tegenhouden.' En toen zei hij er vlug achteraan, omdat hij besefte hoe dat moest overkomen: 'Maar als hij zo doorgaat zal het gouvernement zich nog genoodzaakt zien buitengewoon strenge maatregelen te treffen. Zo onverantwoord mag Mr. Gandhi toch niet te werk gaan.'

'Waarom krijg ik toch iedere keer als we het over hem hebben, Narasimhan, het gevoel dat jij die man bewondert, al is hij van de tegenpartij?'

'Omdat het een man is van principes en omdat hij eerlijk is en van dat soort mensen hebben we er niet zoveel. Maar ik krijg misschien zeer binnenkort de kans goed op zijn tactiek te letten. Ik heb net mijn bericht van overplaatsing ontvangen, sir. Ze willen me in Melur stationeren.'

'Dan moet je eerst nog naar mijn huis komen, Narasimhan, voordat je weggaat. Kom een keer bij me eten.'

Daniels kortstondige interesse in de politiek was algauw weer weggeëbd. Amper een maand nadat hij vanuit zijn raam ooggetuige was geweest van de schimmige stoet, werd Charity buiten op het toilet bewusteloos aangetroffen. Haar kleren, lichaam en gezicht waren een zwarte bewegende massa vanwege de duizenden zwarte mieren die van alle kanten bliksemsnel over haar heen kwamen kruipen, nadat ze waren aangetrokken door de eigenaardige zoetige geur van haar urine. Daniel Dorai probeerde van alles, maar ze raakte in een diabetisch coma waaruit ze nooit meer ontwaakte. Lily vertelde hem dat Charity een maand of zo daarvoor geklaagd had over misselijkheid en uitputting en toen een tijdje haar bed had gehouden, maar die aanval had maar een paar dagen geduurd. Daniel was op reis geweest en Charity had hem niet lastig willen vallen met haar ziekte die toch niet zo ernstig leek te zijn.

De dood van een ouder laat niemand ongetekend. De dood van Solomon had in Daniel diepe sporen nagelaten, maar door Charity's dood was hij finaal gebroken. Om te beginnen gaf hij zichzelf de schuld. Als dokter zou hij gemerkt moeten hebben dat er iets niet goed was. Maar meer nog dan schuld voelde Daniel de angst voor en de pijn van en het diepe schrijnende verdriet de eerste keer in zijn leven helemaal alleen te zijn. Hij was dankbaar dat hij zijn vrouw en kinderen om zich heen had, maar besefte nu pas hoezeer hij op zijn moeder gesteund had. Als hoofd van de familie was hij staande gebleven na het overlijden van Aäron en Rachel, maar hij vroeg zich nu af of de reden waarom hij zo goed opgewassen was geweest tegen die tragedie voor een deel kwam omdat zijn moeder er altijd geweest was om hem te steunen.

Nog weken na haar dood kon hij plotseling ophouden met wat hij aan het doen was, om dan leeg voor zich uit te staren. Dat kon heel verontrustend zijn. 's Nachts begon hij te dromen. Het was altijd dezelfde droom: Charity, tenger maar niet klein te krijgen, gekleed in een witte sari, met een olielamp in de hand, die zich in het holst van de nacht door een ravijn repte. Er lagen allerlei gevaren op de loer in de duistere schaduwen, maar haar stap was vastberaden en het deel van haar gezicht dat je zien kon, sereen. De zwakke lamp hield, hoe ongelooflijk het ook leek, de kwaadaardige grijpvingers van de duisternis die naar haar op zoek waren, op een afstand. Maar de weg was lang en moeizaam. Dan begon hij te bidden en probeerde bij haar te komen, haar verder te leiden, te zeggen dat ze door moest lopen en niet naar links of naar rechts kijken, alleen maar vol moest houden, steeds maar volhouden. En dan zou ze... Stond ze op het punt om... Waarna ze de volgende nacht opnieuw in zijn droom verscheen. En het naargeestige halfduister van die vallei verder in liep, vastberaden, kalm, een piepklein speldenpuntje van licht.

Daniel was bijna vijftig jaar toen Charity stierf, maar het doet er niet toe op welke leeftijd je een van je ouders verliest, er is nooit iets waaraan je je vast kunt klemmen om het minder smartelijk te maken. Hij besefte vaag door zijn verdriet heen dat hij, nu zijn beide ouders overleden waren, geen veiligheidsnetten meer over had, geen mogelijkheid zich in heiligdommen, hoezeer die ook alleen maar in de verbeelding bestonden, terug te trekken. Nu beschikte hij alleen nog over zijn eigen beperkte wijsheid en talenten en energie, die hem moesten bijstaan tot aan het einde van zijn eigen tijd van leven. Het was een angstaanjagend vooruitzicht.

Hij werd steeds lustelozer en verloor de belangstelling voor zijn werk. Er verschenen geen nieuwe producten meer uit zijn laboratorium en wat de zaken nog erger maakte, de moessonregens bleven dat jaar uit, voor het eerst sinds Doraipuram van de grond was gekomen. Naarmate de weken zich aaneenregen tot maanden, werd de familie rustelozer. Ze hadden Daniel in zijn diepe verdriet zo lang mogelijk ontzien, maar hun medeleven en sympathie was nu eenmaal eindig. Ze hadden gehoopt dat hij zich zou herstellen en de draad weer oppakken. Ramdoss en Lily probeerden zoveel mogelijk van Daniel over te nemen, maar ze wisten dat zijn interesse voor zijn bedrijf en nederzetting nu toch gauw terug moest komen.

In de dagen vol verdriet bracht hij veel tijd door op de kleine afgesloten veranda achter zijn slaapkamer waar hij las en nadacht over de dood. Hij las niet alleen in de bijbel, maar ook in de *Upanishads* en de *Gita* en een paar commentaren over de heilige hindoe- en boeddhistische geschriften die Narasimhan bij hem had achtergelaten. Iedere tekst bood hem weer iets anders maar ze waren geen van allen toereikend om het grote verdriet dat in zijn hart volhardde, te verdrijven. Ramdoss kwam dikwijls stilletjes bij hem zitten en bracht zo nu en dan een paar urgente zaken onder zijn aandacht. Onveranderlijk luidde het antwoord van Daniel: 'Doe maar wat jou het beste dunkt.' Hij had geen zin om ook maar iets te bespreken, hoewel hij Ramdoss vaak verhalen vertelde over zijn jeugd en daarin speelde Charity altijd een hoofdrol.

60

Alle huwelijken die in Doraipuram voor de tweede helft van het jaar 1930 gepland waren, werden uitgesteld tot het officiële rouwjaar voorbij was. Onder degenen die erdoor getroffen werden, was ook Shanthi. De bruidegom was uitgekozen, de bruidsschat vastgesteld en de overige regelingen hadden ook hun beslag gekregen toen Charity overleed.

De week na de dienst die formeel het einde van de rouwtijd markeerde, bracht Lily het onderwerp van het huwelijk van Shanthi en haar bruidegom ter sprake. Ze had geprobeerd alles tot in de kleinste puntjes te regelen, maar was op een onvoorzien probleem gestuit. Omdat er zo veel uitgestelde huwelijken voltrokken moesten worden, was de familie door de gunstige data heen geraakt. Shanthi, als dochter van de grondlegger van de nederzetting, zou natuurlijk de eerste keuze gelaten worden, maar dat leek toch niet helemaal juist. Daniel hoefde er niet lang over na te denken: 'Ik wil mijn lieve dochter liever vandaag dan morgen getrouwd zien, dus waarom houden we niet een bruiloft voor alle echtparen tegelijk op dezelfde dag? De kerk is groot genoeg en ik weet zeker dat de padre ons ter wille zal zijn.'

Doraipuram had nog nooit zo veel bedrijvigheid gekend. De gasten stroomden binnen en werden ondergebracht waar maar plaats gevonden kon worden. Er moesten kleren genaaid worden, pandals opgezet, kippen en geiten geslacht, de kerk werd in gereedheid gebracht. Ieder huishouden was op de een of andere manier bij de voorbereidingen betrokken.

Toen Daniel eenmaal had ingestemd met de feestelijke plechtigheid, was hij andermaal in zichzelf gekeerd, en de gedachte dat Charity er niet bij zou zijn had hem droevig gestemd. Lily en Ramdoss lieten hem met rust. Zijn slaapkamer, waar hij veel tijd doorbracht, keek uit op een brede laan met regenbomen, de lievelingsboom van Charity. Ze had er persoonlijk op toegezien dat de jonge loten geplant werden, maar ze had ze niet in bloei mogen zien staan. Dit was het eerste jaar dat ze bloesem droegen, en ze leken nu al weken net wolken van bloemen. Nu kwam er een einde aan hun bloeitijd en de weg lag bezaaid met naar beneden gevallen bloemblaadjes. Op een morgen keek Daniel naar een straatveger die met zijn bezem op zijn dooie akkertje de laan schoonveegde. Toen liep hij door, maar het lag er net zo snel weer vol met bloemblaadjes. De man, ijverig genoeg, kwam terug om de straat opnieuw schoon te vegen, waarna de bloemen met dezelfde snelheid naar beneden vielen. Op een dag, dacht

Daniel, zou de stormachtige lawine minderen tot een milde bloesemregen en zou de bezem de strijd winnen. Was zijn verdriet eigenlijk niet ook zoiets? Hij was maanden achtereen als verlamd geweest, maar voelde zich nu langzaam naar het licht toe krabbelen. Uiteindelijk zou hij daar weer belanden, wist hij, als zijn verdriet voldoende verneveld zou zijn en zich door het leven zelf had laten verjagen.

Er werd op de deur geklopt en toen kwam Ramdoss binnenlopen met Chris Cooke achter zich aan. Daniel geloofde zijn ogen niet. 'Ik dacht je maar eens te verrassen, ouwe makker,' zei Cooke. 'Volgend jaar ga ik met pensioen en en ik vond dit een perfecte gelegenheid om alle plaatsen aan te doen die ik misschien nooit meer terug zou zien...'

'Maar als je me had laten weten dat je kwam, zou ik gezorgd hebben voor een behoorlijke ontvangst.'

'O, maar Ramdoss en ik zijn dit al een poosje van plan geweest. Zodra ik de uitnodiging voor de bruiloft ontvangen had, wist ik dat ik zou gaan. Dit was mijn laatste kans om jullie allemaal te zien. Maar Ramdoss dacht dat het nog leuker zou zijn als het een verrassing bleef.'

'Ik kan je niet zeggen hoe blij ik ben dat jij er bent,' zei Daniel. 'En wat zie je er goed uit! India moet jou wel goed doen, ik kan haast niet geloven dat je er weggaat na, eens kijken, dertig jaar?'

'Vijfendertig zullen het er al met al zijn, wanneer ze me uiteindelijk op de boot naar huis zetten.'

Nadat Cooke wat gerust en zich opgefrist had, maakten hij en Daniel een wandeling over het strand. De zon raakte de kim bijna, die er roodgloeiend bij lag nu ze gulzig de hitte van de dag indronk.

'Ik geloof niet dat ik tijdens zonsopgang of -ondergang ooit mooiere taferelen heb aanschouwd dan juist hier,' zei Cooke.

'Ja, dat zei Father Ashworth ook altijd,' zei Daniel. 'Toen ik nog een jongen was, liepen hij en ik heel vaak samen deze kant op. Hij ligt ook begraven op een plek die uitkijkt op de zee, begrijp je.'

'Hij was verknocht aan dit oord. Dat was een trieste zaak toen.'

'Die dagen zal niemand van ons ooit vergeten,' zei Daniel somber.

'Nog meer last gehad van kastenstrijd?'

'Hier in de omgeving niet,' zei Daniel. 'Er zijn hier nog maar weinig Vedhar-families over en dat zijn vreedzame mensen. Nationalistisch verzet steekt hier wel eens de kop op als er iets heftigs in de grotere steden aan de gang is, maar het merendeel ervan vindt aan gene zijde van de rivier plaats. Hier heb je dat soort nonsens niet.'

Ze liepen nog een poosje door zonder iets te zeggen, elk verdiept in zijn eigen gedachten, toen zei Cooke: 'Ik vond het heel erg toen ik het hoorde van je moeder.'

'Welbedankt voor je condoleancebrief. Hij staat me nog helder voor de geest, vooral de opmerking dat haar dood alleen maar inhield dat ze nu altijd bij me zou zijn en in mijn innerlijk zou blijven voortleven, waar ze mij van dienst zou zijn wanneer ik haar maar nodig had.'

'Ik had zelf dat gevoel toen mijn vader overleed. Dat is een van de redenen dat Barbara en ik besloten terug te gaan. Mijn moeder kwakkelt met haar gezondheid en we zouden graag wat dichter bij haar zitten. Bovendien zijn de kinderen daar nu, dus...'

'Zul je India niet missen?'

'Ja, ieder moment, ben ik bang. Ik probeer er maar niet aan te denken waarom ik hier weg zal gaan, en als al het andere hetzelfde gebleven was, weet ik vrijwel zeker dat ik hier mijn pensioendagen had gesleten.'

'Maken die politieke woelingen je niet ongerust?'

'Wel een beetje, maar in mijn ogen is er niets dat niet overwonnen kan worden. Jullie mensen willen je vrijheid. Dat is logisch. Maar ik geloof niet dat jullie ons zo erg haten dat je ons er helemaal uit wilt smijten. Zelfs Mr. Gandhi zegt dat hij niets tegen ons persoonlijk heeft. Ik weet wel zeker dat er iets op verzonnen kan worden.'

'Ik hoop het. Als ik het voor het zeggen had, liet ik de Britten blijven,' zei Daniel. Hij was er zelf verbaasd over dat zijn sympathie voor de Britten niet helemaal verdwenen was. Hij had ze eigenlijk moeten haten om wat ze Aäron hadden aangedaan, maar na een campagne zonder pardon tegen Rolfe die door toedoen van Chris Cooke snel van de grond was gekomen en met succes afgesloten (het gevangenishoofd was ontslagen), had hij simpelweg besloten de politiek volledig de rug toe te keren. De nationalisten waren in zijn ogen niet beter dan de machthebbers. Als Aäron geen deel had uitgemaakt van de revolutionaire beweging, had hij nu nog bij hem kunnen zijn... En, als hij toch zou moeten kiezen, was zijn min of meer belangeloze mening dat de blanke man minder tweespalt teweegbracht. Maar het was nutteloos om te speculeren over wat geweest had kunnen zijn.

Chris zei weer wat: 'Ik geloof dat beide partijen de dingen beter zouden kunnen doen. Maar met een beetje geluk loopt het allemaal niet zo'n vaart.'

'Dat mag ik hopen.'

'Nu mijn tijd er bijna op zit – er is iets waar ik je altijd al mijn verontschuldigingen voor heb willen aanbieden.'

Daniel lachte en zei: 'Maar heb je dan iets verkeerds gedaan? Ik zou zeggen, integendeel...'

Cooke viel hem in de rede: 'Het is vast nooit bij je opgekomen, maar ik ben nu al een paar jaar bezig je op de jaarlijkse lintjeslijst van de koning te krijgen... Gezien je bijdragen en steun zou dat het minste zijn wat we konden doen, maar telkens als ik je naam doorgeef komen ze weer met Aäron op de proppen!'

Daniel zei: 'Maar wat goed van je, Chris, daar had ik zelf nooit aan gedacht... In elke geval hoef jij je niet te verontschuldigen. Eerlijk gezegd betekenen die dingen niet zoveel voor mij.'

Toen bleef het een poosje stil tussen hen en ze genoten van de zonsondergang, waarna Daniel het woord nam: 'Hoe denk je straks je tijd door te brengen?'

Cooke glimlachte. 'Ik vind vast wel het een en ander te doen. Wij Engelsen zeggen dat we met pensioen gaan om ons tuintje te onderhouden.'

'Onze versie is dat we alles opgeven om het bos in te gaan, hoewel ik geloof dat we al van geluk mogen spreken als er nog een klein bosje te vinden is tegenwoordig,' zei Daniel lachend. Cooke lachte mee.

Toen liepen ze nog veel langer door dan ze van plan waren geweest, zoveel was er bij te praten. Toen ze eindelijk op hun schreden terugkeerden, en alles uitputtend besproken hadden, besefte Daniel dat hij de Engelsman echt zou missen, hoewel hun contact al vele jaren beperkt was gebleven tot het schrijven van brieven en het uitwisselen van geschenken. Daniel zou zijn vriend een reusachtige mand met Chevathar Neelams sturen vlak voor het mangofestival – Cooke had er altijd een zullen bijwonen – waarop deze tegen de kerst zou reageren met een gulle mand vol geschenken. Ze hadden meer samen moeten doen, bedacht hij. Hij moest lachen toen hij eraan terugdacht hoe hij zich op aanraden van Cooke een fraaie serie verzamelde werken van de grootste schrijvers van Engeland had aangeschaft. Die stonden nog grotendeels ongelezen decoratief te zijn in de bibliotheek. We hadden meer tijd in deze vriendschap moeten steken, mijmerde Daniel, en nu is het er te laat voor.

Twee dagen later schreden de vijf bruiden langzaam over de laan met de regenbomen, met fladderende sari's als grote witte motvlinders vlak voor de schemering. De straatvegers hadden het stoffige zand nat gemaakt zodat hun voetstappen nauwelijks indrukken in de koele aarde achterlieten. Het licht stroomde naar buiten door de ramen van de kerk waaronder de wijde riviermonding glinsterend oplichtte. De ruimte was tot de laatste millimeter bezet en het daverde er van de liederen die de gemeente uit volle borst zong en van de rituele teksten die ze met een verve als nooit tevoren opdreunde.

Doraipuram komt weer tot leven, mompelde Daniel, net als ikzelf. Amma zou er blij om zijn. Later, in een royaal gebaar dat hem geliefd maakte bij de andere ouders maar dat Ramdoss even in paniek bracht, betaalde Daniel het gezamenlijke feest in Neelam Illum voor alle getrouwde paren van die dag. Aan de festiviteiten kwam pas een einde toen de dageraad de lucht aan flarden scheurde. In het vroege licht bood de achterkant van het grote landhuis een helse aanblik – alle straathonden van mijlenver in de omtrek hadden zich daar verzameld om met de roofvogels, eekhoorns en kraaien het recht te betwisten op de berg botten en afvalresten.

Maar door een dergelijk tumult werd de ingang van het grote huis niet ontsierd. Lily, die iedereen versteld had doen staan van haar niet-aflatende energie en organisatietalent, had nog een verrassing in petto. Heel vroeg in de ochtend was Daniels nieuwe Chevrolet op een speciale boodschap uitgestuurd, helemaal naar Trivandrum. De passagier die in de wagen mee terugkwam, werd voor Shanthi verborgen gehouden totdat laat in de middag de tijd voor haar en de andere bruiden was aangebroken om te vertrekken. Lily wilde hen echter niet laten gaan tot ze hadden deelgenomen aan het laatste ceremonieel van de dag – een groepsfoto onder de breed uitgewaaierde kruin van de mangoboom op het gazon aan de voorzijde. Het was de eerste keer dat een dergelijk ritueel zijn intrede deed tijdens een bruiloft van de Dorais en de bij elkaar gezette leden van de familie waren allemaal erg opgewonden. Zo erg dat ze, voordat de historische foto genomen kon worden, de fotograaf horendol maakten. Telkens als hij onder de donkere doek kroop en door de lens tuurde, was er weer iets anders wat de compositie in de war stuurde – een tante die overdreven ging staan zodat ze voor Shanthi's gezicht schoof, of een baldadig neefje dat weer op zijn plaats gezet moest worden. Ten slotte, na veel gegiechel en gefluister stonden ze allemaal netjes op hun plek. Op instructie van de fotograaf keken de patriarch en de familieoudsten met strakke blik naar de camera. Een blauwe flits, en het zat erop voor de geplaagde fotograaf.

Een maand later, toen de ingelijste foto's in Neelam Illum waren aangekomen, bepaalde Daniel dat de foto van de bruiloft van zijn dochter een ereplaats zou krijgen in de enorme woonkamer. 'Zonder Shanthi zou dit er allemaal niet geweest zijn,' zei hij tegen Lily, toen hij toezicht hield op de werkzaamheden. 'Ze had eigenlijk Lakshmi moeten heten.'

Vlak voordat de foto zou worden opgehangen, riep Daniel dat ze even met het werk moesten ophouden en toen wenkte hij Lily opgewonden naderbij. Misschien wel vanwege de talloze keren dat hij gestoord was, had de fotograaf een klein stukje van de foto overbelicht. Maar volgens Daniel was dat het helemaal niet. 'Ik wist dat ze er bij zou zijn. Kijk hier eens naar, Lily,' zei hij en hij wees naar de lichtvlek die de gezichten van de mensen vlak achter zijn dochter wazig had gemaakt. 'Hoe had Shanthi ook kunnen trouwen zonder de zegen van haar grootmoeder?'

61

Toen Kannan geboren was had Daniel bewust het besluit genomen hem niet te behandelen als de duidelijke erfgenaam. Denkend aan zijn eigen eenzame jongensjaren en de drukkende last van zijn vaders verwachtingen besloot hij dat zijn zoon de vrijheid moest hebben om te genieten van een veilige jeugd te midden van een uitgebreide familie. Daardoor kon Kannan behoorlijk zijn eigen gang gaan. Hij liep in dezelfde kleren als zijn talloze neefjes, sliep in de grote kamer van het huis die apart gehouden was voor de jongens van zijn leeftijd en er waren voor hem geen bijzondere gunsten.

Dat was het beste geschenk dat Daniel hem had kunnen geven. Van de zorgen der volwassenen verre gehouden en bevrijd van de druk die zijn achternaam op hem zou kunnen leggen, was het leven voor Kannan alleen maar verrukkelijk. Aan clanfestiviteiten werd nog een jaar lang na de dood van Charity paal en perk gesteld maar dat weerhield de kleinere jongetjes van de nederzetting nauwelijks ergens van. Die hadden nog genoeg te doen: door de mangoboomgaarden struinen, in de rivier en de waterputten zwemmen, het grote gevecht van Solomon op het strand naspelen – hoewel Daniel dat verboden had. Er waren lange ritjes op hun fiets in de zon die hun huid diep verkleurde tot een onnatuurlijke donkerte, en stoeipartijen, en ze joegen op slangen in het water van de ondergelopen rijstvelden en speelden verbeten hun partijtjes hockey en voetbal. En ten tijde van de vogeltrek, als watervogels de lucht en het water bevolkten, waren er de grote jachtpartijen op eenden en talingen, en weerkaatsten de echo's van geweerschoten over de meren en de rivier.

Op een ochtend, na de bruiloft van zijn zuster, werd Kannan in zijn eentje wakker in de kamer van zijn moeder. Hij was aan het herstellen van een griepje en apart gelegd van de andere jongens. Hij had uitgeslapen en er was niemand in de buurt. Hij voelde zich een beetje zwakjes maar voor de rest uitstekend. Na een snelle waspartij schoot hij een hemd en een broek aan, de standaardkleding voor de kleinere jongens die nog geen schooluniform droegen, en liep het huis uit zonder speciaal doel voor ogen. Al zijn vrienden zaten op school en na een poosje verveelde hij zich. Het was een stralend zonnige dag, maar de moessontijd brak langzaam aan en de buien die aan de echte moessonregens voorafgingen hadden in elke kuil in de grond plassen water laten staan. Een grote kuil die net achter de tuin lag, was tot de rand toe volgelopen en Kannan keek geboeid toe hoe het er krioelde van de honderden piepkleine wezentjes net onder de oppervlakte van het troebele groene water. Op zijn hurken gezeten stak hij een hand uit om een stukje van het vuile vlies op het water weg te schuiven. Nu kon hij de dikkopjes duidelijk zien, onmogelijke wezentjes met hun enorme kop en lelijke staart. Hij verschoof een beetje, ging wat gemakkelijker zitten en liet zijn hand vliegensvlug in het water schieten. Toen hij hem terugtrok, zaten er twee dikkopjes in zijn dichtgeknepen knuist. Kannan legde ze op een grote steen en keek met grote aandacht naar hun doodsstrijd. Toen ze niet langer bewogen porde hij er eens flink met zijn vinger in om zeker te weten of ze dood waren. Toen keerde zijn aandacht terug naar de plas. Deze keer ving hij maar één dikkop, al bijna een kikker met goed ontwikkelde achterpoten en een kortere staart. Die had meer tijd nodig om dood te gaan. Tegen de tijd dat er veertien dikkopjes op de stenen lagen, verstijfd en opgekruld als verbrande takjes, kreeg Kannan genoeg van het spelletje. De dikkoppen boden geen weerstand en lieten zich veel te gemakkelijk vangen en gingen ook niet eens schitterend dood. Hij stond op en slenterde naar het huis terug.

Toen hij over de oprijlaan liep, zag hij dat de Chevrolet van zijn vader helemaal onbeheerd stond, zonder chauffeur. Kannan kon zijn ogen niet geloven. Raju, die het citroengele mechanische wonder – alle auto's van dr. Dorai waren geel – in oogverblindende staat hield, was de schrik voor iedereen en ze kregen liever niet met hem te maken. Dat was ook de reden waarom de auto de aandacht van de tientallen kleine jongetjes die erdoor geobsedeerd waren, bespaard was gebleven.

Iedere zondag na kerktijd mochten er van dr. Dorai drie jongens en meisjes, die zo eerlijk mogelijk waren uitgekozen, op een plezierritje door Doraipuram met hem meerijden. Het was een belevenis die niemand van hen gauw vergeten zou. Veertien dagen geleden was Kannan voor de derde keer aan de beurt geweest en hij kon zich veel van het tochtje nog precies herinneren. Zijn vervelende neefje Gopu, die nog maar zes was en uitermate onbenullig, had tussen Kannan en zijn nichtje Mary, die hij ook niet erg mocht, op de achterbank gestaan en was doodsbenauwd geweest dat de wagen ergens tegenop zou botsen. Gespannen door de voorruit kijkend, schreeuwde hij: 'Raju, een koe' of 'Raju, een man' of 'Raju, een neemboom', wanneer een en ander nog minstens op een halve kilometer afstand in het zicht schoof op de kaarsrechte wegen van Doraipuram. Nadat dr. Dorai het zo lang mogelijk had verdragen, had hij naar zijn zoon gesnauwd dat hij Gopu in toom moest houden. Kannan had dat maar al te graag gedaan en zijn neefje met zijn hand in de nek tegen de zitting aan gedrukt om hem niet overeind te laten komen voor de Chevrolet stilstond. Toen hij uitstapte had Kannan Gopu nog eens flink geknepen, omdat hij zijn leuke ritje had bedorven.

En nu stond daar die Chevrolet, een enorm geel gevaarte met zwarte sierstrippen, hem uit te dagen om al dat gecompliceerde fraais te onderzoeken zonder gestoord te worden door strenge volwassenen of lastige neefjes. Hij klom voorzichtig op de treeplank, ontsloot de deur en ging behendig achter het stuur zitten. Hij was nog niet lang genoeg om door de voorruit te kunnen kijken, maar dat gaf niet, er was zo veel opwindends in de auto zelf: het gigantische stuur, de schijven met hun mysterieuze cijfers en symbolen, de toeter. Een poosje bleef hij gewoon maar zitten, dik tevreden over zichzelf. Toen bedacht hij met schrik dat Raju ieder moment terug kon komen en hij besloot zoveel mogelijk plezier te beleven aan het wonder van vernuft voor hij eruit verwijderd zou worden. Hij pakte het onderste deel van het stuur vast en draaide het om en om terwijl hij motorgeluiden maakte: 'Wrmmm, wrmmm.' Naarmate hij meer in zijn belevenis opging, werd hij steeds driester en begon aan de hendels en knoppen te friemelen. Er schoot een hendel omlaag die in het slot viel en hij verstijfde van schrik, maar er gebeurde niets en hij ging door met zijn spel. Toen merkte hij een hendel op die hij in het begin nog niet gezien had, en daar trok hij aan.

Toen hij de handrem lostrok, begon de auto de flauwe helling van de oprit af te rijden. Kannan schrok zich dood toen de Chevrolet in beweging kwam. Zijn eerste reactie was de deur open te doen en eruit te springen, maar die impuls werd algauw de kop ingedrukt door de overweldigende ontzetting die over hem kwam toen de auto vaart begon te krijgen. Hij draaide als een bezetene aan het stuur en trok en duwde aan verschillende hendels. Hij had Raju iets met zijn voeten zien doen als hij reed, maar de pedalen zaten te ver weg. Hij gaf een mep op de toeter en de Chevrolet schalde eenmaal toen hij van de oprit afgleed en vorstelijk een neemboom ramde.

Daniel keek net uit zijn raam toen hij het geluid van de toeter hoorde en zag tot zijn afgrijzen zijn nieuwe auto de oprijlaan afzeilen terwijl er niemand achter het stuur zat. Vlug deed hij zijn slippers aan en rende naar buiten om maar een paar tellen na Raju bij het tot stilstand gekomen technische monster aan te komen.

'Ezel die je bent, waar zat je?' schreeuwde hij.

'Ik was uit het huis van de bedienden een stoffer gaan halen, aiyah. Ik had de handrem erop gezet en alles, ik weet niet hoe dit heeft kunnen gebeuren.'

'Dan hoop ik dat er niet veel schade is aangericht, anders zwaait er wat voor je.'

Vanuit de auto hoorden de mannen onderdrukt snikken. Even later had Daniel de deur opengewrikt om daarachter een dodelijk verschrikt jongetje aan te treffen. Hij rammelde zijn zoon ruw door elkaar en liet zijn hand eenmaal, tweemaal, driemaal en toen nog een keer hard neer komen. Kannan wrong zich in alle bochten om onder zijn vaders klappen uit te komen, maar Daniel draaide met hem mee en probeerde hem nog een paar meppen extra te geven, dus leken ze een tijdje net op een draaimolen van een circus, die ook maar door blijft gaan. En toen stuurde Daniel, die vond dat hij genoeg gekastijd had, zijn zoon naar zijn kamer. Kannan maakte dat hij wegkwam en snikte hevig.

Raju draaide de wagen de oprit op en ze namen de schade op, die zowel de eigenaar als de chauffeur tot hun opluchting zagen meevallen – een gedeukt spatbord en een kapotte koplamp.

Toen hij de chauffeur had achtergelaten met de opdracht de noodzakelijke reparaties uit te voeren, liep Daniel langzaam weer naar huis. Hij had het niet leuk gevonden Kannan een pak slaag te moeten geven, maar hij deed het niet regelmatig. Hij wist dat zijn toorn was aangewakkerd door meer dan zijn bezorgdheid om de auto; die boosheid had ook te maken gehad met het risico dat de jongen zelf had gelopen. Wat zie ik mijn zoon eigenlijk weinig, dacht hij; het komt erop neer dat hij zonder mij opgroeit en over een paar jaar zal ik moeten constateren dat ik zijn jongensjaren helemaal niet heb meegemaakt. Hij had een heleboel meer van Shanthi en Usha gezien en dat waren meisjes! En je kon het niet afdoen met de redenatie dat het in Nagercoil makkelijker was geweest om tijd met de kinderen door te brengen. Nee, als hij het nog wilde, moest hij nu zelf die tijd maken.

Daniels benadering van de opvoeding was niet zo anders dat die van de andere mannen van zijn generatie. In feite bestond die eruit dat ze hun afstand bewaarden. Kinderen moesten door hun moeders worden verzorgd en als het jongens waren liet je ze geleidelijk bij hun vaders aansluiten op jachtpartijen of familiefeesten en dergelijke, tot ze oud genoeg waren om als mannen te worden behandeld. Hoewel hij anders was dan zijn vader en zijn neven en verwanten, paste Daniel ook in die traditie. Hij voelde zich onhandig met kinderen en was liever een strenge en afstandelijke vader die blij was de tijd die hij aan zijn kinderen besteedde te kunnen beperken tot plezierritjes in de auto en af en toe een standje.

Vrijwel meteen nadat Kannan bij het huis was aangekomen hield zijn huilen op, want de klappen die Daniel hem had gegeven, hadden hem niet zo'n pijn gedaan, maar het kostte wat tijd voor de schrik helemaal verdwenen was. Hij kon zijn moeder niet vinden, dus ging hij in zijn kamer op het matje liggen om zijn verdriet te koesteren. Een poosje later klonken er voetstappen en Kannan zag tot zijn hevige schrik zijn vader in de deuropening staan. Hij keek verwoed om zich heen naar een plek om zich te verstoppen, maar Daniel kwam de kamer niet binnen. In plaats daarvan zei hij vanaf de plek waar hij stond: 'Wat jij gedaan hebt, was heel verkeerd, Thirumoolar, en dat weet jij ook best. Als ik je nog één keer bij de auto aantref, geef ik je zo'n pak slaag dat de klappen die je vandaag hebt gehad daarbij vergeleken niets voorstellen, dat kan ik je wel vertellen.'

Hier was maar een antwoord op mogelijk, dat Kannan ook gaf, want hij beloofde op zijn erewoord nooit meer dicht bij de Chevrolet te komen. Toen zei zijn vader tot zijn verbazing: 'Kom mee, dan lopen we samen een eindje om.' Met de slimheid van zijn jonge jaren besefte Kannan intuïtief dat het ergste voorbij was en hij kwam overeind van de plek waar hij in elkaar gedoken lag en toen begaven ze zich samen op weg.

Aanvankelijk waren ze wat onwennig tegenover elkaar. Het was voor hen allebei nieuw. Ze liepen zonder speciaal doel en toen Daniel Kannan vroeg naar zijn school en zijn spelletjes kreeg hij voorzichtige antwoorden. Na ongeveer een halfuur had Daniel wel zowat iedere vraag die hij kon bedenken bij de kop gehad en hij begon zich af te vragen of de wandeling eigenlijk wel zo'n goed idee geweest was. Wat nu? Hij kon zijn zoon natuurlijk gaan onderhouden over de uitdaging die voor hem lag als de mannelijke erfgenaam van de nalatenschap van de Dorais, maar hij hield zichzelf streng voor dat daar nog tijd genoeg voor bleef. Wat was het toch verduveld moeilijk om vader te zijn, dacht hij. Hoewel hij wist dat hij Solomon niet kon vergeven voor wat hij hem had aangedaan, voelde hij toch wel een beetje met hem mee, nu het om zijn eigen zoon ging. Ze passeerden op dat moment de put waarover Aäron was gesprongen, slechts gedeeltelijk zichtbaar achter het scherm van de bomen, en Daniel nam de gelegenheid waar het gesprek weer op te pakken. 'Weet je dat jouw Aäron-chithappa over die put is gesprongen toen hij nog maar zestien jaar was?'

'Ja, appa,' zei Kannan vlug, 'dat weet toch iedereen. En het is zo'n grote put. Chithappa moet wel een reus geweest zijn.'

Ach, Aäron, Aäron, dacht Daniel, wat had het mooi kunnen zijn. Samen hadden we alles in Doraipuram ten goede aangewend: de verbeelding van kleine

jongetjes die zo nodig geprikkeld wilde worden (er was zelfs een fysieke gelijkenis tussen Kannan en Aäron), dromen die in goede banen geleid moesten
worden...

'O ja, hij was ook een reus,' zei Daniel.

Ze bleven een paar tellen bij de put staan kijken en liepen toen verder.
Nadat ze zonder iets te zeggen een poosje waren doorgelopen, kwamen ze bij
het dichte kreupelbosje van lantana's waar ooit de ruïnes van Kulla Marudu's
aarden fort hadden gelegen. Toen hij in Chevathar was teruggekeerd en zijn
plannen voor de opzet van Doraipuram had gemaakt, had Daniel vaag met de
gedachte gespeeld het fort weer te herstellen, maar het was er nooit van gekomen. Met de jaren hadden de lantana's, balsemien, en andere wilde planten en
struiken de verbrokkelde aarden wallen bijna helemaal overwoekerd. Er huisde
een oude cobra in een diepe spleet en elders in de wirwar van planten tierden
de buidelratten en hagedissen welig. De jongens kwamen er niet te dicht bij,
het was te ondoordringbaar en na een paar lukrake pogingen om de cobra te
doden, hadden ze die verder ook met rust gelaten.

'Weet je wat dat is?' vroeg Daniel, ernaar wijzend.

'O, dat is de plek waar de cobra woont. Ze is heel listig geworden en maakt
dat ze wegkomt zodra ze het minste of geringste geluidje hoort.'

'Eigenlijk liggen daar de overblijfselen van een fort,' zei Daniel, 'uit de tijd
van Kattabomma Nayaka, bijna honderdvijftig jaar geleden.' Hij zag met voldoening dat hij nu de aandacht van de jongen had.

'Waren er toen veldslagen en echte gesneuvelde mensen?' vroeg Kannan.

'Ja, dat was er allemaal. Het fort was eigendom van een lagere krijgsheer die
Kulla Marudu heette en verbazend manhaftig stand wist te houden tegen de
Britten. Ongeveer honderd man hielden de befaamde majoor Bannerman en
zijn troepen wel een maand lang tegen.'

'Heeft hij de Engelsen gedood, appa?'

'Nee,' zei Daniel. 'Op een keer heeft een verrader in de nacht de poorten
van binnenuit opengemaakt en toen stroomden de troepen van majoor Bannerman naar binnen. Na een kort fel gevecht werd Kulla Marudu gevangen-
genomen. Zoals in die dagen gebruikelijk was is hij onthoofd, zijn hoofd werd
op een paal gespietst en in alle omringende dorpen rondgedragen om de mensen te waarschuwen zijn voorbeeld niet te volgen.'

'Denkt u dat daar skeletten liggen?' vroeg Kannan opgewonden en ineens
was alle onrust en angst die hij in de nabijheid van zijn vader gevoeld had weggevaagd uit zijn hoofd.

'Dat betwijfel ik. Er hebben hier al meer dan honderd jaar kleine jongetjes gespeeld, en ik denk niet dat ze er nog veel van hun gading zulen aantreffen. Bovendien verbrandden de Britten zoveel mogelijk de lijken van hun slacht-offers, niet uit respect voor de plaatselijke tradities, maar omdat ze niet wilden dat stoffelijke resten voorwerpen van verering zouden worden.'

Het enthousiasme van Kannan voor het fort werd minder toen hij te horen kreeg dat er geen schedels te vinden waren, maar hij begon de wandeling nu toch een beetje leuker te vinden. Op welke verrassingen zou zijn vader hem nog meer zomaar trakteren? Hij zag een s-vormig letterteken in het zand en wees ernaar.

'Kijk, appa,' gilde hij opgewonden, 'daar is het spoor van die oude cobra.'

'Aan welke letter van het Engelse alfabet doet dat je denken?'

Kannans enthousiasme verbleekte. Dat was niet eerlijk, vond hij. Juist op het moment dat hij er plezier in begon te krijgen kon zijn vader hem toch niet aan die stomvervelende school herinneren?

'Is het een j?' vroeg hij voorzichtig. Het was lang geleden dat hij naar de we-kelijkse Engelse les geweest was in zijn Tamil-school. Hoezeer hij zijn hersens ook pijnigde, j was de enige letter die hem te binnen wilde schieten.

'Nee, geen j. Wat leren ze je daar op school eigenlijk, Thirumoolar?'

'Een heleboel lessen over van alles en nog wat,' zei hij maar vlug. 'Is het een p misschien?' zei hij er achteraan, toen hem die andere letter te binnen schoot.

'Het is absoluut geen p,' snauwde Daniel. 'Als je zoiets simpels nog niet eens kunt beantwoorden, hoe moet je dan ooit examen doen en je rechtmatige plaats innemen als hoofd van de familie?'

Nu zijn goede humeur bedorven was, keek hij eens naar zijn zoon en nam als het ware voor het eerst zijn smoezelige kleren in zich op, het slecht ge-knipte haar waarachter vrijwel zijn hele voorhoofd schuilging, zijn benen vol schrammen en korstjes, kortom: het wildemansuiterlijk van de jongen. Hij begon aan een lange tirade, maar hield daar ook meteen weer mee op toen hij zich zijn vaders teleurstelling over hemzelf herinnerde.

Terwijl hij zijn best deed zich in te houden, hoopte Daniel dat de jongen met zijn weinig indrukwekkende voorkomen ergens in zichzelf de geest zou voelen van een ware Dorai met verantwoordelijkheidsgevoel. Op Ramdoss, Lily en hem rustte de taak de aanleg van de jongen verder te ontwikkelen. Maar daarvoor was meer dan voldoende tijd, redeneerde hij tegen zichzelf in. Laat de jongen voorlopig maar gaan. Hij glimlachte naar zijn zoon, streek hem onverwacht door zijn warrige haardos, en zei: 'Dat was een s, zoon. Je moet harder je best doen en beter Engels leren tot je het minstens zo goed beheerst als je Tamil-taal. De Engelsen zijn hier de baas in het land, en het kan nooit kwaad je de manieren en de taal van de machthebbers eigen te maken.'

Kannan knikte. Hoewel hij tot zijn verrassing aan een preek was ontsnapt, was de lol van de wandeling er voor hem al vanaf, en de afstand tussen hen was opnieuw ontstaan. Daniel voelde het net zo aan en ze begaven zich op de terugweg naar huis door een stukje van de weg af te snijden.

Die avond maakte Daniel Lily en Ramdoss deelgenoot van zijn zorgen om Kannan.

'Wat er niet allemaal gedaan moet worden. Iedere dag is een nieuwe uitdaging en ik ben bang dat Thirumoolar daar nooit tegen opgewassen zal zijn. Hij ziet eruit en gedraagt zich als een halvegare. Nota bene, hij kon niet eens de letters van het Engelse alfabet thuisbrengen!'

Lily schoot haar zoon direct te hulp: 'Hij heeft een goed verstand. Hij heeft alleen maar wat begeleiding nodig. Ik zal wel wat leermeesters voor hem in huis halen. En misschien kunnen we hem overplaatsen naar de Engelse school die zojuist in de stad is geopend.'

'Ja, dat is een goed idee. En ik moet me misschien wat meer met hem gaan bemoeien. Ik ben tenslotte zijn vader en heb het gevoel dat ik hem te veel verwaarloos. Laten we niet vergeten dat over een jaar of wat de toekomst van de familie van hem zal afhangen.' Het bleef even stil, toen zei hij: 'Ik vraag me af of mijn besluit hem niet op de hoogte te brengen van mijn verwachtingen van hem als een Dorai, wel zo goed is geweest. Je weet het nooit met die dingen, wel?'

Toen zei Ramdoss: 'Ik geloof wel dat je de goede beslissing hebt genomen, anna. Geef hem nog een beetje tijd en laat hem normaal opgroeien. Het is een pracht van een jongen en hij zal later een prima leider zijn.'

62

Ramdoss had gelijk. Na verloop van tijd begon Kannan het soort eigenschappen te ontwikkelen die veel goeds beloofden voor de toekomst van de familie. Hoewel niet al te academisch van aanleg of begiftigd met de opmerkelijk sportieve talenten van zijn oom Aäron, was hij een volhouder die blaakte van zelfvertrouwen en niet bang was uitdagingen aan te gaan.

Dat begon al heel vroeg in zijn leventje en had een heleboel met zijn achternaam te maken. Hoewel zijn vader bij zijn besluit gebleven was hem niet met speciale gunsten voor te trekken, hadden degenen die hun leiderschap binnen de groep opeisten onvermijdelijk de pik op hem. Het werd er niet beter op door het temperament van de jongen, dat meer aan het licht kwam naarmate Kannan ouder werd. Toen hij zo'n jaar of tien was, raakte hij voortdurend bij vechtpartijtjes betrokken. Hij was klein voor zijn leeftijd, maar zijn vastberadenheid zich niet gewonnen te geven, compenseerde dat ruimschoots. Iedereen die hem leerde kennen, zag die eigenschap al snel en toen ze nog leefde had Charity ook vaak vol ergernis verzucht: 'Dat treft mij weer, dat mijn lievelingskleinzoon nou net de vervelendste karaktertrek van de Dorais geërfd moet hebben. De Dorais die ik heb meegemaakt waren allemaal zo koppig als een ezel.'

Een van de groeirituelen waar elke jongen in Chevathar doorheen moest, was de kunst op een fiets te rijden. Dat was niet zo makkelijk als het lijkt, want er waren geen kinderfietsen en het enige berijdbare ding op wielen dat voor jongens toegankelijk was, was de fiets van een oom of een vader. Hoe je op dat ding moest blijven zitten kon een hele uitdaging zijn, want vaak was het rijwiel even groot als de jongen en konden zijn voeten niet bij de trappers. Dan moest hij dat zware, lastige geval overeind zien te houden met één been onder de stang door op de trapper die het verst van hem af was en vervolgens vlug een voet op de trapper aan zijn eigen kant en onderwijl als een gek proberen de fiets vooruit te trappen in een wiebelig gangetje dat meestal eindigde in een valpartij. Nadat het gekneusde rijwiel er weer een paar deuken bij had en de jongen zijn knieën had geschaafd, bleek hij toch als door een mirakel in staat min of meer overeind te blijven en je kon heel vaak grote fietsen met kleine jongetjes als krabbetjes eraan over de stoffige paden van Doraipuram zien slingeren.

Het probleem was dat de berijder nog altijd zo'n wankel evenwicht had dat het niet moeilijk was hem om te duwen. Op een middag, het was een paar weken nadat Kannan de auto van zijn vader beschadigd had, gooide Bonda, een ouder neefje, hem omver, net toen Kannan een beetje vaart begon te krijgen. Het rijwiel kwam met een smak op de grond terecht. Bonda stond gniffelend toe te kijken hoe de jongen verstrengeld met zijn fiets op de weg lag, maar lang duurde dat niet. Zodra Kannan zich had losgemaakt, stormde hij op zijn kwelgeest af.

De ruzie zat er al een tijdje aan te komen. Bonda, die zijn bijnaam dankte aan het feit dat hij zo dik was, was de onofficiële leider van de kleinste jongens van de kolonie. Hij had wel beseft dat hij zijn leiderschap pas afdoende zou kunnen vestigen als hij Kannan eronder zou hebben. Hij pestte en plaagde hem wanneer hij maar de kans kreeg, maar dit was de eerste keer dat hij hem zo openlijk had vernederd. Omdat het belang van de vechtpartij wel werd aangevoeld, stond er onmiddellijk een bende gretig toekijkende jongetjes om de vechtersbaasjes heen.

Ze vochten verbeten en zwijgend, opgejut door het joelende publiek. Bonda was in het voordeel doordat hij groter en zwaarder was en al na een paar minuten kon hij Kannans gezicht in het zand duwen. Maar de strijd was nog lang niet gestreden. Met de vastberadenheid die hem eigen was negeerde Kannan de pijn en kronkelde en worstelde net zo lang totdat hij de grote jongen uit balans had. Met een harde stoot kreeg hij hem van zijn rug af en hij sprong overeind om hem klem te zetten. Op dat moment schoot in een flits het beeld van Charity door zijn hoofd, meteen daarna gevolgd door een diep gevoel van gemis en eenzaamheid. Het was de eerste keer na meer dan een jaar dat hij dacht aan de vrouw om wie zijn wereld eens had gedraaid. De tranen begonnen over zijn wangen te lopen. De aanmoedigingskreten van zijn meeste supporters verstomden. Maar na dat ene ogenblik van intense emoties, voelde Kannan geen verdriet meer, alleen maar een grote lust om Bonda in het zand te smijten. Zijn tegenstander, die dacht dat hij de strijd gewonnen had toen hij de tranen zag, schrok van de verdubbelde felheid van Kannans aanval. Een kwestie van enkele minuten en hij gaf de strijd op.

In zijn jongensjaren zouden de tranen altijd vloeien als Kannan aan het vechten was, maar toen wisten zijn tegenstanders wel dat het niets te beduiden had, behalve misschien een nog grotere vastberadenheid te willen winnen. Niet één keer in al die tijd liet Kannan iets los over de oorzaak van zijn tranen. Hij wilde niet het mikpunt van spot worden. Paati's lieveling! Hij zag maar al te duidelijk voor zich hoe ze de draak met hem zouden steken, als ze erachter kwamen.

Tegen de tijd dat hij tiener werd, was Kannan de onbetwiste leider van een groepje neven en leeglopers die bekendstonden als de Hockeystickbende, omdat ze een voorliefde hadden voor hockeysticks om alle geschillen mee te beslechten. Van tijd tot tijd werden er door een vertoornde vader of leraar bendeleden voor Daniel gesleept wegens het begaan van een overtreding. Tot Daniels grote ergernis hadden de boosdoeners haast altijd Kannan in hun gelederen. Bij die gelegenheden sloeg de schrik hem steeds meer om het hart en regende het vermaningen en aansporingen tot hernieuwde oplettendheid aangaande alles wat de jongeman ondernam, tot Daniel weer door zijn werk in beslag werd genomen.

In de zomervakantie van Kannans voorlaatste jaar op school, werd aan zijn vader tot vier keer toe melding gemaakt van de een of andere overtreding. Een week nadat hij zijn zoon streng had bestraft omdat hij de koeien van een opvliegende neef had opgejaagd, zag Daniel tot zijn grote ergernis Kannan en nog een paar bendeleden opnieuw voor zich geleid – deze keer omdat hij guaves had gestolen.

De aanklager, een klein kruiperig mannetje, gebruikte veel omhaal van woorden en viel eindeloos in herhalingen toen hij de rooftochten van de jongens beschreef, en op het laatst kon Daniel er niet meer tegen. 'Ik zal het uitzoeken,' zei hij kortaf en hij wendde zijn strenge gelaat naar de schuldigen. Hij keek zijn zoon, die bedaard naar de vertoning van het mannetje stond te kijken, recht in het gezicht, en het trof hem plotseling hoezeer de jongen hem aan Aäron deed denken. Het was niet zozeer de fysieke gelijkenis die Daniel opviel; het was het karakter van de jongen – heetgebakerd, opvliegend, niet geïnteresseerd in schoolzaken. Zo onmogelijk was het niet dat hij wild en ongebreideld zou worden. Daniel had de durf en onverschrokkenheid van Aäron bewonderd, en dat die eigenschappen ook in zijn zoon waren boven gekomen, maakte hem blij, maar ze moesten wel aan banden gelegd en ingetoomd worden door een gevoel van verantwoordelijkheid. Er zou nog heel wat bij te sturen zijn. Had ik maar wat meer tijd, dacht hij. Maar het had weinig zin dingen te wensen die hij niet bezat. Kannan zou het moeten voelen, en gauw ook.

Hij gaf zijn zoon een straf die nogal aan de strenge kant was gezien de aard van de overtreding – een hele maand dienst in zijn eigen familie waarbij hij onder toezicht zou staan van Ramdoss. Kannan keek zijn vader ongelovig aan, maar diens grimmigheid was niet mis te verstaan. Er was geen pardon.

Die avond maakten Daniel en Ramdoss na het avondeten hun ommetje, als gewoonlijk. Toen kwam Kannan ter sprake en Daniel zei: 'Ik maak me zorgen om de jongen. Ik heb geen tijd om hem in de gaten te houden en ben bang dat hij net zo opgroeit als zijn oom en nog zo'n stuk of vijf anderen die ik zo op zou kunnen noemen. Het lijkt de Dorais eigen te zijn. God heeft ons het soort kracht en koppigheid meegegeven waar een varaan nog jaloers op zou worden, maar hij is vergeten ons er zelfbeheersing en wijsheid bij te geven.'

'We zullen het met elkaar heus wel klaarspelen, Lily-akka, en jij en ik, maak je maar geen zorgen.'

'Ja, dat weet ik ook wel, Ramu, maar wat me echt verontrust in Thirumoolar, is zijn gebrek aan belangstelling voor de medische wetenschap, of voor de zaken van de kolonie. Het enige wat hem interesseert, is hockey en de schieterij en fietsen en keet trappen om maar lol te hebben.'

'Hij is nog maar een jongen, anna, die moet zijn pleziertjes hebben, maar ik verzeker je dat hij een bron van trots zal zijn...'

'O, ik ben ook wel trots op hem, zij het ook een beetje teleurgesteld. Hij zit nu in de vijfde klas. Toen ik zo oud was als hij wist ik al aardig goed wat ik wilde worden. Kijk eens naar je eigen zoon, Jason. Kijk eens wat een goede ingenieur die is geworden. Ik ben werkelijk trots dat hij daar in Bombay die baan heeft gekregen.'

'Je zult van mij niet hoeven horen dat we allemaal in ons eigen tempo volwassen worden, en ik weet zeker...'

Daniel viel hem in de rede: 'Ik denk dat we hem misschien weg moeten sturen. Dat we hem los moeten maken van die groep, hem ergens naartoe laten gaan waar ze hem discipline bijbrengen.'

Daar werd Ramdoss even stil van.

'Wat vind jij daarvan,' vroeg Daniel vol ongeduld.

'Misschien dat het werkt,' zei Ramdoss. 'Waar dacht je zelf aan?'

'Ik weet het niet, maar als hij geen interesse toont voor de medische wetenschap is het misschien verkeerd hem naar een medische faculteit toe te sturen en dan te verwachten dat hij het daar zal redden. Ik zag hem veel liever zoiets als plantkunde studeren, zodat hij straks wat van planten en kruiden weet. We kunnen hem de rest dan wel hier bijbrengen...'

Toen praatten ze nog wat over andere dingen, maar op de terugweg naar huis zei Daniel: 'Hoe meer ik erover nadenk, des te meer staat het idee me aan. De jongen wegsturen naar een goede universiteit en dan maar vertrouwen op wat ze daar van hem maken.'

Ze waren bijna aan het einde van hun wandeling gekomen toen Daniel zei: 'We moeten hem goed voorbereiden, Ramu. Hij heeft hier nog drie jaar: nog een jaar middenklas en dan nog twee jaar college. Hij zal voor zijn universiteit moeten knokken. Lily en jij moeten hem goed voorbereiden. Kosten noch moeiten besparen, hij is onze toekomst.'

63

Wanneer een koning in de vedische tijden zich machtig en sterk voelde of gewoon eerzuchtig was, voerde hij de *Aswamedha* uit en offerde een van zijn lievelingspaarden. Hij koos een schitterende witte hengst uit die hij bij de grenzen van het koninkrijk vrij liet. Alle landen waar het paard doorheen trok gingen dan automatisch bij de koning horen. Theoretisch gesproken kon het, als de koning behoorlijk wat macht bezat, eeuwig door blijven lopen, maar in de praktijk werd het door de een of andere heerser die er niet zoveel voor voelde zijn koninkrijk te moeten afstaan, een halt toegeroepen. Dat wilde zoveel zeggen dat de oorlog werd verklaard.

Halverwege de twintigste eeuw hadden de Duitsers een ander woord voor hetzelfde idee – *Lebensraum*. Hitler deed wat de aloude Indiase koningen ook al hadden gedaan – hij stuurde zijn tanks ratelend de grenzen met zijn buurlanden over. Na jaren van aarzelen en verzoeningspolitiek verklaarde Groot-Brittannië Duitsland de oorlog, terwijl het ene land na het andere door het Derde Reich werd ingepikt.

Daardoor raakten de nationalistische leiders van India in een dilemma. Mahatma Gandhi, de stem van de natie, was aanvankelijk achter Groot-Brittannië gaan staan toen dat ten strijde was getrokken om de wereld van het fascisme te redden, maar zijn steun voor de Britten werd aanzienlijk minder enthousiast toen hij zich realiseerde dat ze er nog altijd niet aan dachten India zomaar op te geven.

Zoals andere grote bewegingen in de eigentijdse geschiedenis was er in Doraipuram van het vooruitzicht op een tweede wereldoorlog maar weinig te merken.

Kannan zat in het voorlaatste jaar van de drie klassen vooropleiding aan het Bishop Caldwell College in Meenakshikoil. De laatste drie jaar was hij onderworpen geweest aan allerlei vormen van begeleiding die hij allemaal even vervelend vond. Lily en Ramdoss namen leraren in huis die hun best deden hem de onpeilbare mysteries bij te brengen van de wiskunde, scheikunde, geschiedenis of wat zijn vader maar voor hem in petto had. Hoewel hij in zijn kinderjaren weinig van die taal leek te hebben opgepikt, was hij verrassend genoeg juist erg goed in Engels. Lily's besluit hem naar een school met Engels als voertaal over te plaatsen wierp zijn vruchten af. Toch bleven op dringend advies van zijn vader de Engelse taallessen thuis doorgaan. De andere leraren hielden het meestal niet lang vol, omdat de druk die er op hen werd uitgeoefend om Kannan aan de hoge normen van dr. Dorai te laten voldoen, hun te machtig werd. Op zulke momenten wist Lily het opengevallen gat te dichten door hem zo goed en zo kwaad als het ging zelf de stof uit leerboeken bij te brengen. Deze noodlessen veranderden algauw in verteluurtjes en dat waren de gelegenheden dat Kannan voor het eerst kennismaakte met de gedachte aan Verweg.

Er was altijd wat afstand geweest tussen Lily en haar zoon, aanvankelijk doordat Charity hem zo volledig voor zichzelf had opgeëist, en later vanwege de vele andere vormen van afleiding in Doraipuram waardoor hij aan haar aandacht ontsnapte, en ze was opgetogen over de kans die ze nu kreeg wat meer tijd met Kannan door te kunnen brengen. Zoals elke puber zou Kannan veel liever met zijn vrienden buiten spelen maar hij had niet veel te kiezen, gezien zijn vaders vastbeslotenheid iets beters van hem te maken. Maar doordat zijn moeder zulke mooie verhalen wist te vertellen was het snel gedaan met zijn aanvankelijke ongedurigheid in haar gezelschap. Opgesloten als ze zich voelde in dat vochtige warme Chevathar kon ze haar heimwee naar de nevelige theeplantages van Nuwara Eliya rijkelijk kwijt in zeer gedetailleerde vertellingen. Ieder stukje van haar kindertijd kreeg een exotische, betoverende glans. Ze vertelde van de gedenkwaardige feestjes die onder de planters gehouden werden in hun bungalows die als grote oceaanschepen vol licht en vrolijk gelach door het diepnachtelijke duister van Ceylon leken te drijven. Ze wist tot in de finesses herinneringen op te halen aan mooie Engelse dames in japonnen met hoepelrokken en aan heren in smoking die dansten en dineerden, terwijl zij met een paar kinderen uit de personeelsverblijven als betoverd door de kieren van de hibiscushagen gluurde. Ze beschreef de jaarlijkse kerstvieringen die de blanke planters voor hun kantoorpersoneel en inheemse ondergeschikten organiseerden, en de zachte blanke handen van de echtgenote van de directeur als zij de cadeautjes uitdeelde.

Die verhalen en zijn Engelse lessen waren het enige van zijn opleiding waar hij van hield. Voor de rest was het slechts een kwestie van uitproberen hoe hij zo gauw mogelijk weer van zijn nieuwste leraar afkwam. Dan zouden er weer een paar weken van respijt volgen voordat zijn vader voor de zoveelste keer alle aandacht op hem richtte, en het hele spelletje van voren af aan begon. De laatste tijd was het thuisonderwijs strenger geworden en hij had het gevoel dat zich iets nieuws aan het ontwikkelen was, dat invloed had gehad op zijn rooster, want de leraren waren stugger en ze eisten meer van hem en lieten niet meer zo makkelijk over zich heen lopen. Hij hoopte dat de plannen van zijn vader, wat die ook waren, hem nog wel in staat zouden stellen aan het bcc te blijven doorleren. Al zijn vrienden waren dat van plan, behalve Albert die in het buitenland natuurkunde wilde studeren. Het zou vreselijk zijn als zijn vader vasthield aan zijn idee dat hij maar dokter moest worden. Kannan moest er niet aan denken dat hij lijken open zou moeten snijden en bovendien was een medicijnenstudie, naar wat hij erover gehoord had, ook veel te hard werken.

Vooralsnog hield de hockeywedstrijd die zijn ploeg tegen het Ranivoor Arts College moest winnen om in de race te kunnen blijven voor een medaille in de kampioenschappen van de regio, nog het meest zijn gedachten bezig. Toen hij uit zijn kamer naar buiten kwam, met zijn hockeystick in de hand, hoorde hij harde stemmen uit de kamer van zijn vader. Hij bleef staan om te luisteren. 'En dan te bedenken dat ik *kraits* aan mijn boezem gedrukt heb,' hoorde hij Daniel schreeuwen. 'Jij komt hier binnenwandelen en hebt het over liefde en broederschap en vriendschap en durft me dan te vertellen dat je je land aan een buitenstaander wilt verkopen. Ik had niet gedacht dat je je tot zoiets zou verlagen, Miriam. Ben je de lakhs vergeten die ik aan je huwelijk en je bruidsschat heb gespendeerd? En hoe ik je het land en het huis waar je woont praktisch cadeau heb gegeven toen je kwam smeken met de boodschap dat die schurk al je geld erdoor had gejaagd? En nu wil je nog verkopen ook! Laat me duidelijk zijn. Ik wil er niets meer over horen, of de dag dat je erover begonnen bent zal je heugen. Maak dat je weg komt, vooruit, weg wezen, ik kan je niet meer zien.'

Er viel een stilte die alleen onderbroken werd door het geluid van het luidruchtige snikken van een vrouw. Tijd om te gaan, dacht Kannan. Hij stond op het punt langs de deur van zijn vaders kamer te glippen toen hij voetstappen hoorde en zich plat tegen de muur drukte. Hij kon zich nergens verstoppen en zou zeker gezien worden. Toen werd de deur opengerukt en kwam eerst zijn tante Miriam, met haar gezette figuur en wankel op haar benen, gehaast naar buiten en vlak achter haar aan haar miezerige echtgenoot. Ze keken niet op of om en hij wist dat ontdekking hem bespaard bleef. Hij prees zich al gelukkig zo de dans ontsprongen te zijn, toen nog een derde persoon langzaam de kamer uit kwam gelopen. Ramdoss. Diens ogen ontmoetten die van Kannan maar hij zei niets en liep weg.

De volgende dag nodigde Ramdoss Kannan uit om een eindje met hem om te lopen. Ze liepen de mangobosjes voorbij en toen langs de rivier naar haar monding. Ramdoss vroeg Kannan hoe het op school ging en of hij al bepaalde plannen had. Nerveus zei Kannan van niet. Er zwommen een paar jongens in het rustige water en hun hoofden staken boven het grijzige oppervlak uit. Ze keken er een poosje in stilte naar en toen zei Ramdoss: 'Je bent nu oud genoeg om je eigen verantwoordelijkheid te dragen. Ik ben blij dat je de woordenwisseling gisteren gehoord hebt, want het wordt nu tijd dat je door krijgt hoe de zaken er eigenlijk voor staan. Heb je daar een idee van?'

'Wel een beetje,' zei Kannan op zijn hoede.

'Je moet alles weten. Dat is de wens van je vader.'

Toen gingen ze aan de oever van de rivier zitten en Ramdoss begon zijn verhaal. Hij schetste snel de geschiedenis van de neergang van Doraipuram. Hij had het over grote sommen geld die waren opgegaan aan onpraktische plannen en diverse andere uitgaven (bruidsschatten, bruiloften, geboorten, begrafenissen, steekpenningen, giften) en de dalende inkomsten van de geneesmiddelen, vooral van de Maanblanke Thylam, waarvan de verkoopcyclus kennelijk zijn einde begon te naderen. Hij vertelde Kannan van de jaren die Daniel zijn bedrijf verwaarloosd had omdat hij bezig was zijn familievestiging op te zetten, van de korte periode waarin hij zich er opnieuw op gestort had, van het overlijden van Charity en hoe zwaar dat voor zijn vader geweest was. 'Daniel-anna is het nooit helemaal te boven gekomen, thambi, en toen hij de touwtjes weer in handen nam, was zijn hart er niet echt meer bij. De genadeslag kwam toen de familie voor wie hij zijn leven en fortuin over had, hem af ging vallen en zich verre van dankbaar toonde. Je hebt je vader gister toch gehoord? Dat is nog maar het laatste voorbeeld. Want in de afgelopen vijf jaar zijn er aldoor woordenwisselingen geweest waarbij sommige lieden van de familie je vader van grove nalatigheid betichtten, van oneerlijkheid en zelfs van criminele verwaarlozing van hun beste belangen. Jullie jongens en meisjes hebben het maar goed, je hebt je jeugd en alle prachtige dingen die je interesse hebben en die de werkelijkheid voor je verhullen, maar de waarheid is, Kannan, dat jouw vader je nodig heeft. Hij is heel vermoeid en moet nu weten dat zijn droom kan worden overgedragen aan zijn zoon.'

Kannan schrok er hevig van. 'Maar wat moet ik dan doen?'

Ramdoss glimlachte om zijn reactie. 'Daar hoef je niet zo van te schrikken, thambi. Het enige wat je voorlopig hoeft te doen is je op je studie toeleggen.'

'Ik zal mijn best doen,' zei Kannan.

'Ja, dat zou ik zeker doen,' zei Ramdoss die weer overeind kwam. 'Je vader zegt dat je tot dusver nog geen enkele belangstelling aan de dag hebt gelegd voor de medicijnenstudie, dus heeft hij besloten je naar een van de beste universiteiten van het land te sturen. Hij heeft een paar maanden geleden naar zijn vriend Chris Cooke in Engeland geschreven en hem om advies gevraagd en Mr. Cooke heeft het Madras Christian College aanbevolen, momenteel misschien wel de beste universiteit van het hele land. Een Schots zendingsgenootschap voert het beheer. Ik weet dat je je Engels goed hebt opgepikt, maar de normen daar zijn heel hoog, dus ik verdubbel de tijd die je aan je Engelse lessen moet besteden.'

'Maar waarom moet ik zo ver weg, mama...'

Ramdoss gebaarde om stilte. 'Laat mij eerst uitspreken. Omdat je geen belangstelling hebt voor medicijnen, heeft Daniel-anna besloten dat je een studie moet doen in de plantkunde. Hij denkt dat je daarmee een basiskennis over planten en kruiden zult opdoen waarna je de rest hier kunt oppikken als je bij hem komt werken. Je vertrekt over een paar maanden naar het Madras Christian College. We hebben contact opgenomen met de rector, dr. Boyd. Wat vind je ervan?'

Gelukkig kwam er toen een bediende op Ramdoss afgerend om te zeggen dat Daniel hem moest spreken, en zo bleef Kannan, stomverbaasd als hij was over deze abrupte onthulling ten aanzien van de toekomst, een reactie bespaard.

64

Kannans eerste dag op het Madras Christian College in Tambaram was een ramp. Nadat hij hem op zijn studentenhuis, Bishop Heber Hall, had afgezet, was Ramdoss meteen weggegaan. Een paar uur na zijn vertrek was Kannan zich alleen gaan voelen en uit zijn doen geraakt. Hij was nooit eerder zo ver van huis geweest en vond het een verwarrende belevenis. Madras was de eerste grote schok, toen ze daar een paar dagen hadden doorgebracht voordat ze naar Tambaram doorreisden, met zijn enorme drukte van mensen, en gebouwen en huizen zo dicht op elkaar als hij nooit voor mogelijk had gehouden. Voor hij dat allemaal had kunnen verwerken was hij al overgebracht naar deze nieuwe omgeving, en Ramdoss-mama, het laatste houvast van zijn oude leventje, was weg. Hij bleef lange tijd op zijn kamer en pakte langzaam zijn reistas uit en de grote zwarte stalen hutkoffer om aan de inhoud ervan enige troost te ontlenen. De meeste kleren waren nieuw en door kleermakers uit Madras in elkaar gezet, die naar Doraipuram waren gekomen en een week lang klokje rond hadden gewerkt. Daniel had gewild dat de garderobe van zijn zoon absoluut aan de normen van de universiteit zou voldoen. Zijn moeder had er drie potten eigengemaakte mangopickle bij gestopt en een paar zakjes murukku en zuurtjes, en die stalde hij uit op de plank in zijn kamer. Een fles haarolie en nog een paar toiletartikelen en klaar was hij. Maar hij ging nog steeds zijn kamer niet uit. Hij had nog meer tijd nodig om in deze vreemde omgeving zijn normale zelfvertrouwen terug te krijgen.

Tegen de avond kwam hij uit zijn kamer te voorschijn, liep snel naar de badkamer aan het einde van de gang, nam vlug een bad en liep weer terug. Tot zijn opluchting waren de badkamer en de gangen volledig verlaten. Hij legde een schoon shirt en een lungi klaar, oliede en kamde zijn haar zorgvuldig en maakte toen voordat hij zich aan zou kleden een pot mangopickle open, waar hij uitgebreid aan rook om de geur van Chevathar en van de plekjes en de mensen daar op te snuiven, omdat hij heimwee had. Toen vermande hij zich en waagde de sprong naar de eetzaal voor het avondeten.

De ruimte was helder verlicht, en er stonden lange tafels en banken. Er liepen inlanders rond te bedienen en een man achter de balie schreeuwde bevelen naar de keuken. Het eetgedeelte van de zaal was ongeveer voor de helft gevuld. Een aantal jongeheren leek elkaar te kennen waardoor Kannan zich nog eenzamer voelde. Het was helemaal donker geweest toen hij zijn kamer verlaten had, en dit was de eerste keer dat hij de studenten waar hij de eerstkomende drie jaar van zijn leven mee op zou trekken van nabij zag. De meesten waren in broek en shirt. Even wenste hij dat hij ook voor een broek en niet voor een lungi had gekozen. Hij was opgegeven voor de Europese eetzaal, nog zo'n beslissing van Daniel om zijn zoon manieren bij te brengen en hem toe te rusten voor een succesvol bestaan in het door de Britten bestuurde India. Hij vroeg aan een bediende waar hij moest zijn, en die verwees hem naar een hoek van de eetzaal. Hij liep op een lege bank af. Een paar studenten keken naar hem toen hij voorbij liep, maar hun blik was ongeïnteresseerd, en zonder veel aandacht op zich te vestigen slaagde hij erin de bank te bereiken. Nu zijn zelfvertrouwen groeide, begon hij om zich heen te kijken. De eerstejaars waren gemakkelijk te herkennen: ze zaten merendeels alleen en aten hun bord leeg zonder op te kijken, terwijl de anderen grappen maakten en lol met elkaar hadden, nu ze hun leventje na de vakantie weer oppakten. Hij probeerde niemand in de ogen te kijken en wachtte tot een van de huisbediendes hem zou opmerken. Uiteindelijk kwam er een op hem af en ratelde er in een mengelmoes van Tamil en Malayalam op los; hij had zo'n uitgesproken accent en sprak zo snel dat er geen woord te verstaan was van wat hij zei, dus knikte Kannan maar. De inlander leek tevredengesteld en liep weg. De eetzaal begon nu snel vol te lopen en hij vroeg zich af wie er naast hem zou gaan zitten. Hij hoopte dat het een nieuwe jongen zou zijn. Toen hij het Bishop Caldwell College vaarwel had gezegd, was hij de onbetwiste leider geweest van de studenten daar. Hier was hij een niemand, de geringste onder de minsten, een eerstejaarsjongetje zonder connecties. Wat een afgang, dacht hij.

'En wie hebben we hier? Een boerenkinkel zonder manieren van de mofussil!' Een harde stem rechts van hem. Kannan had zijn ogen neergeslagen en was niet van plan ze op te slaan. De harde stem klonk zeer geërgerd.

'Hé jij, aap, ik zeg wat tegen je!' Hij voelde de warme adem van de ander in zijn nek en hief zijn hoofd op naar een kolossale jongeman met een dikke zwarte snor en vrij lang haar. Zijn bruine ogen spuwden vuur.

'Weet je niet dat het onbeleefd is niet op te staan in de aanwezigheid van een ouderejaars? Vooral als je op diens plaats bent gaan zitten?'

'Ik wist niet dat deze plaatsen gereserveerd waren,' zei Kannan oprecht verbaasd.

'Ik wist niet dat deze plaatsen gereserveerd waren,' bootste de ouderejaars hem met een hoog stemmetje na.

Kannans verwarring begon plaats te maken voor boosheid. 'Nou zeg,' zei hij, 'je hoeft niet zo tegen me uit te vallen, ik wist toch niet dat dit jouw plaats was.'

'Wel, wel, kijk dat boertje eens boos zijn. In de hoogste boom. Hoe krijgen we dat boze ervanaf?' zei de ouderejaars met spottende stem. 'Aha, ik weet het al. Samuel, haal me eens wat speciale Tambaramdruiven voor onze geëerde gast.' Een van de jongens die achter de ouderejaars stond, rende de eetzaal uit.

Het werd heel stil in de zaal. Het gekletter van eetgerei was gestopt en ook de stemmen verstomden. De bedienende inlanders verstijfden ter plekke en zelfs de man achter de balie hield op met aanwijzingen geven voor de gang van zaken in de keuken. De jongen die de eetzaal was uitgegaan, kwam terug met zijn handen vol onrijpe neembessen. Hij overhandigde ze aan de forse ouderejaars. Toen deze om zich heen had gekeken of er geen docenten of mentoren aanwezig waren die zijn plannen voor die eigenwijze nieuwe snuiter zouden kunnen dwarsbomen, liet de lompe dikzak de bessen uit zijn handen op het lege bord van Kannan glijden.

'Met de complimenten van de heer Lionel Webb, sir, hij hoopt van harte dat u zich zijn nederige geschenk zult laten welgevallen.'

Kannan staarde naar de geelgroene bessen op zijn bord. Aan een paar ervan zat nog vuil; ook zaten er royaal takjes en blaadjes tussen de vruchten. Die onrijpe neembessen zou nog geen geit opeten; zo bitter en scherp smaakten ze.

Hij begon al van de bank omhoog te komen, maar Lionel duwde hem met een ferme klap terug. 'Eten, zei ik, klein rotjongetje. Dat zal je leren een grote mond op te zetten tegen Lionel Webb.'

De tranen waren hem uit de ogen gesprongen en hij werd weer overmand door het gebruikelijke gevoel van leegte, maar het was hier geen Chevathar en niemand zou onder de indruk zijn van zijn tranen.

'Ach, die arme baby, die moet die heel bijzondere bessen door zijn moeder gevoerd krijgen. Ik...' maar de ouderejaars kreeg de kans niet zijn zin af te maken want Kannan had zich van de bank losgerukt. Op de een of andere manier slaagde hij erin de lange tafel van zich af te duwen en zich regelrecht op het logge lijf van zijn kwelgeest te werpen. Hij wist een ferme stomp uit te delen, maar voordat hij er nog een kon laten neerkomen, had Lionel zich hersteld en begon op hem in te beuken. Kannan had geen schijn van kans. Hij viel op de grond. Bereidwillige armen ondersteunden hem. Lionel raapte weloverwogen een handvol neembessen van de vloer, wrikte Kannans mond open, perste de vruchten naar binnen en klemde zijn kaken dicht. Kannan begon te kokhalzen en te proesten. Ineens liet Lionel zijn greep verslappen en zei: 'Laat hem maar lopen. We hebben dat rotjochie zijn lesje wel geleerd, geloof ik.'

Kannan sproeide de bessen uit zijn mond en wierp zich andermaal op de gniffelende ouderejaars. Harde, pijnlijke klappen in zijn gezicht en op zijn lijf velden hem. Nog tweemaal stond hij op om terug te vechten en telkens werd hij weer tegen de grond gewerkt, de laatste keer zo ongenadig, dat hij bijna flauwviel. Hij probeerde nog eens op te staan, maar zijn linkerbeen wilde niet meewerken. Op zijn gezicht waren de tranen opgedroogd, zijn lijf en zijn hoofd deden overal zeer, maar de boosheid die fonkelde in zijn blik was niet mis te verstaan. Toen hij hem zag worstelen om weer overeind te komen, fluisterde Lionel: 'Klein wild tijgertje, hè?' Toen duidelijk werd dat het allemaal voorbij was, ontsnapte een zucht uit honderd kelen tegelijk, alsof de zaal opgelucht ademhaalde. Lionel liet zijn agressie plaatsmaken voor een en al bezorgdheid, hielp Kannan overeind en ondersteunde hem naar de dichtsbijzijnde badkamer, waar het bloed van zijn gezicht werd gewassen. Zijn hoofd voelde opgezet en pijnlijk aan, hij had moeite met praten en last van zijn been, maar verder voelde hij zich oké. Lionel bracht hem naar zijn kamer, installeerde hem zo gerieffelijk mogelijk en vertrok. Hij was nog maar nauwelijks weg of er klonk een klop op de deur, en een jongen die hij nog niet eerder gezien had stak zijn hoofd naar binnen. 'Wat kun jij vechten,' zei hij vol bewondering, 'die ouderejaars wist niet hoe die het had, geloof ik.'

Kannan trok een scheve lach en wees naar zijn mond. De jongen leek het te begrijpen en zei vlug: 'Ik zal je nu maar met rust laten maar als je iets nodig hebt, bons je maar op de muur, ik ben je buurman. Murthy heet ik.'

65

Als de zomer in aantocht is, licht de enorme MCC campus op zodra de opvallendste boom daar, de peltophorum of roestige schilddrager, in bloei begint te komen met zijn indrukwekkende spetters van brons en goud. Tegen de tijd dat de peltophorums in de zomer van 1940 bloeiden, voelde Kannan zich volledig thuis op de campus. Dat eerste gevecht met Lionel Webb was voor hem de kortste weg naar acceptatie geweest, en hij keek niet meer achterom. De Anglo-Indiase jongens, die meer nog dan anderen aan groepsvorming deden, waren hem welgezind. Zijn bedrevenheid op het hockeyveld deed de rest om de band met hen te verstevigen. Maar de meeste tijd bracht hij met Murthy door. Diens familie bezat een timmerfabriek in Coimbatore, en wat als noodzakelijke alliantie begonnen was tussen twee jongens uit de provincie groeide weldra uit tot een werkelijke vriendschap. Ze waren allebei eerstejaars studenten in de plantkunde, onafscheidelijk op hun prominente plaats in de achterste collegebanken, en ook in de eetzaal, waar ze de meeste maaltijden gezamenlijk gebruikten en uren doorbrachten met kletsverhalen en keet trappen. Die zomer ontdekte Kannan, toen hij met vakantie thuis was, dat hij alle vrienden die hij had achtergelaten al wat ontgroeid was, vooral toen zijn beste vriend, Albert, was vertrokken om in Engeland te gaan studeren. Hij kon nauwelijks wachten om weer naar de universiteit terug te gaan. Hij miste Murthy, hij verlangde naar de opwinding van de interuniversitaire hockeywedstrijden, hunkerde naar de diverse aantrekkelijkheden van het universitaire bestaan – de uitstapjes naar de grote stad, de avonden waarop ze de campus afstruinden, de late koffieuurtjes en de eindeloze sessies waarin ze elkaar verhalen vertelden. Chevathar kwam hem plotseling saai en provinciaal voor.

Zijn vader was opgetogen dat Kannan zo goed aardde op de universiteit, maar hij liet zijn vrouw en Ramdoss ook in vertrouwen weten dat hij bang was dat zijn zoon misschien niet meer zo gemakkelijk in Chevathar zou kunnen wennen. Maar dat was over twee jaar, en dan zouden ze wel weer zien.

66

Aan de overkant van de straat, tegenover de massieve poorten van de universiteit stonden in een slordige rij een paar keetjes die alles verkochten waar arme studenten zonder veel zakgeld behoefte aan hadden: sigaretten, thee die zo sterk was dat je er een ijzeren staaf rechtop in kon zetten, hapjes en sapjes, kalenders en schrijfbenodigdheden. Die van Nair, de populairste, verkocht het beste druivensap van Madras – donker en dik als gesmolten teer en zo geconcentreerd en zoet dat je er hoofdpijn van zou krijgen als je geen zoetekauw was. Bij de ingang van Nairs keet wemelde het van de vliegen. Sommige waren zo dronken van het sap dat op de grond gemorst was, dat ze niet meer van de grond kwamen en doodgetrapt werden door de klanten die binnenkwamen of de deur uitliepen. Nair, een joviale man met een bolle buik, had de touwtjes in handen en zijn onderneming op praktische behoeften gebaseerd. Behalve met biscuittjes, vruchtensap en fruit, de waar die hij verkocht, kwam hij zijn klanten alleen tegemoet met een tweetal nonchalant in elkaar gezette houten banken. Die waren dag en nacht bezet.

Op een avond zat Kannan bij Nair een sapje te drinken en te kletsen met Murthy. Eerder die dag had een van de leidende nationalisten in de stad, de vroegere eerste minister van Madras, C. Rajagopalachari, een bijeenkomst op de universiteit toegesproken. Als gevolg van Daniels veroordeling was Kannan totaal niet in de politiek geïnteresseerd, maar Murthy was er gek op en bepaald beter geïnformeerd aangaande de politieke ontwikkelingen in het land. Kannan had die avond niets beters te doen, dus waren ze maar naar de bijeenkomst gegaan. Algauw echter was hij rusteloos op zijn stoel gaan schuiven en had een druivensapje bij Nair voorgesteld. Murthy had willen blijven maar Kannan won het pleit.

Van wat opmerkingen over de bijeenkomst was het gesprek op hun medestudenten gekomen. Murthy, die altijd vol roddels zat, diste een opwindend verhaal op, waarin de rector, dr. Boyd, de studenten van de Bishop Heber Hall, en Tambaram-druiven, een rol speelden, toen Kannan toevallig de straat in keek. Toen vergat hij de hele Murthy.

Uit het station met de elektrische treinen was zojuist een meisje te voorschijn gekomen dat in de richting van de theehuisjes de weg kwam afgelopen. Ze liep heel snel en haar voeten zweefden schijnbaar boven de grond, zodat haar verschijning iets onvoorstelbaar lichts had. Kannans buikspieren krompen ineen en zijn keel werd droog. Het haar dat ze uit haar gezicht veegde, haar parmantige neusje, de schuine stand van haar ogen: Kannan vond alles tot in het kleinste detail volmaakt aan haar.

'Helen Turner. Iedere man en jongen van hier tot Timboektoe wil haar leren kennen, dus vergeet het maar,' zei Murthy, toen hij de blik op Kannans gezicht zag.

'Vertel eens wat over haar,' drong Kannan aan. 'Wie is ze? Waar komt ze vandaan? Waarom heb ik haar nooit eerder gezien? Waarom is ze zo mooi?'

Opgetogen over zijn kans opnieuw te roddelen, stak Murthy van wal met zijn beschrijving van Helen die, dat mag van hem gezegd worden, niet ver bezijden de waarheid was. Ze was enig kind van een gepensioneerd ambtenaar van de Anglo-Indiase PTT, die aan de rand van de Spoorwegnederzetting van Tambaram een klein huisje had gebouwd, en zojuist begonnen aan haar baan als secretaresse bij een kantoor in Guindy. Ze had meer bewonderaars dan ze aankon en begon met niemand een vaste relatie. Ze had een hartsvriendin, Cynthia, zo mogelijk nog leuker om te zien dan zij... Hij vertelde nog meer en Kannan liet geen woord verloren gaan, maar nam alles in zich op. Ten slotte waren Murthy's bronnen om nog meer te verzinnen opgedroogd, en was hij misselijk geworden van de druivensap waarmee Kannan hem overvoerde.

Maar Kannan had genoeg om op door te gaan. Hij was nog nooit eerder alleen met een meisje uit geweest. De enige meisjes met wie hij ooit had gesproken waren zijn zusjes en zijn nichtjes. Zijn obsessie voor Helen wiste echter in een klap alle schroom weg. Hij viel iedere Anglo-Indiase vriend die ook maar de geringste connectie met Helen kon hebben, lastig, tot hij er uiteindelijk in slaagde een ontmoeting met haar te regelen.

Dat treffen werd een regelrechte ramp. Kannan, die een en al hoop en bede geweest was voor een opeenvolging van mirakels op de afgesproken dag, zag meteen al zijn wensen vervuld – er was niemand bij Nair, geen stel medestudenten om hem aan te gapen of uit te lachen. Hij was vroeg en voor de bevreemde ogen van de eigenaar veegde hij de banken zorgvuldig schoon en zette de verschillende potten en blikken, na een haal met een doek erover, netjes bij elkaar. Ten slotte, toen hij niets meer te doen had, en geen kans zag de deurmat vliegenvrij te krijgen, ging hij op een van de banken zitten en tuurde de weg af.

De meisjes, want Helen had Cynthia meegenomen, waren stipt op tijd. Ze schreden fier naar binnen door de wriemelende vliegen, schonken Kannan een paar lachjes, wilden elk wel een druivensap van hem aannemen, lachten nog een paar keer naar Kannan toen hij hen recht in de ogen durfde te kijken, dronken hun glas leeg en stapten weer op. Precies negen woorden waren er tussen hen drieën gewisseld in de vijftien minuten die ze in de theetent hadden doorgebracht, waaronder 'Hallo', 'Bedankt', en 'Dag'. Kannans bijdrage aan de conversatie was behalve het aanbieden van druivensap vooral 'Eh' geweest, toen hij zonder succes geprobeerd had het gesprek op gang te brengen.

Na die eerste ontmoeting ging het een beetje beter, deels dankzij Cynthia's aanmoediging tot vriendschap toen ze gehoord had van de roem en rijkdom van Kannans vader. Kannan deed wat hij kon om ervoor te zorgen dat Helen het naar haar zin had. Hij verzuimde colleges, besteedde al zijn zakgeld aan haar en zakte bijna voor zijn overgangstentamens aan het einde van het jaar. Het hoofd van de studierichting schreef een brief naar zijn vader en dreigde met wegsturen, tenzij Daniel kon garanderen dat zijn zoon beter zijn best zou doen. Hij liet zich afkeurend uit over de 'extra-curriculum activiteiten' die, dacht hij, debet waren aan Kannans slechte studieresultaten. Het was Kannans geluk dat Ramdoss nu al een paar jaar over Daniels correspondentie ging en de brief onderschepte. Hij zorgde voor de garantie die de universiteit verlangde en schreef een gepeperde brief naar Kannan, waarin hij hem dringend vermaande harder te studeren. Die zomer ging Kannan niet met vakantie naar huis in Doraipuram. Hij wist in plaats daarvan van Ramdoss geld los te krijgen voor extra studiebegeleiding en bleef in Tambaram.

In de jaren veertig gingen een jonge man en vrouw niet openlijk met elkaar uit. Maar Kannan was te verliefd om zich iets aan te trekken van wat de mensen ervan zouden vinden. Giechelende opmerkingen, afkeurende blikken en ongewenst advies konden hem heus niet afbrengen van zijn obsessieve liefde.

Aanvankelijk gaf Helen niet zoveel om de onhandige jongeman en bleef ze liever rondhangen met de knappe Anglo-Indiase jongens die zo goed konden zoenen. Tot Cynthia haar de dingen in een nieuw licht deed zien. Als ze ooit weg wilde komen uit die deprimerende wereld van de nederzetting aan het spoor waar ze altijd zo op mopperde, had ze tegen haar vriendin gezegd, moest ze wat serieuzer op Kannan ingaan. Helen nam de raad van haar vriendin ter harte, maar zorgde er wel voor dat ze Kannan maar heel langzaam haar leventje binnen liet komen.

In zijn tweede jaar aan de universiteit zakte Kannan opnieuw voor twee van zijn tentamens. Deze keer liet de rector, dr. Boyd, in een brief aan dr. Dorai weten hem te willen spreken over de dreiging die zijn zoon boven het hoofd hing: van de universiteit te worden verwijderd. Weer onderschepte Ramdoss de brief. Hij bracht een bezoek aan Tambaram, had een gesprek met de rector en liet Kannan weten dat hij in de eerstvolgende trein naar Doraipuram zou zitten als hij niet voor zijn tentamens zou slagen en ophield dat meisje te ontmoeten.

Kannan was redelijk intelligent. Aangemoedigd door Helen leerde hij zijn tijd beter in te delen. Hij rolde door zijn tentamens en ontving zelfs een brief met een felicitatie van zijn vader, die zich doorgaans beperkt had tot een regeltje onderaan in de brieven van Lily. Maar de gedachte Helen op te geven, vatte nooit serieus post. Hij kon zich zijn verdere leven niet voorstellen zonder haar. Hij bleef haar heimelijk ontmoeten. Hoe kon het ook anders? Zij had hem in zo'n staat van opwinding gebracht, dat de mogelijkheden van het leven hem schier eindeloos voorkwamen.

67

De mantra heeft enorm veel macht. Als je de geladen spreuk die in je hoofd zit maar blijft herhalen, bereikt die op den duur de oren van God zelf. Jazeker, armzalige stervelingen hebben geen schijn van kans tegenover de almachtige mantra. Toen zijn strijd met de Britten een hoogtepunt bereikt had, slingerde de Mahatma nog weer een van zijn onstuitbare banbliksems de lucht in, de mantra 'Verlaat India'. Toen die woorden door miljoenen monden gefluisterd, gebruld, gezongen, gekweeld, gejubeld, gebulderd, gelispeld, geteemd, gepiept, gekwinkeleerd en gestameld werden, zwollen ze aan tot een meedogenloos tumult. De Britten die al verzwakt waren door de oorlog en niet langer zeker wisten of ze nog wel een imperium wilden, vermochten er niets tegen zolang het aan de gang was. Beide partijen wisten dat het nog maar een kwestie van tijd was voor ze zouden vertrekken.

Toen Mahatma Gandhi in augustus van het jaar 1942 in Gowalia Tank, een overvolle drukke wijk in Bombay, het volk toesprak, zei hij tegen een opgezweept publiek dat voor de Britten de tijd was aangebroken om voorgoed het land te verlaten. Verlaat India. Toen knoopte hij aan die indrukwekkende explosief geladen opdracht nog een dodelijk zinnetje vast dat voor het land de vlam in de pan kon betekenen. 'En hier heb ik nog een mantra voor u, een korte spreuk. Laat die in uw ziel gegrift staan en leef eruit met alles wat in u is. De mantra luidt: 'Doen of doodgaan.'

De regering trad snel op. De voornaamste leiders van de nationalisten werden gevangengezet, maar het hielp niets. De geest was uit de fles. Hoewel de 'Verlaat India'-beweging tegenover de onbuigzaamheid van de Britten aan kracht moest inboeten, zoals met alle voorgaande initiatieven van de Mahatma gebeurd was, markeerde ze het begin van het einde van de Britse onderkoning, de raj. De machthebbers maakten de zaak er niet beter op toen ze diverse tactische blunders begingen. De manoeuvre die de vrijheidsstrijders het meest razend maakte, was het zogenaamd vorstelijke aanbod het land gedeeltelijk vrijheid te verlenen als autonoom onderdeel van het Britse Gemenebest, terwijl gevraagd was om totale onafhankelijkheid.

Uiteindelijk drong ook in Doraipuram de politiek door. Ramdoss was op inspectietocht door de verste plantagegebieden van de nederzetting, toen hij tot zijn ontzetting zag dat er een tiental palmyrapalmen op knullige wijze van hun top waren ontdaan. Hij reed door, in de hoop de schuldigen te kunnen aanhouden. Veel verder was hij nog niet gekomen, of hij trof een aantal jongens en meisjes aan die bij elkaar stonden rondom een tweetal kinderen dat languit op de grond lag. Het ene had een gebroken been, het andere had zijn rug gekneusd. Het waren leerlingen van een naburige school die de oproep van de Mahatma om landelijke stokerijen van toddy en andere sterke drank te boycotten een beetje te letterlijk hadden opgevat door de toddypalmen zelf aan te pakken. Een van hen riep Ramdoss erbij: 'Aiyah, we moeten onze vrienden hier in het ziekenhuis zien te krijgen. Een van hen heeft zijn been gebroken...'

'Hij had net zo goed zijn nek kunnen breken,' zei Ramdoss pisnijdig. 'Hebben jullie ezels dan geen respect voor het eigendom van een ander?'

'We reageren op de oproep van de Mahatma. Die heeft gezegd dat we allemaal ons steentje moeten bij dragen om de Britten eruit te krijgen.'

'Heeft hij jullie gevraagd daarbij je eigen land te vernielen? Als ik jullie met ezels vergelijk is dat nog te veel eer. Vooruit, zorg dat je vrienden in de auto komen.'

Daniel was zich niet bewust van de politie-invallen in de nederzetting. Tegen de tijd dat Kannan naar de universiteit ging, was hij mentaal steeds meer in zichzelf gekeerd geraakt, gekwetst door de plagen die Doraipuram bezochten. Ook fysiek had hij zich aan het zicht onttrokken en hield zich op in niet meer dan een paar vertrekken – een slaapkamer, een tot laboratorium omgebouwde kamer, een badkamer en een keuken. Hij zag Ramdoss en Lily iedere dag en Kannan als hij thuiskwam. De rest van de familie ging hij uit de weg. Als ze toevallig tegen hem aan liepen, zagen ze een verfomfaaide man, oud voor zijn leeftijd, met een verwilderde baard en een warrige haardos, haar dat uit zijn oren groeide en als een rookpluim onder zijn neus hing. Doorgaans zei hij geen woord of vermeed hen aan te kijken en schuifelde zo snel hij kon zijn kamers weer binnen.

Eerder per ongeluk dan opzettelijk kwam er een groepje scholieren voor Daniels ramen te staan waar ze slogans scandeerden en de machthebbers afzworen, en ze verzochten hem dringend met de actie mee te doen. Dr. Dorai verdroeg het lawaai zo lang mogelijk. Toen hij het niet langer kon hebben, laadde hij zijn armen vol met wat hij maar vinden kon – kussens, slippers, reageerbuisjes, borden, messen – en begon die naar zijn kwelgeesten te smijten.

Toen hij alles naar de scholieren had gegooid, bij wie de schrik algauw in spot was omgeslagen toen ze het bizarre gedrag van de vermaarde dokter zagen, rende Daniel de kamer uit om hen te woord te staan. Zover kwam hij niet eens. Voor hun verschrikte ogen zakte de oude man met zijn verwilderde blik op de grond in elkaar. Ramdoss was binnen een paar minuten bij hem en

Daniel werd naar de plaatselijke kliniek overgebracht, waar de dokter een lichte hartaanval constateerde. Twee dagen daarna zei Daniel tegen Ramdoss dat hij Kannan dringend wilde spreken. Kannan was in feite al op weg naar huis. Zodra de 'Verlaat India'-beweging sterker werd, had dr. Boyd de universiteit gesloten. Hij deelde de studenten mee dat de MCC zijn poorten weer zou openen als de onrust geluwd zou zijn.

68

Kannan ging regelrecht van het station naar zijn vader. Hij hoorde tot zijn opluchting van de jonge dokter die hem behandelde dat Daniel niet al te erg onder de beroerte had geleden. Hij had wat moeite met kauwen, maar was voor het overige prima in orde, werd hem gezegd.

Daniel was opgetogen hem te zien. Hij begon te lachen en fluisterde Lily toe wat thee voor Kannan te halen.

'Daar doe je goed aan, zoon, naar huis te komen. Doraipuram heeft je nodig.'

'U mag zich niet vermoeien, appa. U moet rusten,' zei Kannan.

'Nonsens, het is helemaal niets. Wij siddhars weten immers hoe we een eeuwigheid in leven moeten blijven.'

Maar het was duidelijk dat praten hem vermoeide, en Kannan ging na een poosje weer weg.

Die avond maakte Kannan een lange wandeling door de kolonie en zag tot zijn ontsteltenis hoeveel slechter die er in de loop van dat jaar uit was gaan zien. De meeste huizen moesten opnieuw gewit worden en de legendarische mangoboomgaarden waren slecht onderhouden en door onkruid overwoekerd. Toen hij terugkwam zag hij dat Ramdoss hem stond op te wachten. Die gaf hem een verontrustend relaas. De onlusten waarover hij een paar jaar eerder tegenover Kannan opening van zaken had gegeven, hadden zich verder uitgebreid. De boerderijen en andere ondernemingen draaiden met verlies. Een paar van de ondernemers hadden Daniel gevraagd zijn belofte gestand te doen en hun geld te geven als vergoeding voor de grond nu zij wilden vertrekken, en hij had zijn eigen land buiten Doraipuram moeten verkopen om het land dat hij terugkocht te kunnen betalen. De afgelopen maanden, zei Ramdoss, was Daniel druk doende geweest met allerlei vreemde experimenten. Zijn optreden had steeds buitenissiger vormen aangenomen en Ramdoss moest bekennen dat hij geen idee had hoe lang het zou duren voordat Daniel volledig van de beroerte hersteld zou zijn en weer belangstelling zou krijgen voor de nederzetting.

'Jij moet nu gauw naar huis komen, thambi, en je vader helpen. Laat je niet in met politieke zaken of dat soort onzin. We zijn allemaal van jou afhankelijk,' zei hij.

'Nog een paar maanden, mama, dan ben ik weer thuis en zullen we de problemen aanpakken,' antwoordde Kannan. Maar hij was lang niet zo zeker van zijn zaak als hij klonk. Allereerst was er de kwestie met Helen die om een oplossing vroeg, bedacht hij. Hij wist zeker dat zijn vader en moeder haar niet geschikt zouden vinden. De dochter van een gepensioneerde Anglo-Indiase PTT-ambtenaar, zonder geld of sociale status, trouwen met een Dorai! Nee, dat zouden ze nooit toestaan.

Twee dagen later liet Daniel zijn zoon bij hem komen. Daniel werd rechtop in zijn bed gezet en Lily en Ramdoss bleven discreet in de buurt. Intuïtief wist Kannan wel waarom hij ontboden was. Een ogenblik was hij in paniek en toen kwam er een eigenaardige kalmte over hem.

'Zoon,' stak Daniel welgemoed van wal, 'Ramdoss heeft me laten weten dat het gouvernement alle congresleiders heeft laten opsluiten en vastbesloten is niet aan hun eisen te voldoen. Ik ben het daar van harte mee eens. Over een paar maanden zul jij zijn afgestudeerd en in staat deze last,' hij gebaarde om zich heen, 'van mijn schouders te nemen.' Kannan wachtte tot de dreun zou komen.

'Ik ben nu oud en aan rust toe. Hier heb ik altijd van gedroomd: mijn zoon die de lijn voort zal zetten en het lot van de familie in handen zal nemen om er zorg voor te dragen dat de naam van de Dorais zijn glans niet zal verliezen.' Toen kwam de mededeling waar Kannan voor gevreesd had. 'Het wordt tijd dat jij grond onder je voeten gaat voelen. Je moeder en ik hebben met haar neef Isaäc gesproken. Hij heeft een dochter van huwbare leeftijd. Hij is een modern man en heeft het meisje haar school laten afmaken en *Bharatanatyam* laten leren. Wanneer ze met Kerstmis hier naartoe komen, zul je kennis met haar maken. Een korte verlovingstijd, en tegen Pasen kun je dan trouwen.'

Dr. Dorai glimlachte naar zijn zoon.

Kannan wist niet hoe hij het had. Toen hoorde hij zichzelf zeggen: 'Appa, er is al iemand met wie ik wil trouwen.'

Misschien had dr. Dorai hem niet goed verstaan, want hij zei: 'Goed, dat is dan geregeld. Je zult het vast wel met Shakuntala kunnen vinden.'

'Appa, ik heb al besloten met Helen te trouwen.' Nu was het hoge woord eruit.

Dr. Dorai zei geërgerd: 'Helen, wie is Helen? Uit wat voor familie komt ze? Kennen wij die? Naar welke kerk gaan ze?'

Kannans antwoord kwam traag: 'Haar vader heeft bij de PTT gewerkt. Ze komt uit Madras.'

'Is ze familie van ons? Tot welke kaste behoort ze?'

Hij moest het wel zeggen. Dan maar liever snel. 'Appa, ze zal u vast wel bevallen. Ze is heel licht en mooi...'

'Alles goed en wel, maar familie is belangrijk. Is ze een Andavar? God verhoede dat ze een Vedhar is!'

'Ze is een Anglo-Indiase.'

'Ramu, haal eens een Spaans rietje voor me. Mijn zoon heeft wel de volwassen leeftijd, maar hij denkt nog als een jongen van tien. Ik geloof dat ik er een beetje verstand in moet slaan.'

'Anna, kalm aan nu toch, u mag zich niet zo opwinden.'

'Opwinden, opwinden. Je hebt hem gehoord. Hij zei dat hij met een of andere gouddelver wil trouwen, die hij in Madras heeft opgedoken, en dan ga jij tegen me zeggen dat ik me niet mag opwinden...'

Ramdoss richtte zich tot Kannan. 'Ga nu maar de kamer uit, thambi, wij praten later nog wel met je.'

Zonder een van hen aan te kijken liep Kannan de kamer uit. Het bekende ontheemde gevoel kwam weer over hem. Tranen van boosheid, schaamte en vernedering verblindden zijn ogen. Terwijl hij wegliep, voelde hij hoe die afschuwelijke gevoelens zich bestendigden. Zijn ellende sloeg in zijn ziel neer als lood. De tranen stokten. Wanneer hij vocht of zich in een hoek gedrukt voelde, wilde hij niet langer huilen.

Daniel voelde een enorme kwaadheid in zich opkomen die al het andere uitwiste. Hoe kon zijn zoon hem zo in de steek laten en de droom vermorzelen waarvoor hij zijn leven had ingezet, alleen vanwege een berekenend vrouwmens? Toen dook er ergens diep binnen in hem een beeld op van hemzelf op dezelfde leeftijd als Kannan nu, en hoe kwaad Solomon Dorai toen op hem geweest was. Dat alles had hem een leven lang achtervolgd en hem getekend, en wat hij geen moment had beschouwd als iets wat bij hem hoorde, kwam nu boven. Ik moet mijn best doen mijn zoon te begrijpen, dacht hij, naar hem luisteren en proberen voor mijn boosheid een uitweg te vinden. Maar de koppigheid van de Dorais stond begrip in de weg. Daniel moest ingaan tegen zijn eigen karakter, dat niet mee kon geven, en hij gaf het op. Hij gedoogde geen compromissen. O god, dacht hij vermoeid, ik ben net als mijn vader geworden.

69

Lily had een geheim dat ze beslist wilde bewaren en meenemen in haar graf en dat was dit: drie jaar voordat ze trouwde, was ze verliefd geworden. De man aan wie ze haar hart verloren had was een jongeman uit Holland, die het vak van bedrijfsleider op een theeplantage leerde. Hij was voor een korte tijd gestationeerd op de plantage waar haar vader als hoofdboekhouder werkte en in die periode had Lily zoveel als ze maar kon van hem in zich opgenomen. Vanuit de verte. Duizelend van de opwinding had het jonge meisje dat nog nooit een man had gekend, zich achter de weelderige broodboom in hun tuin verborgen, waar ze bleef staan wachten tot hij op zijn ochtendronde langs zou komen. Dan vergaapte ze zich aan die vastberaden, gladgeschoren kaken, de exotische ogen, het mooie bruine haar dat om zijn hoofd slierde, zijn typische kaarsrechte postuur.

Toen hij naar een ander landgoed werd overgeplaatst was ze er niet al te kapot van, omdat ze niet verwacht had dat er iets uit haar verliefdheid zou groeien. En tot haar grote vreugde ontdekte ze dat de man met de zeeblauwe ogen nog steeds in haar dromen aanwezig was, toen ze wachtte tot haar aanstaande bruidegom aan de overkant van de Palk Strait een datum voor hun bruiloft zou vaststellen. Haar liefde was zuiver en kuis. Wat haar verbaasde was dat die haar altijd was bijgebleven. Haar huwelijk, kinderen, het dagelijkse leventje, hadden de herinnering aan de jonge Hollander versluierd, maar op de dag dat haar zoon zijn onthulling deed, gloeide haar geheim weer warm in haar binnenste. Ook al was ze door Kannans mededeling net zo geschokt als haar echtgenoot, en hoopte ze dat zijn liefdesaffaire zou verbleken, in haar hart voelde ze met hem mee.

Haar echtgenoot tegenspreken zou niet baten. Ze wist niet eens of ze daar wel toe in staat zou zijn. Maar ze zou de moed niet opgeven. Dit soort situaties kwamen zo nu en dan in iedere familie voor en het enige wat je nodig had was tijd, en een subtiele overredingskunst, om er rustig uit te komen. Ze was zich er ook van bewust, dat, ondanks de legendarische koppigheid van de Dorais die haar echtgenoot bezat, hij toch zijn uiterste best deed die te temperen met een open eerlijke benadering en een objectief oordeel, vooral nu het om zijn eigen familie ging. Hij zou wel bijdraaien, wist ze, over een tijdje.

Ze zat meer in over Kannan. In zijn geval was de ontvlambaarheid van de woede, waartoe iedere Dorai in staat was, groter door de wispelturigheid en emotionele onevenwichtigheid van zijn jeugd. Ze probeerde hem uit te leggen dat het maar tijdelijk was dat zijn vader hem niet meer wilde zien en dat de zaak zou worden bijgelegd, dat hij geduld moest hebben. Maar Kannan wilde niet luisteren. Tranen met tuiten hielpen niets om hem ook maar een fractie te laten bijdraaien. Omdat ze wel wist hoe die onverzettelijkheid op Daniel zou werken, raakte Lily over haar toeren. Ze haalde Ramdoss over om iedereen die haar in gedachten kwam aan te schrijven om werk voor Kannan te vragen, wanneer hij, zoals nu wel zeker leek, van Doraipuram zou worden weggestuurd. Onder de reacties die ze ontvingen was een brief van Chris Cooke uit het verre Surrey, die aankwam vlak voordat de universiteit weer openging, het opbeurendst. Een vriend van hem had een theebedrijf en zocht bedrijfsleiders om de plaats in te nemen van jonge Engelse medewerkers die waren opgeroepen voor de oorlog. Kannan was misschien degene die hij zocht. Cooke had zijn vriend al geschreven en sloot een brief ter introductie bij, die Kannan misschien van dienst zou kunnen zijn.

70

Toen Kannans trein in Tambaram aankwam, zette hij zijn bagage in zijn kamer, waste en verkleedde zich en liep naar Helens huis. Zij was er niet, maar haar vader wel en al bezig zijn tweede glaasje rum achterover te slaan in de warmte van de avond. 'Kom erbij kerel en drink een glaasje mee, blij je terug te zien. Helen komt zo thuis.' Wat een prachtmensen zijn die Anglo-Indiërs toch, dacht hij, dankbaar voor de warmte van Leslies welkom. Hartelijk, open en vol levenslust, hoe kon je niet van ze houden? Waarom kon zijn vader hen niet zien zoals hij ze zag?

Helen kwam na ongeveer een uurtje thuis. Toen hij haar de weg af zag lopen, welde er een groot geluk in hem op waardoor alle ellende van de afgelopen paar weken werd uitgewist. Helens gezicht lichtte op toen ze Kannan zag. Ze was erg op hem gesteld geraakt en zijn onmiskenbare adoratie streelde haar ijdelheid. Ze wist wel dat ze hem niet liefhad, maar dat gaf niet omdat hij rijk was en je was nooit slecht af als jijzelf de minder liefhebbende in een verhouding was. Cynthia had haar dat laatste beetje wijsheid meegegeven.

'Hoe gaat het met je vader?' vroeg Helen.

'Het gaat goed met hem. En hoe gaat het met jou?'

'Prima. Een rum, toe maar, neem er nog maar eentje,' zei ze, terwijl ze haar vader die al aan zijn vierde bezig was, een zoen gaf. Leslie straalde en knikte in de richting van Kannan terwijl hij een denkbeeldig glaasje naar zijn lippen bracht.

Ze liepen naar buiten, de veranda op, en gingen zitten. Helen stak preuts haar hand uit, die Kannan gretig vastpakte. In de ruim twee jaar dat ze elkaar nu kenden was dat de enige vrijpostigheid die ze hem had toegestaan. Kannan was juist bezig haar omstandig te laten weten hoeveel hij van haar hield toen zij hem in de rede viel: 'Hoe is je bezoek thuis verlopen?'

'Niet te best,' zei hij geërgerd. 'Ik heb tegen mijn vader gezegd dat ik van jou houd en met je wil trouwen en toen heeft hij me het huis uitgezet.'

Helen rukte haar hand los. Een golf van woede en frustratie sloeg door haar heen. En dan te bedenken dat zij haar tijd aan dat stuk onbenul had gegeven. 'Je hebt toch niet gedacht dat ik met jou zou trouwen?' barstte ze los. 'Zet dat maar uit je hoofd, ik wil je nu nooit meer zien.'

Kannan voelde eveneens woede in zich oplaaien. 'Trouw maar met een van die stomme hockeyknullen met wie je aan het hannesen was voordat je mij leerde kennen,' riep hij woest en het warme gevoel voor dit slag mensen was even helemaal weg.

'De minste van die lui is altijd nog beter dan jij,' tierde ze terug.

'En dan te bedenken dat ik mijn vader getart heb om zo'n waardeloos iemand als jij,' schreeuwde hij, maar Helen was het huis al ingelopen.

Een week lang gaf hij zich louter aan zijn laaiende woede over. Al generaties lang hadden de mannelijke Dorais hun vrouwen beschouwd als meegaande wezens die alles deden wat hun gezegd werd, en slechts zijn buitensporige verliefdheid had iets kunnen veranderen aan de manier waarop Kannan Helen had gezien. Nu tierde hij en ging tekeer tegen ieder die het maar horen wilde, meestal Murthy, over de ezel die hij was dat hij zich bijna ten val had laten brengen door een vrouw.

Zodra zijn woede geluwd was, ontdekte hij tot zijn verbijstering dat hij nog net zo verliefd was op Helen als altijd. Zij hield hem uit de slaap en wilde niet uit zijn gedachten wijken als hij wakker was. Hoewel hij zichzelf erom haatte, maar er weinig tegen kon doen, begon hij in de buurt van haar huis rond te hangen, waarvoor hij soms werd beloond met een kleine glimp van haar; en haar vertrouwde wiegende heupgang, haar kleine borstjes, haar welgevormde kuiten, doortrokken zijn hele waarneming en al zijn zintuigen met diepe vreugde en pijn. Ze negeerde hem altijd en tijdens de twee gelegenheden dat hij daadwerkelijk moed verzamelde en aanbelde om naar haar te vragen, sloot ze zich op in haar kamer en weigerde eruit te voorschijn te komen tot Leslie hem vriendelijk verzocht weg te gaan.

Kannan begon te piekeren over de reactie van zijn vader. Als hij het nieuws een tikkeltje anders had opgepakt, dacht hij boos, zou dit niet gebeurd zijn. Vervolgens verdween Helen helemaal. Toen hij naar haar informeerde, zei Leslie dat ze bij familie in de stad was gaan logeren en dat hij geen idee had wanneer ze weer van plan was terug te komen. Zijn dagen en nachten werden nog moeilijker om door te komen. Nu had hij niet eens meer het vooruitzicht haar te zullen zien.

Toen hij op een avond naar de universiteit liep, zag hij Cynthia op hem af-komen. Hij had haar al in geen dagen gezien en sprak haar direct aan: 'Cynthia, ik moet Helen spreken, weet jij...'

Iets in zijn voorkomen had haar kennelijk geraakt, want ze keek minder stuurs en zei heel vriendelijk: 'Hoor eens, jongen, Helen moet je vergeten, die is niets voor jou, er zijn nog wel andere meisjes. Ga terug naar je vader en maak het weer goed met hem. Het is het allemaal niet waard.'

Hij zei niets, maar de teleurstelling stond duidelijk op zijn gezicht te lezen. Cynthia wilde nog iets zeggen maar haalde toen haar schouders op en liep door. Hij wilde al weglopen toen ze hem nariep: 'Hé, joh...'

Hij draaide zich om en van hoopvolle verwachting klaarde zijn gezicht al op. Maar Cynthia had weinig te bieden: 'Je bent een schrandere vent, waarom ga je niet naar huis, veel geld verdienen en dan trouwen...'

'Maar dat wil ik nou juist, begrijp je dat dan niet? Met Helen. Wil jij niet met haar praten, Cynthia, en tegen haar zeggen dat ik een goede baan zal zoe-ken. We hebben dat geld van mijn vader niet nodig. Ik zal ervoor zorgen dat ze als een prinsesje kan leven. Het spijt me dat ik zo tegen haar tekeer ben ge-gaan, maar ik was mezelf niet meer. Zie je, als ze me maar zou vertrouwen en me nog een kans geven, zal ze het van haar leven niet meer betreuren.'

Cynthia zag er lichtelijk in de war gebracht uit.

'Alsjeblieft, alsjeblieft, Cynthia, zeg alsjeblieft tegen me dat jij met haar zult praten, jij bent de enige naar wie ze zal luisteren. Zeg alsjeblieft tegen haar dat ik alles zal doen wat in mijn vermogen ligt om haar gelukkig te maken als ze bij me wil blijven.'

'Heeft ze wel ooit bij je willen horen?' zei Cynthia.

'Dat weet ik niet, maar ze zou er nooit spijt van krijgen. Daar zorgde ik wel voor.'

'En hoe dan wel, jongen?'

'Ik neem straks een prachtbaan. Ik heb een aanbevelingsbrief van een zeer belangrijk man, Mr. Chris Cooke, een senior ics-ambtenaar. Daar ben ik veel beter mee af dan ik ooit met werk bij mijn vader zou zijn geweest. Zeg dat alsjeblieft tegen haar, Cynthia, ik weet dat jij dat kunt...'

'Nou,' zei Cynthia die twijfelachtig keek, 'ik beloof niets, maar ik zal zien wat ik kan doen.'

'Dank je, dank je,' zei hij vurig. Zeg tegen haar dat ik alleen maar met haar wil praten. Probeer haar duidelijk te maken dat alles goed komt.'

Twee weken daarna bleek Cynthia woord te hebben gehouden. Een van zijn hockeyvrienden bonsde op een ochtend al vroeg op Kannans deur en riep vrolijk: 'Word jij potverdrie eens wakker, luiwammes die je bent. Cynthia wil je spreken.' Toen Kannan de deur opendeed, zei Philip opgewekt: 'Elf uur bij Nair,' en hij kuierde weg.

Cynthia zat er samen met een paar vriendinnen, maar toen Kannan binnenkwam stonden die op en verlieten vriendelijk zwaaiend de tent. Toen barstten ze in lachen uit en weg waren ze. Hadden ze hem uitgelachen? Waarschijnlijk wel, maar het kon hem niet schelen. Kannan bestelde twee koppen thee met extra veel suiker en richtte zich toen gretig tot Cynthia. 'Wil ze me spreken?'

'Ja, ik heb haar zover gekregen dat ze je wil spreken, voor deze ene keer...'

'Cynthia, je bent geweldig. Je hebt een wonder verricht. Hoe kan ik je ooit bedanken?'

'Rustig nou maar en luister naar me, meer hoef je niet te doen. Ik heb Helen wel zover gekregen dat ze je wil spreken, maar niet om je tot echtgenoot aan te nemen. Jullie ontmoeting levert misschien wel helemaal niets op, dus mag je er niet te veel van verwachten.' Hun thee kwam eraan, de damp sloeg ervanaf in viezig uitziende glazen. Cynthia keek hem lang en aandachtig aan en zei toen wat vriendelijker: 'Je bent echt verliefd op haar, dat kan ik wel zien.'

'Ik zou alles voor haar willen doen. Ik ruk de wolken uit de hemel en maak er een bed van voor haar.'

'Een dichter ook al,' zei Cynthia lachend. 'Ik geloof dat je dat allemaal in je hebt. En Helen weet dat ook. Weet misschien ook wel dat jij haar vuriger liefhebt dan al die anderen.'

'Zijn er dan anderen?' zei Kannan.

Cynthia's gezicht kreeg een wijzere uitdrukking dan bij haar jaren paste. Ondanks zijn opgewonden toestand kreeg Kannan een plotseling visioen. Hij zag dit knappe meisje van nu nog negentien jaar voor zich, zoals het eruit zou zien over een jaar of twintig: een dikke dame in een vormeloze jurk met minstens tien kinderen maar met een hart dat er wel duizend aankon. Ze zou niet

moeilijk doen over een veeleisende echtgenoot, ruzieachtige buren, de duizend-
eneen lasten van een middenstandsbestaan in een arm land, maar ze zou de
ruggengraat van haar plaatselijke omgeving zijn – een bron van wijsheid en geduld en verdraagzaamheid. Cynthia wist het nog niet, maar ze was de drager
van de eeuwige vlam van menselijke warmte waar iedereen zich omheen zou
scharen.

'Er zullen altijd anderen zijn voor mooie meisjes als Helen. Het enige probleem in een hypocriete maatschappij als de onze is dat mannen wel hun fantasieën de vrije loop laten over meisjes als wij, maar nooit respect voor ons
opbrengen. Sommigen kunnen al vanuit de verte verlekkerd naar ons kijken,
alleen maar omdat we rokken en lange broeken dragen en naar dansfeestjes
gaan, anderen fluisteren ons dingen toe die ze niet hardop durven zeggen of
strijken stiekem langs onze kleren in de trein. En dan zijn er nog onze eigen
jongens, mensen als Philip en Sammy en jouw vriend Lionel, het slag mensen
met wie Helen en ik uiteindelijk wel in een huwelijk zullen belanden, ook al
zullen die nooit rijk of beroemd worden Omdat zij van ons houden om wie we
zijn, meer dan om wat zij voor ons voelen, en omdat het tenminste niet van die
hypocriete achterbakse rotkerels uit India zijn.' Toen ze dat eenmaal gespuid
had, leunde Cynthia naar achteren, en haar neusvleugels trilden nog van boosheid. Kannan stond verbluft van haar uitbarsting en vooral ook van de wereldse
praat die hij gehoord had. Van een meisje!

Cynthia lachte, een lach die veel te cynisch was voor haar leeftijd en zei:
'Geschokt? Sorry. Jij bent best wel fatsoenlijk als echte Indiër. En ga nu niet
het allerslechtste van mij denken vanwege de lelijke woorden die ik gebruik en
omdat ik gezegd heb dat Helen en ik andere jongens verliefd op ons laten worden. We zijn allebei keurige meisjes en kunnen het ook niet helpen dat die jongens ons mee uit blijven vragen. Maar de slechte dingen waar jullie Indiërs aan
denken, doen we niet.'

'Waarom blijf je ons Indiërs noemen? Dat zijn jullie toch ook?'

'Nee. Wij hebben een hekel aan dit land en wij willen naar huis. Naar Engeland of Ierland. Mijn grootvader was een Ier, en die van Helen was een Engelse
sergeant die hier gelegerd was.'

'Heb je je grootvader ooit gezien?' vroeg Kannan.

'Nee. Ja,' zei ze, verward. 'Ik bedoel, hij is dood.'

'Ben je ooit naar Ierland geweest?'

'Ik ga er volgende maand naartoe zodra ik mijn overtocht kan boeken,' zei
ze, en ze veranderde toen gauw van onderwerp.

'Houd je erg veel van Helen?' vroeg ze.

'Ik houd met elke vezel van mijn wezen van haar.'

'O, ja!' lachte Cynthia en toen werd ze serieus.

'Je adoreert haar, Kannan, dus heb je haar op een voetstuk gezet als een godin, vrij van alle blaam, maar ik ben haar intiemste vriendin. Ik ken haar al vanaf dat we klein waren en in de steegjes van een grauwe gouvernementskolonie speelden. De muren van onze huizen waren zo dun dat je de buren kon horen als ze een boer lieten. Er zijn geen geheimen in zulke plaatsen, Kannan, en wanneer je hartsvriendinnen bent...' ze haalde haar schouders op. 'Ik wil alleen maar het beste voor haar. Maar ik ken haar gebreken. Ik weet wanneer haar adem ruikt en wanneer ze iets stoms heeft gezegd. Ik ken haar geheimen. Dingen waar jij misschien nooit achter zult komen. Maar dit kan ik je wel zeggen. Haar diepste wens is uiteindelijk niet in een van de kolonies te hoeven stranden waarin ze is opgegroeid. Ze zou het liefst van alles in Engeland wonen. Denk jij dat je dat voor elkaar zou krijgen...'

Kannan stamelde: 'Ik... Ik... Zou het kunnen... Proberen...'

Maar Cynthia ging door alsof ze hem niet gehoord had. 'Omdat dat waarschijnlijk niet lukken zal, zou ze ook wel met een man willen trouwen met status en geld en een goede maatschappelijke positie. Een mooi huis, een auto, een goede baan. Je vindt het vast niet leuk als ik het zeg, maar daarom heeft ze jou aangemoedigd, vanwege het geld en de goede naam van je vader. Ze is niet slecht en het is ook niet slecht dat ze die dingen zou willen die ze nou eenmaal wil, en ze mag je best graag.'

'Ik zal haar gelukkig maken,' zei Kannan, blij dat hij eindelijk wat kon zeggen.

'Hoe dan?' vroeg ze. 'Als jij met Helen trouwt, zal je vader je nooit meer in huis nemen, je bent een arme student zonder geld, zonder vooruitzichten. Je hebt niets. Waarom zou Helen jou willen hebben?'

'Ik zal hard werken, goede cijfers halen. Ik krijg straks vast en zeker een uitstekende baan dankzij de aanbeveling van Mr. Chris Cooke.'

'Waarom heeft hij voor jou die aanbevelingsbrief geschreven, als je vader zo kwaad op je is?' vroeg Cynthia achterdochtig.

'Dat weet ik niet.'

'Maak er dan gebruik van. Studeer hard en zorg dat je de beste baan van de wereld krijgt, misschien maak je dan een kansje bij Helen.'

'Dat zal ik doen, wacht maar af, dan zul je het zien. Jij weet niets van ons Dorais,' zei hij.

'Zorg dat je woord houdt. En nu wil je, denk ik, wel weten wanneer je haar kunt spreken.'

'Ja, ja, ja...'

'Volgende week. Maar ze wil je alleen zien als ik in de buurt ben. En na dat gesprek mag je alleen nog maar via mij contact met haar hebben...'

Kannan had haar nog nauwelijks gehoord toen hij zich met schitterogen en een hart dat bonsde in zijn oren, zich overgaf aan bespiegelingen over de ontmoeting met de vrouw die hem geen rust liet.

'Wat een geluksvogel, die Helen,' zei Cynthia zachtjes in zichzelf.

71

Het sollicitatiegesprek dat Chris Cooke voor Kannan met majoor Stevenson, algemeen directeur van de Pulimed Tea Company, had geregeld, was heel goed verlopen. Hij zou aan het eind van het jaar komen werken op hun plantages die over de grens, hoog in het centrale bergland van Travancore lagen. Hij zou de eerste Indiër zijn in dit vak, die het bedrijf ooit in dienst had genomen. In de trein terug naar Tambaram bedacht hij hoe gelukkig Helen zou zijn. Hij zag voor zich hoe ze er samen over niet al te lange tijd voor zouden staan, met hun schitterende vaste plaats in de wereld. Toen gingen zijn gedachten terug naar de dagen in Doraipuram en de botsing met zijn vader. Als het niet tot een ruzie was gekomen, was appa zeker trots op hem geweest, omdat hij zijn sporen ging nalaten in de wereld van de blanke man. En toen kwam het in hem op dat hij deze kans nooit zou hebben gekregen, als zijn vader hem niet de deur had gewezen. En nu stond Kannan niets meer te doen dan zijn eigen weg in te slaan en zijn vader te laten zien uit welk hout hij was gesneden.

De trein begon vaart te minderen toen hij het station naderde en zijn humeur klaarde op. De toekomst lag open voor hem. Voor hen.

III
PULIMED

72

Het grote Duitse slagschip, de Bismarck, dreef met snelle zwenkbewegingen het afvoerkanaal uit, bestookt door zijn achtervolgers, het vliegdekschip de Ark Royal en Zijne Majesteits King George v en Rodney. Tisjkwoe–tisjkwoe, gingen de geweren van de Bismarck, maar de aanvalsgolven van Amerikaanse duikbommenwerpers waren meedogenloos agressief en de Britse kanonniers aan boord van de schepen die volgden, vuurden met dodelijke precisie. Het was duidelijk dat de Bismarck geen schijn van kans had. Krea-aagh. Zijne Majesteits Victorious had een torpedobom gelanceerd. Wrroemm. Een regelrechte treffer. De hoofdregisseur van de vernietiging van de Bismarck, de achtjarige Andrew Fraser, dwong zijn onderbevelhebber, Kannan Dorai, zijn plicht te doen. 'De Victorious is voor u, meneer Dorai. Laat hem die kant uitdraaien en dan Krea-aagh doen.'

'Mag ik niet een ander geluid maken?' vroeg Kannan.

'Nee, dat mag niet,' zei Andrew vastbesloten. 'Krea-aagh is een torpedogeluid en u moet een torpedogeluid nadoen omdat Zijne Majesteits Victorious torpedo's afschiet.'

'Yessur,' zei Kannan die zijn schip in de aangegeven positie bracht. Het jongetje keerde voldaan terug naar zijn Bismarck die tot zinken gebracht moest worden. Zijn kennis van de Tweede Wereldoorlog was encyclopedisch en Kannan hoefde er niet aan te twijfelen, of bewapening, kanongeschut, snelheid en tonnage van elk oorlogsschip, vliegtuig en ondersteuningsschip in de slag die werd nagespeeld, waren absoluut correct.

'Een beetje meer naar rechts, meneer Dorai. Torpedo's afschieten.'

'Aye, aye, sir,' zei Kannan en hij maakte zijn torpedogeluid. Dat werd verzwolgen door iets nog veel harders, omdat de Bismarck begon te kapseizen. Uit Andrews mond kwam een reeks van scheurende en knarsende geluiden achter elkaar en het 45.000 ton wegende schip begon in stukken te breken. Na enkele ogenblikken was het voorbij.

'Nog eens helemaal van voren af aan. Dan was de Bismarck deze keer de Graf Spee. En nu probeer ik het geluid na te doen van de kogels die ze daar afschieten.' Kannan popelde om een eindje te gaan lopen, maar wilde de jongen ook niet teleurstellen. Hij zou de slag een beetje sneller laten verlopen, op die manier zou hij toch nog zijn benen kunnen strekken voordat ze naar de club zouden gaan. Als de regens uitbleven, tenminste.

Toen Andrew de schepen weer bijeen begon te garen ter voorbereiding van de volgende slag, liep Kannan naar de rand van de tuin. Over het dal waarin de nevels hingen kon hij zien hoe de natte moesson echt begonnen was.

Kannan had een regenseizoen in de bergen nog niet echt meegemaakt. In het hooggelegen land van de theeplantages miezerde het voor het grootste deel van het jaar, maar tijdens de natte moesson bleef de regen aanhoudend neervallen uit een hemel met de kleur van ijzig staal. Anders dan de warme neerslag van Doraipuram was de regen in de bergen koel. En hij hield nooit op. Dag na dag hees Kannan zich in zijn kleren die nooit droog leken te worden en liep een wereld in waar de luchten laag hingen en grijs en woelig waren. Grote wolkenpartijen en mistbanken (je kon moeilijk zeggen waar het ene ophield en het andere begon) werden door de striemende wind en regen over de ineengedoken bergen gejaagd.

Maar anders dan de meeste planters hield Kannan eigenlijk wel van de natte moessontijd. Hij had het wel aardig gevonden als zijn kleren wat sneller droog zouden zijn en er een paraplu was uitgevonden die bestand was tegen stortbuien in Pulimed, maar hij hield van de koelte en het vocht, van het aanhoudende gekletter van water dat in de nevelige dalen tussen de hellingen van het bergland nog eens zo hard klonk, en van het waterige licht. Dat hij bijna nooit de zon zag, kon hem niet zoveel schelen. En die mistsluier fascineerde hem. Het gevoel ervan op zijn gezicht, die oneindige zachtheid die zo soepel meegaf. Hij kon uren zoekbrengen met gewoon maar naar die nevels te kijken, hoe ze rusteloos bewogen of geruisloos over de zee dreven, en in de spleten stil bleven hangen of zich aan flarden lieten scheuren door de bomen – een grote ivoren uitgestrektheid die de tastbare wereld waar hij naar tuurde anders deed zijn, waardoor hij in een droom leek te verkeren. En dan, ineens, beweging van water in de lucht, een snelle bui die zich almaar uitbreidde en waardoor de mist zich terugtrok uit de bedaarde wereld, en haar als herboren fris achterliet, met kleuren die allemaal glansden van nieuwigheid en waarin alles was voorzien van een schone buitenkant. Na het saaie, stoffige, door hitte verzengde vlakke land was dit pure tovenarij en hij liet het royaal over zich heen komen.

Hij was iets meer dan zes maanden geleden in Pulimed gearriveerd en als hulpjongen in dienst genomen door Michael Fraser, de hoofdopzichter van Glencare Estate, de grootste van de drie theeplantages die het bezit waren van de Pulimed Tea Company. Glencare bestond uit ruim vierhonderd hectares theeplantage, opgesplitst in twee delen. De assistent van het ene deel van de plantage, de Morningfall, was onder de wapens geroepen voor de militaire operatie bij Birma, en als Kannan het dit jaar als hulpjongen goed zou doen, mocht hij die functie overnemen.

Hij voelde iemand aan zijn mouw trekken. Andrew stond te popelen om aan de volgende slag te beginnen. Hij had net de kunstig vervaardigde scheepjes van bamboehout, knijpers en lucifers, klaargezet om tot actie over te gaan, en wilde dat Kannan met hem mee zou spelen. Het stuk afvoerpijp was andermaal het toneel voor krijgshaftige geluiden.

Nadat de Graf Spee ook in rook was opgegaan, stelde Andrew voor dat ze bloedzuigers zouden gaan zoeken in de oude steengroeve achter het huis, waarin het regenwater tijdens de natte moesson een poel vormde. Kannan had een hekel aan bloedzuigers, maar doordat Andrews vader in de deuropening verscheen werd hem een weigering bespaard.

Michael Fraser was aan de lange kant en zijn gezicht had iets droevigs, maar zijn hele gelaat kon door een betoverende glimlach totaal veranderen. Kannan had hem direct gemogen, evenals Michaels vrouw, Belinda. En de sympathie was wederzijds. Toen de bedrijfsleider het had meegedeeld, hadden heel wat van Kannans collega's niet goed geweten hoe ze het nieuws van zijn aanstelling moesten opvatten. Michael zelf had zich ook bezorgd afgevraagd hoe zijn vrouw zou reageren op de aankondiging dat hij een Indiër mee naar huis zou brengen die een jaar lang zijn intrek zou nemen in hun logeerkamer. Maar het was allemaal soepel verlopen. Kannan sprak beschaafd en beleefd, en na zijn aanvankelijke nervositeit had hij zich goed weten aan te passen aan hun huiselijk leven. Michael had tot zijn genoegen gemerkt dat Belinda en Andrew goed met de jonge nieuweling konden opschieten. Het leven dat ze leidden was aan de eenzame kant en het maakte een groot verschil nu nog iemand anders om zich heen te hebben.

Wat Kannan zelf betrof, hij betwijfelde of hij het plantersleven wel had aangekund als de dingen niet zo soepel waren verlopen. Ondanks zijn gesteldheid op zijn superieur en op het weer, had hij zich de eerste paar maanden in Pulimed ongelukkig gevoeld. Dat kwam voor een deel omdat het tot hem doordrong dat hij Doraipuram misschien nooit meer terug zou zien, maar het had nog meer te maken met Pulimed zelf. Hij verbaasde zich erover hoe blank en 'uitheems' het gebied van de theeplantages was. Hij had natuurlijk op de universiteit wel Engelse professoren gehad, maar hier leek India helemaal naar de zijlijn verbannen. Hier leek het alsof híj de buitenstaander was. Gelukkig had hij zich snel weten aan te passen en zich algauw op zijn gemak gevoeld in zijn nieuwe omgeving.

'Wie wint er?' vroeg Michael toen hij naar hen toe liep.

'Wij natuurlijk,' zei Andrew bits. Wat konden die volwassenen toch stom doen.

'Ja, we hebben ze aardig in de problemen gebracht, eerst al de Bismarck en nu de Graf Spee,' zei Kannan.

'Ik wou dat jullie dezelfde tovermacht bezaten over de Japanners, Andrew. Die geven ons er flink van langs,' zei Michael.

'Hebben die ook grote schepen?'

'Ja, een paar. Daar zal ik je over een poosje het fijne wel van vertellen.'

'En vliegtuigen?'

'Ja, die ook. Maar als de jappen in dit tempo doorgaan, hoef ik je daar niets meer over te vertellen, die zie je dadelijk zo over je hoofd heen komen.'

'Echt waar?' zei Andrew en liet zijn kostbare schepen even voor wat ze waren bij dit nieuwe en opwindende vooruitzicht.

'Nou, nu nog niet. Ze zijn nu nog wat verder weg. Zo slecht staan de zaken nog niet.'

Dat klopte, maar al te best was het allemaal ook niet. Tegen de muur van zijn studeerkamer had Michael een kaart op grote schaal van het front in Birma geprikt waarop hij met rode krijtjes die hij van zijn zoon geleend had, de opmars van de Japanse divisies had aangegeven. Ze waren nu schrikbarend dicht de grens met India genaderd en door de natte moesson vast komen te zitten in de dichte Birmaanse bossen. 'Nu eerst eten en dan tijd voor je bed, jongeman,' zei Michael tegen zijn zoon. Nadat Andrews scheepjes bij elkaar waren geraapt, verdwenen vader en zoon het huis in.

De Frasers en Kannan begaven zich op weg naar de club, nadat ze de jongen aan de zorgen van zijn ayah hadden toevertrouwd. Het was weer begonnen te regenen, een miezerige druilregen die op het dak van de Humber tikte en de mist die van alle kanten opdrong nog dichter maakte. Michael reed heel behoedzaam, maar de weg was bekend en zonder ander voertuig, dus ze waren er snel. Op de club liepen Michael en Kannan meteen door naar de bar. Belinda ging naar de lounge van de dames die, vooral omdat Mrs. Stevenson er de scepter zwaaide, oneerbiedig de Slangenkuil werd genoemd.

Kannan had het niet zo begrepen op die wekelijkse bezoekjes aan de club. De talloze gebruiken en regels maakten hem van streek. Doorgaans was zijn tactiek zich aan het zicht te onttrekken, en zich te verschuilen achter Michael of Freddie Hamilton, de jonge assistent op Westview, het andere deel van Glencare Estate. Hij zou vanavond zo dicht mogelijk in de buurt van Michael blijven, besloot hij, toen ze de deur open duwden en onmiddellijk werden omgeven door de benauwde walmen van sigarettenrook en whisky.

De bar was gerieflijk ingericht met van zware kussens voorziene leunstoelen, een bridgetafel in een hoek en een lange rechte bar van mooi glanzend gewreven teakhout waarachter Jimmy, een man uit de goede oude tijd achter de tap, het bewind voerde. Links van Jimmy bevond zich een dienluikje waardoor de dames hun drankjes kregen toegeschoven. Een haardblok had flink vlam gevat in de open haard. Een door de wormen aangevreten luipaard en een opgezette tijger fleurden het vertrek op, de laatste kon worden bijgeschoven om dienst te doen als extra stoel op avonden dat het erg druk was.

Het was vroeg en tot Kannans opluchting waren er maar weinig mensen in het vertrek. Hij vond het gemakkelijker zich een houding te geven tegenover andere planters wanneer die binnenkwamen als hij zich al goed en wel gesetteld voelde. Ze begroetten hun baas, majoor Stevenson, die aan de bridgetafel zat in afwachting van andere geregelde gasten die zouden komen. Terwijl Michael en majoor Stevenson een praatje maakten, keek Kannan om zich heen op zoek naar een plaats om te gaan zitten. Toen hij lege stoelen zag naast Freddie Hamilton, liep hij dwars door het vertrek om hem te begroeten. Freddie was een gemoedelijk uitziende jongeman met bolle bruine ogen die verscholen zaten achter dikke brillenglazen. 'H'llo, die Cannon. Slaat een drankje niet af, denk ik,' zei hij lachend.

'En daar heb je de baas ook al,' zei hij erachteraan, terwijl hij opstond om Michael te begroeten. Ze bestelden hun drankjes. Toen ze eenmaal zaten, zei Michael... 'Oké, Freddie, voor de dag ermee. Ik zag vanuit de verte al dat je weer een nieuw verhaal hebt en van verlangen popelt om dat te spuien.' Freddies talent om een goed verhaal te vertellen was legendarisch.

'Mwa, nee, hoor,' zei Freddie, 'nieuw is anders...'

'Het wordt tijd dat je eens wat anders verzint om je verhaal in te leiden,' zei Michael lachend.

'Goh, word ik voorspelbaar? Dat is zorgwekkend,' antwoordde Freddie luchtig.

Op dat moment kwam Patrick Gordon, een van de bedrijfsleiders, bij het groepje staan en het gesprek zonder verdere plichtplegingen overnemen. Het was duidelijk dat Gordon ontdaan was. Boven op zijn wang gloeide een vurig litteken met felrode puntjes, een zeker bewijs dat hij onderhevig was aan hevige emoties. 'Hebben jullie het gehoord?' begon hij en hij liet zich in een stoel vallen. 'Die verdomde koelie die Simon Raines zo toegetakeld heeft, is ervan afgekomen met een tik op de vingers.'

Het voorval met Raines had vlak voor het regenseizoen voor een hevige schok in het district gezorgd. Een planter in Periyar, Simon Raines, had zijn hoofdtuinman, een oude man, opgedragen van een overwoekerd stukje land, waar zijn vrouw een bedje stokrozen wilde planten, de stenen weg te halen en het van onkruid te ontdoen. Toen hij wat vroeger thuiskwam voor de lunch, had hij de oude man dommelend in de schaduw onder een boom aangetroffen en met het werk was amper een begin gemaakt. In een vlaag van woede was hij naar de oude man gelopen en had hem een trap tegen zijn borst gegeven. De tuinman was opzij gevallen en er was bloed uit zijn mond en neusgaten gesijpeld. Toen hij naar het ziekenhuis van de plantage was overgebracht, werd er een zware inwendige bloeding geconstateerd. Ter plekke was hem meteen de beste medicatie toegediend die ze maar in huis hadden, maar hij was in de nacht overleden. De planter had geprobeerd de zaak stil te houden, maar iemand had het toch aan de politie gerapporteerd. De blanke planters hadden stevig in hun buidel getast en waren erin geslaagd de beschuldiging tegen Raines af te zwakken van doodslag tot mishandeling, en het zou nog slechts een kwestie van tijd zijn voordat Raines, een Brit en daarom gerechtigd zijn zaak voor te leggen aan een Britse rechter in Madras, weer vrij rond zou lopen en enkel een boete opgelegd zou krijgen. Amper een week na de gewelddaad, toen hij met een drankje op zijn veranda zat uit te rusten, liep er een jonge koelie op Raines af en kliefde voor de ontzette ogen van diens vrouw en butler met een stoksnoeimes zijn schedel open. De aanvaller had vervolgens zijn snoeimes weggegooid en was kalm op de politie blijven wachten. Het was bij een schampwond gebleven, en met de beste medische zorg was Raines gered, al zou zijn spraak voortaan aan de trage kant blijven. In zijn verweer had de koelie, de zoon van de tuinman, alleen maar gezegd: 'Wat zou u doen als iemand uw vader een trap tegen zijn borst had gegeven?' En nu was hij er met een kleine boete van afgekomen. Van een Indiase rechter!

'In vroeger dagen zou hij doodgeknuppeld zijn. Dat is de enige behandeling die de inlanders begrijpen. Als je het mij vraagt, is de enige goede koelie-inlander...' Hij hield zich in toen hij besefte dat Kannan deel uitmaakte van het groepje en ging toen verder: '...een gehoorzame koelie, of een dooie.' Hij keek woest naar Kannan alsof hij alleen al diens aanblik niet verdragen kon, toen stond hij langzaam op van zijn stoel en liep weg.

Kannan kon het onbehaaglijke gevoel dat hij had niet verbergen, en Michael was er vlug bij iets te zeggen. 'Van Patrick hoef je je niks aan te trekken, Cannon. Zijn hart zit wel op de goede plaats. Hij kan al die veranderingen niet zo gauw bijbenen.'

Aan de bridgetafel bespraken majoor Stevenson en zijn geregelde bridge-partner, een hogere bedrijfsleider van de Travancore Planting Company, even-eens het voorval met Raines.

'Schokkend, zeg. Waar gaat het heen met dit land?'

'Wat zou jij gedaan hebben als iemand je vader een trap tegen zijn borst had gegeven, nou, John, kerel?'

'Welverdraaid, probeer je me nou te zeggen dat een koelie er met zoiets van af hoort te komen?'

'Nee, zeker niet,' antwoordde majoor Stevenson. 'Het enige wat ik wil zeg-gen is dat er iets werd uitgelokt en dat is in deze veranderende tijden niet zo heel verbazingwekkend.'

De andere planter zei op snijdende toon: 'Edward, hoor ik dat goed? Denk je werkelijk dat de tijden zo veranderd zijn dat een opgeblazen kikker uit het binnenland zich zomaar een brute streek kan veroorloven tegenover een Engels-man?'

'Natuurlijk niet, maar het is tenslotte hun land, John.'

'En kijk eens wat een rotzooi ze ervan maken. Voortdurend schermutselingen van hindoes tegen moslims, alsof iemand dat iets kan schelen, al die belachelijke maharadjas, en nu een stelletje schurken die willen doorgaan voor nationalisti-sche politici.'

'Bepaald niet, John. Een Nehru, een Gandhi en vele anderen uit de congres-partij hebben een eersteklas achtergrond.'

'Die ze danken aan daarginds, thuis. En wat krijgen we terug? Ondankbaar-heid. Ze moeten ze allemaal levenslang opsluiten en in de gevangenis weg laten rotten. De brutaliteit zomaar te weigeren om met ons samen te werken in de oorlog. Waar zouden ze zonder ons zijn? Die kleine gele mannetjes zouden hier de lakens uitdelen. Nee, die Indiërs weten gewoon niet wat goed voor ze is. We bieden ze een dominionstatus aan en wat vragen ze? Totale onafhan-kelijkheid! Totale onafhankelijkheid, ze zouden wis en waarachtig weer in de staat van onwetendheid belanden van de barbaren die ze waren voordat wij hier kwamen.'

'Mijn hemel, John, ik had niet gedacht dat je er zulke sterke gevoelens op na hield.'

Zijn bridgepartner keek een beetje bedremmeld, toen begon hij bulderend te lachen en zei: 'Kom, laten we dit hele stomme land vergeten en ons potje verder spelen.'

Naarmate er meer sterkedrank over de toonbank ging, raakten de tongen losser en werd het rumoeriger in de bar met stemmen die steeds harder werden. De planters namen hun clubavonden serieus, speciaal nu het land door oorlog bedreigd werd. Tegen de tijd dat ze zich opmaakten om naar huis te gaan, had Michael een beetje te veel op. Hij liep behoedzaam het vertrek uit met een bezorgde Kannan op zijn hielen. Belinda stond hen bij de ingang op te wachten. Door de koele nachtelijke lucht leek Michael weer wat bij zijn positieven te komen. Hij klauterde achter het stuur van de Humber en toen reden ze weg.

De regen was opgehouden, maar de mist hing dicht en onbeweeglijk boven de weg en Michael reed uiterst voorzichtig. Ze konden maar een meter voor zich uit zien. Na ongeveer een uur waren ze dicht bij de grootste doorwaadbare plaats op hun route gekomen waar een flinke stroming stond. Die was Dhobi's Leap gedoopt nadat een wasbaas er in een regenseizoen was verdronken. Plaatselijke folklore wist te verhalen dat je in maanloze nachten nog altijd de kreten kon horen van die arme dhobi die werd weggespoeld. Of het er nu wel of niet spookte, het geluid van vallend water dat je door mist en duisternis niet zag, klonk vreemd desolaat. Ondanks zijn liefde voor het klimaat huiverde Kannan toen de auto zijn neus er langzaam doorheen boorde. Toen Michael de auto in de kolkende stroom liet glijden en het water ertegenaan duwde, voelden ze zich alledrie een ogenblik ontzettend angstig. De Humber begon weg te glijden. Maar toen kregen de wielen weer grip op de bodem en waren ze veilig overgekomen. De rest van de weg ging gemakkelijker en ze waren binnen een halfuur thuis.

Hoewel hij heel moe was, kon Kannan niet in slaap komen. Hij schrok van een harde bons op het dak. In het begin, toen hij pas in Pulimed woonde, was hij bijna in paniek zijn slaapkamer uitgerend toen de geluiden op het dak waren begonnen. Gesteun en dof gebons, een langgerekt gerommel alsof er iets werd voortgesleept, een heimelijk geschuifel dat plotseling eindigde in een plof... Er was geregeld een orkest boven zijn hoofd aan de gang. Hij had de volgende ochtend terloops melding gemaakt van de geluiden en Belinda had ze lachend afgedaan. 'Ach, ratten. Ik bedoel, er zitten ratten op het dak. En civetkatten, waarschijnlijk ook een uil en een of twee slangen.'

'Slangen!' had hij uitgeroepen.

'Je hoeft nergens bang voor te zijn,' had ze geruststellend gezegd. 'In vroeger tijden werden de plafonds van stof gemaakt en toen bestond de mogelijkheid dat er 's nachts iets boven op je kon vallen, maar nu is dat gevaar niet meer aanwezig. Je moet gewoon nog aan de geluiden wennen.'

Na verloop van tijd was hij het tumult op het dak gaan negeren, maar vannacht was het met een nieuwe kwaadaardigheid beladen. Freddie had een groot deel van de avond zijn griezelverhalen zitten vertellen, en die begonnen hun uitwerking te krijgen. Wat als daar nu wel samen met die ratten en die slangen en die uilen spoken zaten? Verdikkeme Freddie, dacht hij. Wat heeft je bezield ons op zo'n kille mistige avond die griezelverhalen te vertellen!

De regen begon weer op het plaatdak van de bungalow te kletteren, een ritmisch, immens kalmerend geluid. Uiteindelijk kwam de slaap. Vlak voor die tijd verscheen Helen voor zijn ogen zoals hij haar die allereerste keer gezien had. Slank, lichtvoetig de straat aflopend in haar lange gebloemde rok.

<h1 style="text-align:center">73</h1>

Zes maanden later waren ze getrouwd, in wat in Madras voor voorjaar moest door gaan. Kannan was opgelucht tot de ontdekking te komen dat hij niet hoefde te zweten in het zware wollen pak dat hij droeg. Het was speciaal voor de gelegenheid gemaakt door de enige kleermaker van Pulimed, die heel goed was in het precies kopiëren van modellen hoewel de afwerking te wensen overliet en de voering van zijn pakken de dragers soms de lust bezorgde zich te krabben. Kannans pak was een getrouwe kopie van een pak dat Freddie vier jaar geleden in Londen had gekocht. Het was toen heel modern geweest.

De bruiloft vond plaats in de oude kerk vlak bij het spoorwegstation. Het gouden licht van de late avond was over Helen heen gekabbeld toen ze over het middenpad liep, en de nervositeit die Kannan de hele avond te pakken had gehad verdween, om plaats te maken voor intense blijdschap. Wat zijn mooie vrouwen toch in het voordeel vergeleken bij onbehouwen mannen als ik, dacht Kannan met een gelukkig gevoel; ze hoeven maar even met hun vingers te knippen om de wereld naar hun hand te zetten. Het was zonneklaar dat God haar geschapen had om vrij en ongebonden rond te lopen en de wereld in verrukking te brengen. Maar Helen had erin toegestemd om de zijne te worden en hij was zo buiten zichzelf van vreugde en opwinding dat het hem bijna te veel werd.

Murthy, zijn getuige, was door Helens familie en de priester op het hart gedrukt op alles voorbereid te zijn. 'Pas op dat hij niet van de pure zenuwen de benen neemt of flauwvalt,' had Helens vader cryptisch opgemerkt. 'Die dingen schijnen te gebeuren bij mannen die in het huwelijk treden.' De goede raad was Murthy bijgebleven en daarom kon hij vlug handelen toen zijn vriend tegen hem aan wankelde, door met zijn vingers krachtig in zijn elleboog te knijpen. Toen kwam de bruidegom weer bij zijn positieven en de bruiloft verliep verder zonder haperen.

Later was er dansen en muziek, en de tafels kraakten onder de hoeveelheid eten in het huis van de bruid – grote schotels schaapskoteletten, een enorme schaal gebraden varkensvlees, bergen rijst, met vlees bereide kerrieschotels en kippenboutjes. Er was haast geen groente te bekennen. Murthy stelde zich tevreden met een beetje rijst en wat aardappelpuree. Maar voor de rest had iedereen de tijd van zijn leven. Niemand kon zich zo goed vermaken als Anglo-Indiërs en die waren vastbesloten hun mooie Helen eer aan te doen. Waar je ook keek was gelach en muziek en vrolijkheid.

Het enige stille plekje in de kamer werd ingenomen door Lily en drie familieleden uit Madras, en ze zag er prachtig uit in haar kastanjebruine conjeevaram-sari. Het had een heleboel overredingskracht en geduld gevergd om Daniels permissie te krijgen de bruiloft bij te mogen wonen, maar uiteindelijk had hij toch toegestemd, zoals ze wel van hem verwacht had. Mettertijd zou de breuk helen, daar was ze zeker van, als de gezondheid van haar echtgenoot het niet af liet weten en de heetgebakerdheid van haar zoon wat getemperd zou zijn. Maar dat waren dingen om je naderhand druk over te maken; voorlopig zou ze alleen maar blij voor haar zoon en zijn bruid hoeven te zijn. Ze was van plan geweest alleen aanwezig te zijn bij het huwelijk in de kerk, maar Kannan had er heel erg op aangedrongen dat ze ook naar de receptie zou komen en ze had zich laten overhalen. Ze had die hele reis gemaakt voor het huwelijk van haar zoon en dat ze zich niet op haar gemak voelde tussen mensen die ze niet kende, was maar een kleine prijs voor het geluk van haar zoon.

Maar ze was volledig onvoorbereid geweest op het waanzinnige feestgedruis dat haar begroet had toen ze het huis van de Turners binnen was gekomen. Het feest had nog lang niet zijn hoogtepunt bereikt maar het was toch al uitbundiger dan ze ooit had meegemaakt. Ze bleef met haar familie in een klein hoekje zitten en paste ervoor op niemand te veel aan te hoeven kijken, en alleen de hoogstnoodzakelijke conversaties aan te gaan met de andere gasten. Naarmate de avond langer duurde, werd haar gevoel van onbehagen minder groot, vooral toen ze merkte hoe opgetogen haar zoon was. Ze zag hoe hij met zijn mooie bruid aan het dansen was en liet vol verbazing haar gedachten gaan over wat liefde allemaal kon doen. In onze samenleving wordt er lang niet zo veel betekenis aan toegekend, dacht ze, daar is het geaccepteerd dat de vereniging tussen twee families een sterkere band vereist dan verleend wordt door een vluchtige gelukzalige verbintenis tussen twee jonge mensen die het nog ontbreekt aan werkelijke levenservaring. Maar ze hoopte dat de grote liefde die haar zoon zijn vrouw kennelijk toedroeg hem door de jaren die hij voor zich had heen zou helpen, tot zij in staat zou zijn hem in de familieschoot terug te brengen.

'Amma, kent u Murthy al?' Kannan stond voor haar met zijn vriend.

'Jazeker. Je hebt hem vlak voor de dienst al aan me voorgesteld.'

'Ach natuurlijk, dat ik dat vergeten ben.' Kannan leek te bruisen van geluk en opwinding en jeugd en haar hart ging naar hem uit. Als jij en je bruid maar gelukkig zijn samen, mompelde ze in zichzelf. Mijn gebeden en gedachten zullen altijd bij jullie zijn.

Niet lang daarna was het tijd voor haar om op te stappen. Toen de auto zijn moeder en familie wegreed, voelde Kannan zich een ogenblik droevig gestemd. Er zouden geen feestelijkheden in Doraipuram zijn. En toen laaide de woede weer in hem op. Als zijn eigen mensen niet genoeg om hem gaven om hun twijfels opzij te kunnen zetten, zou hij daar heus niet wakker van liggen.

Nadat zijn moeder was weggegaan stonden Murthy en Kannan nog een poosje bij elkaar met het gevoel dat het feestgedruis wat aan hen voorbijging. Het ging er nog even denderend aan toe als daarvoor.

'Die mensen weten waarachtig wel hoe ze plezier moeten maken,' zei Murthy.

'Dat dacht ik nou ook net. Daar kunnen onze jongens niet aan tippen,' antwoordde Kannan lachend. Een fractie van een seconde dacht hij een flits van meewarigheid over het gezicht van zijn vriend te zien glijden. Maar het ging hoe dan ook zo vlug dat het nauwelijks te registreren viel. De muziek van geestdriftig tokkelende gitaren en ritmisch klepperende maraca's zwol steeds meer aan en wiste elke gedachte aan praten uit. Cynthia wervelde weg met Murthy en Kannan haastte zich naar zijn bruid. Ze lachte hem stralend toe en de wereld leek weer in volmaakt goede banen geleid.

Naarmate de feestvreugde groter werd, waagden zich ook oudere dames, wat verfomfaaid in hun verkreukelde rokken, op de geïmproviseerde dansvloer. En met een verbazingwekkende behendigheid en levendigheid in hun pasjes die hun leeftijd niet deed vermoeden, dansten ze walsjes en de foxtrot en wervelden ze als verschoten parasols in het rond met partners minstens zo oud als zijzelf in versleten jackets, die evenwel keurig in de plooi zaten. Knappe jongens oefenden zich in hun weloverwogen afgedwongen zelfbeheersing als ze met schitterend uitgedoste luidruchtige meisjes aan de haal gingen die net zo verlegen waren als zijzelf.

Omstreeks middernacht waren er nog geen tekenen van afname van de feestelijkheden. Leslie, wiens das belachelijk scheef zat, was behoorlijk dronken. Hij had zich teruggetrokken in zijn geliefde leunstoel en zat lekker te wiebelen, waarbij zijn harige buik te voorschijn piepte tussen de ontbrekende knoopjes van een overhemd dat ooit wit was geweest. 'Ze zal jou wel klein krijgen, zoon. Nu ze mij niet meer in de gaten hoeft te houden,' zei hij tegen Kannan en hij lachte er schaterend bij. Helen deed of ze haar vader boos aankeek, en Kannan glimlachte.

Hij had onmiddellijk na de bruiloft naar Pulimed willen gaan, maar het duurde nog vier dagen voordat Helen al haar vrienden gedag had gezegd, inclusief, zoals Kannan wrang had moeten waarnemen, praktisch het hele Spoorweghockeyteam. Hij deed zijn best haar bij te benen en dapper zijn glaasjes rum te drinken en liet zich zelfs nog een keer tot een dansje verleiden. Tegen de avond van de derde dag had hij echter genoeg van het feesten en hield zich in plaats daarvan bezig met de voorbereidingen voor hun reis.

Lily had hem als huwelijkscadeau wat geld gegeven en nadat hij dat bij zijn karige spaarcenten had gelegd, had hij genoeg bij elkaar geschraapt om een motor te kopen, het noodzakelijke attribuut voor elke jonge assistent op de plantages. Hij kon voor een schappelijke prijs een indrukwekkende Norton Golden Flash aanschaffen, de topper onder de motoren. Op de proefrit had Kannan dat mechanische voertuig lekker op de weg voelen liggen, hoewel de drukke straten van Madras niet de beste plaats waren om goed hoogte te krijgen van zijn vermogen. Dat kon wachten tot de motor zou zijn afgeleverd in Pulimed.

Op het station waar hij naartoe was gegaan om hun kaartjes te bemachtigen, had hij verontrustend nieuws gehoord. Er werden op de lijn tussen Madras en Madura acties van terroristen verwacht en de mogelijkheid bestond dat de trein niet zou rijden. Kannan was in alle staten. Hij had maar een week vrijaf gekregen en ze moesten precies op tijd in Madura zijn zoals was afgesproken. 'Kan niets beloven,' zei de stationschef vastberaden. 'Kom morgen maar opnieuw informeren.' Diep ongelukkig reed Kannan op zijn motor naar huis. Toen hij het Centraal Station van Madras verliet, zag hij een leuze in levensgrote sierlijke letters op de muur van het gebouw aan de overkant van de straat gekalkt staan:

DE BRITTEN ZIJN TEN STRIJDE GETROKKEN
OM DE VRIJHEID VAN DE WERELD TE BESCHERMEN

En daaronder:

WAAROM GEVEN ZE ONS DE VRIJHEID NIET?

De laatste regel was bekend:

VERLAAT INDIA!

Tegen het begin van 1944 was het merendeel van de congrespartij door de Britten gevangengezet. Maar de acties voor en eisen van vrijheid hielden aan. In het bergland echter leek de oorlog het enige waar de planters zich zorgen om maakten. Het was of de nationalistische gisting daar van ondergeschikt belang was. India drong alleen door, als het al binnenkwam, in de gedaante van personeel waar iedere memsahib over beschikte: de bedienden en de tennis-score-tellers op de clubs, de waardeloze koelies en theeplukkers in de velden, de theemakers en de fabrieksarbeiders. De gedachteloze en onverschillige planters zagen vrijwel geen onderscheid tussen de verschillende mensen. Alles verkondigde de superioriteit van de machthebbers – de vorstelijke bungalows met hun enorme tuinen en gladgeschoren gazons voor de echtparen uit Basingstoke of Dartford, het doelbewust opgelegde gezwollen patroon van iets wat moest aandoen als echt Engels en dat het Indiase levensritme verstoorde. Wat zou daarmee gebeuren als er een golf van nationalisme opstak waarin alles verzwolgen werd? Kannan hoopte evenwel dat de revolutie nog een beetje zou uitblijven. Hij móest morgen naar Madura.

Toen ze op het station aankwamen, ontdekten ze tot hun opluchting dat de trein precies op tijd zou vertrekken. Ze waren nu voor het eerst samen, als je de anderen in hun tweedeklascoupé niet meetelde – Leslie had wat kruiwagens gebruikt om hen in een betrekkelijk lege coupé te krijgen. Kannan was weer een en al zenuwen. Dat was niet nodig, want Helen was zo uitgeput van al het gefeest, dat ze prompt in slaap viel en niet meer wakker werd totdat de trein in Madura aankwam.

Michaels Humber en chauffeur, die voor de thuisrit waren uitgeleend, stonden bij het station al te wachten toen ze aankwamen. Kannan vroeg zich af of ze de enige verplichte bezienswaardigheid die de stad te bieden had, de Meenakshi-tempel, nog moesten gaan zien voordat ze verdergingen, vooral omdat hij er nooit in geslaagd was hem te bezichtigen tijdens zijn sporadische tochten door de stad. Ze parkeerden de Humber aan de kant van de weg, dreven daarbij vier koeien de berm in, en tuurden aandachtig naar het ingenieuze patroon van de zuidelijke *gopuram*, een van de meest indrukwekkende ingangs-poorten van de tempel. Helen kreeg er algauw genoeg van, maar Kannan ging helemaal op in de overweldigende steenmassa met zijn vernuftig gebeeld-houwde slingers en kronkels, ook al begreep hij de mythologische implicaties ervan niet helemaal en had hij trouwens ook weinig of geen belangstelling voor religie of kunst. Wat moest daar een werk in zijn gaan zitten om die honder-den tot duizenden lijnen uit te kerven! Kannan voelde plotseling de wens in zich opkomen, te weten waar hij zijn leven aan zou wijden, wat zijn levenswerk zou zijn. Zou hij zich onderscheiden in de wereld waarin hij zich had laten op-nemen? Zou zijn prachtige bruid trots op hem kunnen zijn? Hij was jong en sterk en had een leven voor zich om daar achter te komen. Maar nu was er geen tijd voor verdere bespiegelingen, hij popelde van verlangen om zijn wereld aan zijn bruid te laten zien.

74

De tocht terug naar de plantage voldeed ruimschoots aan alles wat Kannan ervan verwachtte. Ze hadden de verzengende hitte van de laagvlakten nog niet achter zich gelaten of het bergland begon zijn betoverende vergezichten al voor hen te ontvouwen. Verstilde bossen in de regen en dalen waarin de wol-ken tot rust kwamen. Een enorme grijze rotswand waarover tientallen water-vallen zich ontrolden als vuilwit garen naast pijnboomhellingen overspoeld met toeven roze en gele rozen. De moerasgeuren, de heuvelkammen met hun kuiven van theestruiken of andere planten, het geluid van stromend water, de frisse koele bries in hun gezicht – het was een aanslag op al hun zintuigen te-gelijk. Ze pauzeerden voor een lunch bij een ijskoude beek waarin doffe vissen zilverig oplichtten als willekeurige gedachten. 'O, Kannan, wat is dit prachtig, ik ben zo gelukkig,' zei Helen verrukt. Tegenover de plek waar ze zaten viel net een regenbuitje terwijl de zon nog scheen, en met miljoenen glinsterende lichtspetters stofte dat de helling af. 'Zo, zo prachtig,' verzuchtte ze.

'Het huis zul je ook wel mooi vinden,' zei hij, zo opgetogen door haar op-winding dat de nervositeit die hij gevoeld had, nu hij alleen met haar was, he-lemaal verdween. Althans voor een poosje. Ze stopten na de lunch nog maar een keer om het uitzicht in zich op te nemen. Toen ze uit de auto stapten, lag Pulimed voor hen. Het was een zonnige dag en alle schoonheid van de plaats lag er tot in het kleinste detail scherp uitgetekend bij, hoewel de mist al uit de spleten en kloven van de bergen werd gejaagd, en zich vervolgens neerliet op de theestruiken die zover als het oog reikte de hellingen gelijkelijk bedeelden met hun compacte begroeiing. Terwijl ze stonden te kijken vervaagde de wereld, en verdwenen thee, heuvels en kleine menselijke nederzettingen langzaam in de waterige muil van de mist, totdat het enige wat zichtbaar bleef nog hier of daar een meer was of een fabriek met een tinnen dak dat blikkerde als een gepolijste zilveren tand.

Ze kwamen bij de bungalow in Morningfall aan, waar Kannan nog geen maand eerder, toen hij tot assistent was bevorderd, naartoe verhuisd was. Toen de Humber de oprijlaan opreed, pakte Helen Kannans hand vast en verzuchtte, met ogen die schitterden van opwinding: 'Gaan we hier wonen?' Hij knikte.

De bungalow stond op een kleine open plek die tegen de helling van een berg was uitgehakt. Hoge eucalyptusbomen, hun stammen grauw en schimmig in het avondlicht, stonden langs de rand van de voortuin en daarachter liep de berg steil af. Tegen een achtergrond van theestruiken bewogen stokrozen hun kopjes op en neer in de avondbries. Petunia's, gerbera's, camelia's en floxen gaven kleur aan de tuin. En door de snel donker wordende lucht zweefden duikelend de rotszwaluwen.

Helen sprong de auto uit en haastte zich naar het huis, nauwelijks oog hebbend voor de vier bedienden die buiten, hun handen in deemoedige namaskarams gevouwen, zaten te wachten. In de woonkamer met zijn diepe erkers, van waaruit je een schitterend uitzicht had over het dal, staarde ze verrukt om zich heen. Maar wat haar vooral verbaasde was de omvang van het huis met zijn overmaat aan kamers. Dit was wel een enorme sprong die ze gemaakt had, bedacht ze, na die groezelige driekamerwoningen in de verschillende bestuursgewesten!

Ze had ervan gedroomd met iemand te trouwen die haar de oceaan over zou toveren zodat ze daar het leven van een memsahib zou kunnen leiden, maar haar verbeelding had nooit helemaal vorm en kleur aan die droom kunnen geven. Maar nu! Ze hoefde het maar aan te raken, te voelen, ernaar te kijken, en het was al van haar. Ze gaf zich over aan fantasieën over de feestjes die ze zou geven in de zitkamer met zijn comfortabele leunstoelen, zijn wijnrode tapijt dat zo mooi bij de gordijnen kleurde. Het was allemaal zo weldadig, zo behaaglijk. Het werd haar haast te veel, zo gelukkig als ze was.

'Vind je het mooi?' zei Kannan achter haar. Met een zwaai draaide ze zich naar hem om en keek hem recht in zijn gezicht. En toen vloog ze hem in een geweldige omhelzing spontaan om de hals. 'Ik vind het geweldig,' riep ze uit.

Toen maakte ze zich van hem los en rende van de zitkamer naar de gang, stoof de logeerkamer in, en toen hun eigen slaapkamer, verborg haar gezicht in de zachte pluizige handdoeken in de badkamer en zwierde toen de eetkamer binnen met zijn glanzend gewreven teakhouten tafel waaraan je met zijn achten kon zitten. Een lange overdekte gang verbond het hoofdgedeelte van het huis met de keuken en de optrekjes voor de bedienden daarachter.

Volgens de maatstaven van Pulimed was Morningfall een kleine bungalow, maar voor haar was het een groter huis dan ze ooit had gezien.

'Heb jij het hier zelf ingericht?' vroeg ze.

'Nee, nee, ben je mal. Belinda heeft een geweldige smaak en die heeft me er flink bij geholpen.'

'Wie is Belinda?' vroeg zijn vrouw. 'Een of andere betoverende Engelse roos misschien, die mijn lieve Kannan verleid heeft?'

Hij maakte een murmelend geluid waarna hij weer verder kon spreken: 'Nee, nee, helemaal niet, zij is de vrouw van de hoofdopzichter, Mrs. Fraser.'

'Natuurlijk, gekkie,' zei ze, haar lipjes getuit. Het kon haar werkelijk niets schelen wie Belinda was, hoewel ze vermoedde dat wel te moeten weten, nu. 'Zijn ze aardig, de Frasers?'

'Jazeker, heel aardig,' zei hij. 'Ze willen ons op de thee hebben aanstaande zondag.'

'Dat lijkt me leuk,' zei ze. Echt deftige Engelsen. En hun bungalow zou nog wel fraaier zijn dan de hare. En zij, Helen Turner van Tambaram, zou daar met hen aan de thee zitten te nippen als een echte Engelse dame. Ze kon haast niet zo lang wachten.

Ineens voelde ze zich overweldigd door de enormiteit van alles, de klap waarmee haar leven in een keer veranderd was, de snelheid waarmee de dingen gebeurden.

Toen ze een meisje van drie of vier jaar was geweest, had haar vader op een dag besloten haar mee te nemen naar zijn werk. Ze was behoorlijk onder de indruk geweest van de machines die ratelden en als bij toverslag woorden spuiden, maar het was haar algauw gaan vervelen en Leslie had haar mee naar buiten genomen, naar het rangeerterrein, waar hij bij vrienden gedaan had gekregen dat hij met zijn dochter een ritje in de locomotief mocht maken. Helen had zich stevig aan haar vader vastgeklampt toen ze langs de rails waren gelopen, omdat ze uit haar doen raakte van het lawaai en de drukte op het terrein. De zwarte kolossen van locomotieven die af en aan schoven als gezapig mijmerende walvissen, zagen eruit alsof ze nauwelijks de kracht en het vermogen hadden die ze wel degelijk bezaten, wanneer ze zich dik maakten voor een flinke rookpluim.

'Hierheen, mannen,' had Oom Kenny, de vriend van haar vader geroepen terwijl hij uit de locomotief leunde die voorbij tufte en hij had met een rode zakdoek gezwaaid die hij vaak om zijn hals knoopte om die te beschermen tegen een dikke laag roet. Een pijnlijk geknars van remmen, vastlopende wielen, het bulderend geraas van stoom, en toen was de machine kreunend tot stilstand gekomen. Leslie had haar omhooggetild naar Kenny, zichzelf snel in de cabine van de locomotief gehesen en toen hadden de beide mannen breed gegrijnsd omlaag gekeken naar het zenuwachtige kleine meisje daar. 'Dat doet nou jouw vaders vriend! Wil je ook een ritje maken?' had Oom Kenny gevraagd terwijl haar vader bemoedigend had geknikt.

De stoker, met zijn gezicht vol roet en zweet, had tegen haar vader gezegd: 'Mooi meisje, Mr. Turner.'

'Ja, die Helen zal over een paar jaar de jongens wel het hoofd op hol brengen. Of niet, schat?'

Het was ongelooflijk warm en lawaaiig geweest in de cabine van de locomotief. Het vuur in de stoomketel was rusteloos als een woest oog tekeergegaan. De mannen hadden boven het lawaai en het gesidder – zo heftig dat het leek of de dikke ijzeren mantel van de machine in tweeën zou splijten – uit moeten schreeuwen. Oom Kenny had een teken gegeven aan een van de mannen waarna deze zijn arm uitstak en aan het touw van de stoomfluit trok. Toen had zich uit die wirwar van geluiden een enorme gil losgescheurd en de locomotief was met een onmiskenbare schok in beweging gekomen. De belevenis was zo overweldigend geweest dat haar die ochtend tot in de kleinste details was bijgebleven, tot en met het kleine zwarte plekje dat haar vader haar bezorgd had, precies op het puntje van haar neus, bij wijze van afscheidscadeautje. 'Nu ben je een grote meid geworden, Helen schatje,' had hij trots gezegd, 'nu je ook die wereld van mij hebt gezien.'

Hoewel ze nu negentien jaar was, een moeilijk beet te nemen, door de wol geverfde negentienjarige zoals ze zichzelf graag zag, voelde ze zich nog precies zo als op die dag – ze kon haar ogen nauwelijks geloven, was niet in staat het totaal andere, het vreemd uitheemse, van deze wereld te begrijpen. Het was iets waar ze erg naar had gehunkerd en nu het haar plotseling zomaar in de schoot viel, wist ze niet goed wat ze ermee aan moest. Voor haar stond de bedenker van dit alles – de persoon van wie ze ooit niets had willen weten. Ze lachte naar hem.

75

Die avond trokken Kannan en Helen zich, nadat de bedienden alles hadden opgeruimd en naar hun eigen verblijf waren gegaan, terug in hun slaapkamer. Nadat ze zich hadden gewassen en omgekleed voor de nacht, Helen in een lange blauwe nachtpon, Kannan in een gestreepte pyjama, gingen ze zonder iets te zeggen of elkaar aan te raken, in een opwinding die niet onprettig was, op bed naar het vuur zitten kijken. Zo gingen er een paar minuten voorbij. Kannan zag zijn vrouw (hoe vaak had hij dat woord niet op zijn tong geproefd sinds ze getrouwd waren) naar hem glimlachen en lachte terug. Hij had er geen idee van wat hij doen moest, omdat zijn vader en Ramdoss niet in de buurt geweest waren om hem het fijne van een stuk of wat dingen te vertellen. De enige seksuele ervaring waar hij op terug kon vallen was de mysterieuze golf van opwinding die er in hem gevaren was, wanneer hij en zijn kornuiten thuis stiekem de dienstmeisjes hadden beslopen als ze zich aan het baden waren in de Chevathar. Leslie had hem wat raad verschaft die wel van pas zou kunnen komen, maar zijn verhaal abrupt onderbroken. 'Kan je echt niet meer zeggen, jongeman. Mijn dochter, begrijp je wel. Maar jullie jonge kerels weten ongetwijfeld wat je doen moet zodra je getrouwd bent, toch? Veel beter op de hoogte dan wij destijds.' Toen was Leslie weggelopen en had Kannan even verlegen met zichzelf achtergelaten. Hoe moest hij de droomgestalte die Helen zo lang voor hem geweest was, in iets van vlees en bloed omzetten, dacht hij bij zichzelf. Iemand die hij kon aanraken en strelen, met wie hij intiem kon zijn en de liefde kon bedrijven? Hij moest er nog niet aan denken.

Toen dwong Kannan zichzelf naar Helen te kijken en te ontsnappen aan de greep van de dingen die hem tegenhielden. Misschien zag zij iets in zijn gezicht, want ze keek verlegen naar de grond. Haar haren vielen over haar gezicht en ze streek ze naar achteren, stopte ze achter haar oren, en toen bracht ze subtiel haar handen omhoog om de oorbelletjes die ze droeg uit te doen. Eerst uit het ene oor waarbij ze haar hoofd naar die kant deed overhellen, toen uit het andere, kleine bewegingen. Helens opzij neigende hoofd, die ongerepte lange nek, die kleine waterval van haren en haar mooie gezichtje, het vreemd kwetsbare van haar handeling, verzachtte de wereld, veranderde iets in de kamer. Hij aarzelde en wist dat van nu af aan de geïdealiseerde Helen nooit meer de zijne zou zijn, en toen schoof hij over het bed en nam haar in zijn armen.

Die eerste paar weken overtroffen zijn allerstoutste fantasie. Toen hij zich overgaf aan de verpletterende kracht van de liefde, beleefde hij zijn verbintenis met Helen intenser dan ooit. Door het behoeftige en onstuimige van Kannans liefde brokkelde er iets van haar verweer en verzet af. Helen was er altijd prat op gegaan zichzelf goed in de hand te hebben, juist in de tijd dat ze als teenager experimenteerde en ervaring opdeed met de genoegens en frustraties van vurige liefdes: vluchtig geklungel op allerlei vreemde en onhandige plekken met Jimmy, de knappe hockeyer die eens haar droomprins was geweest. Of met een van de twee anderen die haar hadden gezoend. Ook nu ze eraan toe was voor Kannan te zwichten, deed ze dat in haar eigen tempo. Maar ze was verbaasd over de snelheid waarmee ze die verbintenis in werd getrokken.

En zo vlogen de weken voorbij, weken vol klingelende klanken van licht en liefde. Ze brachten de tijd zoveel als ze maar konden met elkaar door, keken elkaar onafgebroken in de ogen, maakten lange wandelingen over de smalle paden door de theeplantage, namen gretig de vergezichten in zich op die het pad naar alle kanten voor hen uitstrooide – de schoonheid van een onvolgroeide boom tegen een helling waarlangs de wind schuurde, pas gevallen regen die schitterde op de veren van een duif die hen nieuwsgierig aankeek toen ze hand in hand voorbijliepen, de perfect geschulpte symmetrie van geelwitte theebloemen in een verder groen veld, water in een beekje waarover de wind streek... En met iedere dag die voorbijging groeide hun liefde. Helen was nog steeds niet verliefd op hem, maar juist als ze zich niet helemaal gaf, had ze het gevoel dat het slechts een kwestie van tijd zou zijn. Kannan vond het niet erg; hij had genoeg liefde voor allebei. Dat zei hij ook tegen haar. Die bekentenis kwam haar wel goed uit en na verloop van tijd zag ze haar eerdere verliefdheden wegsmeulen in de oplaaiende hitte van deze nieuwe en welkome fase van haar leven.

De ene vertrouwelijkheid wekte de andere op. Helen aan haar toilettafel, Kannan terug van zijn werk. Terwijl ze verrukt hun privé-ruimten deelden, bouwden ze samen een besloten wereld op die voorheen voor geen van beiden had bestaan. Zij werd Hen en hij was Ken en hun koosnamen hadden voor hen een speciale betekenis. Ze verzonnen nieuwe naampjes voor elkaar die na een paar tellen weer verdwenen waren, maar ook dagen konden meegaan. Ze lachten, kibbelden, zaten lekker in hun vel.

Helen genoot van haar nieuwe leventje en van Kannans nieuwe zelfvertrouwen, de manier waarop hij zich op de club bewoog of op de feestjes die werden gegeven om het paar welkom te heten op de plantages. Ze vond Freddie om te zoenen en had zelfs het lef hem bij hen thuis te nodigen. De maaltijd zou een ramp geworden zijn als Manickam, Kannans butler, de dag niet gered had met gerechten die nooit een mislukking konden worden, gebraden kip en karamelvla (zoals hij dat maar bleef noemen). Freddie was een beetje met Helen gaan flirten en dat had de jaloezie van Kannan opgewekt, tot hij inzag dat het wel goed zat omdat zij toch bij hem hoorde en Freddie de indringer was. Toen hij er 's avonds laat weer aan dacht, nadat ze samen hadden gevrijd, vroeg hij zich af of zijn goede gevoel kwam doordat hij zich nu omhoog werkte in de wereld van de blanken, waar iets van hem de afgunst wekte van degenen die tot dusver boven hem hadden gestaan. Alsof hij er nu bij was gaan horen, leek het, al was het zijn vriend Freddie die hem dat gevoel van mondigheid gaf. Dit zou nog maar de eerste stap zijn, nam hij zich voor. Helen en hij zouden deze wereld weldra naar hun hand zetten.

76

Lily's korte uitje naar Madras voor Kannans bruiloft was haar eerste verblijf buiten Doraipuram in ruim vijftien jaar. Toen ze terugkwam, bezag ze de kolonie met nieuwe ogen en werd met wanhoop vervuld door het algehele verval.

Ze was vooral geschokt door de achteruitgang van Daniel. Ze besefte dat ze daaraan gewend was geraakt, maar nu zag ze het dun geworden haar, het diep gegroefde gezicht en de dofheid van zijn oogopslag. Toen ze zijn kamer uitliep, vulden haar ogen zich met tranen. Alleen een wonder, leek het, zou in staat zijn hem nieuw leven in te blazen.

De tienjarige Daniel, genoemd naar zijn grootvader, leek het antwoord op haar gebeden te zijn. Shanthi en haar echtgenoot waren onlangs verhuisd en hadden hun drie kinderen aan de zorgen van Lily toevertrouwd, totdat ze goed en wel gesetteld zouden zijn. Een paar weken nadat de kleinkinderen waren aangekomen hoorde Lily raadselachtige geluiden in het laboratorium van haar man. Dat was nu al jaren buiten gebruik geweest, hoewel ze het altijd smetteloos schoon had gehouden in de hoop dat Daniel zijn interesse voor medicijnen terug zou krijgen. Toen ze naar binnen keek, zag ze tot haar verbazing de oude man en zijn kleinzoon bij de toog staan, helemaal verdiept in iets wat borrelde boven een laag vlammetje. Er stond een bediende bij om de helpende hand te reiken.

'Is alles in orde?' vroeg Lily. Alle drie de hoofden draaiden zich tegelijk om naar de deur en uit de mond van haar echtgenoot klonk het enthousiast: 'Ha, Lily, ken jij deze geweldige vent?'

'Dat is jouw oudste kleinzoon.'

'Jazeker.'

'De zoon van Shanthi, die ze naar jou vernoemd heeft. Weet je nog?'

'Jawel, jazeker wel, hmm, hij is het slimste mannetje dat ik in lange tijd ben tegengekomen. Lily, die jongen heeft de belangstelling, het heilige vuur dat ik ook had op zijn leeftijd...'

Jouw zoon heeft je erg teleurgesteld, dacht Lily verdrietig, maar dat gevoel was ook meteen weer over, tenietgedaan door de oplaaiende hoop.

'We moeten voor hem de beste docenten in huis halen, Lily. Zijn verstand moet goed ontwikkeld worden.'

De voorraad geld was zeer beperkt en dat was al geruime tijd zo, maar met zijn gebruikelijke inventiviteit wist Ramdoss de noodzakelijke middelen bijeen te schrapen. Er kwamen weer leraren op Neelam Illum. Voor Lily werd de werkdag langer, want Daniel had bepaald dat zij tijdens de lessen een oogje in het zeil moest houden. En zo gebeurde het dat zij voor een uur of langer, terwijl de leraar de jongen onderwees, erbij zat en, met haar ogen open, wegdoezelde. Na de zitting moest ze Daniel aan zijn grootvader overdragen. Ze liet hen doorgaans alleen en kwam zo nu en dan even kijken of haar man al moe was geworden of iets nodig had.

Op een avond toen ze zich weer had omgedraaid en wegliep nadat ze haar kleinzoon naar binnen had geduwd voor zijn overhoring, vroeg Daniel haar tot haar verrassing om te blijven. Deze keer leek zijn belangstelling niet alleen de jongen te gelden.

'Ik verbaas me er altijd over hoe de vrouwen de Dorais bijeen weten te houden,' zei hij onverwachts. 'Wij mannen trekken erop uit en doen maar wat ons invalt, maar we hebben het succes aan onze vrouw te danken. Zonder haar zouden we niets bereikt hebben. Je hebt aan dit kind wonderen verricht, Lily,' zei hij peinzend.

Ietwat overdonderd protesteerde Lily zwakjes: 'Zoveel heb ik er niet aan gedaan, hij is heel knap.'

'En zoals altijd wil je niets van de eer zelf opstrijken,' ging Daniel zachtjes voor zich uit mijmerend door, 'altijd aanwezig, altijd zichzelf wegcijferend, altijd een rots in de branding. Het Goede Boek heeft gelijk: een man moet zijn vader en moeder verlaten en zijn vrouw aanhangen... Want zij zal hem goed doen en niet slecht, alle dagen van haar leven... Ik vergeet wel eens hoeveel jij voor mij doet, Lily, dat moet je me vergeven...'

Toen ze doorkreeg dat het vandaag niet om haar kleinzoon ging, stuurde ze de jongen haastig weg om te gaan spelen, en ging naast Daniels bed zitten. Haar man keek haar liefdevol aan. Ze was mooi oud geworden. Haar gezicht had nog nauwelijks rimpels en in haar haar zat nog steeds meer zwart dan grijs. Toen kwam er zomaar een gedachte in zijn hoofd op: ze had nog net zo'n leuk wipneusje als toen hij voor het eerst een glimp van haar had opgevangen. Was de neus het lichaamsdeel dat er het langste over deed om oud te worden?

Hardop zei hij: 'Je ziet er vandaag heel goed uit.'

Lily wist niet wat ze hoorde; het was jaren geleden dat Daniel haar een complimentje had gemaakt en ze was de kunst verleerd daar goed op in te gaan. Wat toen kwam, maakte haar verwarring zeker niet minder.

'Hoe gaat het met Thirumoolar?'

Lily was niet op de vraag voorbereid. Ze vroeg zich af wat ze hier nu op moest antwoorden. Als ze zei dat Kannan gelukkig was, zou Daniel misschien boos worden; als ze zei dat hij dat niet was, zou hij op een verkeerde manier gelijk hebben gekregen. Ze besloot in dit gesprek op haar gevoel af te gaan en zei dus niets.

'Is hij gelukkig in zijn werk?' vroeg haar echtgenoot.

'Hij schijnt het erg naar zijn zin te hebben.'

'Dat is heel mooi, Lily. De Britten zullen hem dan toch wat dingen bijbrengen. Discipline, hard werken, het verlangen om naar perfectie te streven in alles wat hij doet...'

'Hij heeft heel veel goede dingen gezegd over de mensen met wie hij samenwerkt.'

'Uitstekend, we hebben allemaal onze begeleiding nodig.' Het bleef even stil, toen zei hij: 'Wanneer ben je voor het laatst op een theeplantage geweest?'

'O, dat is jaren en jaren geleden, voor de bruiloft van mijn nichtje...' begon ze op weemoedige toon, maar Daniel onderbrak haar. 'Ik geloof dat je maar eens naar Thirumoolar toe moet, om te kijken hoe het met hem gaat. Voor jou zou het een goede onderbreking zijn. Je werkt te hard.'

'Maar hoe gaat het dan met jou?'

'Ik red me wel. Maak je maar niet ongerust. Ramu is er en de bedienden, je gaat niet voorgoed weg.'

Lily voelde haar hart overstromen van blijdschap. Voor het eerst had ze werkelijk het gevoel van een doorbraak. Nu kon het slechts een kwestie van tijd zijn voordat haar familie weer bij elkaar was, en zij haar schoondochter zou kunnen verwelkomen in Neelam Illum. Er zouden nog meer kleinkinderen komen... Met moeite wist ze haar verbeelding terug te dringen. Terwijl ze dat deed, voelde ze een plotselinge opwelling haar man te omhelzen.

'Ik zal Kannan schrijven...' zei ze.

'Je moet zorgen daar aan te komen en weer hier terug te zijn voor de moessonregens beginnen. Ik heb gehoord dat de wegen tijdens het regenseizoen onbegaanbaar zijn.'

'Daar zorg ik voor.'

Toen ze zich omdraaide riep Daniel haar na: 'En vergeet niet wat mangopickle mee te nemen, daar was hij altijd zo gek op.'

77

De theevisites op donderdagmiddag bij Mrs. Matilde Stevenson waren vermaard in het hele district. Ze had al een jaar of tien, sinds haar man tot directeur van de Karadi-plantage benoemd was, de leiding gehad over die maandelijkse aangelegenheden, waarvan het prestige en de mystiek gelijke tred hielden met haar eigen aan gezag winnende positie in de maatschappij. En nu ze de onbetwiste koningin van Pulimed was, gold een fraai gedrukte uitnodiging op de thee bij haar als een bijzonder begeerd buitenkansje. Naarmate de tijd verstreek werd Mrs. Stevenson, die erg gevoelig was voor nuances, steeds kritischer in haar selectie van genodigden en ook steeds kieskeuriger in haar voorbereidingen. Het gerucht ging dat ze de meest zeldzame theesoorten die je in India en China krijgen kon aan haar gasten liet serveren. Ook was het algemeen bekend dat het water waardoor de gewoonste thee een exquise smaak kreeg, van een ongerepte bron in de bergen afkomstig was, waar alleen Mrs. Stevenson en een vertrouwde bediende het bestaan van wisten. Men zei dat het theeservies speciaal voor haar door Spode was gemaakt, waarna hij het ontwerp had vernietigd. Men wist te vertellen dat de boter voor de plaatkoekjes gekarnd was uit de melk van een koe die nergens anders voor gebruikt werd, en men beweerde dat op de dag van de theevisite het grint van de oprijlaan gewassen werd om het zo mooi mogelijk te laten glinsteren. Mrs. Stevenson en de enkele personen die haar intiemste kringetje vormden, deden niets om de geruchten te ontzenuwen of de kop in te drukken, en ze wonnen steeds meer aan geloofwaardigheid. Stuk voor stuk dienden ze om het evenement waarover Mrs. Stevenson de waardige leiding had, nog meer glans te geven.

Die donderdag hadden Mrs. Stevenson en haar intiemste vriendin, Mrs. Wilkins, zich behaaglijk genesteld te midden van een groepje rieten stoelen in de westhoek van de enorme veranda aan de voorkant, het traditionele trefpunt voor de theeceremonie sinds de Stevensons hun intrek in Glencare hadden genomen. Ze hadden het over de canna's. Een grote bos bij elkaar vonkte als rode en gele spetters koudvuur in het groene gras en de kleurenpracht had de vluchtige aandacht van Mrs. Wilkinson getrokken.

'Wat zien je canna's er dit jaar fabelachtig uit, Matilde-lief,' zei Mrs. Wilkinson. 'De mijne zijn nog niet half zo groot en mijn tuinman schijnt er niets mee aan te kunnen vangen. De bloemen zijn niet bepaald mooi, vind je wel?'

Mrs. Stevenson beaamde dat. 'Mijn mannetje gebruikt er een nieuw soort kunstmest voor waarvan hij een beetje heeft meegenomen uit Edwards fabriek. Doet wonderen met canna's en hortensia's.'

'Zou mijn tuinman eens hierheen moeten sturen voor een praatje met die van jou.'

'Ja, ja, waarom niet, hij mag zo veel mest meenemen als hij maar wil.'

Toen stokte het gesprek omdat de butler eraan kwam, indrukwekkend met zijn witte tulband en broek. Hij spreidde behendig een damasten kleed over de tafel waaromheen de stoelen gegroepeerd stonden. Het flinterdunne eierschaalporselein, het tafelzilver, en de keurig gevouwen servetten werden bekwaam op hun plaats gelegd en toen verdween hij even geruisloos als hij gekomen was. Het gesprek bleef haperen en viel toen helemaal stil omdat ze in afwachting waren van de thee.

Alle deelnemers aan de theeceremonie op donderdag bij Mrs. Stevenson waren er goed van doordrongen dat aan het eigenlijke theedrinken alle andere dingen ondergeschikt waren. Hoe opwindend of hatelijk de gesprekken ook, hoe heerlijk de cakejes of de sandwiches (met tomaat, komkommer en gezouten tong in plaats van waterkers – een eigen snufje van Mrs. Stevenson), ze mochten nergens meer aan denken wanneer de thee eraan kwam. Echte oudgediende als ze was, kende Mrs. Wilkinson het ingesleten patroon. Toen werd door de bedienden het eten binnengebracht, kleine stapeltjes sandwiches zorgvuldig op de voorgeschreven dikte gesneden, goudbruine warme cakejes waar een heerlijke geur vanaf kwam, stijfgeklopte slagroom en aardbeienjam. Tot een gele roos geknutselde boter (wel een tikkeltje vulgair) en een prachtig gelukte uitnodigende vollepondscake die, zoals Mrs. Wilkins nog van voorgaande keren wist, zo heerlijk was dat je de smaak nadat je het laatste plakje verorberd had nog lang proefde. Mrs. Stevenson verstrekte royaal het recept aan eenieder die er maar om vroeg, maar de pogingen van de andere vrouwen slaagden nooit: hoe kon je van iets volmaakts ooit een tweede exemplaar maken? Het geheim van de meester werd toegeschreven aan Madaswamy, de butler van Mrs. Stevenson, die een bijna even legendarische reputatie had als zijn meesteres. Hij had de cake zijn volmaakte finesses gegeven toen hij tien jaar geleden als keukenhulp bij Mrs. Stevenson was komen werken, en was hem sindsdien steeds blijven maken. Maar zelfs met die cake moest het afgelopen zijn zodra de thee binnenkwam, en dus maakte Mrs. Wilkins met veel decorum en handigheid korte metten met een eerste plakje, waarna ze er snel nog eentje nam, dat haar gastvrouw haar uitnodigend voorhield. Haar ervaring kwam haar goed van pas omdat ze net het laatste kruimeltje had doorgeslikt, toen Madaswamy de veranda opliep en met het theeblad aan kwam dragen.

Het was verbazend om te zien hoe moeiteloos de tenger gebouwde butler dat enorme kunstig uitgesneden teakhouten blad, op schouderhoogte, binnen droeg. Toen hij dichter bij de beide dames was gekomen, was het mogelijk een grote verzameling voorwerpen op het blad te onderscheiden: drie theepotten, een bruine van terracotta aardewerk, een bijzonder fraaie van Stafford-porselein en Mrs. Stevensons eigen favoriete Worcester-theepot, die ze tijdens de theeceremonie het vaakst ter hand nam. Vier theedoosjes, een van tin, een van terracotta aardewerk, een van blik en een van zwaar antiek zilver dat niemand Mrs. Stevenson nog ooit had zien openen. Plaatselijk ging de mare dat er knoppen van Yin Zhen, of van Silver Needles, de exquise witte Chinese theesoorten van gene zijde van het Himalayagebergte in lagen, zo zeldzaam en kostbaar dat ze slechts op twee dagen van het jaar en alleen als het weer gunstig was, bij het krieken van de dag, geplukt werden. De Yin Zhen was eeuwen geleden geoogst in het keizerlijke China door jonge maagden die handschoenen droegen en gouden scharen gebruikten. De grap was dat als Mrs. Stevenson zich er eindelijk toe zou brengen haar geheime voorraad Yin Zhen op te drinken, ze erachter zou komen dat alle smaak verloren was gegaan. Ten slotte nog een melkkan, suikerpot, een schaaltje met dunne schijfjes citroen, en twee kopjes en schoteltjes.

Madaswamy zette het theeblad op de tafel. Uit ervaring en door eigen navolging (welke gast op Mrs. Stevensons theevisites had nou niet proeven van eigen kunnen afgelegd met haar versie van de ceremonie?) wist Mrs. Wilkins dat alle drie de theepotten precies tot de juiste temperatuur waren opgewarmd door ze in kommen heet water te plaatsen. Ze wist ook precies waarvoor elke theepot gebruikt werd – de terracotta theepot voor de sterke Glencare-theesoorten, de porseleinen pot voor de lichtere soort thee uit Watson, en de Worcester-theepot voor Mrs. Stevensons favoriete FTGFOP die in een van de hoogstgelegen tuinen van Darjeeling gekweekt werd. Een van 's werelds beste theesoorten, een mengsel dat geheel was samengesteld uit de kostelijke bladknoppen die het ook zijn naam gaven. Een vriendin van Mrs. Stevenson in Bengalen stuurde haar geregeld een voorraadje.

Achter Madaswamy aan kwam nog een dienstertje met een theeblad waarop alleen maar een porseleinen waterkan stond. Uit ervaring wist Gloria Wilkins dat dat water van het fornuis was afgehaald vlak voordat het aan de kook kwam (als ze het zover hadden laten komen dat het kookte, zou de kracht ervanaf zijn geweest) en meteen naar de veranda was gebracht.

Mrs. Stevenson vroeg: 'Thee, liefje?'

'Glencare voor mij graag, Matilde,' zei Mrs. Wilkins en Mrs. Stevenson schonk haar een korte glimlach en hevelde zorgvuldig twee schepjes thee over uit het terracotta theedoosje in de terracotta theepot. Een paar tellen wachten totdat de geur van de thee zou zijn vrijgekomen, en toen stond het dienstertje klaar om het warme water in de theepot te gieten.

'Ik neem geloof ik zelf wat Darjeeling,' zei Mrs. Stevenson, en haar vriendin dacht: een paar dingen in de wereld zijn in ieder geval niet aan verandering onderhevig. Mrs. Stevenson was in die tien jaar nog niet een keer van haar vaste regel afgeweken. Intussen was er een derde dienstertje verschenen die eenzelfde kan met heet water droeg. Mrs. Stevenson schepte twee lepels thee in de Worcester-theepot, goot er water overheen, sloot het deksel en leunde achterover.

De beide dames spraken niet met elkaar zolang de thee stond te trekken. Mrs. Wilkins staarde geboeid naar de Worcester-theepot alsof ze daar binnenin kon kijken naar de fijne lijntjes die in de wand werden gekrast door de langdurige blootstelling aan het looizuur waaraan de theepot zijn bijzondere smaak ontleende. Iedere kenner wist dat je een theepot nooit grondig mocht schoonmaken, je mocht hem alleen maar omspoelen om hem daarna in de open lucht, of in de natte moessontijd in het vertrek van de boiler, te laten drogen. De minuten verstreken en de vijf mensen op de veranda zaten zo verstild als de figuren op een fries. Toen vroeg Mrs. Stevenson: 'Melk of citroen?'

Slechts twee mensen, wist Gloria Wilkins, hadden ooit om citroen gevraagd en die waren niet lang op de plantage gebleven. Ze veroorloofde zichzelf een drupje melk en maar een enkel afgestreken schepje suiker. Mrs. Stevenson hoorde tot de school van theedrinkers die het geloof was toegedaan dat melk in het kopje geschonken diende te worden vóór de thee. Ze deed dus eerst een scheutje melk in het kopje en voegde er toen voorzichtig de sterke honingkleurige thee bij. Mrs. Wilkins voorzag zichzelf van suiker en toen schonk Mrs. Stevenson haar eigen thee in, die de kleur had van zonlicht tegen de avond. De perfectie ervan werd door niets tenietgedaan, door melk noch door suiker.

De butler haalde met een enkele armbeweging het theeblad weg toen de dames hun schoteltje hadden opgepakt, en gedrieën verlieten de bedienden, één voor één waardig achter elkaar, de veranda. Ze zouden weer mysterieus hun opwachting maken als Mrs. Stevenson of een van haar gasten een tweede kopje thee wilde, want de thee werd telkens opnieuw gezet. Mrs. Wilkins moest inwendig lachen toen ze weer terugdacht aan die ene marathonsessie toen Madaswamy en zijn gevolg wel zeventien keer kwamen opdraven en weer gingen. Het was een goed vastgelegd deel van de Matilde Stevenson-legende.

Nadat ze een poosje in volledige stilte kleine slokjes van hun thee hadden gedronken, terwijl ze goed de smaak ervan probeerden te proeven, de kleur van het licht, de bloemen, begonnen ze weer met elkaar te babbelen. Mrs. Wilkins vond haar vriendin er een beetje gespannen uitzien, maar het was altijd moeilijk te zeggen bij Mrs. Stevenson. En ze zou het nooit durven vragen. Als Matilde haar wilde vertellen wat er in haar omging, zou ze dat heus wel, op een haar gelegen tijdstip, doen.

Beide dames waren voor in de vijftig, maar daar hield de overeenkomst ook mee op. Mrs. Stevenson was aan de gezette kant voor haar middelbare leeftijd maar niet echt dik of mollig. Ze was lang en haar behoorlijk hoog opgestoken haar maakte dat ze er nog langer uitzag. Maar aan haar gezicht – met groeven en plooien, soms zelfs dwars door en over elkaar, waarbij iedere rimpel leek te wijten aan grote moeite en strijd of guur weer – dankte ze haar verfijning. Men zei dat als je eenmaal een bepaald patroon wist te interpreteren waarin de rimpels van Mrs. Stevensons gezicht gingen staan, je van tevoren kon zeggen wat je te wachten stond. Mrs. Wilkins was klein, mollig en absoluut niet bedreigend. Met haar dikke lippen en grote bruine koeienogen, was ze dertig jaar geleden het onderwerp van de fantasieën van veel planters geweest. Vier kinderen hadden haar een warme moederlijke uitstraling gegeven. Hoewel ze dat geen van beiden zelf zo vonden, was Mrs. Wilkins de ideale tegenpool van haar vriendin. Ze deed ogenblikkelijk alles wat Mrs. Stevenson van haar verlangde en haar inbreng in de goede relatie bestond uit een groot geduld en een niet te evenaren talent om te luisteren of juist zelf met roddelverhalen te komen. In ruil voor dat alles werd haar het privilege verleend Matilde Stevensons hartsvriendin te zijn, en had ze het recht haar bij haar voornaam te noemen, als enige persoon in het hele district, afgezien van haar echtgenoot, die dat nu mocht.

'Wat erg van dat jonge ding, die arme Camellia!' zei Mrs. Wilkins en ze zette haar kop en schoteltje zachtjes neer.

'Wat is er met Camellia?' zei Mrs. Stevenson op vinnige toon. Toen ze die geprikkelde stemming van de ander opmerkte, verviel Mrs. Wilkins in stilzwijgen, want Mrs. Stevensons driftbuien waren legendarisch en de beproevingen van Camellia Winston konden wel wachten.

Op sluipvoeten was de butler naderbij gekomen en zonder een zweem van een zucht haalde hij de kopjes en schoteltjes weg. Mrs. Wilkins bewonderde ongemerkt zijn grote behendigheid. Zelfs op de bedienden van Mrs. Stevenson was het hele district jaloers.

'Wat zei je nu over Camellia?' zei Mrs. Stevenson kortaf.

'Ach, niets. Die arme ziel was heel erg van streek door iets dat haar onlangs is overkomen.'

Mrs. Stevenson bleef haar vriendin almaar strak over haar bril heen aankijken. Dat was een van de hebbelijkheden die ze zichzelf ijverig had aangeleerd. Die haar op de club, of op de feestjes die haar aanzien verhoogden, handig van pas kwam, wanneer ze een of andere nieuwkomer of blaaskaak een toontje lager moest laten zingen. Ze betreurde de teloorgang van de lorgnet, zo volmaakt voor de gebiedende blik waarmee je iemand het zwijgen op kon leggen. Maar ze beheerste zich. Het was nu niet haar bedoeling te proberen die aardige Gloria Wilkins op haar nummer te zetten; het was alleen, tja, misschien was ze alleen maar wat aan het oefenen voor vrijdag over een week.

Mrs. Stevenson zwakte de staalharde blik in haar ogen af en had voor Gloria een glimlach over. 'Dus, die Camellia?'

Mrs. Wilkins had geen verdere aanmoediging nodig. 'Natuurlijk, schat,' zei ze, 'zoals ik al zei, ze stapte die winkel van Spencer uit met haar armen vol boodschappen, je weet hoe schaars sommige artikelen zijn geworden, dus leg je altijd maar meer voorraad aan, en haar chauffeur was al vooruitgegaan om de auto te halen, toen ze helemaal per ongeluk pardoes tegen een Indiër op liep. Hij viel heel onbeschoft tegen haar uit en zei: "Als memsahibs niet eens uitkijken waar ze lopen, zullen ze hier niet lang meer blijven." De arme Camellia was zo geschokt door die brutaliteit dat ze niets wist terug te zeggen. Ze vertelde het natuurlijk aan haar echtgenoot, maar kon van de man geen nadere beschrijving geven, je merkt die Indiërs nooit echt op, wel. Het enige wat ze zich nog wist te herinneren was dat hij een van die witte inheemse hoedjes droeg...'

'Ja, ik weet het, een Gandhi-hoed. Belachelijk hoedje, belachelijk mannetje.'

'O ja, schat, absoluut.' Mrs. Wilkins merkte hoe het verhaal haar dreigde te ontglippen, maar de staalharde blik was weer terug in Mrs. Stevensons ogen en veel zin om het af te maken had ze niet meer.

'Ik moet er nu toch echt vandoor. Hoop dat je feestje leuk wordt.'

Dat was wel het laatste wat ze had moeten zeggen. Nauwelijks de ergernis bedwingend die in haar oplaaide, alleen al bij het noemen van het feestje dat ze vandaag over tien dagen van plan was te geven ter verwelkoming van de Dorais, begeleidde Mrs. Stevenson haar vriendin naar haar auto en liep toen weer naar haar bungalow terug. Wat een stom mens was die Gloria Wilkins toch, dacht ze geërgerd. Hoe heb ik het in godsnaam al die jaren met haar uitgehouden!

78

Hoewel Mrs. Stevenson haar positie als vrouw van de algemeen directeur van de Pulimed Tea Company erg op prijs stelde, betekende haar onofficiële positie als koningin van de plaatselijke samenleving nog meer voor haar. Het een noch het ander waren haar zomaar in de schoot komen vallen, bedacht ze verbeten, terwijl ze Gloria Wilkins' auto de oprijlaan af zag rijden en ze zou haar uitgelezen plaats met alle middelen waarover ze beschikte verdedigen.

Bang om niet meer aan de man te raken, had Mrs. Stevenson, als drieëndertigjarige struise en niet direct mooie jongedame in 1925 met een P&O-boot de overtocht gemaakt. Dat had ze gemeen met de meeste andere Britse vrouwen die samen de 'vissersvloot' vormden, zoals de schepen vol vrouwen die naar India reisden om een goed huwelijk te sluiten, werden genoemd. Ze had drie maanden bij een verre tante in Madras doorgebracht en stond op het punt voor een leven als oude vrijster weer naar huis te varen, toen majoor Stevenson haar ten dans vroeg op een van de eindeloze thé dansants in de stad. Het was warm en benauwd en de hoofdpijn waarmee ze die ochtend was opgestaan, dreigde haar opnieuw te overvallen. De majoor was niet bepaald jong en had een mank been, en na de eerste dans had Matilde zich erbij neergelegd dat ze naar huis zou gaan. Maar hij danste een tweede en toen een derde keer met haar en met een stijgend gevoel van opluchting besefte ze dat ze niet een van de vele retourladingen van 'lege hulzen' zou zijn, zoals de verworpen boetsters aan de zijlijn werden genoemd. Toen hij haar twee dagen later ten huwelijk vroeg, stemde ze toe. Ze wist niets van theeplanten af, alleen dat het voldoende status bezat in de kringen van de raj om majoor Stevenson als toekomstige echtgenoot meer prestige te verlenen. Theeplanters bevonden zich qua aanzien ergens onderaan de ics-ladder maar werden hoger geacht dan de venters, waar de hogere standen op neer keken, ogenschijnlijk omdat ze aan handel deden maar waarschijnlijk ook omdat ze rijk waren.

Mrs. Stevenson kwam er algauw achter dat de achting die theeplanters genoten hun niet direct het soort levensstijl verleende die je zou hebben verwacht. In het begin, toen ze net in Pulimed was aangekomen, was het een troosteloze plaats. De zandwegen waren tijdens de natte moesson onbegaanbaar, wat de plantages twee keer per jaar in feite afsloot van de rest van de bewoonde wereld. De planters leefden in miserabele kleine keetjes die donker en muf waren. De onhygiënische levensomstandigheden, gecombineerd met malaria en periodieke epidemieën van pest en tyfus deden de Britten, en met name vrouwen en jonge kinderen, regelmatig in een graf op de begraafplaats achter het kerkje van Pulimed belanden. Het mistroostige, deprimerende weer vroeg een ontstellende hoeveelheid weerstand van evengoed de bedrijfsleider als de arbeider. Het was niet ongebruikelijk dat een planter zichzelf en zijn hele gezin van het leven beroofde in een bijzonder lang durend nat moessonseizoen; Mrs. Stevenson wist zich nog twee families te herinneren die in haar tijd bezweken waren. Vaak was alcohol de enige troost en veel van de allereerste planters, zowel mannen als vrouwen, waren aan de drank verslaafd.

Gelukkig was de omgeving tamelijk snel geciviliseerd geraakt. Toen het goed ging met de industrie, werd er meer grond geschikt gemaakt voor theeplantages en de grimmige rimboe teruggedrongen. De wegen werden beter en de bungalows indrukwekkender. Hun eigen situatie verbeterde eveneens. Mrs. Stevenson leek haar echtgenoot geluk te hebben gebracht, want binnen een jaar na haar aankomst in Pulimed ging een van de hogere bedrijfsleiders met vervroegd pensioen, en Edward kreeg zijn baan. Ze verhuisden naar een geriefelijke bungalow op de Karadi-plantage.

Er waren andere welkome ontwikkelingen in het theedistrict. De Pulimed Club deed zijn deuren open in 1932. Er werden weelderige tuinen en tennisbanen aangelegd, eigenlijk bij iedere bungalow wel een. Het sociale leven van de planters kwam tot bloei. Er waren tennis- en picknickfeestjes, gekostumeerde bals en thé dansants van de club. Naarmate het theeplantersberoep aantrekkelijker werd, ging het beter met het familie-aanzien van de planter.

Er werd zo nu en dan een academicus in dienst genomen en het primitieve pionieren op de plantages van het eerste begin verdween langzaam.

Mrs. Stevenson zag haar kans schoon. Het echtpaar had geen kinderen en ze had er altijd stilletjes over ingezeten dat ze haar leven onvoldoende inhoud vond hebben. Het omgekeerde verpauperingseffect dat in het district gaande was gaf haar een doel waaraan ze zich kon wijden. Anders dan in de grote vestigingssteden als Madras en Bombay, of ook de grotere mofussil-plaatsen, woonden er in Pulimed geen hoge ICS-ambtenaren. De Britse gouverneur maakte zijn gelegenheidsuitstapjes naar het bergland in zijn eentje. En er was geen legergarnizoen met *Blue Books* en streng vastgelegde tradities, prioriteit van zaken en andere kleine voorschriften voor sociaal gedrag. Dus deed zich nu een gelegenheid voor een stel regels op te stellen waaraan de samenleving van Pulimed kon worden onderworpen. Al spoedig werden Mrs. Stevenson en een paar andere plantersvrouwen met dezelfde maatschappelijke ambitie de trendsetters voor het sociale leven in het district. Toen overleed Mrs. Hogg en werd de echtgenoot van Mrs. Buchan overgeplaatst naar de Nilgiris, waardoor Edward nog hoger opklom en Mrs. Stevenson het alleen voor het zeggen had. Ze was tweeënveertig jaar. Van toen af was haar woord wet.

Er is nog niet genoeg gezegd over de rol van de memsahib in India. Er zijn wel tientallen boeken geschreven over de Britse mannen die India aanvankelijk onderwierpen, er vervolgens de lakens uitdeelden om het ten slotte weer kwijt te raken, maar verhalen over de blanke vrouw zijn beperkt gebleven tot een paar autobiografieën en een royaal dozijn kookboeken en memorabilia van de raj. Dat is erg jammer omdat op het gevaar af van een al te eenvoudige voorstelling van zaken het waarschijnlijk juist is om te stellen dat deze dochters van kruideniers uit Birmingham en schoolmeesters uit Cheltenham een niet onaanzienlijke rol hebben gespeeld bij het vertrek van de Britten uit India.

Het was allemaal een kwestie van instelling. Gedurende de eerste honderd jaar van zijn tijd in India was de blanke man afwisselend koopman, samenzweerder, soldaat en avonturier op zee. Tegen de tijd dat hare hoogst goedgunstige majesteit, koningin Victoria, het huldebetoon van haar onderdanen in India ten deel viel, van alle driehonderdtweeënzeventig miljoen bij elkaar, waren de Britten alweer vergeten waarvoor ze in eerste instantie naar het subcontinent waren gekomen – uit roofzucht namelijk en om de snelle aanwas van rijkdom in gang te zetten. Nu, in de ban van heerszuchtige neigingen, geloofden ze dat ze voorbestemd waren om over een kwart van de wereld heerschappij te voeren, en een beschavende invloed te hebben op de barbaarse inlanders.

Halverwege de twintigste eeuw was echter zelfs voor de Britten het denkbeeld van een imperium zijn scherpe contouren aan het verliezen. Twee oorlogen hadden het ontkracht, de nieuwe generatie stond nou niet direct te trappelen van ongeduld, en Amerika was hard op weg de wereld zijn wil op te leggen. De Britten hadden hun best gedaan, maar zouden weldra uit India vertrokken zijn zoals iedere indringer die hen was voorgegaan en ook een paar blijvende herinneringen had achtergelaten – in dit geval een paar uitstekende voorbeelden van Victoriaanse architectuur, de Engelse taal, de spoorwegen, een parlementsvorm van democratie, een bestuursstelsel...

Het imperium zou waarschijnlijk, hoezeer de nationalisten zich ook inspanden, wat langer zijn blijven voortsukkelen als er niet in steeds grotere aantallen zo veel Engelse vrouwen in India verschenen waren. In de allereerste jaren was het de Britten gelukt een tamelijk billijke verhouding met de Indiërs op te bouwen. Tegen het begin van de negentiende eeuw was deze fase al over zijn hoogtepunt heen. De komst van gespierde vormen van christendom, gepaard met onvoldoende begrepen darwinisme, vereenzelvigde huidskleur en 'heidendom' met minderwaardigheid. Vanaf dat moment verslechterden de dingen. De Engelsman in het buitenland begon bewust of onbewust de filosofie te onderschrijven dat de onderworpen volken (vooral in de tropen) een minder soort broedsel waren, hun beschavingen werden vertrapt en de Britse cultuur werd verheven boven alle andere.

Maar het was de komst van de flottieljes met Engelse vrouwen die de trend bevestigd had. Terwijl sommige mannen nog steeds bereid waren de plaatselijke bewoners enigermate tegemoet te komen en te begrijpen, en beide partijen elkaar de gelegenheid lieten voor een band van wederzijds vertrouwen en zo nu en dan vriendschap en bewondering, waagde de memsahib zich doorgaans niet buiten haar bungalow. Slecht voorbereid op de wildernis en uitgestrektheid van India, en geïsoleerd doordat ze de taal niet sprak, kon zij alleen maar gedijen door het enorme land al direct bij haar drempel rigoureus buiten te sluiten, en dat deed ze dus ook. Haar bungalow was net zo ingericht als ze haar stulpje in Sevenoaks zou uitrusten, haar tuinen zagen er mistroostig uit met lusteloze Engelse bloemen, en terwijl ze geleidelijk aan haar echtgenoot deze surrogaat Engelse wereld binnentrok, was het nog slechts een kwestie van tijd tot het handjevol Britten in India de natuurlijke band met het land begon te verliezen. Het duurde niet lang of ze waren niet meer dan lastige zoemvliegen die zich vertwijfeld tegen de huid van India aandrukten om direct op te vliegen bij de eerste de beste schokbeweging. Zeldzaam was de Engelse vrouw die zich werkelijk thuis voelde in het India voorbij de *palank*, en Mrs. Stevenson vormde geen uitzondering.

Matilde Stevenson zou verbaasd zijn geweest als iemand haar ervan beschuldigd had dat ze niet genoeg van India of de Indiërs af wist. Zij beschouwde India als haar thuis, ook al mopperde ze er voortdurend over dat ze te weinig van Engeland zag en ze geloofde dat ze echt heel erg gesteld was op de Indiërs. Zij verliet zich voornamelijk op haar butler Madaswamy en kon zich het leven moeilijk zonder hem voorstellen. Maar zonder haar, zoals ze hem constant voorhield, zou hij niets zijn, minder dan niets zou hij zijn. Alleen dankzij haar bescherming en leidende hand was hij tot bloei gekomen – was hij in die positie beland dat hij zevenendertig mensen onder zich had, allemaal bedienden die ervoor zorgden dat alles in de bungalow van de algemeen directeur op rolletjes liep. Madaswamy, Velu de hoofdtuinman, Mani de chauffeur, ze maakten stuk voor stuk wezenlijk deel uit van Mrs. Stevensons wereld. Ze overstelpte hen met haar vriendelijkheid, stuurde hun kinderen met Kerstmis en Pasen toffees en kleine pakjes, naast de gebruikelijke baksjisj en ze stond Madaswamy zelfs toe naar eigen behoefte het nodige ervan af te romen als hij de dagelijkse boodschappen voor haar deed. Nee, Mrs. Stevenson kende haar pappenheimers in India. Maar ze zou de eerste zijn geweest om toe te geven dat goede Indiërs de Indiërs waren die hun plaats kenden. Mrs. Stevenson had nog nooit met een *maharani* te maken gehad, maar ze was er vast niet zo ondersteboven van geweest als het wel een keer gebeurd was. Als vrouw van de algemeen directeur van Pulimed Tea Company en als Engelse stond ze boven iedere Indiër.

Mrs. Stevenson was diep geschokt toen haar man Kannan Dorai had ingehuurd. Ze zou er natuurlijk nooit over gedacht hebben hem te zeggen hoe hij zijn bedrijf moest runnen, hoewel ze dat de hele tijd wel stiekem deed, subtiel en overredend. Maar dit had ze niet zien aankomen. Dat was geen wonder, want ze bezat geen gevoel voor geschiedenis. Ze las geen Indiase kranten, of alleen stukjes met sociaal nieuws in kranten die onder Brits beheer werden uitgegeven, wat ze gemeen had met de meeste Engelse vrouwen in Pulimed. Ook luisterde ze niet naar gesprekken tussen haar man en zijn collega's, behalve wanneer die gingen over dingen die haar interesseerden, zoals bevorderingen of terugzettingen in rang, en echtelijke ruzies. Er verschenen geen Indiërs binnen haar horizon, alleen het personeel, en toen het nieuws dat druppelsgewijs binnenkwam via kranten uit Londen wegens de oorlog niet langer tot hen doordrong, was ze volledig van de buitenwereld afgesneden.

Als gevolg daarvan was ze er niet op voorbereid toen haar man het soort verandering begon in te luiden dat zij niet kon goedkeuren. Wat kon hij in de zin gehad hebben toen hij een inlander benoemde ter vervanging van Joe Wilson? Van hem nota bene, Joe Wilson, haar lieveling. Joe Wilson, die nu voor land en imperium ten strijde trok. Joe Wilson, oud-leerling van Eton-college, scherpschutter van de bovenste plank, een Cambridge-vertegenwoordiger bij tennis, die anderen zo behendig liet winnen dat ze er nooit achter kwamen dat hij iedere punt in zijn zak had vanaf het moment dat hij zijn lichaam spande om te serveren. Joe Wilsons plaats ingenomen door een inlander! Ook nog door haar toedoen, want Mrs. Stevenson zag haar echtgenoot simpel als verlengstuk van haarzelf. Het was te erg om waar te zijn. En wat had het te beduiden?

Mrs. Stevensons macht in Pulimed was al die tijd dat ze er de scepter had gezwaaid, nooit betwist. Uit eten gaan moest in jacket, gesteven overhemd, wit vest, stijve boord en witte stropdas, twintig jaar nadat het elders in India al niet meer in de mode was – en alleen omdat Mrs. Stevenson het zo bepaalde. Ze kende *Mrs. Beeton's Cookery and Household Management*, zoals ze *Debretts Peerage* en de diverse andere boeken over etiquette kende die het sociale leven bepaalden. Ze lette op het accent van de mensen, wilde graag weten wat hun komaf was en wist altijd gewoon bloed achter de meest verfijnde buitenkant te bespeuren. Niemand werkte haar moedwillig tegen, want dat kon maar een ding tot gevolg hebben.

Maar Kannan Dorai maakte haar meer overstuur dan ze eigenlijk wilde toegeven. Hij was beleefd zoals het hoorde en leek voor een Indiër bepaald acceptabel. Maar was hij de voorloper van dingen die eraan zaten te komen? Hele nachten kon Mrs. Stevenson wakker liggen met visioenen in haar hoofd van een dorpsvilla in een druilerige Engelse plaats, Grantham of Toxteth. Ze schudde de gedachte van zich af, maar het onplezierige gevoel bleef. En nu vormde Kannan weer een bedreiging voor haar innerlijke rust doordat hij iemand van gemengd bloed had getrouwd. Iemand die volledig van alle beschaving verstoken was. Als vrouw van de algemeen directeur werd van haar verwacht dat ze beleefd was tegenover de nieuwkomer, en haar met passende waardigheid tegemoet zou treden. Maar ze voelde zich er heel onbehaaglijk onder. Ze had altijd gedacht dat ze zichzelf volledig in de hand had maar deze nieuwe ontwikkelingen brachten haar uit haar evenwicht. Maar dat zou maar van korte duur zijn, sprak ze grimmig met zichzelf af; ze wist precies hoe ze hen moest aanpakken.

79

Op een ochtend was Kannan erg tevreden over zichzelf toen hij naar het veld reed. Ik heb dingen gedaan waarvan ik nauwelijks vermoed had dat ik ze kon, mijmerde hij. Met veel verbeelding en fantasie ben ik nieuwe wegen ingeslagen die ik nooit voor mogelijk had gehouden. Ik daagde mijn vader uit en ging de wereld in om mijn plaats te vinden in een omgeving waarvan ik een paar jaar geleden niet van had durven dromen er ooit te zullen binnendringen, wat voor hoge dunk ik ook had van mezelf. Het is me zelfs gelukt mijn drift te bedwingen. Ik ben niet langer onvolwassen en heetgebakerd.

Zijn gedachten kwamen toen op Helen en ook op dat punt was er reden voor verbazing. Hij betwijfelde of er ooit een Dorai die hij gekend had aan een romance met een vrouw had durven denken, laat staan had overwogen haar als gelijke te behandelen. Er waren momenten geweest dat hij getwijfeld had of hijzelf daartoe in staat zou zijn, maar hij had het zich aangeleerd en zijn intuïtieve neigingen om zich geringschattend en superieur op te stellen bijgesteld, zodat hij zijn vrouw kon koesteren en adoreren.

Erg ingenomen met zichzelf kwam hij bij het veld waar zijn baas een ongewoon cadeautje voor hem had. Een van de plukkers had een haas laten schrikken en die was gevlucht en had de twee babyhaasjes achtergelaten. Die waren nu voor Kannan. Ze zagen er niet al te best uit, maar zouden een perfect cadeautje voor Helen zijn, dacht hij. Al ruim een maand had hij geprobeerd wanneer hij thuiskwam van zijn werk een kleine verrassing voor haar mee te nemen – een bosje wilde margrieten, een toefje venushaar, een interessante kiezelsteen die glom als goud. In de eerste liefdesroes had het gebaar gewerkt, maar onlangs was hij de behoefte gaan voelen haar eens iets heel anders te geven.

Helen was in de zevende hemel met haar geschenk. Ze betuttelde de kleintjes en maakte een bedje van watten en stro op haar nachtkastje. Ze drenkte een met watten omwikkeld luciferstokje in koeienmelk en probeerde ze daarmee te voeren, maar ze weigerden alle zoete verleidingen en gingen twee dagen later dood. Helen was ontroostbaar en huilde onbedaarlijk toen ze de piepkleine lijfjes onder de cameliastruik in de voortuin begroeven.

Maar ze was snel daarna weer vol levenslust, en die zaterdag zwierde ze heel bedreven met Kannan rond over de dansvloer. Het was de eerste keer dat hij op de club danste en na zijn aanvankelijke schroom begon hij er plezier in te krijgen. Een wals en een foxtrot, daarmee was zijn repertoire wel uitgeput, maar hij was zo tevreden over zijn prestatie dat hij haar na de tweede dans, toen Freddie haar vroeg voor de volgende, liet gaan met maar een heel klein steekje van jaloezie. Terwijl hij terugliep naar zijn stoel, ving hij toevallig Mrs. Stevensons blik op. Haar ogen stonden koud, maar hij lachte haar gelukkig toe en liep een eindje door, buiten haar gezichtsveld.

Een nieuwe baan, net getrouwd, een nieuwe lik verf over een bladderende buitenkant – erg lang duurt het in geen van die gevallen voordat zich hier en daar een scheurtje vertoont. De eerste barstjes in hun idylle verschenen op de dag dat Kannan Helen meenam naar de fabriek.

In april ging het leven op de plantages altijd sneller omdat de mooiste oogst van het hele jaar, de eerste grote pluk, werd binnengehaald. De fabrieken draaiden op volle toeren; bedrijfsleiders, plukkers en arbeiders werkten zich in het zweet, want in deze tijd van het jaar werden de grootste winsten gemaakt. Eén zondag sloeg Kannan de kerk over voor werk in de fabriek. De Glencarefabriek was twee dagen gesloten geweest door een uitval van de machines, en om de verloren tijd in te halen had Michael besloten dat de fabriek in het weekend door moest draaien.

Kannan werd zoals meestal vroeg wakker en zag door de gesloten gordijnen een streep grijs licht komen. Naast hem lag Helen nog te slapen. Hij keek vol waardering naar haar. Wat zag ze er kwetsbaar uit als ze sliep, dacht hij. Toen gleed hij zijn bed uit, voorzichtig, om haar niet wakker te maken. Terwijl hij zich aankleedde, vroeg hij zich af wat hij zou kunnen doen om de vorige avond goed te maken, omdat hij zich verontschuldigd had voor de club. Hij had haar teleurstelling wel gevoeld hoewel ze er niets tegenin had gebracht. Nu zou hij een groot deel van de ochtend weg zijn, terwijl ze een picknicktochtje hadden kunnen maken zoals ze soms op zondag deden, als het weer goed was. Toen hij klaar was met scheren, kreeg hij opeens een idee. Het kwam hem zo geweldig voor dat hij niet begreep waarom het niet eerder bij hem was opgekomen.

Hij bracht zelf haar dienblad naar binnen. Naast haar kopje lagen twee toefjes thee – de fameuze twee blaadjes en een knop, die je plukt wanneer de 'fijne' thee geoogst wordt. Hij gaf haar een zoen en bleef om haar heen hangen terwijl ze langzaam wakker werd. Hij zag haar wat verbaasd naar de theeblaadjes op het dienblad kijken en zei toen heel luchtig: 'Ik heb een mooie verrassing voor je, lady van mijn leven.'

'En wat mag dat wel zijn?' vroeg ze slaperig.

'Het kwam daarnet in mij op dat ik je wel alles van mijn leven hier heb laten zien – tenniswedstrijden, dansavonden op de club, maaltijden in de bungalows van mijn collega's, alle hoeken en gaten van de plantage – maar één ding nog niet. Hoe die blaadjes bij je bordje de thee in je kopje worden. Vandaag, schat, gaan we naar de fabriek.'

Ze keek hem aan of hij gek was geworden, alsof ze niet wist of ze het wel goed had gehoord. Was haar echtgenoot echt van plan haar mee te nemen naar die enorme plaatijzeren loods waar ze tientallen keren langsgekomen waren onderweg naar elders, maar waar ze nooit binnen waren geweest? Het interesseerde haar geen zier of ze die vanbinnen zou zien; er waren in het leven nu eenmaal dingen waar je niets om gaf. Maar voor het enthousiasme van Kannan bezweek ze. Hij was een beetje ontmoedigd door haar weinig opgetogen reactie, maar schreef die toe aan het feit dat ze nog niet helemaal wakker was. Ze zou helemaal weg zijn van alles wat ze te zien zou krijgen, dat wist hij zeker. Vooral omdat zo weinig plantersvrouwen eigenlijk een theefabriek in werking hadden gezien. Als hij wat minder ondersteboven was geweest van zijn eigen spitsvondigheid, had hij zich misschien afgevraagd waarom.

Er werd naar de theebewerker een boodschap gestuurd en Kannan raasde weg op zijn motor om Michael toestemming te vragen zijn vrouw mee te mogen nemen naar de fabriek. Toen ze daar aankwamen stond de thee-fabrikant, een man van middelbare leeftijd met afgebrokkelde tanden, hen bij de ingang op te wachten. Binnen geurde de lucht naar thee, en werden ze bestookt door het aanhoudende geratel van de machines. Kannan en de thee-fabrikant voerden al schreeuwend een gesprek met elkaar en toen lachte hij en wees naar een fragiele ladder die naar de hoogste spanten van de fabriek leidde. Ze liepen dicht langs stapels thee en denderende machines, en langs een aantal mannen die slechts een korte kakibroek en -hemd droegen en die met hun werk ophielden om stilletjes naar Helen te kijken totdat de theebewerker hun gebaarde weer aan het werk te gaan. Toen ging het de ladder op, eerst de thee-fabrikant, en daarna Helen en Kannan. Op de droogzolder was het stiller, maar warm. In langwerpige bakken met bodems van draadgaas, lagen vers geplukte theebladen in dikke lagen gespreid. Kannan pakte een paar bladstelen die in een bak lagen op en gaf ze aan zijn vrouw. 'Weet je nog van die dag dat de plukkers op het veld naast de bungalow stonden te werken? Toen je zei dat het geluid dat ze bij hun werk maakten net klonk alsof er koeien aan het grazen waren?'

Dat wist Helen nog wel. De vrouwen die de thee plukten hadden er broos en fleurig als vlinders uitgezien. Ze was naar buiten gelopen, het gazon op, en ze hadden naar haar gewezen en toen gegiecheld en opmerkingen over haar gemaakt die ze niet kon verstaan. Toen was er een opzichter naar hen toe gelopen waarna ze hun plukwerk hadden hervat.

'Dit is wat ze dan plukken,' zei hij. 'Als ze fijne thee plukken, pakken ze het topje van de steel, de knop en de twee blaadjes eronder, maar meestal plukken ze grof, de knop en nog drie of vier bladeren. Dat vergroot de oogst.'

Ze begonnen terug te lopen zoals ze gekomen waren, en Kannan was nog steeds bezig de mysteries van de theeproductie toe te lichten. 'De theeplant is een van de meest dankbare oogstproducten die we kennen,' zei hij trots. 'Ze doet feitelijk zelf al het werk, als het erom gaat zich van een blad aan de struik om te zetten in de thee die we drinken; het enige wat wij doen is haar er een beetje bij helpen.' Hij legde de vijf fases in het productieproces uit, waarvan drogen aan de lucht de eerste was. Dan werd er warme lucht door de bladeren gevoerd als gevolg waarvan ze hun vocht verloren; de werking van de hitte diende het proces van enkele interne chemische reacties op gang te brengen.

Hij liet Helen zien hoe de bladeren langs een stortkoker naar de pletruimte werden gestuurd, de luidruchtigste afdeling van de fabriek. Hier, tussen het gedender van ijzeren Britannia-machines, zo hoog als zijzelf, werden de bladeren geplet, schreeuwde Kannan, tot hun celwanden verbrijzeld waren en de sappen naar buiten kwamen. De geplette bladeren werden dan in een donkere ruimte gelegd waarin ze begonnen te fermenteren, waarna ze naar weer een andere afdeling van de fabriek werden overgebracht en in een enorme machine gestopt, om ze verder te drogen in de oververhitte stoom die erdoorheen werd gejaagd. Was het verhittingsproces achter de rug, dan was de thee zover klaar dat ze in verschillende kwaliteiten gesorteerd werd, waarna ze in kratten verpakt en vanuit de fabriek vervoerd kon worden.

Hij zweeg en pakte een handjevol donkere en buitengewoon geurige thee van een van de stapels in de sorteerafdeling en hield die haar voor. 'Ruik dit maar eens, geen geur die het kan halen bij die van vers gefabriceerde thee.' Helen glimlachte flauwtjes naar hem en rook eraan. Het rook als thee. Ze liet het wegdwarrelen en wachtte tot Kannan zou zijn uitgesproken met de theefabrikant. Haar enthousiasme, toch al op een laag pitje tegen de tijd dat ze bij de fabriek waren aangekomen, was tijdens de hele rondgang door de fabriek nog meer gaan tanen en het enige wat ze nu nog wilde was naar huis gaan. Maar Kannan was nog niet klaar. 'Kom mee, Hen, onze Shankar heeft alles klaarstaan voor de theeproeverij.'

Helen wist niet wat een theeproeverij was, maar wel dat ze naar huis wilde. 'Ik wil nu liever naar huis, als dat mag,' zei ze zachtjes.

Kannan leek het niet gehoord te hebben. 'Weet je dat Churchill ooit gezegd heeft dat een Britse soldaat wel verder zou kunnen vechten zonder munitie, maar niet zonder zijn dagelijkse kop thee? En de meeste van die thee komt hiervandaan. Word je apetrots van, snap je wel, dat die handelslui hele vloten van onderzeeërs trotseren om dat kostelijke spul in Engeland te krijgen.' Hij was al met de theefabrikant op weg toen hij doorkreeg dat ze niet achter hem aan kwam. 'Hierheen, Hen, je zult ervan staan te kijken, hoe die kerels vaststellen of de thee al dan niet van de beste kwaliteit is.'

'Vind je het erg als we de theeproeverij overslaan? Ik ben echt heel moe.' Ze zag het enthousiasme op zijn gezicht wegtrekken en plaatsmaken voor verbazing en een tikkeltje pijn. Ze voelde zich schuldig, maar ze had er beslist genoeg van.

'Het staat allemaal klaar. Het duurt maar een paar tellen.'

'Vind je het echt heel erg om het een andere keer te doen?' vroeg ze en terwijl ze het zei, vroeg ze zich af of het wel al die koppigheid waard was. Tenslotte was het nog maar één klein stapje in dat hele stompzinnige theefabricatie-proces en als ze het al een hele ochtend had kunnen verdragen, kon dat halve uurtje er ook nog wel bij.

'Nou, goed dan, als je er echt op staat,' zei hij afgemeten en ze besefte dat hij kwaad was. Dat ergerde haar. Plotseling wilde ze weg van die benauwende sfeer van de fabriek. De ingang was maar een klein eindje verderop en ze begon er al naartoe te lopen. Ze was er bijna toen ze snelle stappen achter zich hoorde en Kannan haar inhaalde.

Buiten zei hij bars: 'Je had wel zo beleefd kunnen zijn even te wachten tot ik klaar was met mijn gesprek en me tegenover de theefabrikant verontschuldigd had.'

'Ik had om te beginnen hier al niet heen willen gaan. Het was jouw idee,' zei ze.

'Ach, heus! Dan had je dat toch kunnen zeggen.'

'Dus is het allemaal mijn schuld, hè?' zei ze met groeiende boosheid.

Er kwam een stel arbeiders over het pad hen tegemoet gelopen en Kannan zei vlug: 'Hoor eens, niet hier, alsjeblieft. Als je me iets te zeggen hebt, dan maar thuis, niet hier waar iedereen het kan horen.'

Ze onderdrukte nog net het scherpe antwoord dat haar op de tong lag en liep weg naar de plek waar hij de motor geparkeerd had.

De stilte tussen hen duurde zo lang als Kannan nodig had om naar huis te rijden, de motor te parkeren en haar voor te gaan naar de slaapkamer. Hij deed de deur met een harde slag dicht. En toen gingen ze tegen elkaar tekeer en probeerden systematisch en doelbewust over en weer elk zwak plekje bij elkaar te raken, vastbesloten de grootst mogelijke schade aan te richten. Alles wat door de sterkte van hun liefde naar de achtergrond was verdrongen, kwam boven en wakkerde hun boosheid aan, maakte hen onverzoenlijk.

'Ik ben nog nooit zo vernederd,' begon Kannan. 'Ben je gek geworden? Om zo tegen me te schreeuwen in het bijzijn van die fabrieksarbeiders!'

'Ik heb nooit naar die stomme fabriek toe gewild, dat was jouw idee. Wacht, ik weet vast de woorden nog wel die je zei...'

'Nou nog mooier. Ik zal nog eens de moeite nemen iets leuks te verzinnen om samen te doen. Ik ben hier niet alleen degene die al het werk doet, ik moet ook nog eens de uitjes voor missy amma verzinnen, terwijl zij maar om het huis hangt.'

'Omdat er hier niets te beleven valt, stomme ezel. Jij gaat zo op in die romance met de thee, dat je niet schijnt door te hebben dat het hier saai is, zo ontzettend geestdodend dat ik wel kan huilen.'

'Ja, ja, natuurlijk, ik begrijp het al,' zei hij met een stem die angstaanjagend bedaard klonk, 'jij zou veel liever in die vulgaire keet van het Railway Institute met dat vulgaire stel vriendjes van je dansen...'

Er kwam een spiegel van haar toilettafel op hem af. 'Hoe durf jij mij vulgair te noemen!'

'Hoe durf jij mij saai te noemen?' Wat had hem in vredesnaam bezield om met deze verschrikkelijke vrouw te trouwen? Hoe durfde ze zo tegen hem te praten? Hij kon zich niet herinneren dat zijn moeder of een van zijn tantes of nichtjes ooit zelfs maar de geringste klacht over de lippen was gekomen tegenover hun echtgenoot! Sterker nog, ze spraken hun man niet eens met zijn voornaam aan! De ruzie duurde meer dan een uur. Zij vertelde hem precies hoe ze over hem dacht en wat ze van zijn vrienden en van zijn baan vond, en hij gaf haar lik op stuk door haar precies te vertellen wat hij vond van haar en van haar vrienden en van de Tambaram Railway Colony en wat hij er in de gauwigheid nog meer uit kon gooien. Geleidelijk aan werden hun beschuldigingen minder heetgebakerd en uiteindelijk maakten ze het weer goed, in tranen en een en al berouw. Kannan liet zich vermurwen, iets waar ze dankbaar voor was. Ze had hem nooit zo kwaad gezien en het had haar bang gemaakt. Ze vroeg zich af of ze de relatie wel zo goed in de hand had als ze dacht. Maar ze zette haar gevoel van onbehagen van zich af. Ze bedreven de liefde en beloofden elkaar geen pijn meer te doen. Ze meenden wat ze zeiden, maar wisten allebei dat er bepaalde dingen waren gezegd die ze nooit meer ongezegd zouden kunnen maken. Om een herhaling van het lelijks dat hen allebei erg verlaagd had te voorkomen, gingen ze behoedzamer met elkaar om en deden ze hun uiterste best niet beledigend te zijn om de volmaakte onbedorven liefde die ze samen beleefd hadden terug te winnen.

Vijf dagen later verscheen er een bediende in het uniform van de bungalow van de algemeen directeur bij Morningfall met een van Mrs. Stevensons vermaarde invitaties, niet voor een theevisite, maar voor een warme maaltijd. Ze hadden zojuist ontbeten en Kannan maakte de envelop open, las de gedrukte kaart en overhandigde hem aan Helen met de woorden: 'Ten langen leste, een uitnodiging van die draak van een lady. Ik begon me al af te vragen of die nog zou komen.'

'Waarom dan?'

'Ach, nergens om.'

'Zeg eens, alsjeblieft, alsjeblieft, alsjeblíeft.'

'Nee, serieus, helemaal nergens om.' Hij hoopte dat ze niet zou aandringen. Hij dacht aan zijn voorbereidingen voor het feestje dat Mrs. Stevenson voor hem had gegeven toen hij hier net was. Hij had twee weken lang goed opgelet hoe de Frasers alles deden – hoe ze zaten, aten, dronken, hun bestek hanteerden en hun glazen vasthielden. Toen al was hij van spanning bijna in elkaar gezakt omdat hij zo zijn best deed niet in gebreke te blijven tijdens die lange avond. Hij was er op de een of andere manier doorheen gekomen. Hoe zou Helen dat ooit klaarspelen? Hij wist zeker dat ze zou steigeren als hij haar probeerde wat aanwijzingen te geven, dus wat moest hij?

'Wat zit je te dromen?' vroeg ze vrolijk.

'Zit te denken dat dit het deftigste etentje zal zijn dat je tot nog toe hebt meegemaakt.'

'O, ik ben helemaal opgewonden. Ik heb gehoord dat ze in een schitterende bungalow wonen.'

'Klopt.'

Ze keek bedenkelijk. 'Denk je dat Mrs. Stevenson mij wel zal mogen? Ze ziet er zo streng uit.'

'Zo is ze tegen iedereen. Ze is eigenlijk heel aardig.'

'Ik hoop het. Ik heb nog geen woord met haar gewisseld, ze ziet er zo... Zo... Als een schoolfrik uit!'

'Ze is de volmaakte gastvrouw,' zei hij en dacht er tegelijk bij, als wij de volmaakte gasten zijn.

'Ik heb niets om aan te trekken,' zei Helen, en trok een lang gezicht.

'Hoor eens, we gaan wel naar de Frasers. Belinda zal ons vast wel kunnen helpen.'

'Prima, dat doen we,' zei Helen. 'Nu ben ik echt helemaal opgewonden. Ik geloof dat ik de oorbellen die ik van vader heb gekregen in doe.'

Zijn hart ging naar haar uit. Ondanks al die stadmanieren was ze nog zo naïef, zo'n makkelijk doelwit.

80

Majoor Edward Stevenson zag zichzelf niet bepaald als een bijzonder stoutmoedig man. Hij had in een oorlog gevochten, zelfs een tijger doodgeschoten voordat de wilde beesten schaars werden, maar als hem gevraagd zou worden een beschrijving van zichzelf te geven, zouden eerder woorden als betrouwbaar, onverstoorbaar, behoedzaam, solide, de adjectieven zijn geweest die hij had gekozen. Hij moest nog twee jaar tot zijn pensioen en hij keek verlangend uit naar de tijd dat hij van zijn ouwe dag kon gaan genieten, misschien wel in Engeland of in een van de andere kolonies. Mogelijk Canada, nee, daar was het te koud, misschien Kenya, waar bedienden zouden zijn en een plezierig klimaat. Misschien ook wel hier in India, als die ellendige nationalisten eens een toontje lager gingen zingen. Hij had intens van zijn leven op de theeplantages genoten, maar als het zover was, zou hij met alle plezier vertrekken.

Hij wist dat Matilde beducht was voor het pensioen dat hem te wachten stond. En hij wist ook al heel lang dat ze heimelijk verhulde wat haar werkelijke gevoelens waren ten aanzien van de meeste dingen. Maar toch was hij geschrokken van de scène die ze vorige vrijdag gemaakt had, toen hij had gezegd dat ze binnenkort de Dorais moesten uitnodigen. Het leek niet helemaal conform de etiquette als het jonge stel niet met een feestje in de bungalow van de algemeen directeur welkom werd geheten, vooral nu praktisch iedereen hen al over de vloer gehad had.

'Wat zielig om een maffe ouwe baas zo zijn best te zien doen flink voor de dag te komen,' had ze gezegd. Ze had nog veel meer gezegd en het had hem erg aangegrepen omdat ze zo lang zijn herinnering terugging geen echte meningsverschillen hadden gehad. Zoals alle lang getrouwde echtparen wisten ze hoe ze hun leven samen zo moesten inrichten dat het een maximum aan genoegens opleverde met een minimum aan ongerief, en haar uitbarsting had hem met stomheid geslagen. Zodra hij de Dorais genoemd had, had ze hem de wind van voren gegeven. Ze had hem beschuldigd alle pretenties te hebben laten varen, ze had geschreeuwd dat hij haar positie in de maatschappij aan het ondermijnen was. En dat alles in een stortvloed van emoties. Ze had wat er nog meer zat vlug weten in te dammen, maar toen was het onheil al geschied. Geduldig, systematisch, zoals in zijn karakter lag, had hij alles in zich opgenomen en gewacht tot ze bedaard was, en toen had hij haar hartstochtelijke verontschuldigingen aanvaard waarna hij van tafel was opgestaan om te proberen haar woede-uitbarsting te begrijpen.

Nadat haar man was weggegaan, was Mrs. Stevenson aan tafel blijven zitten. Ze was razend op zichzelf. Ze vond het vreselijk dat Edward nu wist hoezeer ze in haar maag zat met Kannan en Helen. Dit was nooit haar stijl geweest. Nu had ze alles kapot gemaakt door zo tegen het hysterische aan tekeer te gaan. Hij zou alles doen om ervoor te zorgen dat ze aardig was voor de Dorais. En als hij eenmaal zijn tanden ergens had ingezet, was het maar beter hem zijn zin te geven.

O, wat een ellende, dacht ze diep ongelukkig, in de dagen die volgden op hun ruzie. Heb ik dan niets geleerd in de vele jaren dat ik getrouwd ben? Ze zou ieder grammetje tact die ze in zich had nodig hebben om hem weer aan haar kant te krijgen. En het zou een langdurig, langzaam proces zijn, maar er was geen andere weg. Ze kon beter meteen maar beginnen. Het maakte de dingen er niet beter op als je ze maar liet doorwoekeren. Of ze het nu leuk vond of niet, ze moest een feest geven, zo groots als het district in lange tijd niet meer gekend had.

Op de ochtend van het feest voerde Mrs. Stevenson haar gebruikelijke inspectie van de bungalow uit. De bedienden gingen na het ontbijt in een rij op de veranda staan. Mrs. Stevenson schreed de rij langs, inspecteerde een knoopje hier, een verkleurd overhemd daar. Madaswamy schuifelde mee aan haar zijde, droeg verklaringen aan en probeerde de toorn van de memsahib te verzachten door nog bozer tekeer te gaan dan zij. Vandaag waren de boodschappenjongen en de jongste koperpoetser – deurknoppen, handvaten van potten en vazen, blakers – hoorbaar aan het snotteren en Mrs. Stevenson stuurde ze terug naar de optrekjes van de bedienden die her en der achter het huis lagen. De oudste koperpoetser moest het overnemen. Het zou een heel lange werkdag worden, er was zo veel koper in het huis, maar er zat niets anders op.

Toen bleef ze midden in haar inspectie steken, terwijl de bedienden nerveus stonden te wachten, omdat haar opeens het contrast opviel tussen het paleis waar Edward en zij nu woonden en het huis dat ze bewoond hadden toen ze voor het eerst naar Pulimed waren gekomen. Het was weinig meer geweest dan een barak met drie hokjes en al hadden ze er maar kort gewoond, ze wist uit haar geheugen nog zo de lijst van bezittingen op te noemen waarvan ze het beheer kreeg overgedragen door de man die in de bungalow dienst deed als kok, opzichter, butler en koperpoetser. Toen was er niet veel te poetsen geweest, behalve de voordeurknop. Hij deed er meer dan een uur over om het ding op te wrijven met een laagje harsachtige metaalwas, waarvan zich een geur door de lucht verspreidde die je deed denken aan de goedkope alcohol van het platteland. De inventarislijst van de barak was niet lang. En duidelijk het werk van de man die hem haar had voorgehouden:

> 1 exemplaar van Inge Va (Deze Tamil–Engelse taalgids was onmisbaar voor planters in Zuid-India en Mrs. Stevenson bezat nog steeds haar eerste exemplaar. Hoewel met ezelsoren en gescheurd, bleef ze er heel erg aan gehecht, al was ze van nature niet sentimenteel.)
>
> 2 stolen
> 1 tafil
> 1 mataras
> 1 beed
> 1 kummood
> 1 groot tafiel
> 1 baad
> 2 kusses
> 1 kas
> 1 nachkasie

Nu ze eraan terugdacht, moest Mrs. Stevenson glimlachen. Ze wist zelfs nog dat ze gedacht had hoe gek het was dat een woord als tafel twee keer anders gespeld was geweest. De herinnering aan haar eerste huis bracht haar altijd weer in een goed humeur en ze maakte snel haar inspectie af, liet de bedienden weggaan en liep het huis uit, de milde ochtendzon in, om op te gaan in de indrukwekkende pronk en pracht die de bungalow van de algemeen directeur bezat. Hij lag tegen een lage heuvel aan en de bakstenen muren waren begroeid met kamperfoelie en gele klimrozen. De oprijlaan die wit lag te glinsteren na zijn gebruikelijke wasbeurt op de dag van een feestje, kronkelde over het nog resterende deel van de heuvel omlaag, naar de kantoorvertrekken van majoor Stevenson. Azalea- en cameliastruiken omzoomden de oprijlaan en wanneer die in bloei stonden, hing er een subtiele geur. Dichte bossen floxen, fuchsia's, gerbera's en zinnia's, irissen en petunia's maakten van de bloemperken voor de bungalow een iriserend kleurenspel van violette en blauwe tinten met toetsen rood en geel, wit en roze. De canna's, die groepjes in het groene gras vormden, de stokrozen die langs de bloeiende hibiscushaag stonden, de *Gloriosa superba* die over de grond kroop en met zijn spectaculaire uitlopers bloemen strooide tot de gazons, waarin het huis verzonk als in een zee van zacht glanzend groen... Overal waar Mrs. Stevenson keek was er wel iets dat haar behaagde.

Toen liep ze terug naar de bungalow om de kamers te inspecteren, een taak die haar tot halverwege de ochtend in beslag zou nemen, gezien haar eisen van perfectie. De bedspreien over elk van de bedden in elk van de acht slaapkamers moesten zorgvuldig worden nagekeken om te zien of er geen vals vouwtje of plooitje in de gladde buitenkant zat. De bloemen in elk van de zeven badkamers moesten minutieus onderzocht; ze moest de zeven badkuipen langs om te zien of er geen vuile ring zat om het afvoergat. Het kon Mrs. Stevenson niet grondig genoeg gaan.

Tegen de tijd dat ze haar rondes had gemaakt, was ze toe aan haar elf-uur-tussendoortje. Maar daarvóór moest ze de voorraden voor de lunch uitdelen. Toen ze dat gedaan had, liet ze de butler gaan en belde in de kleinste van de drie zitkamers om thee, waarna ze met tegenzin haar gedachten liet gaan over de avond die voor haar lag.

81

Kannan liet zijn motor langzaam tot stilstand komen en Helen klauterde ervanaf. Hoewel ze precies op tijd waren, stonden er al voertuigen op de oprijlaan – de kolossale Humber van de Frasers en de Golden Flash van Freddie, groen tegen de blauwe van Kannan. Zijn vriend moest net gearriveerd zijn, want hij kon de motor nog horen tikken van het afkoelen. Helen ontdeed zich van de plaid waarin ze zich gewikkeld had en allebei stampten ze met hun voeten op de grond om de bloedsomloop weer op gang te krijgen en toen liepen ze de lage treedjes op die naar de veranda leidden. Majoor Stevenson kwam hem bij de voordeur tegemoet en riep hartelijk: 'Ha, Dorai, Helen, geweldig dat jullie er zijn. Wat zie je er prachtig uit, liefje!' Ze zag er ook op haar allermooist uit. De lila jurk die de oude kleermaker in op de kop af twee dagen had gemaakt naar een halfjaar oud patroon uit de *London Weekly* zat voortreffelijk en was precies de kleur die haar stond. Ze droeg haar enige goede stuk sieraad – saffierblauwe diamanten oorknoppen die van haar moeder waren geweest en die Leslie met een zwierig gebaar de dag voor haar bruiloft te voorschijn had gehaald en haar de tranen in de ogen had bezorgd. De oorknoppen fonkelden met een diep mysterieus blauw toen ze de grote, door lampen verlichte kamer binnentraden waar Mrs. Stevenson zat te wachten.

De kamer was erop gemaakt aan veertig mensen geriefelijk plaats te kunnen bieden en Mrs. Stevenson, die een onberispelijke smaak had, had hem fraaier en fraaier aangekleed tot perfectie. Een grote piano, donker als de nacht, stond in een hoek; verspreid door de kamer waren twee of drie intieme zitjes ingericht van sofa's, de voorname vleeskleurige stof (de kamer was helemaal in roodbruine tinten gehouden) kreeg door de lampen die ernaast stonden een diepere glans. Een kroonluchter liet zijn volle licht schijnen over een ovale koffietafel waarop een reusachtige schikking van rozen en irissen stond. Mrs. Stevenson had die middag uren doorgebracht met toe te zien op de vervaardiging van het enorme bloemstuk dat een groot succes geworden was, in volmaakt contrast met de klaterende schittering van de kroonluchter. In de rest van de kamer viel zachter licht van het knetterende vuur in de open haard, dat zich mengde met dat van kleine lampjes op subtiel bewerkte glanzend gewreven bijzettafeltjes. Mrs. Stevenson zat op een van de langwerpige sofa's recht tegenover de deur, met Belinda Fraser aan de ene kant en Freddie Hamilton aan de andere kant. Toen de Dorais en haar man de kamer binnenkwamen, brak ze haar gesprek met Belinda af en keek onbewogen naar hen. Ze vertrok geen spiertje, geen glimlach kon eraf.

'Wel, daar zijn ze dan, manlief. Je eregasten. Ziet de jongedame er niet prachtig uit?' Even vroeg Kannan zich af of hij iets van onbehagen hoorde in de stem van zijn gastvrouw. Als van ver, ver weg, keek hij toe hoe zijn vrouw door Mrs. Stevenson werd ontvangen: de een majesteitelijk, kalm, kil zelfs, de ander een en al licht brengend in de kamer met haar beeldschone, frisse verschijning. Een seconde, en toen nog een seconde, toen zei Helen: 'Prettig met u kennis te maken,' en alles in de kamer was, nauwelijks waarneembaar, doodgevallen. Kannan wenste vurig dat hij zijn angst voor een ruzie had overwonnen, en Helen althans het 'Prettig-met-u-kennis-te-maken'-verhaal had verteld dat binnen het district een legendarische status had verworven. De vorige zomer was een jonge Engelse verpleegster uit Velore, die hier op een naburige plantage bij vrienden was om er de zomer door te brengen, met Mrs. Stevenson in aanvaring gekomen op de Club in Pulimed. Ze had haar begroet met een opgewekt 'Prettig met u kennis te maken' toen ze was voorgesteld, en was onmiddellijk ijskoud de grond ingeboord. Als je een Engelse dame van het goede soort was, zei je dat gewoon niet: 'Prettig met u kennis te maken.' Of: 'Hallo.'

Freddie Hamilton, die Kannan het verhaal had gedaan in de loop van een lange avond doorzakken bij hem thuis, had een paar uur achter elkaar doorgezanikt over hoe vervelend het was dat zulke kleine dingetjes tot buiten alle proporties werden opgeblazen door die draken van lady's die de samenleving van Pulimed aan hun wil onderwerpen. Kannan was van het verhaal geschrokken. Wie weet wat voor blunders hijzelf niet allemaal beging? Nadat hij de proef van het feestje van Mrs. Stevenson had doorstaan, was hij wat laks geworden in het nauwkeurig gadeslaan en nabootsen van de Engelsen; na de avond bij Freddie had hij zijn verwoede poging tot verengelsing hernieuwd, vastbesloten zich het patroon eigen te maken. Hij begon onopvallend de manieren van zijn vriend er bij zichzelf in te stampen, door naar hem en naar andere pukka-Engelsen te kijken als ze aan het werk of aan het spelen waren, en hun houding en gebaren na te doen die hij dan thuis verder perfectioneerde, en door elke dag een woord uit de *Oxford English Dictionary* uit het hoofd te leren (een tip die hij van Freddie had gekregen, die bekend had dat allemaal in de eerste zes maanden op de plantages te hebben gedaan, in een ruwe poging zowel zijn geheugen op te frissen als zijn vocabulaire bij te spijkeren voordat hij het er als een slechte grap weer aan had gegeven)... Kannans periode van studie en zelfverbetering was tijdelijk opgeschort toen Helen zich bij hem had gevoegd, maar nu kon hij zich precies voor de geest halen wat er vervolgens gebeuren zou. Helen zou te maken krijgen met de onverzoenlijke manier waarop de Engelsen iemand die niet helemaal van hun stand was op zijn nummer zetten.

'Hoe maak je het?' zei Mrs. Stevenson ijzig. 'Belinda en ik zeiden net tegen elkaar hoe de kwaliteit van leven overal zo omlaag gaat. Maar de tijden veranderen en we moeten er maar het beste van zien te maken.' Ze was minder grof dan ze kon zijn omdat ze nog steeds met de gedachte in haar hoofd leefde dat ze haar man moest verzoenen. Gelukkig voor Helen kwam de kleine terechtwijzing niet over.

Majoor Stevenson kwam onopvallend tussenbeide. 'Wat kan ik voor je inschenken, liefje?'

Weer een obstakel, weer een val. 'Nou, ik zou wel een rum lusten.'

De blik van Mrs. Stevenson schoot vol minachting waarin ze zich zo perfect had bekwaamd.

'Ja natuurlijk, een rum...'

Niet langer in staat zich in te houden zei Kannan: 'Die is dan voor mij, sir. Helen neemt een sherry.' Helen draaide zich naar hem om en bracht met grote moeite een glimlach op.

'Een heel goede keuze,' zei Mrs. Stevenson met nadruk. Toen gebaarde ze naar Helen om plaats te nemen. Kannan was het liefst naast zijn vrouw gaan zitten, maar de majoor stuurde hem naar een ander zitje van luie stoelen waar ook Freddie zich naartoe had begeven. Toen vingen ze het geluid op van voertuigen die zich moeizaam tegen de heuvel opwerkten, en majoor Stevenson verontschuldigde zich en liep weg om zijn andere gasten op te wachten.

'En, hoe is de eerste formele ontmoeting tussen onze hooggezeten vrouwe van Pulimed en de jonge Helen verlopen?' vroeg Freddy zachtjes.

'O, wel goed. Ze lijkt Helen wel te mogen,' zei Kannan.

'Werkelijk, dat is heel ongewoon. Misschien begint het ijs een beetje te smelten.'

Majoor Stevenson kwam terug met de nieuw aangekomen mensen. Patrick Gordon en zijn vrouw Agnes, en Geoffrey en Susan Porter van de Empress-plantage die samen met hun assistent kwamen, een verlegen jonge Schot die MacFerlan heette en met wie Kannan alleen nog maar wat beleefde opmerkingen over het weer had uitgewisseld. Gordons assistent, Driscoll, lag op bed met een griepje. Mrs. Stevenson had besloten dat haar feestje voor de Dorais maar beperkt moest blijven tot de bedrijfsleiders van de Pulimed Tea Company en hun echtgenotes.

Terwijl majoor Stevenson druk in de weer bleef met iedereen van een drankje te voorzien, en de nieuwe gasten zich behaaglijk op hun sofa nestelden, keek Kannan vanuit zijn ooghoeken naar zijn vrouw. Hij had wel alles willen doen om haar te helpen, maar hij kon helemaal niets doen. Zijn gezicht vertrok even toen hij een teugje van zijn rum nam. Hij had een hekel aan rum, maar de gedachte dat hij het voor Helen deed, vrolijkte hem al op. Slechts voor heel even, want zijn vrouw zag er diep ongelukkig uit, nu het onstuimige enthousiasme waarmee ze Mrs. Stevenson begroet had al lang was weggezakt. Ze zat kleintjes in haar stoel gedoken alsof Mrs. Stevenson op het punt stond haar aan te vallen. En hoewel de aanval van haar gastvrouw op haar mild bleef, voelde Helen zich algauw in een hoek gedreven.

'Ik heb je op de club zien dansen, jongedame. Die Anglo-Indische dans-instituten moeten bepaald wel goed zijn. Ben er zelf nooit naar een toe geweest, maar mijn man zegt dat ze bij de gewone soldaten nogal populair waren.'

Gordon grinnikte zachtjes en Belinda keek bedenkelijk. 'Maar op de dans-scholen waar jij naartoe bent geweest, zal het wel goed gezeten hebben.'

Overal elders zou Helen teruggevochten hebben, maar hier voelde ze zich alleen, onzeker en op de rand van tranen. Mrs. Stevenson wist precies waar ze haar slachtoffer nu had, en ze pakte het wat kalmer aan, net iets kalmer. Het zou niet goed zijn Helen aan het huilen te maken. Maar ze zette niet alleen een mooie jonge troonpretendent op haar plaats, ze streed ook tegen een onbestemd gevoel in zichzelf, een gevoel dat alles wat ze hoog hield zomaar op het punt stond in het niets te verdwijnen. Het was al erg genoeg dat malloten als haar echtgenoot dachten dat Indiërs hun gelijken konden zijn, maar het idee dat ze een halfbloed moest onderhouden, waar zelfs de Indiërs op neer keken, in haar eigen mooie zitkamer... Mrs. Stevenson had de gedachte aan Engelsen die het met inlandse vrouwen aanlegden erg tegengestaan toen ze in die eerste dagen dat ze in het district was zo nu en dan de halfbloedjes met lichte ogen op de markt van Pulimed was tegengekomen. Godzijdank had de toevloed van Engelse vrouwen die de Indiase kusten aandeden de grote vlucht die rassenvermenging nam wat afgeremd. Plotseling voelde ze zich heel erg vermoeid. Ze keek naar het groepje mensen dat om haar man stond. Als je nou enkel dat donkere mannetje zou vervangen door die knappe Joe Wilson met zijn blauwe ogen. Iedere keer als ze aan hem dacht hoopte ze vurig dat de oorlog gauw voorbij zou zijn en dat hij weer terugkwam om het leven op de plantages nieuwe inspiratie te geven.

Helen verontschuldigde zich om naar het toilet te gaan. Waarschijnlijk om eens lekker uit te huilen, dacht Mrs. Stevenson met voldoening. Misschien besloot ze wel uit Pulimed weg te gaan. Ze betrapte de jonge Freddie op een blik die Helen volgde toen ze de kamer uitliep, en ze keek bedenkelijk. Het werd tijd dat die schelm een vrouw kreeg.

De hele kamer praatte over de oorlog. Het nieuws uit het noordoosten was niet goed, hoewel de planters probeerden moed te putten uit het feit dat overal elders het tij was gekeerd ten gunste van de geallieerden. 'Het kan nu iedere dag gebeuren dat ze die verdomde korporaal in handen krijgen,' kondigde majoor Stevenson aan. 'Wou dat ik zelf wat van die rotmoffen kon inrekenen. Mijn eerste had ik te grazen in St. Lo en ik weet niet hoeveel daarna.' De heldendaden in de oorlog van de majoor stonden alom bekend als saai, maar er was niets wat zijn toehoorders konden doen om eraan te ontsnappen, en hij begon ze nu met verve opnieuw te vertellen.

'Koe of fiets?' beduidde Freddie met zijn lippen naar Kannan toen hij zijn blik opving. 'Tien tegen een dat het boe-boe is,' mimede hij de woorden.

'Zie je,' begon de majoor weer, 'wat mij het meest in de oorlog getroffen heeft was niet het verbrijzelde brein in kledders op de gezichten van de soldaten, of de vliegen die in zwermen over het bloed kropen dat als een dikke korst over bijna het hele strijdtoneel lag, of de onverwachte aanblik van een arm of een been die uit een raam van een huis bungelde of tegen de stam van een boom aan hing...'

Freddie knipoogde naar Kannan en zei zonder woorden: 'Ik heb gewonnen!'

'Nee, niets van dat alles,' vervolgde de majoor. 'Bijna dertig jaar na mijn eerste gevecht is de geur van de dooie koeien mij nog het meest bijgebleven. Wij vochten in een gebied van grote melkveehouderijen en er lagen opgezwollen rottende beesten overal in het rond. En de stank... die trok als een koorts door je lichaam. Sommige mannen lachten er eerst om en prikten wat met hun bajonet in de opgezette buik van zo'n dood beest, maar de geur die ervan af kwam was zo doordringend en intens, dat ze daar gauw mee ophielden. En...'

Maar de majoor had geen tijd om zijn verhaal af te maken, omdat juist op dat moment Helen binnenkwam. Freddie riep haar en zei: 'Hierheen, Helen. Ik kan niet hebben dat de mooiste vrouw van het district door iemand anders zomaar helemaal in beslag wordt genomen'.

Hij was de enige die Mrs. Stevenson durfde te overbluffen. Als een van de weinige overgebleven jonge Engelsen was hij voor de plantersgemeenschap een voortdurende herinnering aan de charme en jeugdigheid van hun soort, een talisman die hen allemaal overeind hield. Hij was vooral geliefd bij de vrouwen en dat stond er vrijwel borg voor dat hij kon doen wat hij wilde. Ze namen zijn schelmenstreken en geflirt voor zoete koek. Maar Freddie wist tot hoever hij kon gaan. Hij legde zich daar gelijkmoedig bij neer, zoals bij de meeste dingen, want hij was een ongecompliceerde, energieke vent die van het buitenleven hield.

Patrick Gordon, aan wie zowel Freddie als Kannan een hekel had, zei met een zwaar accent dat Kannan heel moeilijk kon verstaan: 'Die Jappen in Birma zijn zeker zorgelijk. Kunnen India zo onder de voet lopen, als we niet uitkijken. Net zoals ze dat met Singapore en Rangoon en Mandalay hebben gedaan.'

'Ach, over die gele mannetjes zou ik me maar niet druk maken. Een zo'n Tommy van ons kan er wel tien van hen aan!' zei Stevenson vol zelfvertrouwen. 'Het is niks anders dan strategie.'

Freddie zei lachend: 'Ze zijn klein, hebben spleetogen, zijn zo goed als geel, maar stuk voor stuk zijn het de beste vechtjassen in het Britse leger... Ra, ra wie zijn dat?... De Gurkha's natuurlijk,' zei hij toen er geen antwoord kwam.

'Beter dan de Black Watch... of de Highlanders?' zei Gordon langzaam terwijl hij bedachtzaam over zijn kin wreef. Hij was traag in alles wat hij zei of deed en kon verschrikkelijk irritant zijn.

Freddie kwam ertussen: 'Met alle respect, sir, mogen we daar een andere keer over redetwisten. We hebben een mooie jongedame in ons midden en, grote goden, we moeten voor haar een beetje onderhoudend zijn. Kent iemand de grap over de Gurkha en de mof al?'

Zonder op antwoord van zijn gehoor te wachten stak Freddie van wal. 'Nou, die Gurkha en een grote onbehouwen Duitse sergeant kwamen elkaar op een slagveld in Frankrijk tegen, laten we zeggen in Reims. Ze hadden al hun munitie al verschoten. De Duitser had over die kleine soldaatjes en over hun bedrevenheid met de vlijmscherpe *khukri's* al van alles gehoord, dus kwam hij voorzichtig op hem af met zijn geweer en bajonet ver voor zich uit gestoken. De Gurkha viel het eerst aan, toen hij plotseling onder de dekking van de Duitser door dook terwijl hij zijn khukri door de lucht liet fluiten...'

Freddie zweeg even en keek zijn toehoorders aan. Eigenaardig hoe in lamplicht ogen van allerlei kleurschakeringen kunnen glinsteren als stukjes geslepen glas, dacht hij. Het geeft je het gevoel of je tegen een zootje opgezette beesten staat te praten. Maar hij had ieders aandacht, want het verhaal was nieuw. 'Een ogenblik gebeurde er niets. De Duitser stond bijna te schuddebuiken van het lachen. "Je hebt me gemist, mannetje, mijn hoofd zit nog op mijn schouders en nu ga jij eraan." "Helemaal niet, jij groot, wit zwijn," zei de Gurkha. "Als ik jou was zou ik mijn hoofd maar niet te gauw bewegen."'

Iedereen lachte en zelfs bij Helen kon er een lachje af. Alleen Gordon keek een beetje onzeker.

'Ja, sir, de khukri's van de Gurkha's staan erom bekend dat ze zo scherp zijn en zo glad snijden dat het slachtoffer het niet eens voelt als zijn hoofd los op zijn nek staat.'

82

Het rinkelen van een zilveren bel kondigde het diner aan. De eetkamer zag er schitterend uit. Een kunstig bewerkt tafelkleed met kant en borduurwerk lag over de teakhouten eettafel, kristal flonkerde naast elk bord, en een bediende met tulband stond achter iedere stoel. Majoor Stevenson keek met voldoening naar het tafereel. Matilde was geweldig, dacht hij; de gouverneur, ja, zelfs de onderkoning zou grote moeite hebben er zoiets moois van te maken, vooral in deze moeilijke jaren.

Kannan zag het niet helemaal zoals de majoor ertegenaan keek. De voorname tafel met zijn bloemen en smetteloze tafellinnen, het netjes gerangschikte glimmend gepoetste zilver en het flonkerende kristal vervulde hem met angst. Zelfs zijn maandenlange oefening konden hier schipbreuk lijden, besefte hij. Hij schoof heimelijk naast zijn vrouw en vroeg fluisterend: 'Gaat het goed?'

'Jawel,' fluisterde ze terug, maar het was duidelijk niet zo. De aandacht van Mrs. Stevenson zou haar in elk geval tijdens de maaltijd bespaard blijven, bedacht hij. Op een teken van hun gastvrouw werd de soep opgediend.

Een dergelijk uitgebreide maaltijd was ongebruikelijk in oorlogstijd, al was het maar uit een soort schuldgevoel. Hoewel de schappen van Spencer eigenlijk leeg waren en de catalogi van de Army & Navy Stores en Harrods uit Londen op zich lieten wachten, merkten de planters niet echt veel van de schaarste, niet evenveel als anderen. Ze verbouwden hun eigen groenten, ze konden aan genoeg wild komen, en sterkedrank was nog steeds in overvloed te krijgen. Toch was een ouderwets zes- of zevengangendiner, op dezelfde leest geschoeid als de grote feesten uit de jaren twintig en dertig, zeldzaam.

Maar in Mrs. Stevensons gedachtegang was het allemaal keurig voor elkaar. Haar feestje zou in het hele district het onderwerp van gesprek zijn en zelfs Edward kon haar geen verwijten maken als zo hier en daar een paar gasten zich wat ontrief voelden door de schikking van messen en vorken en lepels. Ze was er zich goed van bewust dat ze er behoorlijk plezier in had.

Dat had Kannan niet bepaald. Hij deed erg zijn best zijn soep vaardig naar binnen te werken, maar zijn lepel rinkelde luid tegen het Royal Doulton van zijn gastvrouw en hij kon niet anders dan slurpend zijn tomatensoep verorberen, hoe hard hij het ook probeerde. Helen deed het beter dan hij.

Vervolgens was er gebakken forel, met daarbij nieuwe met peterselie besprenkelde aardappeltjes en groene boontjes. Toen de maaltijd verder zonder incidenten verliep, begon Kannan zich wat te ontspannen. De vis werd gevolgd door een entree van kalfsvlees en olijven, waar overdadig geglaceerde eend achteraan kwam, bruin en glanzend in zijn laagje Calvados en honing, met rijst erbij en worstjes in een nestje van rode kool. Toen kletterde er iets over de tafel en hij zag Helens stukje eend van haar bord vliegen en op het kleed belanden. Majoor Stevenson schoot haar snel te hulp, maar Helens gezicht ging steeds strakker staan. Een ogenblik voelde Kannan slechts pure afkeer voor Mrs. Stevenson en toen hield hij zich streng voor dat als zij ooit de dingen op de Engelse manier wilden doen, dit er allemaal bij hoorde en ze maar moesten leren ertegen te kunnen. Eend werd door pudding gevolgd, een enorme custardpudding die in zijn schaal lilde en bibberde, een en al bruin en goud en ivoorwit. Na het zoete kwam het hartige: een koude paté van herten-vlees op toast. De bedienden waren allemaal druk in de weer, de schalen kwa-men en gingen als bij toverslag en het onbehagen dat Kannan aan het begin van de maaltijd gevoeld had, had nu plaatsgemaakt voor een groeiend gevoel van vermoeidheid en op het laatst een overweldigend verlangen om naar huis te kunnen. Hun beproeving eindigde met de komst van de door majoor Ste-venson ijverig aangelegde voorraad Madeira-port en Trichinopoly-sigaren. Mrs. Stevenson stond van tafel op net als de andere dames, en de mannen leun-den lekker achterover om van hun sigaartje te genieten.

Een uurtje later was iedereen onderweg naar huis en de Stevensons maakten zich gereed om naar bed te gaan. Toen hij zich uitkleedde, zei majoor Steven-son vergenoegd en een beetje dronken: 'Dat was een heel mooie avond, lieve-ling. En de Dorais brachten het er best goed van af, vind je niet?' Voor zijn waarderend geestesoog zweefde nog even het beeld van Helen, mooi en jong, met een licht blosje op haar gezicht van de drank en van de gloed van de kaar-sen, terwijl ze lachte om iets geestigs wat hij gezegd had.

'Ja, het ging wel goed,' zei Mrs. Stevenson terwijl ze zich uit haar lange avondjapon worstelde. Helen speelde in haar overwegingen ook een rol. Alleen verkeerde ze deze keer in hevige verwarring omdat ze per ongeluk een van Mrs. Stevensons tere fruitschalen gebroken had. De butler had voor de bruine kristallen schalen waarin het fruit lag opgetast, een fonkelende tiara van ge-sponnen rietsuiker gemaakt. Toen ze haar hand had uitgestoken voor een peer, had Helen de suikerboog van zijn plaats verschoven. In een poging die te red-den, had ze de fruitschaal tegen de vloer geslagen. Verontschuldigingen, ver-warring, en de dieprode kleur van schaamte die zich had verspreid over het gezicht van haar gast – het had haar goedgedaan dat te aanschouwen. Het spookbeeld van een onherstelbaar bedorven India, dat de komst van de Dorais in het gedachteleven van Mrs. Stevenson had opgeroepen, was teruggeweken – voorlopig. 'Werkelijk een heel goede avond,' zei Mrs. Stevenson nog eens en de majoor vroeg zich af of hem iets was ontgaan.

83

Lily's bezoek aan Pulimed ging nog bijna niet door. Haar komst was amper twee weken na het debacle bij de Stevensons gepland en Kannan speelde met de gedachte haar te vragen de tocht uit te stellen. Hij wist niet of Helen er wel tegen opgewassen zou zijn. Maar ten slotte besloot hij dat het toch goed voor haar zou zijn om een paar weken gezelschap te hebben, vooral van een zorgzaam iemand als zijn moeder.

In de weken voorafgaand aan Lily's vertrek werden er allerlei zoete en hartige hapjes bereid in de gewelfde keukenruimten van Neelam Illum – murukku, oompudi, athirasam, munthirikothu, halva en thenkuzhal – en in doosjes gestopt. Drie metalen hutkoffers bevatten vele meters glanzende zijden stoffen. Ze ging ervan uit dat het huis van meubels voorzien zou zijn, dus liet ze de traditionele geschenken als potten en pannen en meubelstukken achterwege, maar ze nam wel twee zakken nieuwe rijst mee en twee grote potten mangopickle. Kannan had haar gevraagd ook wat wollen kledingstukken in te pakken want het kon heel koud zijn, dus werd er een koffer bestemd voor truien die waren geleend van een neef uit Ooty die zijn intrek in Doraipuram had genomen. Toen ze klaar was had ze zevenentwintig stuks bagage, die Ramdoss kon reduceren tot achttien, inclusief een kistje met potjes Dr. Dorais Maanblanke Thylam (Helen was heel licht, maar je kon nooit licht genoeg zijn) en andere zalfjes. Er waren wat familiejuwelen bij die altijd werden doorgegeven, gouden oorringen en kettingen; en ze had bij een van de beste juweliers in Meenakshikoil een thali laten maken voor de bruid van haar zoon. Ten slotte was alles twee dagen voor haar vertrek, klaar. Op de laatste avond thuis, ging ze even bij Daniel langs. 'Thirumoolar zal vast heel blij zijn met zijn mangopickle,' mompelde hij.

Van opwinding kon ze die nacht nauwelijks slapen en ze was al doodmoe toen ze de volgende ochtend in de Chevrolet stapte. De chauffeur en zijn helpers slaagden er op de een of andere manier in vijftien stuks bagage naar binnen te wurmen (twee dozen lekkers en een zak rijst werden achtergelaten) plus zes mensen. Behalve Lily en de chauffeur gingen er ook nog een echtpaar van middelbare leeftijd mee, dat Ramdoss had aangesteld als haar reisgezelschap tot aan Pulimed, en twee jongens om op het station met de bagage te helpen.

Ondanks het gedrang en de ontberingen van de reis lukte het Lily wat te slapen in de auto en de trein. In Madura loosde de groep de twee jongens met vier stukken bagage. De rest kon op de een of andere manier in de Humber, die

Michael voor die dag aan Kannan had uitgeleend. Toen ze zich opgefrist en gegeten hadden, reden ze weg, een pot pickle stevig tussen Lily's knieën geklemd. Haar reisgezellen, die niet gewend waren aan die slingers en bochten in de smalle weg over een bergpas, hadden een beetje last van wagenziekte, dus was Lily, die hun wat zuurtjes had gegeven om op te sabbelen, op zichzelf aangewezen. Bij iedere mijl die ze aflegden, terwijl de lucht steeds killer werd en de wereld in beboste bergrichels langs de weg voorbij zwenkte, groeide haar opwinding. Michaels chauffeur had hen gewaarschuwd dat ze wilde olifanten konden tegenkomen, een altijd aanwezig gevaar op een bergpas, maar het enige wild dat ze zagen waren een paar doezelende slankapen die languit in een boom hingen, als exotische donkere vruchten.

Hoger en almaar hoger gingen ze en de huizen en bomen van de laagvlakte verdwenen uit het gezicht. Ze reden een donkere vochtige tunnel in waar enorme woudreuzen elkaar boven hun hoofd raakten. Van de bladeren droop water dat donkere plekken op de weg maakte. De chauffeur deed de koplampen aan en ze reden met overdreven behoedzaamheid verder. Uit de duisternis kwam de roep van een eenzame vogel. Zijn gezang, vloeiend en zoet, zette een radertje in Lily's gedachten in beweging en in een flits was ze terug op de plantages van haar kinderjaren. Die heuvels in Ceylon waren anders dan deze rafelige hellingen, daar hadden ze prettige rondingen met wollige contouren van pijnbomen en theestruiken, hier en daar doorschoten met Engelse landhuizen, waarvan het opvallendste de Hill Club was, waar ze natuurlijk geen toegang toe had. En toch was er iets wat alles hier daarmee verbond – de kou, de vochtigheid, en toen ze eenmaal de in cultuur gebrachte streek bereikt hadden, ook nog de geur van de thee. Er was in Pulimed eveneens een club, wist ze uit de brieven van Kannan en ze kon nog niet helemaal geloven dat ze weldra deel zou uitmaken van een wereld die ze slechts vanuit de verte in een glimp gezien en begerenswaardig gevonden had.

Nog hoger, en toen lieten zich de eerste mistflarden van de dag zien die de bomen langs de weg eeuwen ouder maakten. Een uur of twee zou dit zo doorgaan en dan naderden ze het einde van hun tocht. Haar reisgezelschap was in slaap gevallen en Lily was nu met haar gedachten bij Helen, en of ze het wel zouden kunnen vinden samen. Ze had op de bruiloft maar heel weinig tijd met haar doorgebracht en vroeg zich af hoe ze de afstand naar haar mooie schoondochter moest overbruggen. Ze zou haar vertrouwen moeten winnen, de pijn vanwege Daniels afwijzing moeten verdoezelen, haar laten zien hoe ze haar man kon behagen en haar huwelijksleven inrichten. Met andere woorden, ze zou het goede soort schoonmoeder moeten zijn. Terwijl de auto Morningfall tegemoet reed, dacht ze eraan, zoals zo vaak in de afgelopen weken, hoe buitengewoon goed haar eigen schoonmoeder die rol vervuld had. De omstandigheden waren wat anders, maar ze zou het vast ook wel klaarspelen. Eerst moest ze een idee krijgen van Helens wereld. Die had er zo heel anders uitgezien dan haar eigen wereld. Hoe dan ook, er zouden zeker punten van overeenkomst zijn, en zij moest uitvinden welke.

Maar dat zou niet gebeuren. De tirannie van de verdrukten is veel te machtig om te zwichten voor enkel goedwillendheid. Helen was tot twee keer toe diep gekrenkt. De eerste keer door Daniel en daarna door de gemeenschap van Pulimed. En ze zat te diep in de put van haar eigen pijn om zich er zelf bovenuit te kunnen werken. Ook als Helen wel in staat was geweest het gevoel dat haar onrecht was aangedaan te negeren, waren Lily en zij te verschillend om zelfs maar de schijn op te houden dat ze het onderling goed konden vinden. Om te beginnen hadden ze de taal niet gemeenschappelijk – het Tamil van Helen was net zo slecht als het Engels van Lily.

De moeilijkheden begonnen zodra Lily aankwam en Helen haar neus optrok voor de geschenken die haar schoonmoeder had meegenomen. 'Is je moeder nou helemaal gek geworden?' gaf ze Kannan de wind van voren op de avond dat Lily was aangekomen. 'Om van mij te verwachten dat ik die lelijke sari's en juwelen ga dragen? En al dat vreselijke lekkers. Dat moet ik niet. Geef het maar aan de bedienden als je wilt.' Kannan was razend geworden over haar minachting en ze hadden de hele nacht ruzie gemaakt zonder dat een van beiden een poging gedaan had het weer goed te maken. Er waren meer punten van wrijving. Lily had voorzichtig haar bezwaar geopperd tegen het feit dat Helen Kannan bij zijn voornaam noemde, en dat had Helen weer doen ontploffen. Twee dagen later kwam Helen erachter dat Lily de bedienden had geleerd voor Kannan het eten te koken dat hij thuis zo lekker had gevonden en ze had haar schoonmoeder boos een uitbrander gegeven.

Lily vocht niet terug. Het zou de dingen voor haar zoon alleen maar moeilijker maken. Na de eerste paar dagen trok ze zich terug in haar kamer. Ze wilde dat ze haar reisgezelschap niet had teruggestuurd naar huis, dan zou ze tenminste nog met iemand hebben kunnen praten. Ze at in haar kamer en liet zich in de watten leggen door de Tamilbedienden van het laagland, die heimwee hadden en stiekem haar lievelingspotjes kookten. Maar ter wille van Kannan hield ze zich flink. Alle goede raadgevingen die ze al die weken steeds maar weer bij zichzelf had herhaald, bleven ongezegd. Ze zouden toch niet begrepen worden. Misschien was het maar beter dat haar zoon zijn vrouw naar de plantages had meegenomen, bedacht ze. Hoe zou Helen ooit in Doraipuram hebben kunnen aarden en zich de traditionele rol van schoondochter aanmeten?

Kannan, van zijn kant, betreurde de dag dat hij zijn overweging om het bezoek van zijn moeder uit te stellen genegeerd had, en hij voelde zich beschaamd als hij dit dacht, want hij wist hoezeer zijn moeder naar deze vakantie had uitgekeken. Op zulke momenten haatte hij Helen die de dingen zo ver had laten komen. Hij had zich zelfs geschaamd over de zakjes lekkers en de potjes met pickle waar Lily mee was komen aanzetten. Hoe was het mogelijk dat hij er zulke gedachten op nahield? Maar hij had ze, en ze bleven komen, hoewel hij zichzelf erom hekelde en de afkeer van zijn vrouw en van zijn eigen zwakheid groeide. Op andere momenten deed hij zijn best de dingen vanuit Helens standpunt te bezien. Zij was eronderdoor gegaan. Het was niet goed dat ze zoveel had moeten slikken. Maar dit was van korte duur en dan werd hij weer boos op haar.

Een paar dagen probeerde hij vrede te stichten, maar het was een onmogelijke situatie. Hij werd prikkelbaar. Ten slotte maakte hij er een gewoonte van vroeg het huis uit te gaan en zo laat mogelijk terug te komen, in zijn diepe verlangen zo weinig mogelijk van de strijdende partijen te hoeven merken. Als hij toch thuis moest zijn, verdeelde hij zijn tijd tussen zijn vrouw en zijn moeder, want Helen weigerde in dezelfde kamer te zitten als haar schoonmoeder, laat staan met haar te praten. Ze verlangden alledrie wanhopig naar het einde van het bezoek.

Lily was nooit op de Club geweest. Kannan bood aan haar daar naartoe mee te nemen, maar ze weigerde dat zeer nadrukkelijk. Het enig wat ze wilde was teruggaan naar haar eigen huis, en naar haar ziekelijke echtgenoot. Ze had haar uiterste best gedaan; er was niets wat ze nog kon doen. Haar zoon zou zijn eigen leven zo goed mogelijk zelf moeten inkleden. Als ze vroeger dan gepland was had kunnen vertrekken, had ze het gedaan, maar het zou te veel moeilijkheden geven en Lily vond dat ze niet nog meer tot last mocht zijn.

De dag dat ze wegging, kwam Helen niet eens naar de deur om haar uit te zwaaien. Kannan omhelsde zijn moeder en voelde zich schuldig in zijn genegenheid voor haar. Maar Lily had daar geen last meer van. Ze beweerde dat ze een fijne tijd had gehad. Ze drukte de bedienden kleine giften in de handen. Toen ze bij Manickam kwam, nam de butler zijn cadeautje in ontvangst, vouwde zijn handen in een namakaram en zei welgemeend: 'Amma, alle bedienden willen u bedanken voor de heerlijke mangopickle.' De woorden vervulden haar met diepe droefheid.

84

Iedere keer als hij recente informatie over de militaire operatie in Birma ontvangen had, kleurde Michael Fraser het in op de grote kaart van India in zijn studeerkamer, waar rood het noordoostelijke grensgebied aangaf. Vanmorgen kwam er bericht van zware gevechten, en hij bleef lange tijd naar de landkaart staren. De fijne kruisarcering die het betwiste gebied voorstelde, vervloeide in zijn verbeelding tot een dichte groene rimboe waar het stikte van de bloedzuigers en moordzuchtige sluipschutters. Hij vroeg zich af hoe Joe Wilson het er af zou brengen. Hij zou die Jappen vast wel van katoen geven. Joe had nog nooit in een gevecht bakzeil gehaald. Waren er maar meer zoals hij, dacht Michael, terwijl hij bezorgd de plas rood die de opmars van de vijand markeerde, verder zag uitlopen; als wij die Jappen niet gauw tegenhouden, komen we in grote moeilijkheden. Het frustreerde hem enorm dat hij niet aan het front kon dienen. Er was niets zo erg als hier maar zitten en naar de berichten van Britse nederlagen luisteren zonder dat je er iets aan doen kon. Te jong om in de Grote Oorlog mee te vechten en te oud om in deze oorlog een geweer te schouderen! Maar gezien de snelheid waarmee de Japanners door Azië joegen, was naar het front gaan niet eens nodig; het front zou wel naar hem toe komen.

Tegen maart 1944 waren er al uitlopers van de militaire operatie in Birma tot in India. Het leger van Birma, een samenraapsel van Britse, Indische, Birmaanse, Chinese en Amerikaanse strijdkrachten hadden de ene nederlaag na de andere geleden tegen de Japanners. Rangoon was gevallen, evenals Manday, en nu bedreigde de vijand Imphal, Kohima en Dimapur. Als die steden ook werden ingenomen zou het land kwetsbaar zijn voor de binnenvallende vijand, en zou ook China worden bedreigd. Het was een oorlog die de Britten niet mochten verliezen, want ze waren niet zeker van de steun van het merendeel der Indiase bevolking, mochten de Japanners in een doorbraak slagen. De leiding van de congrespartij bleef koppig vasthouden aan de eis van onafhankelijkheid voor India als voorwaarde voor samenwerking, en de Japanners lieten al vage geluiden horen over een grootaziatische beweging voor gezamenlijke welvaart, een bondgenootschap van Aziaten tegenover de blanken. Bovendien hadden de Japanners al een van de meest charismatische nationalistische leiders, Subbhas Chandra Bose, aan hun kant gekregen, dus je kon op je vingers natellen hoe het dubbeltje zou vallen als de Britten in Kohima en Imphal klop kregen.

Als het al een oorlog was die de Britten niet mochten verliezen, dan was het net zo goed een oorlog die de Japanners moesten winnen. De Russen hadden de Duitsers uit Stalingrad verdreven, de Amerikanen hadden de Japanse vloot in de zuidwestelijke Stille Zuidzee platgebombardeerd, de geallieerden wierpen een bommentapijt over het industriële hart van Duitsland en op grote schaal trokken zich al strijdkrachten samen om Frankrijk te heroveren en naar het hol van de leeuw op te rukken, waar zich het handjevol moorddadige kerels schuilhield. Nu hun aanvoerlinies onder spanning stonden, moesten de Japanners de genadeslag die India kwetsbaar zou maken, snel toebrengen.

Ze twijfelden er niet aan of dat zou ook gebeuren, want hadden ze de Britten niet in de pan gehakt in Singapore en overal elders waar ze in Birma slag hadden geleverd? Zij waren gewoon de beste strijders in de rimboe, hun vliegtuigen beheersten het luchtruim, en hun krijgstactiek was tot dusver superieur gebleken aan die van hun tegenstanders. En zo kwam het op de vlakte van Imphal tot een treffen tussen de legers en hing de toekomst van India aan een zijden draad.

Aan de felheid van de strijd waren de cruciale implicaties van een overwinning af te lezen. En van een nederlaag. Beide partijen gingen tot het uiterste qua moed, vindingrijkheid en onversaagdheid. De Japanners sneden meer dan eens de watertoevoer voor een belegerd garnizoen af, en de reactie van de Britten was dan dat ze voor hun dorstige manschappen met water gevulde binnenbanden van auto's lieten droppen door vliegtuigen. De Britten betrokken posities alleen maar om er horden en nog eens horden van Japanse soldaten over uit te laten zwermen, zonder te letten op de prijs in termen van manschappen en materieel. De Britse strijdkrachten werden waarschijnlijk beter aangevoerd, want de Japanse generaal, majoor generaal Sato, had de reputatie een flegmatieke fantasieloze krijgsheer te zijn die vond dat bevelen er waren om te worden uitgevoerd en die weinig oog had voor strategie of gezond verstand. Als generaal Sato een bepaalde manoeuvre kreeg opgedragen, zou hij die uitvoeren tot aan de dood van de laatste soldaat onder zijn bevel. De Britten, uit op elk voordeeltje, hoe klein ook, waren dankbaar dat ze het tegen hem moesten opnemen. Maar zijn strijdkrachten waren fel, moedig, goed uitgerust en lange tijd indrukwekkend superieur aan het leger dat hen van zich af moest slaan.

De rest van de wereld heeft misschien weinig belangstelling gehad voor de oorlog in Birma, maar voor de Brit die niet meestreed in India was het de enige oorlog die erop aankwam. Ze hadden de overwinningen in El Alamein en Monte Cassino met gejuich begroet, ze hadden een enthousiaste dronk uitgebracht op het lef van de blokkadebrekers bij Malta, ze hadden de ondergang van de Bismarck, de Tirpitz en de Graf Spee uitbundig gevierd, maar ze hadden de oorlog bij hen op de stoep nooit uit het oog verloren.

De planters uit Pulimed waren net zo bezorgd als iedere andere blanke in het land. Er waren geen vliegtuigen die over het rustige heuvelland vlogen. Het leven kabbelde net zo kalmpjes voort als altijd. Maar naarmate de oorlog dichterbij kwam, sloop er iets van zenuwachtige gespannenheid in hun doen en laten. De planters haalden geweren en karabijnen uit hun kasten en geheime bergruimtes te voorschijn en ze hielden ze dicht bij de hand, bijna alsof ze verwachtten dat er een zwerm Japanners uit hun theestruiken zou opfladderen. Ze hadden maar heel weinig aandacht voor de onafhankelijkheidsbeweging in India.

Een van de felste gevechten om Kohima vond plaats in de tuin van de bungalow van de districtscommissaris. Ooit een charmante residentie, was de bungalow met uitzicht op de strategisch gelegen kruispunten van wegen nu een zwartgeblakerde ruïne. De twee vijandige legers hadden zich ingegraven in bunkers ter weerszijden van de tennisbaan onder aan de tuin van de commissaris. Hurricanes en Vengeances ronkten en duikelden daarboven in de lucht, tanks woelden de grond van de karrensporen om die moesten leiden naar het terrein van de strijd, maar de gevechten in de tuin van de districtscommissaris werden van man tegen man gevoerd. Geen van beide partijen gaf zich gewonnen omdat het bezit van de bungalow en de tennisbaan een symbolische betekenis had gekregen. Op de avond van 29 april lanceerden de Japanners een wanhopige laatste aanval om het terrein schoon te vegen van Britse strijdkrachten. Joe Wilson, pelotonscommandant (van de 6de brigade in de 2de Britse divisie), had net een granaat gekeild naar de oprukkende Japanners toen hij door een kogel in de borst werd getroffen. Hij werd overgebracht naar een haastig ingericht veldhospitaal, waar hij drie uur later stierf.

85

De kerk van Pulimed, waar de rouwdienst voor Joe Wilson werd gehouden, was stampvol. Dominee Ayrton, betrokkener dan iemand hem ooit had gezien, was zelfs buiten de bijbel getreden voor de hoofdgedachte van zijn preek, en had die gevonden in een observatie van Petrarca, dat een goede dood een heel leven tot eer strekt. Hij had het over de liefde en achting waarmee de dappere jonge man in hun gedachten voortleefde, hij sprak over het verlies voor de gemeenschap en hij weidde uit over de goede naam die Joe Pulimed bezorgd had. In een van de voorste banken schokten de schouders van Mrs. Stevenson stilletjes van het snikken.

Na de dienst zwermde de gemeente uit over het ruime terrein. De dames van de kerkelijke commissie hadden voor thee en biscuittjes gezorgd en deelden die uit onder de schaduw van een indrukwekkende cipres. Het was een heldere, stralende morgen. Het was een dag die duidelijk in het teken had moeten staan van gelach en vrolijke klanken, waarop de schoonheid en vitaliteit van het leven had moeten worden bezongen. Maar de stemming van de gemeente was ontroostbaar.

Kannan haalde thee voor Helen en zichzelf en liep naar het kleine groepje mensen bij wie ze stond: de Frasers, Driscoll en een planter die voor de dienst uit Peermade was overgekomen. Ze stonden in de schaduw van een laat bloeiende spathodea, waarvan de karmozijnrode bloemen over de grond verspreid lagen. Het gesprek ging eigenlijk nergens over; er was niet veel dat ook maar iemand scheen te willen zeggen. Het enige waar ze behoefte aan hadden was alleen te worden gelaten met hun herinneringen aan Joe Wilson. Kannan bedacht dat hij de man graag gekend had. Hij moest wel heel bijzonder zijn geweest dat dit zo veel mensen aangreep. Belinda snoot haar neus in haar zakdoekje, rode randen om haar ogen. Joe was haar bridgepartner geweest en een intieme vriend. Het geluid leek hen uit hun stilte te ontzetten.

'Hij had mij een Japanse bajonet als souvenir beloofd,' zei Driscoll.

'O, Joe was onverbeterlijk. Hij beloofde er een aan iedere planter in Travancore en hij zou ze nog hebben meegebracht ook,' zei de planter uit Peermade.

'Waar is Freddie? Die twee waren toch dikke vrienden?'

'Tja,' antwoordde Michael, 'die arme jongen ligt met malaria op bed. Ik moet er niet aan denken wat die nu door moet maken.'

'Weet je nog van die keer dat Joe tijdens de cholera-epidemie medicijnen ging uitdelen op het koelieterrein? Hij maakte ons beschaamd dat hij daar ging helpen,' zei Belinda. Het was de eerste keer dat ze sprak sinds ze uit de kerk waren.

'Ja, een blankere Engelsman dan hij heeft dit district nooit gekend,' zei haar echtgenoot op sombere toon.

Helen zei niets en Kannan vroeg zich af waar ze aan dacht. Sinds het bezoek van Lily was haar ellendige gevoel alleen maar toegenomen. Haar gevit op zijn moeder was evenwel maar een deel van het probleem en naarmate de tijd voortschreed ook een deel dat steeds kleiner werd. Hoewel zonder woorden, was de boodschap die Mrs. Stevenson te verstaan had gegeven aangaande de manier waarop men haar behandelen zou, ongelofelijk snel tot in alle hoeken van Pulimed en de omliggende plantages doorgedrongen. De enige keer dat ze kortgeleden op de club waren geweest, was Helen expres onopgemerkt gebleven en door alle vrouwen genegeerd, behalve door Belinda, en toen ze thuiskwamen had ze van pure vernedering en de hopeloosheid van alles gehuild. Kannan had haar nooit eerder zien huilen. Van toen af had ze steeds een excuus gezocht om maar niet met hem mee te hoeven naar de club en naar feestjes bij andere planters thuis. Dat was niet zo best voor zijn carrière, wist hij, de planter en zijn vrouw werden geacht gezamenlijk en enthousiast mee te doen aan het sociale leven van de gemeenschap. Maar hij begreep haar gekwetstheid en deed zijn best haar alibi's te geven. Anderen probeerden ook te helpen, Freddie, de Frasers, en geleidelijk aan bereikten ze een wankel evenwicht. Helen begon zich zelfs zo nu en dan weer buiten de deur te wagen. Hij hoopte dat ze zich op deze bijeenkomst niet al te erg buitengesloten zou voelen.

Overal werden op gedempte toon verhalen opgehaald over de jonge planter – Joe met zijn Golden Flash, die na een botsing met een wild zwijn een steile door de regen zacht geworden helling op racet om achter het beest aan te gaan, terwijl het in die aangereden toestand buitengewoon gevaarlijk is. Joe, die onvervaard ratelslangen en cobra's bij hun staart pakt als ze hun nest in willen schieten, en ze boven zijn hoofd in de rondte draait en als een zweep laat knallen zodat hun ruggengraat ontzet wordt. Joe's geweldige techniek met tennis. Joe's voortreffelijke planterskwaliteiten. Het was of ze door hem goed voor de geest te halen de akelige toekomst die met de dood van hun succesvolle held was ingeluid, op een afstand konden houden.

'Wat een zinloze tijdverspilling is die hele militaire operatie in Birma aan het worden,' zei Michael Fraser met overtuiging. 'De beste en intelligentste kerels van Engeland met duizenden tegelijk opgeofferd aan een stompzinnige oorlog die niets oplevert.'

'We willen toch niet dat de Japanners India krijgen, sir,' zei Driscoll.

'Nou, waarom niet, denk je soms dat die slechter zijn dan wij? En wie zijn wij dat we hun het recht erop zomaar ontzeggen? Hebben wij ons niet een imperium verworven om precies dezelfde redenen waardoor de malloot die deze oorlog begonnen is zich geroepen voelde...'

De openlijke zielensmart van een stille man, iemand die zich altijd alleen maar met zijn eigen zaakjes heeft beziggehouden, is zowel verontrustend als vreemd fascinerend. Belinda legde een hand op de arm van haar man.

'Als je erover nadenkt is dat allemaal begonnen omdat dat rottige mannetje Hitler net als wij wilde zijn. Wat die sufferd niet bedacht heeft, is dat het tijdperk van de imperia voorbij is. Ik kan er razend om worden dat een prachtkerel als Joe de dood moet vinden in een hels gat dat Kohima heet, voor een denkbeeld dat gewoon niets meer om het lijf heeft.'

Hij keek ze allemaal strak in de ogen alsof hij hen wilde uitdagen hem te tarten. Niemand zei iets; de uitbarsting had hen overrompeld. Op het laatst zei de planter uit Peermade: 'Maar sir, Kohima vormt gewoon onderdeel van de oorlog in het groot. Wilt u hiermee zeggen dat we de moffen maar gewoon over ons allemaal heen moeten laten lopen?'

'Dat bepaald niet, we horen zeker onze buren te hulp te komen en Groot-Brittannië tot de laatste man te verdedigen. Ik heb alleen iets tegen die rol van waakhond over de wereld.'

'Dat is onze plicht, sir. Wij houden een kwart van de wereld in handen.'

'Maar willen zij wel dat wij over hen waken, of ze nu in onze handen zijn of niet? Denk je dat Joe's offer hier ook maar enige betekenis heeft, behalve voor mensen zoals wij? De grote meerderheid van de Indiërs zou liever vrij zijn. Wat voor verschil maakt het voor hen of de koloniale overheerser Brits, Duits of Japans is? Sorry, Cannon. Ik roer hier alleen maar een algemene kwestie aan...'

Alle inzichten die Michael misschien nog had willen delen werden overstemd door getinkel van een theelepeltje tegen een schoteltje en de diepe bariton van dominee Ayrton. Toen hij zich van hun aandacht verzekerd had, kondigde hij aan dat de jaarlijkse tennisweek die over vier dagen zou starten, van nu af aan Joe zou gedenken. De Stevensons hadden twee trofeeën geschonken, een voor de heren en een voor de dames, die allebei de Joe Wilson Cup genoemd zouden worden. Bijzonderheden over het toernooi zouden op het prikbord van de Pulimed Club verschijnen.

86

Freddie Hamilton lag te schudden van de koorts en hij kreunde. Het was meer dan twee jaar geleden dat hij malaria had opgelopen, maar iedere keer als het sidderen en schudden van zo'n aanval opnieuw begon, had hij het gevoel het voor de eerste keer mee te maken: de koude rilling die tot diep in zijn vitale delen doorwoekerde en zijn krachten totaal ondermijnde, de zwakheid die zelfs een gang naar het toilet tot een bezoeking maakte. In zulke perioden kon hij niet anders dan de hemel danken voor zijn butler, Kumaran. De schelm nam elke kans waar hem *chakrams* en los geld te ontfutselen, maar hij verzorgde hem als een baby wanneer hij door de koorts geveld was. Kumaran kwam net op dat moment met een handjevol kininetabletten de kamer binnen en Freddie beduidde hem dat hij naar het toilet wilde. De butler hielp hem uit bed en ondersteunde hem op zijn gang door de kamer. Freddie bleef tegen de deurpost aan hangen en probeerde niet in elkaar te zakken. 'Dank je, Kumaran, ik zal je roepen als ik klaar ben.' De butler schuifelde weg en Freddie haalde het op de een of andere manier tot het toilet. Maar die avond zou hij wel weer in orde zijn, dacht hij. Het was verbazend hoe spectaculair je van malaria weer herstelde – als je eenmaal je medicijn had ingenomen. Freddie had dikwijls gevonden dat die planters van het eerste uur gek waren geweest om plantages in de malariagordel te vestigen. Als hij planter was geweest voor de komst van de kinine, zou hij zich met een jachtgeweer al lang om zeep geholpen hebben.

Terug in bed moest hij weer aan Joe Wilson denken, als steeds, sinds Michael Fraser hem het nieuws bracht van zijn vriends dood. De koorts verhitte zijn verbeelding tot er een onwezenlijke gloed over hing toen hij probeerde zich de laatste ogenblikken van Joe voor de geest te halen. Het moest een hel zijn geweest, die bij Joe beslist het allerbeste naar boven gebracht had. Terwijl de kogels ketsend en gierend voorbij flitsten moest hij zijn manschappen om zich heen verzameld hebben. Michael had hem het tafereel van de strijd geschetst, de duisternis, de totaal vernietigde bungalow, de tennisbaan, de bunkers, de vliegtuigen die bulderend over kwamen vliegen, en zijn verbeelding had de rest aangevuld, het geschreeuw en gekreun van de stervende mannen, de hitte, de rook, de harde knallen van de lichte machinegeweren, de verzengende hitte van vlammen, de verbeten grauwen en vloeken van de soldaten. Een uur voor helden. Een uur voor Joe. Inderdaad, zijn dood was volkomen in overeenstemming met zijn leven. Joe had het draaiboek gemaakt voor het volmaakte heengaan. Het beeld viel uiteen en vervaagde onder een hernieuwde felle aanval van de koorts, en Freddie zakte weg in een onrustige slaap.

Tegen de middag voelde hij zich beter, maar hij twijfelde of hij al zo goed was dat hij de volgende dag aan het werk kon. Hij had een grote hekel aan deze fase in welke ziekte dan ook, waarin je niet zo ziek was dat je alle belangstelling voor de dingen om je heen had verloren, en niet zo goed dat je je weer tussen de levenden kon gaan voegen. Toen hoorde hij het zwakke ronken van een motor en hij monterde op. Michael had gezegd dat Kannan na kerktijd bij hem langs zou wippen. Daar zou je hem hebben.

De Engelse planter stelde een huis met uitzicht altijd erg op prijs, en dat was de reden waarom de bungalows op de plantages meestal op een lichte verhoging lagen. Freddies huis was daarvan een extreem voorbeeld, omdat het op een heuvel lag die je via een steil oplopende weg bereiken moest, en tijdens de natte moesson bezorgde dat je een nachtmerrie omdat het zo moeilijk te doen was. Er was een blinde hoek die je loodrecht op de weg in moest draaien tot vlak voor het huis. Er was maar een manier om het zonder kleerscheuren klaar te spelen – je moest met een onmogelijk slakkengangetje de helling oprijden en zo de hoek nemen. Net als iedere jonge planter, ergerde ook Kannan zich ontzettend aan die kruipgang tegen de heuvel op naar Freddies huis. Maar vandaag kon het hem niet zoveel schelen want hij was nog erg met zijn gedachten bij die plotselinge ontboezeming van Michael bij de kerk. Michaels boosheid had meer dan alleen maar onrust bij hem teweeggebracht. Op de een of andere manier stelde het zijn voorstelling bij die hij van de blanken en hun wereld had. Heel even had hij wanhoop gezien, een gevoel van tekort, onzekerheid, waar eerder altijd kracht en kalmte en autoriteit was geweest, en plezierig om te zien was dat niet geweest.

Kannan deed er wel erg lang over om boven te komen, dacht Freddie en toen realiseerde hij zich dat Kannan misschien wel wat langzamer reed omdat hij Helen bij zich had. Het vooruitzicht haar te zien gaf hem een prettig gevoel. Wat een geluksvogel, die Kannan. Wat een prijsliefje! Hij vroeg zich af hoe het zou zijn om getrouwd te zijn. Om te beginnen zou het betekenen dat iemand anders dan Kumaran voor hem zou zorgen als hij ziek werd. Maar waar moest hij een bruid vinden? De oorlog had een einde gemaakt aan de vissersvloot, en het zag ernaar uit, dat India voor hen hoe dan ook verloren zou zijn. Zo niet binnen vijf, dan wel binnen tien jaar. En welke Engelse vrouw zou hier nu willen wonen als ze niet de baas kon spelen zoals die vreselijke Mrs. Stevenson? Jemig, dacht hij met hevige schrik opeens, stel je voor dat je opgescheept komt te zitten met iemand als Matilde Stevenson. Wat hij nodig had, was een vrouw om mee naar bed te gaan. Die vindingrijke Kumaran zou wel een meisje van plezier voor hem versieren zoals hij daar tot nog toe altijd in geslaagd was. Freddie vroeg nooit hoe hij eraan kwam. Hij had geen idee of de vrouwen al dan niet getrouwd waren. Hij betaalde gewoon het geld dat de butler ervoor vroeg en neukte erop los. Toen kwam hem het gezicht voor de geest van een mooi liefje, een jong ding, waar hij al een poosje een oogje op had, met het beeld van haar borstjes, de donkere flinke tepels, de mooie ogen. Had hij liever donkere dan roze tepels? Het was zo lang geleden dat hij met een blanke vrouw naar bed was geweest. Jemig, waar zat hij met zijn gedachten? Die koorts werkte als drugs; die zette de sluizen van je brein open voor kwalijke gedachten.

Op dat moment kwam Kannan zijn kamer binnenlopen, en Freddie kon weer lachen. Het deed hem echt goed hem te zien en hij had zich vaak afgevraagd of zich tussen hen het soort vriendschap zou kunnen ontwikkelen die Joe en hij samen hadden gekend. Zou de kleur van hun huid en het ontbreken van een gedeelde geschiedenis een onoverkomelijke barrière zijn, een vertragend medicijn dat hun vriendschap tot hier en niet verder zou laten groeien? Hij hoopte van niet. Hij had het gevoel dat hun goede verstandhouding de goedkeuring van Mrs. Stevenson niet kon wegdragen, maar dat het haar ook niet al te zeer dwars zat. Goede planters waren dun gezaaid en het was maar de vraag of ze haar echtgenoot ertoe kon brengen zich van hem te ontdoen.

'Wat zie jij er beroerd uit,' zei Kannan bij wijze van begroeting.

'Niet slechter dan jij, kerel. En ik ga er tenminste nog op vooruit als die vervelende koorts over is. Jezus Christus, wat heeft God bezield toen hij die malariamuggen schiep?'

'Ik vind het werkelijk heel erg wat er gebeurd is, Freddie.'

'Ja, wat een zinloze verspilling van leven. Nu Joe er niet meer is zijn we in een keer allemaal een stuk armer. Jij hebt hem nooit gekend, hè? Je zou hem vast gemogen hebben, hij nam de mensen zo makkelijk voor zich in.'

Ze bleven nog een tijdje over Joe praten, of liever: Freddie praatte en Kannan luisterde – zoveel als ze hadden afgelachen samen, de mallotige vrijgezellenstreken, de woeste levensgevaarlijke tochten door de theeplantages, hun jacht op wilde zwijnen en oerwoudgevogelte, de nachten lang doorzakken met bridgen en brandewijn...

'Met Joe kon je zo een kamer zien opfleuren en de mensen erbij. Ja, een goeie kerel was hij, een van de besten. En daarbij een held. Hoeveel helden ken jij, Cannon?'

Die vraag kwam onverwacht en hij wist niet goed wat hij daarop moest antwoorden.

'Wat voor soort held bedoel je?'

'Nou, je weet wel, die mensen die kennelijk over die gaven beschikken dat ze tot grote dingen in staat zijn zonder zich druk te maken over hun eigen leven of lotgevallen, zoals kleine sikkeneurige miezers als wij?'.

Kannan bleef een poosje in gedachten verzonken. Kumaran kwam binnen met de thee en biscuittjes.

'Ik heb een oom gehad die bezweken is in een gevecht tegen kerels als jij, en mijn grootvader is gesneuveld in een gevecht om iemand het leven te redden. Ik heb ze geen van beiden gekend maar ik denk dat je die twee wel helden zou kunnen noemen...'

'Joe was uit het hout gesneden waar jij helden aan herkent. Die had je ook in je pantheon kunnen bijzetten. Waar is Helen?'

'Kon niet komen. Ze had nog wat werk te doen,' zei Kannan lusteloos.

Iets van onbehagen moet op zijn gezicht te lezen zijn geweest omdat Freddie vroeg: 'Alles in orde?'

'Ja, ik geloof het wel,' zei hij langzaam.

'Aha, de welbekende perikelen van het huwelijksleven.'

Ze lachten allebei.

'Hé, wat is dit?' vroeg Kannan terwijl hij een boek, *The Man-Eaters of Kumaon*, van het nachtkastje oppakte.

'O, dat nam Michael mee toen hij me kwam opzoeken. Een bestseller kennelijk. Hij liet het per post uit Bombay komen.'

'Heeft hij nog meer geschreven?'

'Geloof het niet. Spannende lectuur. Hij gaat achter een mensenetende tijgerin aan die vierhonderdzesendertig mensen heeft gedood en slaagt er nog maar net in zelf aan de dood te ontsnappen.'

'Ik zal Michael wel vragen of ik het mag lenen na jou.'

'Ja, maar dien je verzoek snel in. Er komt vast een hele lange wachtlijst van gegadigden. Iedere planter hier denkt dat hij voor de *shikar* geboren is.'

'Heb jij ooit aangelegd op een tijger?'

'Er is er geen een meer,' zei Freddie grijnzend. 'Dat is nou net het probleem van het plantersleven vandaag de dag, zie je. Toen ik in mijn groei-jaren was, bestond er nog een exotische figuur in mijn leven, een verre oom die een theeplantage bezat in de High Wavys. Ik verlangde er altijd naar dat hij weer eens voor een bezoek thuiskwam. Tijgers, panters, olifanten, er leek geen dag voorbij te gaan dat mijn oom niet voor zijn leven moest vechten. Toffe kwajongenslectuur. Het prikkelde mijn verbeelding behoorlijk, dat kan ik je wel vertellen!'

'En niks meer sinds jij hier bent?'

'Niet echt. Er is geen grof wild meer tenzij je die enkele olifant zo nu en dan mee wilt rekenen. Ik ben eigenlijk nooit zo warm gelopen voor het doodschieten van olifanten. Het is trouwens ook verboden. Maar er is die keer geweest dat Joe en ik een zwarte panter zagen, die was aangeschoten door Harrison. Ken je Harrison nog? Die planter die iedereen links liet liggen en van wie ik je

369

verteld heb dat hij inlander geworden is, al ik weet niet hoeveel jaren geleden, en die zich eigenlijk ook niet meer laat zien?'

Kannan zei: 'Harrison?'

'Kom, ik heb je vast wel over hem verteld. De beste *shikari* die het bergland ooit gekend heeft, totdat hij door de toddy geveld werd. Hoe dan ook, ze hadden zijn hulp ingeroepen om een panter dood te schieten die rondsloop in de omgeving van de oude bungalow in Empress. De laatste keer trouwens dat ik hem gezien heb, vraag me af wat hij aan het doen is... Maar moet je horen, dit verhaal gaat over de panter en niet over Harrison... Ik weet nog dat ik het dooie beest er nogal zielig uit vond zien, een verstrengeling van poten en een abnormaal grote kop. Pas toen ik hem van dichterbij bekeek begon ik een vermoeden te krijgen van zijn verschrikkelijke kracht, die tanden, zie je, en die grote gele ogen.'

'Ik heb ergens gelezen, bedenk ik me nu, dat het gegrom van een panter die aanvalt een olifant ter plekke kan doen verstijven.'

'Dat moet je toch meemaken? Een zwarte panter die uit de inktzwarte nacht tot de aanval overgaat en die alleen maar is tegen te houden door de knal van Freddies jachtgeweer die hem op het allerlaatste moment precies tussen zijn ogen treft...'

'Hoe ga jij in vredesnaam een zwarte panter die in een pikdonkere nacht tot de aanval overgaat, doodschieten?' vroeg Kannan, grinnikend.

'Och, door op het wit in de ogen van die bruut te mikken, denk ik, of is het geel...'

'Wedden dat je zo zou trillen dat je de panter een afkeer van zijn doelwit zou bezorgen?'

'Hoor wie het zegt. De Hamiltons van Lincolnshire staan bekend om hun grote moed,' zei Freddie lachend. 'Wat een jammerlijke tijd maken wij mee,' ging hij even later verder. 'Geen tijgers, geen panters, niets waardoor je alles in je voelt kriebelen om een gevaarlijk beest achterna te gaan...'

'Wilde zwijnen zijn gevaarlijk... De eerste keer dat ik er een geschoten heb, kon ik er maar niet over uit raken hoe scherp de tanden van het beest waren. En Michael heeft me het verhaal gedaan van die stroper die een paar dagen geleden door een wild zwijn verwond werd met zijn slagtanden. Hij is omgekomen, Freddie, doodgebloed, was te ver van de beschaafde wereld om medische hulp te kunnen krijgen.'

'Maar het zijn varkens, Cannon. Zwijnen. Daar is niets verheffends aan. Daar was ik eerlijk gezegd, toen ik me voor het roemrijke plantageleven liet inschrijven, niet direct op uit.'

'Nou, je kunt altijd nog oorlog voeren.'

Freddie werd rood.

'Sorry,' zei Kannan er meteen over heen. 'Dat had ik niet moeten zeggen.'

Hun gesprek viel dood. Kannan voelde zich vreselijk. Hoe had hij zo ongevoelig kunnen zijn? Het was eruit geweest voor hij het wist, en hij had er zeker niets mee bedoeld. Freddies stem haalde hem met een ruk uit zijn gevoelens van wroeging.

'Zie je, ik weet dat dit oneerbiedig klinkt, maar wanneer ik aan Joe denk, en met hoeveel elan die zijn leven leefde, het louter verteerde, lijkt het goed dat hij zo snel aan zijn einde is gekomen. Hij zou een diep ongelukkige oude man geweest zijn. Ik kan hem onmogelijk als zeventigjarige zien, met wit haar, rimpels, een praatzieke oude dronkaard...'

Freddie leek daarna in slaap te soezen, dus stond Kannan op om weg te gaan.

'Bedankt voor je komst, Cannon,' mompelde Freddie slaperig. 'Waardeer ik echt. We spreken elkaar, morgen, overmorgen, als ik weer beter ben.'

Kannan was bijna bij de deur toen hij er weer aan dacht.

'O, Freddie, dat ben ik nog vergeten tegen je te zeggen, het jaarlijkse tennistoernooi zal van nu af aan ter ere van Joe worden gespeeld. Er zal een Joe Wilson Cup zijn en zo.'

'Goed zo. Nu hoeven we die alleen nog maar voor Joe te winnen!'

87

Er is niets zo apart als tennissen in de bergen. De bal die haarscherp door de lucht vliegt en wanneer die wordt geslagen met ontzagwekkende snelheid zingend van het racket suist, een galm van klank en beweging door de koude, ijle lucht. Die zomer ging het twoktwok van de tennisballen er hardnekkiger aan toe dan anders omdat de planters zich opmaakten voor de Joe Wilson Cup.

De wedstrijden van de dames werden het eerst gespeeld. Voor Agnes Webster van Chenganoor Estate, die voor de oorlog aan Wimbledon had meegedaan, was het niet moeilijk haar tegenspeelsters te overtroeven en de damestrofee te veroveren. De geduchte Mrs. Webster had bij de indeling van de mannen geen tegenpool die duidelijk even sterk was. De meerderheid van de jongere assistenten en bedrijfsleiders was al ingedeeld bij hun legeronderdelen in het buitenland en van degenen die nog waren achtergebleven waren er niet meer dan een stuk of tien fit of geoefend genoeg om een racket te hanteren. Omdat ze al aanvoelde dat haar toernooi veel van zijn glans zou verliezen, haalde Mrs. Stevenson haar man over om een mand fantastische korhoenders ter beschikking te stellen, die de winnaar als extra prijs zou kunnen meenemen. Toen traden er nog acht planters toe tot de strijd, maar de meeste van hen waren zo afgeleefd of onervaren dat het niets uitmaakte voor de uiteindelijke opstelling in de kwartfinale.

Kannan zag zich tot zijn verrassing bij de laatste acht geplaatst. Hij had al in geen jaar een tennisracket aangeraakt, maar met wat begeleiding van zijn bedrijfsleider, die een fervent zij het onregelmatig tennisser was, was hij de sport heel redelijk gaan beheersen. Hij had een behoorlijke eerste serve, speelde goed breed over het veld en de ontbrekende backhand wist hij te compenseren met zijn meesterlijke beheersing van de forehand waarbij hij vanuit een run de bal met een listig boogje van zijn tegenspeler liet wegdraaien. De twee mannen die hij in het aanloopspel naar de kwartfinales tegenover zich had gehad, waren planters van in de vijftig, met het uithoudingsvermogen noch de slagvaardigheid om zijn opmars in de weg te staan. Zijn derde tegenspeler had niet eens de moeite genomen te komen opdraven. Een makkie.

Vandaag zou het anders zijn, wist Kannan, toen Freddie en hij vanuit het clubhuis naar de tennisvelden liepen. Zijn tegenstander was zeker niet ongevaarlijk. Hij had Hemming nooit zien spelen, een planter met een eigen plantage in het verre noorden van het district Periyar, maar Freddie had genoeg over hem verteld.

'Ziet eruit en speelt als Big Bill Tilden,' had hij in Kannans oor geschreeuwd toen ze op hun motor naar de club gereden waren. 'Zelfde hoog uitgehaalde serveerbeweging en geweldige groundstrokes.' De grote Amerikaan was Freddies ideaal. Kannan gaf de voorkeur aan de fel meppende Engelsman, Fred Perry. Terwijl hun speeltechniek die van hun helden geen eer aandeed, bootsten de jonge assistenten hen in alle bewegingen na – de manier waarop ze hun racket vasthielden, de manier waarop ze een hand gaven, hun houding en positiebepaling op de baan als ze een bal hadden weggeslagen. Als passie alleen hun tennisvaardigheid had kunnen verbeteren, dan waren Hamilton en Dorai binnen de kortste keren kampioen geweest. Maar zoals het er nu voor stond waren ze hooguit enthousiaste spelers van een tennisclub, waarbij Kannan het net even van Freddie won, omdat de laatste motorisch de meest chaotische sportman was die het district ooit gekend had.

'Jij kunt dit toernooi winnen, man,' zei Freddie toen ze naar de terreinen liepen. Door het hoge gaas dat het speelveld omsloot, konden ze de eerste twee wedstrijden van start zien gaan. Robert Cameron tegen Stuart Webb en Alec Cameron tegen Graham Court. De zon scheen aangenaam warm op hun schouders en de theevelden blonken als goudkleurige en groenige plassen rondom het speelterrein.

'Ben je gek,' zei Kannan. 'Heb je wel aan de gevreesde Camerons gedacht? En aan Hemming?'

'Die versla jij. Ze zijn al zo op leeftijd dat ze jouw grootvader konden zijn.'

'Maar ze vegen de vloer met mij aan.'

'Maak je niet dik. Als het niet lukt, gooi ik op kritieke momenten wel een steen naar hen toe.' Tot Kannans afschuw begon Freddie te fluiten. Hij was nerveus, bijna misselijk van de spanning die zich in hem ophoopte.

Hij zag de gebroeders Cameron naar hun serveerplaatsen lopen, hun bedaarde, soepele en zwierige gang weerspiegelde onbewust de arrogantie van spelers die zich heer en meester weten van de baan. Ze mepten de bal een paar keer over het net naar hun tegenstanders waarbij ze hun rackets een goed beheerste pittige boog lieten beschrijven, waarop Kannan duizend keer in zijn eentje geoefend had, maar die hij zelden kon maken. Binnen een paar seconden hadden de broers zich in een lekkere cadans gesetteld terwijl ze de bal naar hun tegenspelers overspeelden.

'We hoeven niet te wedden wie er zal winnen. Het Cameron-koppel.'

'Tja.'

'Hé, hallo. George Hemming,' Kannan draaide zich snel om. Zijn tegenspeler was een lange man van begin veertig, energiek en met een stevige handdruk. 'Zie je straks. Goeie wedstrijd,' zei hij tegen Kannan in een accent dat die niet direct thuis kon brengen, en weg was hij.

'Absoluut net Bill Tilden. De lengte. En die schouders.'

'O hou op, Freddie, je maakt me zenuwachtig.'

'Sorry, kerel,' zei Freddie lachend.

En toen hielden ze hun mond, want Alec Cameron maakte zich op om de eerste bal van de dag te serveren.

Kannan wist niet waar Cameron zijn tennis geleerd had (hoewel hij daar via Freddie, die alles over iedereen scheen te weten, vrij gemakkelijk achter zou zijn gekomen), maar waar hij zijn spel ook had opgepikt, hij had er een serveerbeweging aan overgehouden die uniek was. Zijdelings naar het net toe gewend, wierp hij een snelle blik op zijn tegenspeler en ging dan serieus over tot wat hem te doen stond. Hij boog zich scrupuleus, biddend bijna, voorover naar de bal en bleef zo doodstil staan. De wereld wachtte met hem, de rode tennisbanen met de witte aders, de in licht badende theeplantages, de hoge grevillea's die het speelterrein omzoomden, de terrasvormige bloemperken, de ballenjongens, de scheidsrechter, de zes toeschouwers, zijn tegenspeler. Die paar seconden dat Alec over de bal gebogen stond, waren verre van doods of statisch. Nee, dat moment was juist een en al dynamiek, vol ingehouden kracht en gratie, waarbij zijn briljante variabele speelmogelijkheden elkaar precies in balans hielden. Nog een paar seconden en Cameron helde in een boog achterover, een vloedgolf die energie verzamelt voordat hij zich naar voren stort, en toen schoten zijn terugverende benen hem de hoogte in, de langzaam vallende bal tegemoet. Het moment van contact tussen bal en racket was ongelofelijk heftig en de neerwaarts draaiende smashbeweging van de serve bracht vanaf de racketsnaren de bal met enorme snelheid in een spin naar voren. Camerons tegenspeler liep er nog even op in, maar was veel te laat, de bal had zich als een pijl precies naar het midden van de t bewogen, was bij aanraking even stil blijven hangen, om in een wijde boog naar opzij af te glijden. Een ace. Vijftien-nul.

Binnen de kortste keren stond Cameron met drie-nul voor, en het leek of hij de serve van zijn tegenstander opnieuw zou breken, en zo zou beschikken over drie breakpoints tegen hem. De ongelukkige Court die hardhandig tot ootmoed leek te zijn geslagen, besloot op dat moment voor zichzelf op te komen. Hij beende met lange passen doelbewust naar de servicelijn en mepte er een winnende bal in. Een breakpoint teruggewonnen. Hij serveerde nog een keer met een uitstekende bal, waar Cameron nauwelijks bij kon; Court gaf moeiteloos een smash op de korte slag. Twee breakpoints gered. Het tij begon te keren. Toen besloot Cameron tot een magische ingreep.

Grote sportlieden hebben het, net als musici en talentvolle kunstenaars, in zich om kunstwerken te creëren, een spel zo volmaakt vorm te geven dat toeschouwers en tegenstanders er met ontzag door bevangen worden en het spel in hun geheugen blijft hangen nog lang nadat het strijdtoneel door hen geschitterd heeft. Courts volgende serve was heel goed, maar Cameron was er klaar voor. Hij stormde op de bal af toen die fors uitzwaaide en slaagde erin hem diep terug te spelen op de forehand van zijn tegenspeler. Court vocht zich er naartoe, en met het laatste grammetje talent waarover hij beschikte, slaagde hij erin de bal zo goed mogelijk te raken, een loeiharde forehand dwars over de baan, met een bal die op de lijn belandde. Ongelofelijk, maar Cameron stond er en hij begon een punt binnen te halen dat allen die toekeken nog lange tijd zou heugen.

Uit balans, speelde hij de verpletterende slag van Court doeltreffend naar

hem terug, worstelde zich naar de juiste positie en toen de bal opnieuw terugkwam, hing hij er als een godheid dreigend boven en sloeg hem terug met een
pracht van een backhand met erg veel kracht. De bal vloog naar de verste hoek
van de baan. Het lukte een uitgeputte maar dappere Court er nog net bij
te komen. Voor de eerste keer die middag kwam Cameron naar het net en
plaatste de makkelijke volley. Vier-nul. Alle aanwezige toeschouwers applau-
disseerden en de scheidsrechter kon zich maar amper inhouden. De povere
speelvelden, de oude Slazenger rackets, de versleten ballen (de oorlog had het
onmogelijk gemaakt aan nieuwe ballen te komen), sjofel geklede boefjes die als
ballenjongens dienst deden... Alles had door de schoonheid van het spel, voor
heel even maar, een betoverende glans gekregen.

Court klapte ook; na die perfect gewonnen ene slag leek alle vechtlust uit
hem te zijn gevaren en hij liet de eerste set met zes-nul naar Cameron gaan.

Kannan en Freddie die door het spel op de baan aan de grond genageld waren, hervonden hun stem. 'Grote goden! Dat was verbluffend, onwijs
briljant,' zei Freddie met ontzag. 'Een Budge zou zo gespeeld hebben, een
Borotra...'

'Ik ga naar huis,' zei Kannan. 'Kan mijn tegenstander maar het beste een
makkie gunnen. Liever dan me zo te moeten schamen straks.'

Onzin, man. Wie weet maak je het die Hemming nog heel moeilijk. Hij is
Cameron niet. En als je de finale haalt, is dat al een prestatie op zich. Wie weet
heeft die ouwe Alec C. op die dag zelf griep of malaria.'

'Hou nou eens op met die blufpraatjes. Ik zal Hemming de hand schudden
en op eervolle manier het strijdtoneel verlaten.'

'Zo eervol is dat niet, mannetje. Jemig, denk je dat Joe zou zijn weggelopen?'

'Nee, dat niet, maar soms weet je dat je hoe dan ook niet kunt winnen...'

'Vooruit, Cannon, dit moet je gewoon doen. Voor Helen, als het nergens
anders om is.'

Ach, Helen, dacht Kannan. Ja. Hij moest vooral maar aan Helen denken als
hij de wedstrijd wilde verliezen. Of zou het hem zo kwaad kunnen maken dat
hij vleugels op de tennisbaan kreeg en qua techniek in heel ander vaarwater belandde? Kannan had zijn best gedaan, maar zijn inspanning had niet geholpen.
Helen was steeds ongelukkiger geworden. Ze kibbelden dagelijks en het kostte
al grote moeite om beleefd tegen elkaar te blijven. Zij gaf hem de schuld van
alles wat er verkeerd was gegaan in Pulimed, en ze bleef maar zeuren dat hij
haar naar Madras terug moest brengen. Ten slotte had hij beloofd, hoewel hij
zijn belofte eruit had moeten wringen, dat ze met kerst naar Madras zouden

gaan. Dat had voor een paar dagen een luwte in het gekibbel gebracht, maar het was weer opnieuw begonnen. Hij hoopte natuurlijk dat ze over een tijdje niet langer zo verbitterd en gefrustreerd zou zijn. Er was niets meer wat hij doen kon. Hij was door al zijn goeie ingevingen heen. Maar, ho eens even, een overwinning op een Engelsman zou bij Helen wel in de smaak vallen, hem gedeeltelijk vrijpleiten in haar ogen. Maar het zou er vast niet in zitten.

'Ik maak geen schijn van kans, Freddie,' zei hij mismoedig.

'Verkeerde instelling, beste kerel, absoluut fout. Kan daar niet goed tegen, snap je. Zou een pittige tonic tic helpen?'

'Dan val ik waarschijnlijk op de tennisbaan in slaap. Kijk eens naar de klop die Court daar krijgt.'

Een hagel van ballen werd op de ongelukkige Court afgevuurd als een kortstondige slagregen in moessontijd en toen was de tweede set met zes-een voorbij.

Nu was het zijn beurt. Hij stapte met Hemming de baan op. Geen spoor van emotie viel er te bespeuren op het gezicht van de lange planter toen hij toste. Hemming won en koos voor serveren. 'Succes,' zei hij tegen Kannan, en ze liepen naar hun respectievelijke posities om wat in te spelen. Hemmings strakke, solide slagen, de manier waarop hij zich over de baan bewoog, zijn niet overdreven sierlijke wijze van serveren – Kannan wist dat zijn tegenstander een beter speler was dan hijzelf ooit kon hopen te worden. Het enige wat in zijn voordeel werkte, was zijn jeugd en behendigheid en zijn vastberadenheid. Dat zou niet genoeg zijn. Hemming kon zijn serve gemakkelijk vasthouden en die van Kannan net zo makkelijk breken. De games gingen daarna gelijk op met de serve en voor hij het wist was de set voorbij met zes-vier.

'Uitstekend, uitstekend,' kraaide Freddie, 'Je hebt maar één game op eigen serve verloren. Je kunt hem inmaken. De volgende set is voor jou, hij wordt moe, let op mijn woorden.'

'Toe, Freddie, kalm een beetje, ik probeer op adem te komen.' Hij was zo moe van het lopen op de ballen die zijn tegenstander tot en met de allerlaatste zo vernuftig had weten te plaatsen, dat hij haast geen adem meer over had. Geleidelijk aan kwam hij wat bij en werd zijn ademhaling rustiger. Hij nam een slokje van de bitterlemon die Freddie voor hem gehaald had en keek naar Hemming die met een vriend stond te praten.

'Je moet tenminste een keer zijn service breken, Cannon, niet denken dat hij onoverwinnelijk is. Die man is oud. Die wordt moe. Als je hem in wilt maken, moet je het nu doen. Concentreer je, loop op iedere bal, toon lef.'

Freddies aanmoediging had een positief effect. Toen het spel werd hervat,

leverde Kannan strijd voor ieder punt en de set begon een geleidelijke omme-
zwaai in zijn voordeel te maken. Hij was op geen stukken na zo goed als Hemming, maar hij compenseerde zijn tekorten door onverbiddelijk te weigeren
zich gewonnen te geven, op wat voor slagen zijn tegenstander hem ook trak-
teerde. In de cruciale zevende game, met de partijen aan elkaar gewaagd, serveerde Hemming, een uitstekende serve op zijn backhand, maar gelukkig had
Kannan al geraden waar hij heen moest en zich goed opgesteld om terug te
slaan. Hij probeerde een effectbal met de backhand, de enige backhandslag
die hij met enig zelfvertrouwen kon spelen. Hemming speelde de bal terug,
Kannan sloeg en toen probeerde Hemming hem een hoge boogbal toe te spelen terwijl hij midden op de baan stond. Dat was voor Kannan het moment om
toe te slaan. Zodra hij Hemmings bedoeling zag, stond hij al niet meer stil, sid-
derde de grond onder zijn vermoeide op en neer dansende benen die hem ver
boven de baan uittilden, het racket naar achteren, klaar om de bal neer te meppen. Het racket kwam naar beneden en de bal schoot langs een verbaasde
Hemming waarmee de uitkomst van de hele set in één keer weer helemaal
open lag.

Kannan die met zijn staaltje blufpoker Hemming had overtroefd, kon toch
dat spelniveau niet volhouden. En bij tennis is de vuistregel net als in het leven
dat je een tegenstander die je eenmaal in een hoek hebt gedreven, af moet
maken. Geef je hem een tweede kans, dan komt hij nog sterker opzetten.

Wat in de derde set ook gebeurde. Dankzij listen, goede techniek en spel-
ervaring, pakte Hemming de game van zijn jongere, technisch minder onder-
legde tegenstander af. Krachtige spins werden teruggeslagen met dezelfde
kracht als die van hun eerste aanzet, smashes konden rekenen op listige balletjes en ballen met effect. De brute arrogantie en kracht van de jeugd werden
knap in het voordeel van de oudere man omgebogen. Hij zocht de hoeken op,
stelde Kannans geduld op de proef en bewaarde zijn kalmte als Kannan op het
net afstormde of het spel probeerde terug te brengen op het niveau dat hij in
de tweede set had gespeeld. Nadat hij vier games achter elkaar had verloren,
probeerde Kannan het met een ambitieuze passeerslag, en zag de bal afbuigen
en meters naast de zijlijn neerkomen. Plotseling werd hij overweldigd door de
enormiteit van wat hij probeerde te doen, en voelde hij zich heel alleen. Wat
probeerde hij namelijk: het helemaal in zijn eentje tegen het blanke ras op te
nemen, ver van familie en vrienden, in een isolement geraakt door een verbit-
terde vrouw, door zijn donkere huid, zijn gebrek aan speltechniek? Terwijl
hij wanhopig even pauzeerde om zich te herstellen, stemde een geliefd verhaal
dat hem te binnen schoot uit zijn kinderjaren hem rustig – zou het niet fan-

tastisch zijn als hij een god in vermomming kon zijn zoals de jongen Krishna, een onbeduidende herdersjongen voordat hij, oog in oog met de afschuwelijke *rakshasa*, zijn mond had geopend en zich daar in de diepte werelden hadden uitgestrekt, planeten, het ene heelal na het andere, het leven zelf. Zou het niet fabelachtig zijn als hij plotseling zou veranderen in een combinatie van Lacoste, Borotra, Budge en Perry, en zich stormenderhand een weg zou banen naar een onwaarschijnlijke overwinning? In plaats daarvan beging hij een dubbele fout. Uit zijn concentratie en in gedachten al verslagen, had hij veertien minuten later de laatste set met zes-twee verloren.

'Goed gespeeld,' zei Hemming eenvoudig toen ze elkaar een hand gaven. 'Die smash in de tweede set was perfect.'

De stemming van Kannan werd er van de lof niet vrolijker op. Knorrig ging hij in op Freddies aanbod een biertje te drinken en ze liepen naar de bar. 'Je hebt alles eruit gehaald en je had hem bijna verslagen,' zei Freddie. Zijn opgewektheid leek geforceerd.

'Hij heeft gewonnen en dat telt alleen maar. Al dat verrotte gedoe van "kan niet schelen of je wint of verliest", neem van mij aan, dat is allemaal kletskoek.'

'Daar moet toch wel iets van waar zijn, ouwe jongen. Ik heb in mijn hele leven nog niet een game gewonnen.'

'Ja, maar voor jou is het anders. Ik zie het gezicht van Mrs. Stevenson al voor me als ze de uitslagen van vandaag hoort. Ik weet precies wat ze zal zeggen: "Je kunt van een Indiër niet beter verwachten." Om doodziek van te worden.'

'Oké, Cannon. Het is maar een tenniswedstrijd... zeg, in voor een bezopen haasje?'

'Waarom niet, dat rottige racket moet toch ergens goed voor zijn.'

'Nee, niet het racket waarmee je hebt gespeeld, ik heb wel een ouwetje.'

'Ja, maar jij rijdt. Ik jaag. Ik ben in de stemming een paar beestjes te kraken.'

Ze dronken hun glazen leeg, vulden briefjes in en begaven zich op weg naar waar hun motor geparkeerd stond. Freddie pakte een oud racket met een gescheurd frame en slappe bedrading uit zijn bagagetas en gaf het aan Kannan, die er bij wijze van proef een paar flinke zwiepen mee gaf.

Op hazen jagen met tennisrackets was een geliefde sport onder de jonge planters op de plantages. De jagers raasden tegen het invallende duister over de smalle karrensporen en lieten de onfortuinlijke beestjes ter plekke in hun koplampen verstijven, totdat ze de genadeslag hadden gekregen.

Vlak nadat ze van de club waren weggereden, lieten ze een uiltje verschrikt van zijn rustige plekje op de stomp van een gesnoeide theestruik opvliegen. Het dook voor hen uit, een vuil wit vodje in de wind en slaagde er eindelijk in aan de magische aantrekkingskracht van de koplamp te ontkomen. Drie haasjes waren minder gelukkig. De eerste sprong pardoes in het licht, een paar meter achter Dhobi's Leap, en het oude racket zwiepte er met een verpletterende slag bovenop, waarmee onmiddellijk het licht in zijn ogen doofde. Kannan liet bij de tweede zijn racket verkeerd neerkomen en brak een poot. Het beestje hinkte buiten het licht, maar ze vonden het algauw weer terug en toen werd het met een flinke mep tegen de grond geslagen. De derde haas sprong raadselachtig hoog in de lucht en Kannan ving het op met een volmaakte forehand spin en sloeg uit alle macht. De schok van de klap was tot boven in zijn arm voelbaar. Nu waren ze Freddies bungalow op minder dan een kilometer genaderd en ze besloten dat ze voor die avond genoeg te eten hadden.

'Blijf nog een glaasje drinken,' zei Freddie. 'Ik zal mijn butler de hazen laten villen.'

Ongeveer drie uur later reed een heel dronken Kannan onvast op zijn motor naar huis. Terwijl hij langzamer reed om de weg in te draaien die naar zijn eigen bungalow leidde, liep een reusachtige haas wankelend het verblindende licht van zijn koplamp in. Het beest bleef bedaard staan, keek hem strak aan met in het licht rood opgloeiende ogen. Een ogenblik was Kannan doodsbenauwd. In dit spookachtige bergland was het misschien wel mogelijk dat deze haas de geest was van al zijn gedode makkers en dat hij wraak kwam nemen op hun moordenaar? Kannan schreeuwde en zwaaide met zijn armen naar het beest. Voor wat wel een eeuwigheid leek, maar in feite een kwestie van seconden, deed het niets, en toen kwam het langzaam op hem af. Hij viel van paniek bijna van zijn motor. Dichter en dichterbij kwam het, toen draaide het zich om en glipte de theestruiken in.

88

Lily had weinig tijd om over haar bedorven vakantie in te zitten, of over het probleem waarvoor Helen hen stelde bij de hereniging van haar man en haar zoon. Want, slechts een paar dagen na haar thuiskomst, was er een terugval in Daniels korte opleving gekomen. Hij kreeg een tweede infarct waardoor hij geheel aan bed gekluisterd werd. Dat maakte een eind aan het kleinste beetje contact dat hij met de andere bewoners van Doraipuram gehad had. Hij duldde nu nog maar twee mensen om zich heen – de trouwe Ramdoss en Lily, die hij beiden van tijd tot tijd niet herkende. Zijn vrouw had het de eerste keer vreselijk gevonden, maar toen ze door had dat haar man het niet met opzet deed of haar pijn wilde doen, dat hij alleen maar deed wat zijn geest, die in toenemende mate onbetrouwbaar werd, hem ingaf, vergaf ze het hem dadelijk.

Haar kleinzoon Daniel was het enige andere familielid dat tot de ziekenkamer werd toegelaten. De oude Daniel herkende hem amper. Een poosje liep de jongen verloren en mistroostig de als thuislab ingerichte ruimte, waarin hij met zijn grootvader zo veel gelukkige uren had doorgebracht, in en uit en hij deed in zijn eentje proeven. Ramdoss maakte daar een einde aan, toen een onvoorziene chemische reactie het lab en de aangrenzende vertrekken vulde met de stank van dooie hagedissen.

In de laatste maand van zijn leven slonk de wereld van Daniel tot de ruimte van de kamer waarin hij lag. Zonder eigenlijk te verwachten dat die ooit zou worden gebruikt, had Ramdoss een volledig ingerichte werktafel in de lengte tegen een muur gezet voor het geval Daniel weer interesse mocht krijgen in farmaceutische zaken, maar behalve dat stond er niet veel in het vertrek. Een plank met siddha-lectuur en religieuze teksten, een tweetal houten stoelen, een tafeltje voor de medicijnen van Daniel.

Aan een van de muren hing een portret van Charity, in een gevlochten omlijsting van sandelhoutspanen, en nog een van Daniel, Lily, en de kinderen, genomen toen Kannan was geboren. Andere versieringen waren er niet.

Daar, in zijn slaapkamer, lag Daniel dan, dag na dag, roerloos en zwijgend. Zo nu en dan verdiepte hij zich in een van de siddha-teksten die dr. Pillai aan hem had vermaakt, hoewel het Ramdoss of Lily niet duidelijk was of zijn terloopse uiteenzettingen over de siddha-geneeskunde enige grond van wetenschappelijke feitelijkheid bezaten of simpel bedrieglijke wartaal waren.

De mensen met wie hij behalve Lily en Ramdoss nog contact had, waren Charity, Solomon, Aäron, dr. Pillai en Father Ashworth. Als Lily of Ramdoss de kamer binnenkwamen en Daniel in een diep gesprek met een overleden persoon verwikkeld zagen, verbaasde hen dat niet meer. Dan stelde dr. Dorai de bezoeker plechtig aan hen voor en nodigde Lily of Ramdoss soms uit ook deel te nemen aan de conversatie; dat was altijd een tikkeltje verontrustend, vooral wanneer er van hen verwacht werd dat ze antwoord moesten geven op de een of andere mysterieuze vraag uit de metafysische wereld of uit de wereld van de magische heelkunde, die door de dode persoon was gesteld en die hij doorspeelde naar hen. Op zulke momenten kon dr. Dorai je aankijken met starre ogen, waarin een goedaardige gekte lag opgesloten. Op andere momenten was hij volkomen normaal. Een aantal keren had hij lange uren met zijn vrouw doorgebracht en gelukkige herinneringen opgehaald, vooral toen hij geïnformeerd had naar Kannan (hij wist niets meer van diens huwelijk) en naar zijn naamgenoot, Shanthi's zoon Daniel.

Er waren ook momenten waarop hij vol woede zat. Hij kon tekeergaan tegen een ondankbare wereld. Soms liet hij Ramdoss bij zich komen en dicteerde hem een brief aan wie hem maar beledigd had, levend of dood:

> Beste Priscilla, [schreef hij dan aan een verre nicht die al vijf jaar geleden was overleden]
>
> Ik heb je brief van 5 april 1938 goed ontvangen maar hij hangt slechts van leugens en onwaarheden aan elkaar en is een aaneenschakeling van boosaardige verzinsels, beledigingen en verdachtmakingen, met een heleboel halve waarheden ertussendoor...

Ramdoss pende dat geduldig allemaal neer, bij de bladzijden vol beschuldigingen en aantijgingen die hij al had. Hij liet die brieven uittikken en soms vroeg Daniel ernaar en ondertekende ze. Maar meestal werd de brief, als die eenmaal gedicteerd was, vergeten en dan beet Daniel zich vast in een of andere helse bespiegeling of zalige zinsbegoocheling.

Toen de dagen warmer werden, verslechterde zijn toestand. Hij kreeg wonden van het doorliggen. Hij werd zwakker en zijn gezicht en gehoor werden slechter. De diverse specialisten die er door Ramdoss en Lily bij waren gehaald, konden weinig meer doen dan nieuwe medicijnen voorschrijven. De eerlijksten onder hen bevestigden de diagnose van de huisarts van de familie: na twee infarcten was elke dag op zijn leeftijd een wonder.

Op zekere dag kwam Daniel met een ongewoon verzoek. Hij had niet een keer de minste interesse aan de dag gelegd om zijn kamer te verlaten, maar nu vroeg hij Ramdoss voor die avond een auto voor hem te regelen. Hij wilde een tochtje gaan maken. De oude Chevrolet werd haastig naar de werkplaats gereden en opgepoetst en in de was gezet totdat die helemaal glom. Ramdoss had geen idee waar Daniel naartoe wilde, maar dit was het eerste hoopvolle teken sinds lange tijd en hij zou dat niet zomaar negeren.

Het was nog steeds heel warm, hoewel de zon al lang onder was gegaan toen ze Daniel naar de auto droegen en hem gerieflijk op de voorbank installeerden. Ramdoss ging achter het stuur zitten. De lievelingskleinzoon van de zieke man, Daniel, en nog een paar oudere neefjes waren opgetrommeld en werden met z'n allen op de zeer ruime achterbank geplant met een stuk of wat jachtgeweren naast zich.

Ramdoss reed langzaam en Daniel, levendiger dan doorgaans, wees hem met precieze, zekere aanwijzingen, de weg. Ongeveer een uur later stonden ze tussen een dichte beplanting van kasuarbomen op een vooruitstekende rots geparkeerd, met uitzicht over de Chevathar. Omdat het al donker werd, begonnen de kalongs over hen heen te zwermen, met trage golfbewegingen. Er knalden geweren en toen vielen er een paar naar beneden. Weer een zwerm, weer schoten en lawaai...

Vanaf de plek waar hij zat, zag Daniel de herrie en het plezier van destijds opnieuw voor zich. Hij zag zijn vader die zijn armen op de ossenwagen liet rusten en zijn schot met zekerheid en precisie de lucht in loste, waarna de bedienden de enorme witte rajapalaiyams achter de zwartharige vachtjes aan lieten jagen te midden van het lawaai en de geur van geweervuur. Het was een van de weinige heldere herinneringen aan zijn vader. Deze was al heel lang niet meer bij hem bovengekomen, maar nu het zich allemaal voor zijn ogen afspeelde en opnieuw vlak voor hem gebeurde, voelde hij een grote kalmte over zich neerdalen.

Hij dacht aan zijn moeder en aan de dag dat ze gestorven was. De droom die zijn nachten had gevuld, kwam weer terug: Charity, klein, onverzettelijk, gekleed in een witte sari, die dat donkere, dreigende ravijn inliep...

'Ik wil nu wel weer naar huis, Ramu,' zei hij zachtjes. Zijn zwager keek hem scherp aan, las de blik in de vermoeide ogen. Hij voelde zich overvallen door een overweldigende zwaarmoedigheid.

Op weg naar huis vroeg Daniel te stoppen bij een van de blauwe mangobosjes die Solomon had geplant. Het was bijna te donker om de bomen goed te zien, die er zwart en kolossaal uitzagen in het schaarse licht, de schimmige vormen van een paar ontijdige mango's maar net zichtbaar. Op verzoek van de oude man liep Ramdoss knisperend over het dorre brosse blad op de grond naar de dichtstbijzijnde boom en tastte in het rond, plukte een mango en nam die mee naar de auto. Op de achterbank werden de anderen ongedurig en Ramdoss maande ze met een gebaar tot kalmte.

Daniel liet de mango een tijdje ronddraaien op zijn hand en zei toen, bijna tegen zichzelf: 'Toen Kannan nog heel klein was, nam amma hem altijd mee hier naartoe. Ik weet nog dat ze allerlei liedjes voor hem zong, maar zijn lievelingswijsje was iets dat ze zelf gemaakt had...' Hij zong met hese schorre stem:

Saapudu kannu saapudu
Neela mangavai saapudu
Omaku ennakavalai...

'Ze moest het steeds weer opnieuw voor hem zingen.' Daniel lachte even kort hardop en knikte naar Ramdoss om verder te rijden.

Toen ze bij het huis waren, droegen ze Daniel terug naar zijn kamer, en legden hem op zijn bed, terwijl hij de mango al die tijd in zijn handen hield. Toen Ramdoss zich omdraaide om weg te gaan, zei Daniel: 'Blauwe mango's, Ramu, de trots en de vreugde van onze familie zover mijn herinnering teruggaat. Ik weet nog hoe appa in de oogsttijd naar de rivier afdaalde en de eerste mand vulde met de vruchten die blauw waren als de lucht, met hier en daar vegen zon erop. De Chevathar stond in die dagen nog vol water en we konden tot diep onder het oppervlak de mango's zien liggen die in de rivier gevallen waren en mysterieus glinsterden, als eieren van een zeldzaam creatuur uit de zee...'

Hij liet de vrucht ronddraaien op zijn hand en zei toen langzaam: 'Wat ik hier heb, verdient onze totale inzet, Ramu. Toen ik in Nagercoil woonde, in het huis van mijn grootvader, bracht ik wel eens wat van mijn vrije uurtjes door op de veranda en dan keek ik uit op de Neelam van Chevathar. Mijn moeder had die geplant en hij stond daar fier en hoog, het middelpunt van de kleine tuin. Maar, wil je wel geloven dat er al die tijd dat ik daar was, niet één keer vruchten aan hebben gezeten? Terwijl ze hier juist enorm gedijen, overvloedig vrucht dragen. Ik ben blij dat ik in Chevathar dood zal gaan...'

'Anna, ik zou graag Kannan thuisroepen...'

Daniel bleef eerst een hele tijd stil. Toen zei hij rustig: 'Ja, hij moet maar thuiskomen...Binnenkort. Ik laat het je wel weten.' Daniel liet de mango over en weer gaan tussen zijn handpalmen, liet hem om en om kantelen. Toen leunde hij achterover en sloot zijn ogen. Omdat hij dacht dat hij ging slapen, was Ramdoss zich al stilletjes uit de kamer aan het terugtrekken toen hij Daniel hoorde mompelen: 'De worm in de mango.' Maar meer zei hij niet. Zachtjes pakte Ramdoss de vrucht uit Daniels hand waar die losjes in geklemd zat, keek er even heel nauwgezet naar, legde hem op het nachtkastje, trok een laken over het uitgemergelde lichaam en deed het licht uit. Vlak voordat hij de kamer uitliep, draaide hij zich nog even om en keek een laatste keer naar Daniel. Hij had een gewaarwording van voorbijgaande dingen en was plotseling bang. Hoewel hij heel moe was, liet hij bij de bediende die in de nacht moest waken instructies achter dat hij wakker gemaakt wilde worden als er ook maar de geringste aanleiding was voor alarm, en toen ging hij naar zijn eigen kamer.

Tot in de kleine uurtjes, en voor de ochtend aanbrak, lag Ramdoss rusteloos in bed te woelen, en toen voelde hij een hand die hem wakker schudde. De bediende die hij de wacht had laten houden, fluisterde dringend: 'Lily amma roept u. Aijah...' Ramdoss was meteen wakker. Terwijl hij zijn lungi strak om zich heen trok, haastte hij zich naar Daniels kamer. In het grauwe licht zag hij Lily's bedroefde gezicht en hij begreep het onmiddellijk. 'Neem de auto en ga de dokter halen,' zei hij dringend tegen de bediende die hem gevolgd was. 'Toe maar, vlug.'

89

De pijn kwam onverwacht en zo fel dat ze elk ander gevoel uit zijn lichaam verdreven had. Daniel wist niet of hij wel ademhaalde, en of hij het in doodsangst had uitgeschreeuwd; het enige wat hij kon bedenken was dat hij meer dan hij verdragen kon doormaakte. En toen, even snel als het hem had aangepakt, was het weer over en liet slechts een gewaarwording achter van groot onbehagen. Hij kon niet spreken, hij kon amper ademhalen, een mist maakte het zwart voor zijn ogen, maar bang was hij niet...

Het nieuws van Daniels achteruitgang verspreidde zich snel door de nederzetting. In minder dan een uur tijd was het huis stampvol. De dokter zette de mensen uit de ziekenkamer, maar ze glipten één voor één terug naar binnen. Af en toe verloor hij zijn geduld en schreeuwde: 'Wegwezen, weg jullie allemaal. Deze man vecht voor zijn leven, hij heeft ruimte en lucht nodig, hij heeft behoefte aan rust en stilte.' Hij wendde zich tot Ramdoss en zei: 'Kunt u ze niet zover krijgen dat ze de kamer uitgaan en daarbuiten blijven! Deze man is te ziek om vervoerd te worden, anders liet ik hem meteen naar het ziekenhuis brengen.'

De kamer werd ontruimd, maar niemand liep ver weg. De warme bedompte gangen en alle openingen in het huis zaten verstopt met mensen die bleven wachten met verschillende uitdrukkingen op hun gezicht, verveeldheid, verdriet of de lege, nietsziende blik van mensen die de kunst kennen van geduldig wachten op niets in het bijzonder. De hele ochtend trokken er mensen naar het Huis van de Blauwe Mango's, gedreven door een gezamenlijk gevoel van grote bezorgdheid over het dreigende heengaan van de man die, zo lang ze zich konden herinneren, de voornaamste tegenwoordigheid in hun wereld was. In Daniels kamer zaten nog steeds te veel mensen, maar Ramdoss en de dokter waren er tenminste in geslaagd het tot de naaste familie en de geestelijke te beperken. Twee forse neven blokkeerden de deur, en beleefd doch beslist weigerden ze ieder ander de toegang.

De mist in zijn hoofd was er nog altijd, maar het buitengewoon onbehaaglijke gevoel was wat afgenomen. Hij probeerde de ademtechnieken toe te passen die siddha-heelmeesters voorschreven. Geleidelijk aan kwam er verlichting in zijn lijden. Hij was zich bewust van de mensen om zich heen, maar kon geen gezichten onderscheiden. Alleen wazige schimmen kon hij zien, hoewel het voor zijn geestesoog helderder geworden was – hij zag Lily waar hij haar verwacht had te zien, bij zijn bed, haar ogen in gebed gesloten; Ramu, bij wie de tranen over de wangen rolden; Solomon en Charity; zijn zusters Rachel en Miriam, die zo energiek aan zijn zijde hadden gestaan tijdens zijn worsteling; Aäron, die prachtkerel uit zijn jonge jaren; Thirumoolar, dr. Pillai, Father Ashworth. Maar waarom was iedereen zo verdrietig? Hij was nu toch rustig, de pijn was draaglijk; dit heengaan was iets waar hij klaar voor was, wat hij zelf gewenst had.

Hij had een prikkelende gewaarwording op zijn huid en toen bereikte hem heel zwak een stem die hij niet goed kon verstaan. Hij probeerde zijn ogen open te doen maar ze leken zijn wil niet te gehoorzamen. Beter maar zich op zijn ademhaling te concentreren; als hij die goed kon regelen, zou al het andere wel weer op zijn plaats vallen.

De stilte van de kamer werd door een luide stem doorbroken. Miriam, die in trance geraakt scheen te zijn, was opeens gaan schreeuwen en het zweet liep in straaltjes van haar gezicht en doordrenkte haar blouse, en haar ogen waren een en al vurige schittering: 'Anna, anna, kun je hem nu zien? Kun je onze zaligmaker de Heer zien die op u staat te wachten?'

Door de opschudding weer springlevend geworden, drongen de mensen in de kamer zich als één man naar voren. 'De kamer uit. Nu meteen,' schreeuwden de dokter en Ramdoss tegelijk en ze duwden de mensen weg van Daniels bed. Zijn kleinzoon liet zich op de grond vallen en worstelde zich naar voren tussen de benen van de volwassenen door, met een reageerbuisje in zijn hand; dat duwde hij onder de neus van de stervende man. Sporenelementen reageerden op Daniels adem en de inhoud van het reageerbuisje werd een wolk van vlokken. De jongen deed er vlug een kurkje op en worstelde zich terug zoals hij gekomen was. Miriam schreeuwde nog steeds: 'Anna, kunt u de Heer zien?' Ramdoss duwde nog steeds mensen de kamer uit, de geestelijke mompelde gebeden en Lily stond als versteend naast het bed.

Ongemerkt was het gerucht naar buiten geslopen dat dr. Dorai dood was en meteen zette het hoge geweeklaag in, af en aan zwellend in de verstikkende vochtige atmosfeer, zodat de vogels zich houterig bewogen in de takken van de grote mangoboom voor het huis.

Dr. Dorai merkte niets van dat alles. Hij liep in de stralende zon met Father Ashworth over het strand, en keek niet naar de onbestendige branding, maar naar het zand onder zijn voeten waarop de schelpen, achtergelaten door het aanstormende water, blonken als gepolijste stenen. Tot zijn verbazing leken de schelpen wel uit eigen beweging te lopen. Opgewonden wees hij de priester daarop. Father Ashworth pakte een schelp en liet hem de lange vlezige voetjes van het weekdier zien, de onmerkbare greep ervan op zijn vinger, het hardnekkige vastklampen aan het leven, te midden van het bulderend geraas van de zee. Zijn hoofd vulde zich met een groot licht en een ogenblik later overstelpte de pijn hem met een felheid die hij wist te duiden als het einde... toen was hij er plotseling van bevrijd.

Het enige waar we op kunnen hopen, als het onze tijd is, bedacht Ramdoss, toen hij de dokters tevergeefs zag proberen de man die het middelpunt van zijn heelal was, weer tot leven te brengen, is dat we goed sterven, en onze vreselijke angst om nooit meer met onze vrienden te kunnen wandelen, of vruchten van de bomen te eten, verrassingen tegemoet te zien, hebben overwonnen... Dat was niet de enige angst die je de baas moest zien te worden, besefte hij direct het moment daarna – wanneer we ons op de dood voorbereiden, zullen we ons niet alleen moeten neerleggen bij hetgeen we achterlaten, we zullen ons ook moeten voorbereiden op wat ons wacht: een goede plaats of een slechte, wedergeboorte of vereniging met het goddelijke.

Een paar weken nadat Daniel gestorven was, vond Ramdoss een exemplaar van de *Upanishads* in zijn kamer, waarin enkele passages keurig onderstreept waren met blauwe inkt. Een daarvan was vers 13 uit hoofdstuk 3 van de tweede Brahmana van de 'Brhad-aranyaka Upanishad', waarin beweerd wordt dat bij het doodgaan van een persoon:

de spraak toetreedt tot het vuur
de adem tot de lucht
het oog tot de zon
de geest tot de maan
het gehoorzintuig tot de sferische kringen
het zelf tot het hemelruim
het lichaamshaar tot de grassen
het hoofdhaar tot de bomen
en het bloed en sperma tot het water.

Nog een passage die Daniel had onderstreept, was het antwoord van Yajnavalkya, de goddelijke leraar, op de vraag wat er met iemands zelf, de levenskracht, zou gebeuren, wanneer een persoon overleed:

> zoals een goudsmid een klompje goud pakt
> en omsmelt tot een andere, nieuwere en mooiere vorm,
> precies zo zal het zelf, nadat het zijn lichaam afgeschud
> en zijn onwetendheid heeft afgelegd,
> zich een andere, nieuwere, mooiere vorm aanmeten,
> die van de voorvaderen, of de gandharva's, of de goden
> of van de Prajapati, of van Brahma of nog andere wezens...

Verder waren er nog twee passages zo dik onderstreept dat de inkt er aan de andere kant van het papier doorheen gekomen was. Ze vergeleken daar een stervende man met een koning die op het punt staat te vertrekken. Politie, rechters, soldaten, wachters, dorpsnotabelen, andere hoogwaardigheidsbekleders gaan in een dichte groep om de vertrekkende heerser heen staan. Precies zo verzamelen de zintuigen zich om het zelf wanneer een persoon op het punt staat dood te gaan. Het zintuiglijke vermogen begint op te raken en trekt zich samen in het hart... Het brandpunt van het hart licht op en door dat licht vertrekt het zelf, hetzij via de ogen of via het hoofd of via de andere openingen in het lichaam. Met het zelf gaan ook de zintuigen heen en vluchten naar een andere wereld. Terwijl zijn zintuigen het één voor één lieten afweten, had dr. Dorai misschien dat beeld voor zich gehad, toen zijn levende zelf snel opsteeg naar de zon.

Tegen de tijd dat Kannan in Chevathar aankwam zonder zich een pauze te gunnen om te slapen of te eten vanaf het moment dat hij het telegram had gekregen, was het lichaam van zijn vader al gewassen en van nieuwe kleren voorzien, waarna het op een blok ijs was gelegd in de grote zitkamer van het huis. De kamer was geheel gevuld met het walmende licht van wel honderd kaarsen.

Het was bijna twaalf uur geleden dat Daniel was overleden, en de grote bezorgdheid die zijn naasten had vervuld, had nu plaatsgemaakt voor een vermoeide droefenis. Ramdoss, normaal een man die zich niet gauw liet gaan, kneep Kannan bijna fijn in een verrassend stevige omhelzing. Zijn moeder drukte hem even kort tegen zich aan. Toen kwamen de tranen. Kannan had zo lang hij zich kon heugen niet meer gehuild, maar nu snikte hij.

Ze begroeven dr. Dorai na een plechtige uitvaartdienst. De jonge geestelijke die de padre verving, omdat deze in het ziekenhuis lag nadat de recente gebeurtenissen hem te machtig waren geworden, kweet zich heel behoorlijk van zijn taak en hield een korte gevoelige preek, voordat Daniel ter aarde werd besteld op het familiekerkhof dat uitkeek over de zee, naast zijn vader en zijn oom Joshua. Als een van de baardragers ontdekte Kannan tot zijn verwondering dat hij zich het meest concentreerde op het evenwicht dat hij bewaren moest om netjes over de ongelijke grond van de begraafplaats naar de plek toe te lopen waar het graf was gedolven. Zelfs in het aangezicht van de dood moeten we aandacht schenken aan de kleine details van het leven, dacht hij. Voordat de kist in de grond werd neergelaten, hield Kannan zijn lippen even tegen het door de zon gewarmde hout, en trad toen terug. De grafdelvers begonnen instructies te schreeuwen, ze hadden in hun leven al zo veel verdriet gezien en er was werk te doen. De familie ging in een groepje dicht om het open graf heen staan. Het zachte neerkomen van bloemen, dan het ploffende geluid van zand op hout...

In Meenakshikoil zou een standbeeld verrijzen van een gestalte in steen; drie straten zouden naar hem worden vernoemd. Doraipuram zou Daniel nog minstens een generatie in herinnering houden. En degenen die hem gekend hadden zouden ook nog wel een poosje aan hem blijven denken. Maar nauwelijks twee decennia later zouden zon, zand en water het standbeeld beginnen aan te tasten. Zijn naam zou er nog een paar decennia op te lezen zijn en dan was het niet meer dan een wegwijzer die verder geen beelden meer opriep – Bij de rotonde met het Dorai-standbeeld rechtsaf en dan rechtdoor, dan kom je bij het Madras Ulundu Vadai Café. Zoals dat gaat in de wereld.

90

Een huis waarin een sterfgeval heeft plaatsvonden, is een drukbezochte plaats. Bezoekers die komen rouwen, moeten een warm welkom en een maaltijd worden bereid, iedere nieuw aangekomene moet van een van de familieleden tot in de finesses het verhaal te horen krijgen over de gebeurtenissen die tot de dood hebben geleid. Ook bij de dood zelf dient uitvoerig te worden stilgestaan; de begrafenis moet worden geregeld. Dat alles geeft de naaste familieleden weinig tijd om verdriet te hebben. Pas als het graf gesloten is en de begeleidende kaste zich geleidelijk aan heeft teruggetrokken, krijgt de familie de gelegenheid alleen te zijn met haar herinneringen aan degene die niet langer onder hen is. Pas dan komen ze aan hun eigen verdriet toe.

Toen de begrafenis voorbij was, bracht Kannan de rest van de middag door met wat door het benauwende huis rond te lopen. Veel mensen, van wie hij de meeste niet kende, betoonden hun medeleven, maar hun belangstelling ging alweer uit naar andere dingen, en hij kon volstaan met alleen het hoogst noodzakelijke te zeggen. Terwijl hij van het ene vertrek naar het andere liep en hier een tafel aanraakte, daar een spinnenweb weghaalde, stilstond om een boek te bekijken, of een schilderij of een voorwerp dat herinneringen opriep, kwam het bij hem op dat het huis van een mens nog het meest op fossiele beddingen leek, waar in kleischalie of zandsteen het ene tijdvak na het andere in keurig geordende lagen ligt opgeslagen. Hier lagen een paar vertrekken die Daniel als kliniek had ingericht toen hij pas in Doraipuram was aangekomen. Iets verderop was de bibliotheek uit zijn Engelse periode, die vol stond met rijen en nog eens rijen zware boekwerken: de *Encyclopaedia Britannica*, Dickens en Swift, Hazlitt en Burke. De meeste boeken zagen er ongelezen uit. Kannan pakte het boek *Bleak House* ertussenuit en sloeg het open. De bladzij wemelde van de papiermot die er een landkaart op geborduurd had. Hij moest niezen van het stof dat er vanaf wolkte en hij zette het boek terug op de plank om verder te lopen.

Toen Daniel wat meer afstand van het leven had genomen, had hij zijn behoeften versimpeld, en in de vertrekken die grensden aan de sterfkamer stonden bijna geen dingen meer van hemzelf. Maar in de kamer waarin hij was gestorven, was het een troep, de ravage die je bij afgaand tij aantreft als de zee zich heeft teruggetrokken. Midden tussen dat alles zat Lily. Ze was opmerkelijk kalm, gezien het verdriet en de jachtige drukte van de laatste paar dagen. Kannans gedachten gingen onwillekeurig terug naar Pulimed, naar haar korte verblijf daar. Helen zou haar zo eens moeten zien, dacht hij, dan zou ze de grandeur van de vrouw die ze geprobeerd had te vernederen wel moeten inzien. Vredig haalden ze herinneringen op aan Daniel, toen stond zijn moeder op om weg te gaan. 'Ik weet dat hij je tegen het einde vergeven had. Alleen wilde zijn geest hem niet meer gehoorzamen, dus... Maar hij was je nooit vergeten. Jij was zijn lieveling.'

'Ja, amma. Ik wilde dat ik hier had kunnen zijn toen hij nog in leven was.'

'Zul je er nog wel zijn als zijn testament wordt voorgelezen?'

'Ja, maar daarna moet ik meteen weer terug.'

Na de begrafenis had Ramdoss aangekondigd dat, in overeenstemming met de wensen van zijn zwager, het testament de volgende dag zou worden voorgelezen. Nu wist de uitgebreide familie niet goed of ze moest treuren of een onverwachte meevaller verwachten. Dr. Dorai was een vermogend man en wanneer de rijken doodgaan, strijken vele anderen het goud op. Of in ieder geval enkelen.

De volgende ochtend waren er ruim twintig mensen in de eetkamer. Een ventilator bracht de lucht boven hun hoofden in beweging, maar een goede circulatie was er niet. Ramdoss, Lily, Kannan, Shanthi, Usha en Daniels familieadvocaat en vriend, een eerbiedwaardige oude heer wiens brahmaanse kastenversierselen en tulband in volmaakte harmonie waren met het westerse pak dat hij droeg, zaten op stoelen in een grove halve cirkel tegenover de rest van de familie.

Na hen somber begroet te hebben, begon Ramdoss te spreken terwijl hij een groot vel papier in zijn hand hield: 'Geachte ooms en tantes, vrienden en familie, Daniel-anna was een ongewone en grote persoonlijkheid, en daarom is ook zijn testament nogal aan de ongewone kant. Mr. Iyengar heeft mij verzocht eerst een brief die Daniel heeft nagelaten voor te lezen. Een paar van zijn bepalingen staan omschreven in zijn laatste wensen en in het testament dat in Meenakshikoil in het kantoor van Mr. Iyengar ligt. Zo wilde Daniel de dingen geregeld zien, en Mr. Iyengar en ik volgen getrouw zijn aanwijzingen op.'

Met deze inleiding begon hij de laatste woorden van Daniel voor te lezen. 'Waarde familie,' begon de brief, 'als dit aan jullie wordt voorgelezen, zal ik er niet meer zijn. Godzijdank! De laatste jaren heb ik niets liever gewild dan naar de volgende wereld te verhuizen en God heeft dan eindelijk mijn wens in vervulling doen gaan.'

Ramdoss pauzeerde even en las toen verder: 'Van een stervende man verwacht men dat hij verzoeningsgezind zal zijn, maar ik ben van plan te zeggen wat ik op mijn hart heb. Ik had me al uit de familie teruggetrokken en daar zal vast wel veel over gespeculeerd zijn, maar nu zal ik zelf zeggen waarom ik dat deed. Op een of twee uitzonderingen na heb ik mijn familie als een last ervaren. Toen ik jong was en het levenssap nog volop in mij bruiste, geloofde ik met alle hartstocht die er in mij was, dat een mens in zijn familie het grootste goed bezit dat hij hebben kan. Maar jullie zijn hier niet bij elkaar gekomen om te luisteren naar de grillige ingevingen van een dode man, dus zie ik snel af van filosofische bespiegelingen, hoewel ik in de verleiding kom ermee door te gaan omdat het een van de vele privileges is van de pas gestorvene dat hij volstrekte aandacht krijgt, misschien slechts voor een uur, of een dag, dat doet er niet toe, ik weet dat jullie met meer dan de nodige aandacht naar Ramdoss zult luisteren.

Lang nadat ik al pogingen had gedaan uit de dagelijkse wereld der levenden te verdwijnen, nadat ik al gepoogd had mijn hart, geest en ziel te ledigen om in het gerede te komen met de Oneindige, besefte ik dat mijn inspanning niet tot volledig succes zou leiden. Wij leven met hart en ziel, tot we doodgaan. Pijn, meditatie, gedachten over God, kunnen ons wel tijdelijk afleiden, maar we kunnen ons nooit geheel aan de wereld onttrekken zolang we niet dood zijn. En dus, terwijl ik al niet meer actief deelnam aan het leven in de gemeenschap en de familie, weigerde mijn geest nog altijd om heen te gaan. Wat leefde er zoal in mijn gedachten? Voor het merendeel betreurde ik de dingen die ik gedaan had, dacht ik aan de ruzies die niet waren opgelost, dacht ik over zaken die onvoltooid gebleven waren. Het is een van de paradoxen van het leven en iets waar jullie ieder voor zich ook achter zult komen, dat je prestaties, je successen, de eervolle bekroningen op je werk er niet echt toe doen aan het einde van je leven. Nee, nee, en nog eens nee, en als ik jullie met verder niets wil opzadelen, dan toch tenminste met deze wijsheid – dat je vooral de dingen die je betreurt meeneemt in je graf. En jullie, waarde familie, of je dat nu leuk vindt of niet, maken deel uit van wat ik betreur. Ik heb me dikwijls afgevraagd waarom ik mij mijn hele leven zo hard voor jullie heb afgebeuld terwijl ik veel meer zorg en aandacht aan mijzelf had kunnen spenderen.

Terwijl ik deze woorden opschrijf denk ik aan de mango die al meer dan een eeuw ons meest gekoesterde bezit is. Daarvan spreekt mij een ding zeer sterk aan. Geen vrucht die mooier is, en toch heeft die mango een monsterlijk mankement. Elk seizoen legt een piepklein insect, het mangofruitvliegje, zijn eitjes onder de schil van een paar rijpende vruchten. De eitjes komen uit en de wormpjes zijn met het blote oog te zien. Ik hoef de overeenkomst niet verder uit te werken om mijn bedoeling duidelijk te maken. Iedere familie draagt zijn eigen wormpjes bij zich – gulzige, oneerlijke, ondankbare mensen, wier slechtste eigenschappen het sterkst aan de dag treden wanneer ze bij elkaar zijn. Dus, aan het einde van mijn leven, stemt het beeld dat ik heb van Doraipuram mij somber. Naar buiten toe, voor de grote wereld, zijn we een voorbeeld van hoe een familie eigenlijk behoort te zijn. Vanbinnen begint het rotte plekje zich uit te breiden.'

Ramdoss vroeg om water. De stilte in het vertrek werd alleen verbroken door het geritsel van provisorische handwaaiers, het geschuifel van onrustige lichamen. Een bediende bracht een glas water. Ramdoss leegde het in een lange teug, veegde zijn gezicht schoon met een doek die over zijn schouder hing en ging verder.

'Hoor ik jullie nu verontrust heen en weer schuiven? Is een onbenullig advies het enige wat die malle oude man ons heeft nagelaten? Maak je maar niet bezorgd. Als een familie die me eindeloos veel last heeft bezorgd, die ruzie maakt om land, om geld, om aanzien en invloed, om een huwelijk, zouden jullie dankbaar moeten zijn dat ik niet echt een wraakzuchtig man ben. Ik heb jullie allemaal iets nagelaten, hoewel je verbaasd zult zijn, erachter te komen dat ik tot zeer kort geleden nog maar heel weinig over had van mijn vroegere rijkdom. Het machtige vermogen dat ik met mijn serie patentgeneesmiddelen had vergaard was nog maar een zwakke afspiegeling van wat het vroeger geweest was. De mensen zijn massaal overgegaan op Engelse geneesmiddelen van lagere kwaliteit, die vier keer zoveel kosten en nog geen kwart van dezelfde genezingskracht bezitten en de zaken gaan slecht. Daar maakte ik me voor mezelf niet druk om, want ik was me wel bewust van het feit dat ik niet veel jaren meer te leven had. Wat mij wel zorgen baarde, was mijn familie en hoe ik die verzorgd moest achterlaten. *'Kaka vuku u thun kunjie/pon kunjie'* – als 'zelfs een kraai in zijn jong een gouden kip ziet,' waarom zou ik dan anders zijn?

En van goud gesproken, dat is nou net wat ik jullie, familie, achterlaat, een fortuin in goud, vijfenzestig kilo maar liefst, waar jullie, de mensen die ik genoemd heb in mijn testament, allemaal de rest van je leven goed van kunt leven. Jullie bezitten al het land waarop je woont, dat is mijn eerste geschenk geweest. Nu hoef je ook niet meer over geld in te zitten. Dat is mijn laatste geschenk.'

Ramdoss pauzeerde even. Kannan zag dat hij niet opkeek. In plaats daarvan waren zijn ogen strak op het papier gericht dat hij vasthield. Kannan keek naar zijn familie: zijn moeder, die daar zat met haar ogen neergeslagen, haar hoofd in de pallu van een witte sari gehuld; zijn tante Miriam, zwaarlijvig en zweterig en vroom, haar ogen gefixeerd op het nieuwe portret van haar broer gericht in een sierlijke omlijsting van sandelhout met rozen; zijn zuster Shanthi, met een vermoeid gezicht vol rimpels hoewel ze amper vijfendertig jaar was, haar scharminkel van een man Devan achter haar; zijn andere zuster Usha en haar man Justin, wiens ogen schichtig over de mensen gleden als licht over water; zijn neefje Daniel, de lieveling van zijn vader. De meeste van hen leken dodelijk geschokt door het nieuws van het fortuin dat de aartsvader hun had nagelaten. Gemompelde opmerkingen over en weer, hoorbare zuchten. Ramdoss stak een hand op en vroeg om stilte. 'Ik ben met een paar minuten klaar,' zei hij.

'Toen ik besefte dat van mijn fortuin niet veel meer over was, dit huis, een paar mango- en kokospalmboomgaarden en rijstvelden, drieduizend roepies op de bank, mijn auto's en het huis in Nagercoil, verdiepte ik me weer in de teksten die dr. Pillai mij had nagelaten. Daarin lag het geheim opgeslagen dat een groot siddha-mysticus had weten te ontsluiten en dat ik het mijne wist, als ik het geduld en de discipline zou opbrengen, en de leiding van boven zou krijgen om ernaar te zoeken. Ik deed er anderhalf jaar over om ten slotte achter het geheim van de teksten te komen, een geheim dat jullie allemaal heel rijk zal maken. Want wat die teksten me hebben geleerd is hoe je alle *tamasic*-materie in goud kunt veranderen. Drie maanden geleden liet ik mij wegen, op mijn tweeënzestigste verjaardag. Ik woog precies tweeënzeventig kilo. Na mijn dood moet mijn lichaam in een kruidenbad gelegd worden, waarvan het precieze recept is bijgesloten bij deze brief...'

Ramdoss las nu heel snel, zonder acht te slaan op zijn gehoor dat steeds meer met stomheid werd geslagen en vurig verlangde naar het einde van de bizarre brief die hij zijn vriend uit alle macht had bezworen niet na te laten.

'Na twee dagen zal mijn lichaam zeven kilo minder wegen, omdat alle tamasic-materie eruit is getrokken. Het overige is dan nog vijfenzestig kilo zuiver goud. Ik laat mijn vrouw Lily en de kinderen vijfendertig kilo na; de overige dertig moeten gelijk verdeeld worden tussen al degenen die land in Doraipuram bezitten. Om de verdeling van het goud gemakkelijker te maken, heb ik een lijst opgesteld van wat elk van mijn organen aan het einde van de transformatie moet wegen – mijn hoofd...'

'Stop daarmee. Genoeg van die nonsens. Het is mijn broer duidelijk in zijn bol geslagen...' riep Miriam. Opgelucht hield Ramdoss op met lezen. Hij had zich al afgevraagd wie de eerste zou zijn om de schimmige schertsvertoning te beëindigen.

Miriams uitbarsting verbrak de stilte van de bijeenkomst. Een paar mensen begonnen luid te snikken; de vernedering waarmee de oude man wraak op hen had genomen was meer dan ze konden verdragen. Kannan keek om zich heen en ving de blik van Daniel op, die even op hem bleef rusten; de ogen van de jongen hadden een eigenaardige uitdrukking – was het binnenpret, was het trots?

91

Kannan zat bij de Chevathar in de gespikkelde schaduw van een tamarinde en keek uit over de rivier. Het was erg warm, niet te verdragen zo heet. Was een korte tijd van werken in het bergland al voldoende om de hitte nu zo moeilijk het hoofd te kunnen bieden? De rivier was geslonken tot een paar vuile poelen, nauwelijks zichtbaar door de rommel en het schuim dat erop lag. De vliegen zaten in dichte zwermen op wat eruitzag als een dooie hond in verregaande staat van ontbinding. Dus dit was waar het uiteindelijk allemaal op uitdraaide, vroeg hij zich af, de vraag die hem achtervolgd had vanaf het moment dat zijn oom de brief was gaan voorlezen. Desillusie, verbittering, wraak, rampspoed? Hij had tegen zijn vader opgezien, en al waren ze verbitterd uit elkaar gegaan, zijn respect voor hem was nog onverminderd. Hij was zich bewust van de conflicten binnen de familie, maar had er geen idee van hoezeer ze zijn vader hadden aangegrepen, zodat hij ertoe gekomen was zijn levenswerk als volkomen waardeloos te bestempelen. Waarom had Ramdoss-mama de brief voorgelezen? Waarom had hij zijn vader niet in vrede laten gaan? Maar het was niet zijn schuld, besefte Kannan het volgende moment, als Ramdoss niet had gedacht dat het belangrijk was voor Daniel, zou hij de brief wel hebben achtergehouden, en iedereen wist hoe onwankelbaar de loyaliteit was van Ramdoss aan zijn zwager.

De wind veranderde van richting en de stank van het beest dat lag te ontbinden waaide rechtstreeks naar hem over. Hij stond op en sjokte terug naar het huis terwijl het zweet van zijn gezicht zijn kraag binnenliep. Waarom moest een mens eerst worstelen om een doel in zijn leven te vinden en vervolgens zijn beste jaren daaraan geven, als het enige wat hem aan het einde te wachten stond spijt en boosheid was? Waarom kon hij zich niet gewoon laten drijven door wat zijn kant uitkwam? Voordat de gedachte goed en wel in hem op was gekomen verwierp hij haar al. Hij herinnerde zich de laatste brief die hij van Murthy had gekregen. Zijn beste vriend had geschreven dat hij erover dacht het houtbedrijf van zijn vader de rug toe te keren en zich in de strijd voor onafhankelijkheid te storten. Hij had er bij Kannan op aangedrongen met hem mee te doen. Kannan moest nog lachen als hij terugdacht aan zijn antwoord – hij had Murthy gevraagd vakantie bij hem te komen houden in Pulimed, om nieuwe energie op te doen voor hij zich zou toeleggen op zijn missie de Britten te verjagen. Maar zonder gekheid, Murthy had gelijk. Jonge mensen moesten groots denken, en hun jeugdige krachten en overtuiging steken in doelstellingen die hun later nooit weer zo boeiend of essentieel zouden voorkomen. Hoe kon je aan de uitdaging van het leven bezweken zijn voordat je er zelfs nog maar aan was begonnen? Hij dacht aan Helen, de vrouw wier hand hij bevochten had. Misschien had hij eenzelfde soort huwelijk moeten sluiten als zijn zusters hadden, had hij op safe moeten spelen, de genegenheid van zijn familie vasthouden... Kwaad verwierp hij het idee. En toen gingen zijn gedachten weer naar Pulimed. Hij was bezig geweest zijn eigen plekje te veroveren met de taak die hij zich had gesteld toen hij had gebroken met zijn vader. Zou zijn worsteling er nu net zo fel aan toe gaan?

Het pad naar huis liep langs de waterput waarover zijn chithappa in diens jonge jaren gesprongen was. Het algehele verval waardoor een groot deel van de kolonie overrompeld was, kon je hier ook goed zien – de gemetselde muren waren afgebrokkeld en niet meer opgeschilderd, de bomen die eromheen stonden waren niet meer gesnoeid, hetgeen de plek een desolate aanblik verleende. Het zag er niet anders uit dan wat het feitelijk was: een verlaten landelijke waterput, een van de duizenden waar de dorpen van het gebied mee bezaaid lagen. Maar ooit had een jongeman zijn leven geriskeerd om eroverheen te springen! Als hij had stilgestaan bij het lot van de put en van zichzelf, zou hij het dan ook gedaan hebben? Zeker wel, was de conclusie van Kannan, als alle verhalen die hij over Aäron-chithappa gehoord had, klopten. Ieder mens moest zijn eigen worsteling leveren om wat van zijn leven te maken. Kijk maar naar zijn grootvader, doodgegaan in een krachtmeting die behalve in mythische zin voor zijn familie geen enkele betekenis had, maar die ongetwijfeld voor hem de belangrijkste uitdaging in zijn leven was geweest. Of naar zijn vader die altijd maar zijn best deed om zijn dromen te verwezenlijken... Nee, de laatste wilsbeschikking van zijn vader mocht hem nog zo in verwarring hebben gebracht – je kon niet heen om het feit dat die de teleurstelling van zijn vader weerspiegelde – hij zou zijn eigen doeleinden voor ogen moeten houden en die uit alle macht najagen; hij was jong, had het in zich om te vechten, alle onaangename dingen die hem nog te wachten stonden te overwinnen. Was dat niet waarvoor je leefde, om beter en sterker boven je teleurstellingen uit te komen, ervan te leren hoe je verder moest? Hij liep voorbij de waterput en sloeg de weg terug naar huis in. Was het niet vreemd, peinsde hij, dat te midden van dood en narigheid onze gedachten zo hardnekkig naar het leven terugkeren, naar de toekomst.

Toen hij bij het huis kwam, trof hij Ramdoss aan, die hem stond op te wachten.

'Is iedereen nog zo overstuur, mama?' vroeg hij.

'Ja, en of,' zei hij.

'Ik vroeg me af waarom u het hebt voorgelezen.'

'Je vader heeft me gevraagd dat te doen. Het was belangrijk voor hem en dat was voor mij voldoende.'

'Maar u hebt toch zeker wel uw best gedaan hem ervan af te brengen...'

Ramdoss had al een antwoord op zijn lippen liggen, maar toen hij zijn mond opendeed was hij van onderwerp veranderd.

'Ga je morgen weer terug?'

Kannan probeerde het nog een keer. 'Wanneer heeft hij het opgeschreven?'

'Hij had er al geruime tijd aan zitten werken. De uiteindelijke tekst heeft hij drie maanden geleden gedicteerd.'

'En hij is er nooit meer op teruggekomen?'

'Misschien heeft hij zich naderhand wel eens bedacht, maar zijn boosheid maakte korte metten met alle twijfels die hij er misschien nog over had.'

'Zeg eens eerlijk, mama, wat vond hij van mij, toen het tegen het einde liep?'

'Hij was in je teleurgesteld, maar ik geloof dat hij zich had neergelegd bij wat je gedaan hebt. Hij hield van je en wilde altijd het beste voor je, dat mag je nooit vergeten.'

Er viel kennelijk niets meer te zeggen en Kannan stond op het punt het huis binnen te gaan toen hem nog iets inviel.

'Een laatste vraag nog, mama. Was appa gelukkig?'

'Dat zou ik wel zeggen,' er verscheen een glimlach op Ramdoss' gelaat. 'De dag voordat hij van ons heenging, maakte hij een ritje met de auto... Ja, hij was gelukkig.'

'Hij zag er vredig uit, toen ik hem zag.'

'Ja, dat doen mensen...' Ramdoss leek even diep in gedachten en zei toen: 'Weet je zeker dat je niet kunt blijven?'

'Nee, mama, we komen al mensen tekort op de plantage, en ik kon maar een paar dagen verlof opnemen.'

'Gaat het daar allemaal goed?'

'Ja,' zei hij zonder aarzelen, 'ik houd van mijn werk, en... en Helen is goed voor mij.'

'Prima. Dan moet je maar zo vaak thuiskomen als je kunt. Lily-akka en ik willen graag zoveel mogelijk van je zien. En misschien kun je dan binnen niet al te lange tijd hier terugkomen. Dat was een van de droomwensen van je vader, zie je.'

92

Veertien dagen nadat Kannan op de plantages was teruggekeerd, brak met ongekende hevigheid de natte moessontijd aan. Direct na zijn terugkeer had hij geprobeerd om weer in het gareel te komen, maar hij had geen rekening gehouden met de verwoestende schok van de dood van zijn vader. Hij worstelde om het gevoel van afwezigheid en verlies om te buigen naar iets wat hij bevatten en stillen kon. Hij had er behoefte aan, met iemand over Daniel te praten, maar er was niemand met wie hij dat kon, al helemaal niet met zijn vrouw. Ramdoss had gezegd dat Daniel van hem gehouden had. Maar als hij zoveel van hem hield, waarom had hij hem dan de rug toegekeerd? Wanneer alles goed ging, kon liefde zeer aanstekelijk werken, maar wanneer de klad erin kwam was de kracht die ze had om schade aan te richten niet minder ontzagwekkend. Je hoefde maar te kijken hoe het er tussen Helen en hem voor stond.

Helen probeerde zo goed mogelijk om te gaan met de nieuwe situatie. Als ze eerlijk was, moest ze toegeven dat haar eerste reactie op Daniels dood opluchting was geweest. Tenminste één spanning minder op het door conflicten belaagde huwelijk, dacht ze. Haar eigen moeder was overleden toen ze amper twee jaar was, ze kon dus niet echt weten hoe Daniels dood de spanning op haar verstandhouding met Kannan juist zou kunnen verhogen. Door dood te gaan had Daniel zijn zoon naar zich toe getrokken. Het huwelijk was er nog wankeler door geworden. Er zou niet meer dan een flink natte moesson nodig zijn om de spanningen die door Daniels heengaan tijdelijk verhuld waren geweest, aan het licht te brengen.

Helen hield niet van de moesson, het klamme weer, de eindeloze regen die haar opsloot in het huis, de geur van kleren die te drogen hingen in de badkamer en de boilerruimte, de lekkages in het huis die ze tevergeefs probeerde te bestrijden en de koude duistere muren van mist die het licht tegenhielden. Bij de lange lijst van dingen die ze verafschuwde aan het plantersleven, voegde ze nu ook nog het weer. Haar heimwee naar Madras nam koortsachtige vormen aan. Ze beleefde haar meest gekoesterde momenten opnieuw: dansfeestjes met haar vrienden aan het Railway Institute, met Cynthia lekkere verse vruchtensap drinken bij Nair, geld sparen om in het Casino Theatre naar films te kijken van Cary Grant en Greta Garbo, Humphrey Bogart en Vivien Leigh en de betoverende wereld waarin zij leefden. Toen ze met Kannan trouwde, had ze gedacht dat zo'n wereld haar deel was geworden. Maar het enige wat ze had gekregen was een stel ouwe zeuren van mannen en vrouwen die een hekel aan haar hadden, een echtgenoot die niet voor haar op kon komen en geen enkele vriend.

Een doffe plof op het dak en ze begon zich alweer moeizaam los te maken uit de prettige dagdroom waaraan ze zich had overgegeven. Jimmy en zij waren weggeslopen van Cynthia's verjaardagsfeestje, uit een wanhopig verlangen om te zoenen en elkaars lichaam te verkennen zoals ze nog niet lang geleden waren begonnen te doen. Ze konden nooit genoeg van elkaar krijgen en vanavond was het niet anders geweest, maar het was Cynthia's feestje en die zou het heel naar vinden als Helen al vroeg was weggegaan. Omstreeks middernacht, dronken en wanhopig verliefd, had Jimmy haar op het laatst naar de badkamer van het huis geloodst en ze hadden elkaar zo heftig en langdurig gezoend dat ze wel door de muur waartegen ze leunden leken te worden opgenomen. Er stond iemand aan de deurknop te rammelen, niet zo heel ver weg klonk wild gegiechel van kakelende lachjes, en Jimmy had in een dolle bui in haar oor gefluisterd: 'Laten we hier weggaan. Er staat nu niemand op het station. De laatste trein is al vertrokken. We komen hier snel weer terug.' Ze had geaarzeld, ze wist niet of ze hem kon beletten de grenzen die ze gesteld had, niet lang nadat ze begonnen waren met elkaar uit te gaan, te overschrijden maar ze verlangde naar hem en had toegestemd. Niemand had iets gemerkt toen ze het huis uitslopen. Het station was verlaten, de spoorbanen aan weerszijden van het perron lagen blinkend en koud in het maanlicht, slordige hoopjes snurkende witkielen op de grond. De spoorwachter zat in de tweedeklas wachtkamer te slapen. Ze hadden hem wakker gemaakt en Jimmy had hem zes anna's toegestopt. Slaperig en mopperend had hij de eersteklas wachtkamer opengemaakt, met zijn diepe rieten plantersstoelen, de solide teakhouten tafel en kasten. De deur was nog maar nauwelijks achter hen dicht of ze waren innig met elkaar verstrengeld geweest...

De tak sloeg weer met een doffe plof tegen het dak en Helen keek een beetje geschrokken naar Kannan. Het weer was de hele nacht verschrikkelijk geweest, met af en aan rommelend onweer en bliksemschichten die de wereld in een helwitte gloed zetten. Het gekraak en gerommel in het huis had hen allebei wakker gehouden en de nieuwe morgen had geen verlichting gebracht. Het gazon was een meer. Eigenlijk lag iedere plant en struik platgeslagen tegen de grond. Kannan had al voor de tweede dag achter elkaar niet naar zijn werk kunnen gaan en na het ontbijt hadden ze zich naar de zitkamer begeven, om daar, ieder verdiept in eigen gedachten, te blijven zitten en af en toe uit het raam te kijken.

Toen klonk er een harde slag. De oude gomboom bij de haag was ontworteld. Gelukkig was die van het huis af in de richting van de thee gevallen. Het woei nu met zulke harde windvlagen dat het eigenlijk omhoog regende, het water dat omlaag plensde, werd in zijn gang gestuit en in slierten meegenomen door de wind die ze warrelend terugsloeg, tot zich ergens in de lucht een dichte regenmassa vormde; de samengepakte klonters regen bleven een moment hangen, en losten dan op, om zich even later opnieuw samen te pakken.

Het weerlicht bleef onophoudelijk heen en weer schieten over de kale rotsige wand aan de overkant van het dal en de wind dreigde het dak van het huis te sleuren. Met koude harde mokerslagen kletterde de regen tegen het raam. Kannan had zoiets zolang hij in het bergland woonde, nog niet meegemaakt. Hij vroeg zich af of het huis het wel zou houden. Als het dak eraf geblazen werd, hoe moesten ze zich dan in veiligheid brengen? De gomboom had de weg versperd. En ook al zouden ze dat obstakel kunnen opruimen, dan wist hij nog niet of zijn motor overeind bleef in de storm.

Tegen lunchtijd werd het rustiger. Hoewel de regen nog altijd fel naar beneden kletterde, was de wind wat gaan liggen en de donder en bliksem waren voorbijgetrokken. Toen kwam de butler binnen om de lunch aan te kondigen en hij ging weer weg om voor de bediening te zorgen.

'Ik wil van Manickam af. Hij is een dief en hij stinkt. Hij hoest alsof hij tbc heeft.' Dat waren de eerste woorden die ze die ochtend sprak.

'Maar waarom dat? Wie je er ook voor terugkrijgt, hij zal altijd slechter zijn. Manickam heeft tenminste weet van onze kuren en hij kent de bungalow op zijn duimpje.'

'Precies. Hij doet of hij de baas is hier in huis.'

'Wat? Heeft hij je grof behandeld?'

'Dat niet direct, maar je weet hoe het gaat met die dingen...'

Hij dacht dat hij wel wist waar ze naartoe wilde. Ze was al sinds Lily's verblijf in Pulimed kwaad op Manickam geweest. Maar dat was geen reden om hem te ontslaan.

'Wat probeer je nu te zeggen, Hen?' vroeg hij geduldig. Hij voelde zich allesbehalve geduldig, maar het was beter het zo te zeggen, anders wist hij precies hoe het zou aflopen – wat onbenullig geharrewar zou uitdraaien op woorden over grotere twistpunten en dan zou er slaande ruzie zijn. Hij kreeg een hekel aan de tijd die ze gezamenlijk doorbrachten. Je wist nooit wanneer er een felle ruzie zou uitbreken, wanneer boze gedachten en woorden als smerig ongedierte haar engelachtige mond uit zouden kruipen.

Meer dan eens ging hij, als ze onenigheid hadden, gewoon buiten in de regen lopen en gaf hij de voorkeur aan de bloedzuigers en de nattigheid boven zijn ruziezoekende vrouw. Hij moest op de een of andere manier iets vinden op die ongelukkige toestand van Helen, besefte hij, en gauw ook, anders zouden ze ieder huns weegs moeten gaan. En die optie vatte hij niet te licht op, vooral omdat toegeven aan een nederlaag in zijn huwelijk een flinke dreun voor zijn gevoel van eigenwaarde zou betekenen, en Kannan was een trotse man, maar het leek meer en meer het enige wat erop zat... Ze kon weggaan als het weer beter werd, in september of december. Een paar maanden in de laagvlakte zou haar tot rust brengen, en hem de ruimte geven die hij nodig had om over de dood van zijn vader heen te komen. En daarna konden ze misschien opnieuw beginnen.

Helen ging nu luid tegen hem tekeer: 'Kannan, halloooo, luister je naar mij? Hier bij mij moet je wezen, ik probeer iets onder je aandacht te brengen en jij schijnt zo nodig in hogere sferen te moeten verkeren! Zoals altijd! Als je ook maar even de moeite nam om te kijken hoe de zaken er werkelijk voorstaan, wat we hier allemaal voor zoete koek moeten slikken, dan zouden we niet zo'n ellendig leven leiden.'

Hij deed zijn uiterste best zijn kalmte te bewaren, maar tevergeefs. Hij reageerde boos. 'Hoor eens even, het is allemaal niet zo verschrikkelijk als jij het doet voorkomen. Als sommige mensen tégen je zijn, als je de planters nog niet zwijmelend aan je voeten hebt kunnen krijgen, dan is dat nog geen reden om zo kwaad op mij te worden. Jij bent nu eenmaal niet zoals zij, en zo zul je ook nooit worden, wat je ook probeert.'

Helen kwam meteen met een woedende reactie.

'Hoe durf je zo tegen mij te praten, waardeloze schooier. Zie je niet hoe ze je behandelen? Iedere keer als ik je kruiperig naar hen zie glimlachen en ik je overal naartoe zie rennen om nu eens deze en dan weer die kleinigheid voor hen te doen, kan ik wel overgeven. Heb je dan helemaal geen zelfrespect?'

'Wat zeg je daar, hysterisch wijf dat je bent? Vergeet niet dat je zonder mij nog steeds in dat vreselijke koloniegat zou rondhangen...'

'Stuk onbenul, als jij een beetje pit had zou je tegen die blanke klootzakken in opstand komen in plaats van je wrok op mij af te reageren. Jullie Indiërs zijn allemaal lafaards, geen wonder dat je zo'n hielenlikker bent.'

'Ben jij soms wel Engels? Voel je je daarom zo ellendig als de blanken van je walgen?'

Helens gezicht kreeg een steeds kwaaiere uitdrukking. Verbazend hoe zelfs de meest perfecte gelaatstrekken nog iets aapachtigs krijgen als er boosheid aan te pas komt, dacht Kannan. Op zulke ogenblikken lijken we nog het meest op de wezens die er voor ons waren.

Helen die grote moeite had gehad om de woorden eruit te krijgen, begon nu hard tegen hem te schreeuwen. 'Ik haat je, ik haat de dag dat ik jou mijn leven heb binnengelaten, ik haat de dag dat ik met je getrouwd ben, ik haat je, ik haat je, verachtelijke paria die je bent.'

'Als ik een paria ben, wat ben jij dan niet?'

'Altijd nog iemand die duizendmaal beter is dan jij...'

'O ja, en hoe dan wel, stom krengetje?'

'Gewoon. Kent iemand de voorname afkomst van de grote Kannan Dorai? Weet je hoe je blanke collega's je zouden verachten als ze het wisten?'

Hij had geen idee waar dit heen ging, maar het leek niet zo best...

'Wie denk je dat je zelf bent, klein halfbloedkreng, met die moeder van je, die deftige dame die niet eens Engels kan praten en maar de dochter is van een kantoorklerk?'

De woorden kwamen dreunend neer, als zware donderslagen. Zelfs in hun bitterste ruzies hadden ze ervan afgezien elkaars ouders aan te vallen, maar Helens woede kende geen reserves meer. Toen zag Kannan het beeld van zijn moeder in vol ornaat voor zich, de kalmte zelve te midden van de opwinding die met Daniels dood gepaard was gegaan. Wat had ze er nobel uitgezien. En haar nu zo smerig beschimpt te zien!

Helens gezicht zag er bijna komisch uit toen ze besefte wat ze gedaan had. Ze sprong op van de sofa, maar Kannan was haar te snel af. Hij schoot uit zijn stoel omhoog, gedreven door een zo grote woede dat hij nauwelijks meer wist wat zijn handen deden. Hij pakte haar beet en had zijn vuist al geheven om haar gezicht kapot te beuken, om iets uit zijn ogen te vagen wat plotseling weerzinwekkend was geworden. Op het laatste moment, even afgeleid door de doodsangst in haar ogen, duwde hij haar van zich af en liet met een harde klap zijn vuist op de houten schoorsteenmantel neerkomen. Het harde weerbarstige teakhout doorstond de slag, de enige Wedgwood vaas erop, bewoog nauwelijks. Snikkend vluchtte Helen hals over kop de kamer uit en Kannan liet zich neerploffen op een sofa, met de toekomst meedogenloos helder voor zich. Het was uit tussen hen.

Die nacht nam hij zijn intrek in de logeerkamer en Helen deed geen poging hem daarvan te weerhouden.

Dat hele regenseizoen bleven Kannan en Helen zo ver mogelijk uit elkaars buurt en ze spraken alleen maar als het absoluut noodzakelijk was, niet wetend hoe gauw ze weer van elkaar weg moesten komen. Toen de regens in september minder werden blokkeerden landverschuivingen de weg naar de laagvlakten. Eindelijk, toen tegen het midden van december de regens opgehouden waren, reed hij haar naar het station om haar op de trein te zetten. Hun afscheid was plichtmatig. Hij beloofde haar zo gauw hij kon haar spullen na te sturen en ze spraken beleefd over een weerzien en hereniging na een tijdje, hoewel ze hun plannen zorgvuldig vaag hielden.

Niet lang daarna schreef hij naar Murthy en vroeg zijn vriend een ooit gedane belofte gestand te doen en hem te komen opzoeken.

93

De beslissende overwinning van de Fourteenth Army bij het beleg van Imphal was de ergste nederlaag die de Japanners geleden hadden sinds de Battle of Midway in 1942. Het was de grootste overwinning voor Engeland in de regio. De oorlog begon van India terug te wijken. Tegen de winter van 1944 verlegden enorme luchtvloten van Amerikaanse Super-Fortress-bommenwerpers de oorlog naar Japan zelf, een land dat zich onder goddelijke protectie gewaand had sinds in de dertiende eeuw de wrede Mongoolse legers van Kubla Khan door machtige winden verspreid werden toen ze de eilanden bedreigden; deze keer echter kon *kamikaze*, de goddelijke wind, Japan niet beschermen. Honderden B-29'ers onder bevel van Curtis Le May voerden zware bombardementen uit op Tokio. De vuurstorm die daardoor teweeg werd gebracht liet de temperatuur in de stad oplopen tot wel 200°C en hoger. Na Tokio werd Nagoya aangevallen, daarna Kobe.

Naarmate het nieuws van de geallieerde overwinningen doorsijpelde, werd de jubelstemming op de plantages groter. Rangoon was heroverd en Parijs was bevrijd. Voor een invasie van gele mannetjes hoefde men niet meer te vrezen en dat werd door de planters gevierd. In deze uithoek van de planeet was de oorlog voorbij.

Zelfs het weer gaf aanleiding tot opgewektheid. December was normaal gesproken koud en naargeestig, maar dit jaar brandde de zon met zijn schelle licht dwars door de nevels, de temperatuur steeg, en het hoge theeland werd een oord vol betovering. Overal waar je keek was het landschap zo groen dat het pijn deed aan je ogen. De hemel was blauw en onbewolkt en de lucht zo helder dat alle lijnen en vormen van het land scherp uitkwamen. Na zes maanden regen kon de wereld weer ademhalen. Het was tijd voor feestjes en picknicks en serieuze uitgebreide borrels bij dronkemansvuurtjes van eucalyptushout.

Murthy kwam in december in Pulimed aan en Kannan sleepte zijn vriend mee in een feestroes van party's en clubactiviteiten. Na drie dagen had Murthy er al genoeg van. Op zondagmorgen vroeg hij of ze die dag niet thuis konden blijven.

'Het is nu twee jaar geleden dat ik je voor het laatst gesproken heb, vind je het heel erg als we vandaag een beetje bijpraten?' vroeg hij.

'Natuurlijk niet,' zei Kannan. 'Ik hoop wel dat je de party's leuk vind.'

'Ze zijn niet wat ik gewend ben, maar ik vermaak me best.'

'Als het je een beetje te veel wordt, moet je het zeggen, hoor. Ik wil straks niet het verwijt krijgen dat ik mijn beste vriend helemaal naar Pulimed laat komen om hem een beetje te martelen,' zei Kannan lachend.

'Jij kent mij als geen ander. Als ik ergens mee zit, laat ik je het direct weten,' zei Murthy en hij brak een stukje van zijn dosai af dat hij doopte in de sambhar op zijn bord.

Ze zaten een poosje zwijgend aan tafel, Murthy die met zijn vingers at en Kannan die een vork en mes hanteerde. Vastbesloten niet nog eens in de fouten te vervallen die het bezoek van zijn moeder hadden bedorven, had hij Manicham opgedragen dosais, idlis en uppuma te serveren in plaats van zijn geregelde ontbijt van eieren, toast en marmelade.

'Als je vindt dat het mij niets aangaat, zul je dat vast wel zeggen, maar waarom is Helen eigenlijk weggegaan?' vroeg Murthy na een poosje.

'Zoveel valt er niet over te zeggen. We pasten niet bij elkaar, maar wanneer je verliefd bent, zie je dat niet.'

'En je voelt je wel goed?'

'Jawel, hoor. Ik ga zoveel uit als ik kan. Ik kan niet zo goed tegen het lege huis. Dat wordt nog wel beter.'

'Zo gaat het met die dingen,' zei Murthy wijsneuzig.

'Wat weet jij nou van die dingen af?' vroeg Kannan lachend. 'Je bent niet eens getrouwd.'

Murthy keek even beteuterd, toen lachte hij. Het gesprek werd luchtiger, de jaren vielen weg en ze lachten en maakten grapjes net als aan de universiteit. Ten slotte vroeg Murthy: 'Waarom eet jij je dosai met mes en vork?'

'O, dat ben ik zo gewend,' antwoordde Kannan.

Zijn vriend zei niets en ging verder met zijn ontbijt. Op dat moment kwam Manickam met een nieuwe voorraad binnen. Kannan wachtte tot hij weg was en vroeg toen: 'Wat bedoelde je met die vraag?'

'Niets, niets. Ik vond het een beetje raar, dat is alles.'

'Vooruit, Murthy. Zeg wat je op je hart hebt.'

'Nee, echt, ik vond het een beetje ongewoon. Ik heb het niemand ooit eerder zien doen.'

'Je vingers blijven er schoon bij,' zei Kannan terwijl hij een vorkvol dosai en sambhar naar zijn mond bracht.

Toen zei Murthy plotseling: 'Je bent veranderd. Je bent niet de Kannan die ik altijd gekend heb.'

'We veranderen allemaal, toch? Jij bent ook veranderd. Je hebt warempel een baard laten staan!'

Murthy moest lachen en Kannan zei: 'Genoeg over mij nu. Vertel me eens wat er in het laagland zoal gaande is.'

'Een heleboel. Nu de oorlog bijna voorbij is, is het denk ik nog maar een kwestie van tijd voordat de Mahatma, Nehru, Patel en de anderen opnieuw in de aanval zullen gaan. Ik denk dat het voor de Britten is afgelopen, Kannan. Drie jaar, vijf jaar. Meer tijd zal het niet vergen voordat we vrij zijn.'

'En is dat een goede zaak?'

'Wat bedoel je?'

'Zal er geen grote chaos ontstaan als de Britten hier weggaan?'

'Het is niet moeilijk in te zien waarom de Britten dat denken. Het wordt er niet makkelijker op. Jinnah is onvermurwbaar wat een aparte natie voor de moslims betreft. En de anderen zijn er mordicus tegen. Hun standpunten verharden zich. Ik ben bang dat het de onafhankelijkheid alleen maar zal uitstellen, zie je, en de Britten aanleiding zal geven langer te blijven.'

'Wat is dan de oplossing?' vroeg Kannan.

'Ik weet het niet, Radjadji kreeg onenigheid met de Mahatma en Nehru vanwege zijn suggestie dat ze Jinnah's eis moesten inwilligen, gezien het grotere belang van de te verkrijgen onafhankelijkheid, dus dat lijkt op een impasse. Het wordt er allemaal niet helderder op. Om de andere dag wordt er wel een nieuwe partij gevormd, zonder eigen verantwoordelijkheid of programma, alleen maar om handig profijt te trekken van de onzekere toestand... Soms word je ziek van die politiek, al die cynische ongevoeligheid waarmee zaakjes geregeld worden en opportunistische verdragen gesloten...'

'Waarom willen we dan eigenlijk van de Britten af? Die houden tenminste alles nog onder controle!'

Murthy keek verbijsterd. 'Waar heb je het over?' zei hij. 'Ik kan gewoon niet geloven dat je dat zonet gezegd hebt.'

'Wat is er verkeerd aan wat ik zei?'

'Zal ik het nog eens voor je uitspellen? Als het dramatisch overkomt, moet dat maar. Ik weet niet hoe het met jou zit, maar ik zal liever als vrij man in armoede doodgaan dan dat ik me als rijk man voor een ander mag uitsloven.'

'Nogal dramatisch om het zo te stellen, hoor!'

'Absoluut niet,' zei Murthy opgewonden. 'Weet je wel hoe geringschattend Churchill over de Mahatma doet? Na de Verlaat India-beweging noemde hij hem een miezerige oude man die altijd al zijn vijand geweest was. Diep in hun hart verachten ze ons allemaal.'

'Politieke praat, Murthy. Onze leiders hebben over hen ook wel slechte dingen gezegd. Churchill is zeker geen racist.'

'Hij is beslist wel een ouderwetse imperialist die gelooft dat hij hoger geschapen is en verheven boven alle onderworpen rassen. Het is geen wonder dat zijn houding werd overgenomen door mensen als Linlithgow, de ergste onderkoning die we ooit hadden! Denk eens aan de manier waarop hij de Bengaalse hongersnood heeft aangepakt! En weet je wat hij zei over de hongerstaking van Gandhi? Hij zei dat als de Mahatma dood zou gaan, het enige wat je ervan merkte zes maanden narigheid zou zijn, die geleidelijk aan steeds minder zou worden om uiteindelijk geen spoor achter te laten. En Wavell is nog erger. Die noemt zichzelf een eenvoudige soldaat maar hij heeft al in geen jaren meer een slag gewonnen. En als hij een groot generaal is, moet je mij eens vertellen wat hij hier komt doen in plaats van ergens anders te gaan vechten? En die man bestaat het om de spot te drijven met Mahatma. Ik las een versje dat hij over Gandhi heeft geschreven. Daar ben ik zo kwaad om geworden dat ik het nog woord voor woord onthouden heb. Het is een variant op "Jabberwocky". Ken je dat gedicht?'

'Je weet wel dat ik geen lezer ben.'

'Nou, het is uit *Alice in Wonderland* en Wavell heeft er een parodie op gemaakt:

Pas op voor Gandhidji, mijn zoon,
de Satyagrahah, hongerfakir,
Pas op voor djinnsgebroed en hoon
de kommerkaste, 't knarspklauwier.'

Kannan lachte.

'Vind jij dat grappig?'

'Rustig maar, Murthy, ik ben jouw vijand niet,' zei Kannan met een glimlach.

'Sorry,' zei Murthy een beetje timide, 'ik heb de neiging door te draven. Maar hun houding maakt me werkelijk kwaad. Weet je dat Engeland de afgelopen eeuw honderd-en-elf oorlogen gevoerd heeft en dat ze allemaal door India gefinancierd zijn? Die kunnen zijn wie ze zijn dankzij ons. Geloof je nog steeds dat ze ons een grote dienst bewijzen door ons de kruimels van hun tafel toe te schuiven? Zij melken ons uit en wij moeten dat maar nemen? Sorry, Kannan. Ik ben geen vriend van de blanken. Ik verbaasde me erover hoe jij ze naar de kroon leek te willen steken.'

'Michael Fraser is een beste man, en Freddie is mijn vriend.'

'Ja, een aardige kerel,' gaf Murthy toe.

'En majoor Stevenson en die anderen zijn ook geen slechte kerels. Er zijn mispunten, zoals Martin en Patrick, maar die vind je overal.'

'Het is ook niet zo dat ik de blanken haat. Denk maar aan alle profs aan de MCC. Waar ik alleen niets mee op heb, dat is het imperialisme.'

Ze aten een poosje door zonder iets te zeggen, waarna Murthy opnieuw begon. 'Zie je, ik vind het een beetje moeilijk te accepteren dat zo iemand als jij niet echt betrokken is bij de meest opwindende tijd van ons leven.'

'Daar ga je weer. Leuren met een van je geliefde smartlapjes,' zei Kannan glimlachend.

'Maar zie je het dan niet?' zei Murthy hartstochtelijk. 'We leven op een groot historisch moment in onze geschiedenis en we krijgen de kans onszelf te overstijgen, deel uit te maken van iets wat groter is dan wijzelf. De onafhankelijkheidsbeweging, Kannan, de grootste mobilisatie van mensen in de geschreven geschiedenis, bereikt thans zijn hoogtepunt en jij bent daar niet bij!'

'Ik geef toe dat het hoogst opwindend is. Maar denk je dat jouw rol daarin enig verschil zal uitmaken? De grote beslissingen, de dingen die werkelijk iets teweegbrengen, worden genomen door mensen als Gandhi, Nehru, Jinnah, Rajaji... Hoe kunnen wij daar nu een rol in spelen?'

'Iedereen heeft belang bij wat er gaande is. Als de onderkoning een besluit neemt, als de Mahatma een programma aankondigt, dan gebeurt dat vanwege de dingen die we met zijn allen doen. Het is heel opwindend Indiër te zijn, Kannan, nu nog meer dan op welk tijdstip in het verleden of de toekomst ook...'

'Ben ik er minder Indisch om als ik niet deelneem aan de strijd?' vroeg Kannan.

'Je lijkt er prat op te gaan om in je bruine huid Engelsman te zijn.'

'Omdat mijn baas gezegd heeft dat ik net zo goed Engels spreek als een Engelsman?'

'Daar dacht ik niet direct aan, het was...'

'Ik doe gewoon mijn best om goed in mijn werk te zijn, Murthy. Jouw vader heeft je het huis niet uitgegooid,' zei Kannan, met een spoor van irritatie in zijn stem.

'Ik wil je niet op stang jagen. Het is dat de gedachte van die strijd om de onafhankelijkheid mij maar niet los wil laten, waardoor ik al het andere een beetje over het hoofd zie.'

Kannan accepteerde de verontschuldiging. Ze bleven nog een poosje aan de ontbijttafel zitten om hun koffie op te drinken. Toen zei Kannan: 'Zin in een wandeling? Het is een prachtige dag.'

'Uitstekend idee,' zei Murthy en ze stonden op om te gaan. Toen ze de eetkamer uitliepen, zei Kannan: 'Dus ik voldoe niet?'

'Het is niet bepaald eervol een onderdrukt ras te zijn, Kannan. En dat zijn we op dit moment. Dat is iets wat iemand met maar een beetje zelfrespect niet kan accepteren.'

'Wil je me nu gaan vertellen dat ik geen trots heb, een onderkruiper van de Britten ben?'

Murthy aarzelde en zei toen: 'Nee, dat zeg ik niet. Toen ik voor het eerst in Pulimed kwam, was ik er verbaasd over hoe weinig jij en ieder ander nadacht over de onafhankelijkheidsbeweging. Het enige waarover gepraat werd was de oorlog, de oorlog en nog eens de oorlog. Het was alsof India nooit had bestaan. Of hooguit als een aanhangsel van de Britse zaak...' Plotseling onderbrak hij zich zelf. 'Sorry, ik ben weer aan het preken. Laten we gewoon gaan wandelen.'

Kannan glimlachte. 'Jij zult het vast ver brengen in de politiek.'

'Vandaag geen politiek meer. Oké. Niet meer zolang ik in Pulimed ben.' Ze liepen tot aan de wegsplitsing die van de bungalow naar de fabriek leidde. En omdat het zo'n mooie dag was, liepen ze nog wat verder. Alles wat maar even door de zon werd gekriebeld, schitterde als gepolijst glas: het verblindende smaragdgroen van de thee, de glinsterende natte heuvels en de watervallen in de verte, de grevilleabomen met de blaadjes die zilverig bewogen in de wind. Murthy zei lachend: 'Dat het je maar lang goed mag gaan in deze contreien, Kannan. Ik weet wel waar ik naartoe wil als ik ooit rust nodig heb.'

Ze liepen nog een poosje door en lieten de weldadige rust en betovering van de omgeving tot zich doordringen, toen zei Murthy: 'Ik vind het jammer dat ik je vader nooit ontmoet heb, Kannan.'

'Ja, dat vind ik ook jammer. Hij was een groot man. Ik betreur het nu dat ik hem niet beter heb leren kennen.' Hij glimlachte toen er een herinnering bij hem bovenkwam: 'Hij kon heel vrolijk zijn, zie je. Weet je nog van het Blauwe Mango Festival? Ik heb je er vast wel over verteld op de universiteit. Ik was zeven of acht jaar en vastbesloten de wedstrijd voor de kinderen te winnen. Ik had ongeveer tien mango's opgegeten en moest heel nodig naar de wc, je weet hoe dat gaat als je te veel mango's eet. Mijn vader die toekeek werd zo ongerust dat hij op me af vloog, me oppakte en bijna de hele weg naar huis bleef rennen, opdat mijn moeder en grootmoeder het maar niet zouden merken... Dat was het laatste festival. Er zijn er geen meer gehouden na de dood van mijn grootmoeder.' Kannan bleef een poosje stil en zei toen: 'Ik heb maar zo weinig herinneringen aan hem.'

'We beseffen die dingen pas wanneer het te laat is,' zei Murthy.

'Sinds hij gestorven is, moet ik steeds aan hem denken en ik weet dat ik het altijd zal blijven betreuren dat ik de barrières tussen ons niet heb kunnen slechten voordat hij stierf.'

'Dat mag je jezelf niet al te hard aanrekenen, Kannan. Je had toch helemaal niets kunnen doen, niet echt. Jullie hadden allebei op je eigen manier gelijk...'

'Ik ben blij dat hij het huwelijk niet fout heeft zien lopen,' zei Kannan somber. Plotseling gaf hij een flinke mep tegen een theestruik vlakbij en liep toen verder. Na een poos vroeg hij: 'Denk je dat jij in de politiek door zult gaan, Murthy? Nadat India vrij enzovoort is geworden?'

'Misschien, misschien ook niet. Ik weet dat mijn vader liever zou hebben dat ik terugkwam. Er is meer werk dan hij en mijn broers aankunnen. Maar ik vind de politiek een heel opwindend terrein om me op te bewegen. Waar ik het bangst voor ben is dat de averechtse kant ervan de overhand zal krijgen als de opwinding eenmaal voorbij is. Corruptie, nepotisme, syndicalisme.'

'Je bedoelt het soort dingen waar Jinnah in verwikkeld is.'

'Ik dacht dat jij niets van politiek afwist, Kannan.'

'Ik ben niet helemaal een ignoramus.'

'Nou, niet alleen Jinnah, de rechter hindoe-vleugel is even slecht. Ze bewonderen het nazi-streven naar raszuiverheid en dat is nog maar een van hun weerzinwekkende ideeën. Het ontbreekt ons nog maar aan een paar christen-, sikh- en parsi-fundamentalisten om de zaken helemaal interessant te maken. Geen wonder dat de Britten vinden dat we onszelf niet kunnen regeren.'

'Je bent de boeddhisten nog vergeten, de jainisten en de animisten,' zei Kannan spottend.

'Sorry, we worden weer serieus,' zei Murthy. 'Denk je dat jij hier blijft zitten?'

'Mijn moeder en oom zeggen dat ik terug moet komen in Doraipuram. Maar ik kan moeilijk tot een besluit komen. Ik heb hier een baan. En als de Britten bij bosjes tegelijk wegtrekken, liggen hier kansen.'

'Wil je wel terug naar Doraipuram?'

'Dat weet ik niet. Soms denk ik dat het misschien wel moet, en dan weer denk ik dat ik alleen maar tot last zou zijn. Ik interesseer me helemaal niet voor medische zaken of de bedrijfskant ervan.'

'Maar je houdt van het plantersleven,' betoogde Murthy. 'Je zou nog altijd bezig kunnen zijn met landbouwkundige zaken en tegelijk behulpzaam bij de samenstelling van plantaardige recepten en dergelijke.'

'Ik weet niet precies wat ik wil. Momenteel wacht ik gewoon maar af.'

Op hun wandeling terug naar de bungalow zeiden ze niet veel meer. Kannan bedacht dat ze amper over Helen hadden gesproken. Misschien was dat het beste – verlies en rampspoed kon je maar beter indirect benaderen.

In de vier dagen die Murthy nog aan vakantie over had, onthielden ze zich van elk sociaal gebeuren in Pulimed. Ze brachten de avonden en nachten eindeloos kletsend en lachend door en hervonden hun vriendschap. Ze waren beiden veranderd, maar opgelucht te ontdekken dat in hun hart de vriendschapsband nog even sterk was als vroeger. Op de universiteit was Kannan ongetwijfeld de beste van de twee geweest, maar Murthy had hem ingehaald. Dat feit had hen geen van beiden iets gedaan.

De laatste avond dat Murthy er was, bleven ze zo lang op dat ze de volgende ochtend moeite hadden om uit hun bed te komen. Het weer, onbetrouwbaar als altijd, was omgeslagen en ze maakten de tocht naar het station op een grauwe en natte dag.

94

Veertien dagen na Murthy's vertrek vielen de eerste doden.

Het eerste slachtoffer verloor het leven nabij het koelieterrein op Kannans afdeling.

Kannan was juist voor zijn avondeten gaan zitten, toen Manickam, die op het punt stond hem op te dienen, zijn voorhoofd fronste. De bediende uit de keuken, die zich normaal na de ochtendschoonmaakbeurt nooit meer in de rest van het huis waagde, stond net achter de deur van de eetkamer druk naar hem te gebaren. Manickam ging door met maïs opscheppen. Zijn frons werd dieper. Maar de keukenboy ging niet weg. Toen hij Kannan bediend had, trok de butler zich met grote waardigheid terug. Kannan deed of hij het geluid van de harde tik en de kreet die daarna kwam niet hoorde. Er werd wat dringend gefluisterd en toen verscheen Manickam weer, deze keer met de boy, eigenlijk een man van middelbare leeftijd, achter zich aan. Dat was zo ongewoon dat Kannan ophield met eten.

'Mensen willen aiyah spreken, zegt deze man hier.' Manickam sprak Engels. Dat deed hij alleen als er andere bedienden of gasten bij waren, een trekje dat Kannan vermakelijk vond zonder er iets van te zeggen; hij wist dat de butler zich beledigd zou voelen.

'Kunnen ze niet naar het kantoor komen?' vroeg Kannan.

'Zeg ik tegen ze, aiyah, maar deze mensen, ze zeggen dat ze een paar dringende zaken hebben om tegen aiyah te zeggen, alleen maar nu.'

Kannan ergerde zich. Maar er was niets aan te doen. Toen hij de veranda opstapte, rees er een gekwetter van stemmen op uit het groepje mensen dat op de oprit stond. Zijn huisknecht riep naar hen zich koest te houden, maar Kannan gaf hem te kennen dat hij moest zwijgen en vroeg de mannen naar hun probleem. Ze begonnen allemaal tegelijk te praten en hij zei streng dat maar een van hen het woord mocht voeren. Ze waren meteen stil en stonden daar te huiveren in hun lungi's en cumbly's, een karige bescherming tegen de avondkilte. Eindelijk had de *kangani*, die naar hij aannam de leider was van de deputatie, zijn stem hervonden. De man kon heel onbeleefd en onbetrouwbaar zijn, maar vandaag leek hij echt ontdaan: 'Aiyah,' zei hij langzaam, 'er is vannacht dicht bij het koelieterrein een man gedood. Een tijger zo groot als drie *jutka*-pony's, heeft het gedaan...'

Een tijger. Een mensenetende tijger. Alles wat Kannan dwarszat was op slag uit zijn gedachten verdwenen. Het beeld kwam hem voor ogen van de dode panter met de grimmig vertrokken lippen waar Freddie het over had gehad. Een paar passages uit Jim Corbetts *Man-Eaters of Kumaon* kwamen boven. Wat zou het spannend zijn om een wild beest te besluipen door het nachtelijke oerwoud! Waar zou hij de kop van het beest laten als het eenmaal geschoten en opgezet was? Misschien kon hij dat matige schilderij met de *gulmahar*boom dat Helen in de woonkamer had opgehangen, vervangen. Dan had het een prominente plaats in de kamer. Maar de kangani was nog niet uitgepraat en Kannan dwong zichzelf te luisteren. 'Ik heb het monster zelf gezien, aiyah, zo duidelijk als ik u zie. Niet meer dan drie meter van mij vandaan. Eén sprong en die arme Mayilandi was niet meer. Zijn vrouw is nu weduwe en zijn zes kinderen hebben geen vader meer. We willen u dringend vragen hem uit de weg te ruimen, aiyah, voordat hij ons allemaal doodt.'

Nadat hij de mannen gezegd had te wachten, haastte Kannan zich het huis in en liep regelrecht naar de slaapkamer waar hij zijn Mannlicher .275 bewaarde. Hij had het in Mundakayam gekocht van een planter die was opgeroepen voor de oorlog, en tot dusver had hij het maar twee keer gebruikt, tegen wilde zwijnen.

De koelies zaten op de grond gehurkt op de plek waar hij ze had achtergelaten. Toen ze Kannan met zijn geweer zagen leek er een nieuwe geest over hen vaardig te worden en ze sprongen op en begonnen opgewonden te praten. Ietwat verlegen met zichzelf liep Kannan de treden af. De koelies gingen voorop met de olielamp die een grillig licht verspreidde. Terwijl hij daar liep en zijn ogen niet afhield van de voeten die voor hem uit in de mist verdwenen, taande zijn aanvankelijke enthousiasme en begon Kannan een beetje in de rats te zitten. Toen het besef tot hem doordrong dat hij nog niet eens de allerelementairste dingen wist van de jacht op tijgers, en nooit iets bedreigenders gezien had in de rimboe dan een wild zwijn, begon hij aan de wijsheid van zijn daadkracht te twijfelen. Hij probeerde zich te herinneren wat de grote Corbett in zijn boek over mensenetende tijgers geschreven had, en hoe je korte metten met ze moest maken. Als hij deze nacht overleefde, zou hij Michaels boek weer te leen vragen en er een paar tips uit opdiepen hoe je met solitaire tijgers moest afrekenen. Intussen zou hij zich moeten behelpen met wat hem te binnen schoot. Hij voelde nog eens aan zijn geweer en putte een beetje kracht uit het gewicht ervan. Wat zei Corbett over de plek waar je het beste een kogel in kon jagen – in de kop, achter de schouder, of gold dat voor olifanten...?

Hij had een koerier moeten sturen naar Freddies woning. Zijn vriend had een machtig geweer: een .400/450 Winchester waarmee je een neushoorn die zich uit de voeten maakte tot staan kon brengen. En het was geruststellend geweest als er nog iemand de wacht zou houden, al was Freddie net zo onervaren als hij. Of misschien had hij gewoon tot morgen moeten wachten? De man was tenslotte dood. Voor hem kon je niets meer doen. En als er echt een mensenetende tijger rondsloop, zou die niet op een holletje weggaan. Die gedachte stelde hem absoluut niet gerust en hij verwenste zijn roekeloosheid. Wat een idioot was hij! Hij had niet zo overhaast te werk moeten gaan. Wat probeerde hij eigenlijk te doen? Zelfmoord te plegen? Maar die mannen vertrouwden hem. Hij was tenslotte de baas.

'We zijn er bijna, aiyah,' zei de kangani, die ergens uit het duister opdook en Kannan van de zenuwen deed schrikken. De man was langzamer gaan lopen tot hij zich bijna naast Kannan bevond. Als een mens hem al zonder dat hij het merkte kon besluipen, wat moest dan een tijger wel niet! Je op je werk concentreren, hield hij zich streng voor en hij duwde zijn twijfels weg. Het besluit was genomen, hij was nu de verantwoordelijke man en hij zou er gewoon het beste van moeten maken.

De dode man lag aan de rand van de rimboe in dicht struikgewas dat langs het pad naar het koelieterrein woekerde. Toen ze bij het lichaam kwamen, tuitte een van de mannen in de groep zijn lippen en liet de yell horen die gebruikelijk was bij de mensen in de bergen. Het geluid droeg mijlenver. Je kon je de kreet, als je er niet van jongs af aan mee was opgegroeid, nooit precies eigen maken, wat Kannan en andere planters ook geprobeerd hadden. Weldra kwam er een groepje mannen vanaf het terrein het pad op lopen. Toen ze Kannan zagen, begonnen ze om het hardst te praten om hem over de treurige gebeurtenis te vertellen. Na een paar minuten onsamenhangend geklets, werd duidelijk dat niemand de man gedood had zien worden. Ten slotte zei een fabrieksarbeider met enige ervaring in het doden van tijgers omdat hij stroopte, dat hij zeker wist dat dit er een was. Hij had gezien hoe de beesten hun slachtoffers afmaakten en twijfelde totaal niet. Hij schetste het tafereel voor Kannan: de tijger had achter dat bosje bamboe gestaan, was te voorschijn gesprongen en had het slachtoffer bij de arm gegrepen, die met zijn tanden finaal losgescheurd tot hij beter vat kreeg op de borst; toen, terwijl de koelie in doodsangst om hulp geschreeuwd had, had het beest zijn kaken om de keel geklemd. Kannan zag een straathond trekken aan iets dat op de grond vlak bij het lichaam lag en plotseling werd hij misselijk. Hij werd zich nogmaals akelig bewust van zijn grenzeloze onwetendheid, maar zag ertegen op om er bij de stroper op aan te dringen nog wat meer informatie te verstrekken. Het zou hem alleen maar in de achting van de arbeiders doen dalen als ze wisten dat hun bedrijfsleider totaal niet tegen zijn taak was opgewassen. Hij probeerde professioneel op te treden. Allereerst zou hij een plek moeten uitzoeken waar hij de wacht over de buit kon houden. Waren tijgers overdag actief en panters 's nachts? Kwamen tijgers ooit terug bij prooien als ze gestoord waren? Er was niets wat hij nu aan zijn onervarenheid kon doen; hij zou zijn onvoldoende voorraadje kennis zo goed mogelijk moeten benutten.

Nadat hij een paar locaties verworpen had, koos hij uiteindelijk een enorme rots, die uit de theestruiken naar voren stak. Die was ongeveer tien meter hoog en Kannan had van bovenaf goed zicht op de gedode man. Hij droeg de koelies op weg te gaan en klauterde alleen tegen de rots op. De geluiden van de vertrekkende arbeiders waren gauw verdwenen, te gauw, dacht Kannan, toen hij op de rots zat. Aan de hemel stond een behoorlijke maan, maar het was bewolkt en van tijd tot tijd werd de wereld heel donker en zijn gespannenheid groeide. Hij schrok van geritsel in de theestruiken en drukte het geweer tegen zijn schouder zowat fijn bij zijn inspanning de vizierkorrel op een lijn te krijgen met de plek waar het lawaai vandaan kwam. Op dat moment kreeg vanachter een wolk de maan vrij spel en hij zag dat er niets aan de hand was. Hij grinnikte, beschaamd, en liet het geweer zakken. Zou de tijger wel terugkomen? Hij wilde dat hij zijn trots terzijde had geschoven en bij de stroper meer informatie had ingewonnen. Misschien had hij de man moeten vragen met hem te blijven waken. Er was een matig briesje waarin de bladeren van de schimmige bomen bewogen en ritselden. Hij vroeg zich af of de tijger hem in de gaten hield terwijl hij zijn kansen berekende. Hij was best een goede scherpschutter maar op tijgers had hij nooit eerder jacht gemaakt. Hij herinnerde zich te hebben gelezen over het befaamde zesde zintuig dat altijd in het spel kwam als echte jagers door een mensenetend roofdier werden bedreigd. Hij hoopte dat hij daarover beschikte.

Hij herinnerde zich de talloze keren dat Freddie en hij zich hadden beklaagd over het gebrek aan avontuur op de plantages. Hij had nu dubbel en dwars gekregen wat hij wenste maar dat het zo zou zijn had hij niet verwacht. Er vloog stilletjes een nachtzwaluw op uit de bosjes en Kannan tuimelde van schrik bijna van de rots af. Rustig toch, hield hij zichzelf voor, er kan je niets overkomen, je bent gewapend met een nauwkeurig geweer, er is goed licht, en bovendien kan geen tijger je te pakken krijgen, want je zit op een ontoegankelijke plek. Zodra hij dat bedacht had, overvielen hem nieuwe twijfels. Als een tijger voluit gestrekt was, hoe lang was hij dan? Tweeënhalve meter? Drie meter? Zouden ze niet twee keer hun eigen lengte kunnen springen? Hij huiverde en begon opnieuw spijt te krijgen van zijn dwaze beslissing alleen te blijven waken. Als hij werd aangevallen, zou hij vast van schrik verstijven waardoor hij het beest de tijd gaf hem op zijn gemak dood te maken. Wat zou Helen lachen als ze hem zo zou zien. Hij schaamde zich bij die gedachte en speurde het land om zich heen weer zorgvuldig af. Niets bewoog.

De wolken waren bijna weggetrokken en het lijk was duidelijk zichtbaar in het maanlicht. Hij keek weg en zette het uit zijn gedachten. Overal om hem heen vulde de lucht zich met het gezang van de krekels en de thee, zilverzwart in de nacht, kreeg vurige puntjes van de glimwormpjes. Geleidelijk aan ontspande Kannan zich.

Om kwart voor vier besloot hij dat de tijger niet meer zou komen en hij begon zich met zijn stijf geworden pijnlijke lichaam van de rots te laten glijden. Halverwege schoot hem nog vaag iets te binnen uit zijn voorraad shikarverhalen. Soms kwamen tijgers in de kleine uurtjes terug. Hij klauterde snel weer naar zijn plek boven op de rots.

Deze activiteit had hem klaarwakker gemaakt. Hij speurde de theebosjes een tijdje nauwlettend af en toen begonnen zijn gedachten af te dwalen. Hij dacht na over het bezoek van Murthy. Het had menige vraag opgeroepen en zo veel onrust gebracht dat hij niet wist of hij zich ooit weer prettig zou voelen op de plantages. Hij wist niet of hij nu blij of ongelukkig moest zijn over de staat waarin zijn vriend hem had achtergelaten. In ieder geval was hij zijn dosais weer met de vingers gaan eten. Hij betwijfelde of Manickam het daarmee eens was. Bedrijfsleiders moesten zich als bedrijfsleiders gedragen. Vandaar dreven zijn gedachten af naar Helen. Was het nog maar een paar maanden geleden dat ze zo verliefd waren geweest? Het was nu allemaal te laat, maar wat een mooi leven hadden ze samen kunnen hebben. Het eerste Indiase echtpaar dat tot grote hoogte gestegen was in de Pulimed Tea Company. Hoewel hij na Murthy's bezoek niet goed wist of het wel die distinctie had die hij er altijd in had willen zien. Hield hij nog van haar? Het was een vraag die hij zich talloze keren gesteld had sinds ze weg was. Ja, hij hield nog van haar, hoewel zijn liefde nu getemperd was door behoedzaamheid en wijsheid... Maar zou het niet grandioos zijn als hij de tijger kon doden! Hij zag nu al de bewondering in de ogen van zijn collega-planters, de liefde in die van Helen... Dat zou nog veel beter zijn dan het winnen van een stomme tenniswedstrijd. Zelfs Murthy zou het daarmee eens zijn! Hij hoopte dat de tijger weer kwam opdagen. Hij zou hem met een enkel schot vellen. Hij tilde het geweer op, richtte het op de zielige resten van de arbeider en haalde in verbeelding de trekker over... Piefpaf... Piefpaf. Toen voelde hij zich een ontzettende dwaas, en hij liet het geweer zakken.

Het eerste grauwe licht drong door de klaarheid van de sterren. Kannan wachtte nog een paar minuten en klauterde toen van de rots af om naar huis te gaan.

95

De Tijger van Pulimed, zoals die schimmige sluipmoordenaar onmiddellijk gedoopt werd, was aanleiding tot flink wat opwinding in het district. In de afgelopen tien jaar waren er slechts zeven tijgers doodgeschoten in het hele bergland en geen enkele in het gebied van Pulimed. Dat was een bron van grote ontevredenheid voor sportievelingen onder elkaar, gezien het feit dat er in 1924 binnen een enkele maand alleen al in het district van Periyar zeventien tijgers waren afgeschoten. In het aangrenzende bergland waren er vierenveertig aan hun eind gekomen en de omgeving van Periyar had een reputatie verworven als een van de beste contreien van het hele land om zo'n beest te pakken te krijgen. Helaas plantte de tijger zich niet snel genoeg voort dat hij zomaar naar believen kon worden uitgemoord, en tegen de jaren veertig zag je ze nog maar hoogst zelden, laat staan dat je kon proberen er een te schieten. Niet voor iedere man met een gezond lijf en een echt jachtgeweer was er een heuse tijger om voor op te blijven. En nog wel een mensenetende tijger. Er was geen overredingskracht nodig. In het hele district van Pulimed werden karabijnen en jachtgeweren van de rekken genomen en uit de kasten gehaald terwijl de liefhebbers zich klaarmaakten om de moordenaar in de ogen te zien. Hun wapens varieerden van pistooltjes als .22 buksen tot olifantsgeweren. Kannan bleef de volgende nacht weer de wacht houden bij de prooi, maar deze keer zat de rots vol. Freddie was er, die zijn indrukwekkende karabijn bij zich had, en Driscoll, die het moest stellen met een dubbelloops jachtgeweer dat met hagel was geladen. De tijger liet zich niet zien. Freddie en Kannan probeerden het beest te volgen met de hulp van de stroper, maar er was niet veel dat de man doen kon om het twee dagen oude spoor te ontcijferen. De stoffelijke resten van de dode, die zijn familie had opgeëist, werden gecremeerd, en de bergen wachtten gelaten tot de tijger zich nog een keer zou vertonen.

Dat gebeurde, en hoe! In de anderhalve maand die volgden, sloeg hij zes keer dodelijk toe – een postbode; een administreur van de theepluk; twee kantoormedewerkers die van hun werk naar huis gingen en die met van achteren ingeslagen schedel werden aangetroffen zonder andere sporen van geweld (een tijdje vermoedde de politie dat ze vermoord waren, maar toen ze geen motief of schuldige konden vinden, werd ook hun dood aan de tijger toegeschreven, hoewel niemand kon verklaren waarom hun schedels waren ingeslagen en er nog geen stukje van hen was opgegeten); een kangani; en de thee-bewerker van de fabriek in Vayalaru, met wie korte metten was gemaakt toen hij 's nachts de kleine afstand naar de buiten-wc had afgelegd.

Ongemerkt sloop vrees het gebied binnen, gepaard met opwinding. Drieënvijftig sportlieden, allen blank behalve Kannan, hielden de wacht bij de diverse gedode prooien. Hoewel geen van hen ook maar een glimp van het roofdier had opgevangen, werden er zeven kogels afgevuurd die geheel onnodig drie als lokaas vastgebonden geiten afmaakten. Het was lang geleden dat iemand op een tijger had geschoten en het gebrek aan ervaring was duidelijk merkbaar.

Toen de onfortuinlijke sportievelingen hun nachtwaken opgaven, werd de schimmige sluipmoordenaar het heersende onderwerp van gesprek – op de club, op het werk, thuis – waar hij met gemak de oorlog verdrong, de onrust over de onafhankelijkheid, en zelfs de ontkiemende romance tussen Ralph

Beattie en Margaret, het nichtje van Mrs. Wilkins, die op bezoek was uit Calcutta. Allerlei theorieën en geruchten deden flink opgeblazen en aangedikt de ronde. De mensen maakten opmerkingen over het feit dat er geen inheemse shikari's aan de tijgerjacht hadden deelgenomen, hoewel zij normaal gesproken hun hachje wel zouden wagen om het beest buit te maken, wiens kopje kleiner nu een contante waarde vertegenwoordigde van vijfhonderd roepies. Het praatje ging dat geen lokale stroper het wilde opnemen tegen het beest omdat ze geloofden dat het helemaal geen tijger was, maar de geest van een oude vaidyan, door de planters uit het district gejaagd wegens zijn bemoeienis met de zwarte kunsten. Deze theorie werd door de planters van de hand gewezen, die het afdeden als belachelijke inheemse bijgelovigheid, maar Kannan had geen overtuigende antwoorden voor zijn butler die hem op een ochtend vroeg, waarom de tijger, als hij een normaal creatuur van vlees en bloed was, alleen mensen met een zekere machtspositie doodde (met uitzondering van het eerste slachtoffer), terwijl hij toch verreweg het eenvoudigst theeplukkers of koelies kon aanvallen die geen enkele bescherming hadden; en waarom geen van de slachtoffers, met uitzondering van het eerste, was opgegeten (welke tijger, en nog wel een die mensen at, zou alleen maar doden om het doden zelf? De theorie van de spooktijger, dat was duidelijk, kon je niet zomaar wegdenken of van de hand doen. Het enige wat erop zat was het beest daadwerkelijk op te sporen en een kogel door zijn hart te jagen.

Het was Freddie gelukt Michael Frasers *Man-Eaters of Kumaon* voor twee dagen te lenen (er was veel vraag naar), en Kannan en hij leerden de wijsheid van de grote shikari, over de diverse methodes waarop je korte metten moest maken met mensenetende roofdieren, feitelijk uit het hoofd. Toen er veertien dagen voorbijgingen en er geen verdere doden vielen, stelde Kannan aan Freddie voor dat ze Corbett naar de kroon zouden steken en de sporen van de tijger volgen tot aan zijn hol.

Zo gebeurde het dat Kannan en Freddie zich in een stuk wildernis van eucalyptusbomen bevonden in de buurt waarvan een paar van de sluipmoorden hadden plaatsgevonden. Nadat ze nog eens de voorraad wijsheden van de shikari hadden gewikt en gewogen, moesten ze vaststellen dat dit het territorium van de tijger was.

Het zou nog wel anderhalf uur licht blijven en het was heel stil in het oerwoud. *Buulbuuls* fladderden over de thee met korte schokkerige beweginkjes. Van de tegenovergelegen heuvel begon een moerasvogel te roepen en vanuit het dichte kreupelgewas tegenover hen kwam onmiddellijk een antwoord. Koekoe-koeroe-koekoekoek. Terwijl de roep van heuvel naar heuvel ging, keken Freddie en Kannan weer naar het stukje papier waarop Kannan krabbels had gemaakt over Corbetts gedachten ten aanzien van het oproepen van de Pipal Pani-tijger. Het was een kort stukje:

U die evenveel jaren in de rimboe hebt doorgebracht als ik, hebt geen beschrijving meer nodig van een vrouwtjestijger die naar een mannetje op zoek is, en voor de minder gelukkigen onder u kan ik alleen maar zeggen dat de roep, die om een soepel gesmeerde keel vraagt en alleen maar eigen is te maken via nauwkeurige observatie, niet met woorden te beschrijven is...

Dat was het probleem. Het idee dat je de tijger kon oproepen was wel goed, maar geen van hen beiden wist hoe je dat moest doen. Toch wilden ze geen van tweeën de eerste zijn om toe te geven hoe onwetend ze waren inzake rimboewijsheden, en dus hadden ze hun plan doorgezet. Voor de afgesproken dag hadden ze afzonderlijk geprobeerd een paar planters van de club uit hun tent te lokken, degenen die daadwerkelijk een tijger hadden geschoten of er prat op gingen dat te hebben gedaan, en hun te vragen hoe je zo'n beest moest oproepen. Dat was mislukt, aangezien geen van de planters, al goot je ze vol met whisky of rum, de verbeelding of de kennis had het volume van een tijger te evenaren. Een ouwe dronken kerel had een afgrijselijk grommend geluid voortgebracht waardoor een paar omstanders hem bezorgd hadden aangekeken. Maar de planter kwam al snel weer tot zichzelf en bestelde nog een whisky. Er was nog een tweede mogelijkheid die bij Kannan was opgekomen. Misschien moesten ze het advies inwinnen bij Harrison, de planter die inlander was geworden. Als hij de indrukwekkendste blanke shikari was geweest die het district gekend had, zoals iedereen zei, had hij vast nog wel een of twee listen achter de hand. Freddie maakte het hele idee meteen belachelijk: 'Ze hebben hem hier al in geen jaren meer gezien, we weten niet eens of hij nog leeft. En al zou hij nog leven, waarom heeft hij zich dan niet laten zien? Het nieuws van de tijger is tot in de verste uithoeken van het district doorgedrongen. Nee, ik geloof dat we die Harrison wel kunnen vergeten. Als hij nog ergens rondloopt, is hij waarschijnlijk blind of gek geworden van de syfilis of de inlandse sterkedrank of allebei.'

En dus waren ze weer teruggekomen bij Corbett. Waarom had deze, toch altijd een schrijver met buitengewone precisie en helderheid, iets zo belangrijks zo tergend onbeschreven gelaten? Ze overlegden of ze een plaatselijke shikari de tijger moesten laten oproepen, maar zelfs als je een inlander bereid zou vinden over hun bijgelovige vrees voor het beest heen te stappen, waren ze onafhankelijk van elkaar tot de conclusie gekomen dat hun eigen gebrek aan ervaring geen ruchtbaarheid gegeven moest worden in de wereld van de koelies, die toch al zo kien waren op nieuwtjes over de tekortkomingen van de planters. Nu stonden ze daar dus zonder een idee wat te doen.

Ze bleven een poosje staan kijken en voelden zich heel dom.

'Jij moet maar eerst gaan. Ik ga daar met mijn rug tegen die grevillea aan staan, gereed om te schieten,' bood Freddie grootmoedig aan.

'Nee, nee, mijn geweer schiet nauwkeuriger over een grote afstand, dus kan ik beter schieten...'

'Nou, kijk. Ik had best graag zelf het brullen op me genomen maar ik ben vanmorgen met wat pijn in de keel wakker geworden...'

'Dat wist ik niet...'

'Nee, natuurlijk niet, maar ik vond dat we de jacht beslist niet hoefden uit te stellen, aangezien jij in dat brullen net zo ervaren bent.'

Kannan keek zijn vriend woest aan. Hij wilde dat hijzelf op dat smoesje van de keelpijn was gekomen, voordat de ander het had bedacht.

'Het heeft geen zin hier maar te staan lummelen, we moeten aan de slag,' zei hij energiek, hoewel het zelfvertrouwen dat hij zo overdreven aan de dag legde, in werkelijkheid niet erg groot was. Wat als het beest uit een van die bosjes te voorschijn kwam? Hij had geen idee hoe hij daarmee om moest gaan en had zichzelf alleen maar gerustgesteld met de gedachte dat geen enkele zichzelf respecterende tijger hem op minder dan tweehonderd meter zou durven naderen, als hij eenmaal zijn vervaarlijke roep had laten horen. Hij vulde zijn longen met lucht en terwijl hij zijn handen om zijn mond stulpte, bracht hij een geluid voort dat het midden hield tussen een luid keelschrapen en het blaffen van een gemoedelijke hond.

Freddie keek vol ongeloof naar zijn vriend. 'Ik wist niet dat tijgers zo brulden,' riep hij.

'Nou, dan doe jij het, als je het zo goed weet.'

'Nee, joh, ik probeerde alleen maar grappig te zijn.'

'Hou dan op,' zei Kannan kortaf. Hij stulpte opnieuw zijn handen om zijn mond en probeerde het nog eens, terwijl hij zijn stembanden flink forceerde in een poging een galmende schreeuw te laten klinken. Deze keer eindigde zijn gorgelende kreet in een hoestbui. Uit zijn ooghoeken zag hij dat Freddie zijn geweer had neergezet en stond te schudden van het lachen.

'Je klonk net als een beer die last heeft van hardlijvigheid...' zei Freddie, die stond te schaterlachen.

'Weet jij veel hoe een beer klinkt, stomme idioot,' diende Kannan hem van repliek.

'Je bent zo verdomd goed bezig geweest, kerel, dat je zelfs de moerasvogels hebt weggejaagd. En ik hoopte nog wel dat ik er een zou kunnen schieten voor het eten vanavond.'

'Je staat me doodleuk belachelijk te maken. Met dat kolossale schietkanon dat jij bij je hebt zal er van de moerasvogels niet veel overblijven voor een warme maaltijd.'

'Het heeft niet veel zin hier nog langer rond te hangen,' zei Freddie die zijn geweer op zijn schouder hees. 'Die vervloekte tijger zit vast al halverwege Travancore.'

Toen ze bij hun motor waren gekomen, zei Freddie: 'We moeten die non-sens maar vergeten en een borrel nemen. Jouw huis is dichterbij, dus ben jij de klos. Ik hoop dat Helen het niet erg zal vinden als er een stelletje onverschrokken shikari's als wij zomaar binnen komt vallen.'

Kannan aarzelde. Sinds Helen ruim zes weken geleden was weggegaan, had hij de schijn kunnen ophouden dat ze hier nog steeds rondhing, omdat hij behalve Murthy van niemand bezoek had gehad. Hij kon op geen enkele manier voorkomen dat de bedienden gingen kletsen, maar het zou een tijdje duren voor het nieuws zijn collega's ter ore zou komen. Maar als Freddie meekwam... Hij deinsde terug voor de gedachte dat hij iets zou moeten uit-leggen.

'Eigenlijk, Freddie, is Helen niet lekker... Ze heeft last van migraine, zie je... En wanneer ze zo is... Begrijp je... Ik kan niet instaan voor de gevolgen!'

'Tjemig, de problemen die je kunt hebben als getrouwd stel. Mijn huis dan maar.'

96

Drie drankjes later deed hij Freddie zijn relaas over de hachelijke staat van hun huwelijk. Hij was niet van plan geweest zijn problemen met Freddie te be-spreken, vooral niet na Murthy's smalende woorden, maar de alcohol had zijn remmingen algauw doen verdwijnen. Om zijn vernedering te maskeren sloeg hij een toon van luchtige scherts aan. Toen hij eenmaal over het aanvanke-lijke onbehagen heen was, zorgden Freddies luisterend oor en nog een paar cognacjes ervoor dat hij vrijuit sprak. Toen ze hun glas voor de vijfde keer had-den laten bijvullen, waren ze behoorlijk aangeschoten. Ze beklaagden zich over de onredelijke, wispelturige vrouwennatuur. Toen begon Freddie tot Kannans verrukking een versje te spuien:

Ze plukte een draad
van haar glanzende haar
en ving mijn handen
in die listige strik.
Lachend probeerde ik
ze los te wrikken:
het haar, als staal,
had me ingesponnen.
Een geboeide slaaf,
betreur ik nu mijn lach:
en waar zij voorop gaat
strompel ik achter haar aan.

'Waar ging dat allemaal over?'

'Paulos. Een edelman aan het hof van Justinianus. Rond de eerste eeuw. Tjemig, jongen, ik kan er ook niets aan doen. Ik ga al net zo klinken als mijn oude don aan het Jesuscollege in Oxford, maar een van de minder bekende dingen waarop ik mij laat voorstaan, is dat ik de grote klassieken heb gelezen voordat ik van die school werd getrapt.'

'Weet je, Freddie, dat ik me heel vaak heb afgevraaagd waarom jij nooit geprobeerd hebt schrijver te worden, of dichter.'

'Een planter hoort geen culturele interesse te hebben?'

'Klopt, majoor Stevenson vroeg mij ook tijdens mijn sollicitatiegesprek, of ik veel las. Ik zei toen van niet, en hij zei, goed, heel goed, want planters worden geacht met hun schoenen door de modder te lopen en hun tijd niet te verdoen met boeken lezen.'

'Niet slecht, als je het mij vraagt. Een van de redenen waarom ik Engeland ben ontvlucht, was dat ik een einde wilde maken aan al die poëziesessies en dat soort dingen. Het enige wat ik nog vervelender vond waren die reünies van oud-studenten waar een stel kleurloze gasten van mijn ouwe school bij elkaar kwamen om de dagen van vroeger nog eens te doen herleven en de wereld op een afstand te houden.'

'Ja, de schooljaren kun je maar tot op zekere hoogte rekken tenzij het de belangrijkste periode in je leven geweest is. Maar vond je het dan niet leuk op de universiteit?'

'Ik heb er een prachtige tijd gehad! Zo lang als het duurde. Maar toen ik er eenmaal mijn bekomst van had, was het ook goed uit en wilde ik er zo snel mogelijk weg. Je had me er met geen tien paarden weer naartoe kunnen slepen.'

'Ik heb de meeste tijd aan de universiteit verdaan met achter Helen aan te zitten en kijk nu eens hoe dat is afgelopen...'

Freddie lachte en zei: 'Daar heb je het nou. Ik voor mijn part ben blij dat die tijd voorgoed achter mij ligt... Ik heb tijden geleden mijn boeken al verbrand, maar de oude Grieken hebben zich in mijn geheugen laten griffen toen ik jong en ontvankelijk was. Wat vind je van deze van een snuiter die Rufinus heette:

Als meisjes aardig waren
na het vrijen
zou geen man ze
genoeg kunnen neuken
maar na het bed
zijn alle meisjes
om van te walgen.'

Kannans gezicht betrok even in verlegen schaamte, maar toen hij een glimp opving van Freddies gezicht, barstte hij in lachen uit.

'Die heb je vast zelf bedacht. En je taal, mijn god, Freddie, mijn grootmoeder zou groene pepers over mijn lippen hebben uitgesmeerd als ik zoiets gezegd had.'

'Ach, de genoegens van een kostschooljongen. Sodomie, slechte verzen en vurige reten.' Hij werd ernstig. 'Zie je. Ik ben erg gesteld op jullie allebei. Ik hoop dat je eruit zult komen.'

'Dat hoop ik ook,' zei Kannan ernstig. Zoals met de meeste dronkemanspraat, begon de luchtigheid plaats te maken voor huilerige emoties. 'Ik hoop over een paar maanden naar Madras toe te gaan. Mogelijk na Pasen.'

'Jep, de dingen een beetje de tijd gunnen om tot rust te komen. Ze lijkt me een gave vrouw, beste kerel, en ik zou niet zomaar alle hoop op haar laten varen.'

De toon van de avond werd alweer luchtiger.

'Vrouwen zijn zo anders, Freddie. Je weet nooit wanneer ze plotseling in rook beginnen op te gaan!'

'Daar heb je niet het geringste benul van. Waarschijnlijk gaf Corbett daarom de voorkeur aan mensenetende roofdieren. Nooit getrouwd geweest, begrijp je.' Toen begonnen ze weer te schaterlachen en Kannan bedacht dat Murthy in veel dingen misschien wel gelijk zou hebben, maar sommige Engelsen waren zo slecht nog niet.

97

Het volgende slachtoffer ontnam aan de jachtpartij alle genot en opwinding. Dominee Benjamin Ayrton was blank en een pilaar van de Britse gemeenschap in het bergland. Iedereen was het erover eens dat zijn preken beter konden, maar niemand stoorde zich echt aan zijn tekortkomingen als kanseltijger. Sterker nog, tot het ritueel van de zondagmorgen in de kerk van Pulimed hoorde juist de poging iets te begrijpen van wat de dominee te vertellen had. Het was de gewoonte een kleine weddenschap af te sluiten over hoe lang de man zich zou houden aan zijn voor die dag gekozen onderwerp voordat hij zich zou zetten aan de eerste van talloze uitweidingen. Het record was vijfenveertig seconden.

De dode man werd gevonden in een dennenbosje dat tussen de kerk en de pastorie lag. Op zijn bebloede toga was een briefje vastgemaakt waarop stond: 'De blanke overheerser is dodelijker dan tijgers! De blanke man moet weg uit India of dood!' het briefje was ondertekend: The revolutionary Tigers. Zijn bedienden hadden niets gehoord of gezien.

Het district van de theeplantages was hevig geschrokken. Nu moesten de planters niet alleen strijd leveren tegen een mensenetende tijger, maar waren er ook nog terroristen. Die vroegen om doeltreffende acties, iets waarvoor het plaatselijke politiebureau van Pulimed dat zich doorgaans bezighield met onschuldige ruzies tussen koelies, slecht was uitgerust. Er werd een boodschap getelegrafeerd naar de Britse resident in Travancore. En een deputatie begaf zich op weg naar Madras om met de gouverneur te spreken.

Waren het al die tijd terroristen geweest? In hun eenzame bungalows zaten de bedrijfsleiders en hun gezinnen bij ieder ongewoon geluid te bibberen, hielden hun bedienden goed in de gaten, en hoopten en baden dat de regering hun een grote troepenmacht zou sturen om de dreiging in te dammen. Helaas werd hun verzoek om militaire bijstand afgewezen. Er was een oorlog aan de gang. En ook al zaten de belangrijkste leiders van de Indiase nationalisten in de gevangenis, er waren genoeg problemen met de handhaving van rust en orde in de laagvlakten om iedereen handenvol werk te geven. De planters zouden voor zichzelf moeten zorgen.

Tien dagen na de begrafenis van dominee Ayrton werd een van de bedrijfsleiders van de plantage van het leven beroofd toen hij een eindje omliep om een beedi te roken. Niet een van de arbeiders die in het veld aan het snoeien waren geweest, had hem horen schreeuwen. Het bleek dat de tijger de man had beslopen via de bergpas die grensde aan het veld. Met een reusachtige sprong had hij boven op hem gezeten en zijn kaken hadden zich om zijn keel gesloten. De man was meteen dood geweest. Nadat hem zijn kleren waren afgeropt, had het beest de dode man bij het smalle gedeelte van zijn rug opgepakt en hem bijna twee mijl verder gedragen. De groep die op speurtocht was uitgegaan vond het lichaam aan de rand van een bosje eucalyptusbomen. Er was een stukje van zijn linkerbil opgegeten, maar verder was de gedode prooi ongemoeid gelaten.

Bijna uitzinnig van angst verscholen de mensen van de plantages, blank en bruin, zich achter versperringen van op slot gedraaide deuren, en waagden zich alleen maar in grote luidruchtige groepen buiten, als de zon goed en wel op was. Er werd een noodvergadering van alle planters in Pulimed en omgeving belegd voor de uitwerking van een plan om het district te verlossen van de terreur die hen belaagde. Een dag voor de vergadering deed zich onverhoopt nog een netelig probleem voor. De koelies waren gaan staken en weigerden aan het werk te gaan tot ze gewapend zouden zijn of, in het andere geval, totdat de sluipmoordenaar of -moordenaars gevangen waren.

98

De hele middag ronkten en gierden de auto's en motoren de steile helling op die naar de Pulimed Club leidde. Voor het eerst sinds zijn oprichting werden dames tot de grote barzaal toegelaten om de vergadering bij te wonen. De plantersvrouwen die tot die middag genoegen hadden moeten nemen met een klopje op het bedieningsluikje als ze een drankje wilden, keken met grote interesse om zich heen. Zelfs Mrs. Stevenson was opgewonden achter het strenge gezicht dat ze in het openbaar opzette, omdat ze nu eindelijk in het heilige der heiligen was toegelaten, de enige plek in haar koninkrijk waar ze niets te zeggen had gehad. Maar na de aanvankelijke opwinding was er de onvermijdelijke teleurstelling: was dit nu die hele clubbar? Nog een element van het sociale leven in Pulimed dat door de tijger voorgoed werd veranderd.

De voorziter van het Plantersgenootschap riep de vergadering tot de orde. De bar was niet groot genoeg om alle genodigden te kunnen huivesten, dus gingen de deuren naar de bibliotheek en de Slangenkuil open en waren de bedienden druk in de weer met het aanslepen van stoelen. De voorzitter verzocht de mensen die het woord wilden voeren hun stem te verheffen zodat degenen buiten de bar hen ook zouden kunnen horen.

Freddie keek om zich heen en zag tot zijn verbazing dat Kannan er niet was. Hij leunde over naar Michael en vroeg of hij het wist. Fraser wist het niet.

De vergadering kwam op gang en er gingen verscheidene planters staan om methodes en middelen voor te stellen om de tijger uit de weg te ruimen. Maar de meeste waren al eerder beproefd met weinig succes of praktisch onuitvoerbaar.

'Waarom houden we niet een sponsoractie en halen die Corbett hierheen. Die heeft enige ervaring met het doodschieten van spooktijgers,' riep een planter uit Periyar. Er werd zenuwachtig gelachen waaraan door de voorzitter vlug een einde werd gemaakt.

'Ons geachte lid is er vast wel van op de hoogte dat de deputatie die bij de gouverneur is geweest, heeft geprobeerd de regering zover te krijgen ons over de diensten van kolonel Corbett te laten beschikken om ons van het dreigende gevaar te verlossen. Er is een boodschap naar hem uitgegaan maar hij heeft ervoor bedankt met de mededeling dat hij te oud om op nog meer mensenetende tijgers te jagen is.

'Is er dan niemand anders?' riep dezelfde planter.

'Wat vinden we van Harrison? Die moet hier ook nog ergens rondhangen,' riep een stem uit een verre hoek van de zaal.

'Dat meen je niet,' was het weerwoord van de planter uit Periyar. 'Die zuiplap is al tientallen jaren door niemand meer gezien en ik zal daar gek zijn, ik zie mezelf al onder de sari van een koelievrouw kruipen om hem op te sporen.'

Ineens realiseerde de planter zich dat er vrouwen aanwezig waren en hij stamelde zijn excuses. Het was een gezette kerel met een randje vuilbruin haar en een dikke snor. Freddie draaide zich helemaal om op zijn stoel om eens goed naar hem te kijken. Hij stelde vast dat de snor hem niet aanstond en vandaar gingen zijn gedachten naar haar op je gezicht in het algemeen. Waarom droegen mannen eigenlijk snorren en bakkebaardjes? De meeste van hen werden er niet bepaald indrukwekkender van... Waar was Kannan? Het was niets voor hem om te laat te zijn. Misschien werd hij op dit moment gegijzeld door de stakende arbeiders. Als dat het geval was kon hij wel eens een hele tijd opgehouden worden. Freddie herinnerde zich de eerste keer dat hij gegijzeld was, driehonderd of meer mannen tegen een, tegen hem alleen namelijk. Ze hadden hem gewenkt naar een stopplaats langs de weg die naar de fabriek leidde en hij was door luid schreeuwende en druk gebarende mannen omringd, van wie sommige met stokken en met snoeimessen zwaaiden. Hij was eerst doodsbenauwd geweest maar na ongeveer een halfuur was hij kalmer geworden toen hij doorkreeg dat de oproerkraaiers geen kwaad in de zin hadden. Tenzij hij iets doms zou doen natuurlijk. Het had er allemaal een beetje uitgezien als een choreografisch tot in de puntjes verzorgd ballet: de arbeiders werkten zich met gierende uithalen op tot een grote staat van opwinding waarin ze dreigend met hun stokken en messen naar hem zwaaiden om dan, niet langer in staat de spanning vol te houden, langzaam terug te zakken tot ze zich geleidelijk aan opnieuw dik gingen maken. Ze hadden hem uiteindelijk doorgelaten, nadat ze ongeveer een uur geprotesteerd hadden, en hij was regelrecht naar de bungalow van Michael gereden om hem trots te vertellen dat hij zijn eerste gijzeling overleefd had. Het kreeg iets van een ritueel: ieder jaar voerden de arbeiders een dag of twee actie en eisten een hogere bonus, en ieder jaar gaf de bedrijfsleiding toe, ogenschijnlijk met tegenzin. Dat was nog zoiets dat hoorde bij het plantageleven. Maar deze keer werd de plotseling uitgebroken staking door angst aangedreven, en wie wist waar de koelies toe in staat waren? Hij hoopte dat met Kannan alles in orde was.

Toen Freddie zijn aandacht weer op de vergadering richtte was er een planter uit Peermade aan het spreken – de staking zou snel beëindigd moeten worden, het plukken moest door kunnen gaan, de fabrieken mochten niet stilliggen.

'Als we dit zo accepteren, zullen de koelies ons straks nog in de steek laten en dan krijg je ze nooit meer terug. Wie weet hoe lang dat dreigende gevaar er nog zijn zal? Nog een paar maanden en dan beginnen de moessonregens weer en worden de wegen onbegaanbaar en...' de planter haalde zijn schouders op.

'Misschien kunnen we de opzichters geweren geven. Die kunnen dan op wacht staan in de velden waar gepukt of gesnoeid wordt. Althans...'

'Verdomd slecht idee,' werd hij in de rede gevallen door een spichtig uitziende planter, die Freddie niet thuis kon brengen (waarschijnlijk een eigenaar van een klein gedoetje ergens, dacht hij). 'Je kunt die Indiërs tegenwoordig niet meer vertrouwen. Zijn jullie vergeten wat er met de padre gebeurd is?'

'Ho even, dat is grote flauwekul,' zei Fraser die van zijn stoel opsprong. 'Je kunt niet alle Indiërs over een kam halen. Er zijn Indiërs met honderden tegelijk gesneuveld in de veldslag bij Birma, alleen maar opdat het leven voor ons hier zou kunnen doorgaan. Slim heeft publiekelijk verklaard dat de Fourteenth Army nooit had kunnen doen wat het gedaan heeft zonder zijn Indische troepen en officiers.' Zijn uitbarsting oogstte een paar goedkeurende knikjes, maar de meeste planters lieten niets van hun gevoelens blijken.

'Ik zeg niet dat je geen Indiër meer vertrouwen kunt,' zei de spichtige planter, 'het zijn gewoon moeilijke tijden...'

'Voor Indiërs net zo goed als voor ons,' beet Fraser terug. 'Mijn Indische collega's zijn dat vast wel met me eens.'

Hij ging weer zitten en zocht om zich heen naar het gezicht van Kannan, daarna naar dat van de Parsi planter uit Peermade. Maar er waren geen Indische gezichten in de zaal, behalve die van de bedienden in hun witte jasjes en broeken.

'Verdomd, sir,' Freddies kwaadheid was overduidelijk toen hij opstond. Hij had nu doorgekregen waarom Kannan afwezig was. 'Ik kom er net achter dat er geen enkele Indische planter in de zaal zit. Zijn zij van deze vergadering uitgesloten?'

'Mr. Hamilton, dat besluit is genomen in het belang van iedereen, inclusief onze Indische collega's, zodat we vrijuit kunnen spreken en tot een paar besluiten komen waar we allemaal profijt van zullen hebben,' zei de voorzitter effen.

Freddie kreeg een gevoel of hij de man wilde aanvliegen. Toen hij zijn stem weer terug had, zei hij: 'U, sir, moet al helemaal weten dat wij vandaag de dag niet in onze geriefelijke bungalows zouden zitten als de Indische medewerkers niet te vertrouwen waren, als de grote meerderheid van de Indiërs niet te vertrouwen was. Acties van u als deze, sir, zullen onze Indische vrienden van ons wegjagen. Vervloekt slechte vertoning, als je het mij vraagt.' Pas toen drong de enormiteit van wat hij aan het doen was tot hem door. Hij, Freddie Hamilton, een ondergeschikte assistent van de Pulimed Tea Company, was opgestaan en had de voorzitter van het Plantersgenootschap beschuldigd van dom gedrag en bovendien bezigde hij ook nog het soort grove taal dat je zelden hoorde op PA-vergaderingen. Zijn boosheid trok uit hem weg. Hij keek om zich heen voor bijval. Michael en Belinda Fraser leken het met hem eens te zijn, maar hij zag geen enkele aanmoediging op de gezichten van de andere planters. Mrs. Stevenson keek razend en majoor Stevenson staarde naar de grond. Goeie god, dacht hij ongelukkig, wat heb ik in vredesnaam uitgehaald?

Gekras van een stoel die naar achteren werd geschoven en daar was Michael Fraser gaan staan. 'Voorzitter, ik vergoelijk zijn taalgebruik niet, maar ik onderschrijf van harte de mening van mijn collega dat onze Indische vrienden niet hadden mogen worden buitengesloten.' De zaal gonsde van de opwinding. Majoor Stevenson bleef strak naar de vloer kijken. Hij zou Freddie een berisping moeten geven. Er zou een scene volgen en hij zou voet bij stuk moeten houden en iets moeten goedpraten wat duidelijk onjuist was. En wat als Freddie zijn ontslag nam? En Kannan ook? Als twee van zijn assistenten opkrasten, hoe in de wereld moest hij de zaak dan draaiende houden? Waarom moest alles altijd zo verduveld ingewikkeld zijn?

99

Freddie liet de motor over de verlaten wegen langs de plantages razen terwijl de woede weer in hem oplaaide. De schaamte en hevige schrik over zijn eigen brutaliteit was na een poosje weggeëbd om opnieuw plaats te maken voor een gevoel van grote verontwaardiging. Het was een prachtige dag, maar Freddie merkte er niets van, zo in de war als hij was. Zou hij ontslagen kunnen worden om zijn uitbarsting op de club? Een ondergeschikte medewerker schold een planter die zijn meerdere was niet publiekelijk uit. Nou en? Het kon hem niets schelen. Als het plantersberoep niet meer behelsde dan dat, kon hij beter wat anders gaan doen. Verdiept in zijn eigen gedachten miste hij bijna de afslag naar de Morningfall. Hij liet de motor langzamer lopen tot die in zijn vrij tot stilstand kwam bij een wilde guaveboom. Het gebladerte was een en al leven van de kwetterende en schetterende rozige spreeuwen. Hij bleef er een poosje naar kijken. Tot nu toe had hij gepopeld om Kannan in te lichten over de vernedering die hem voluit getroffen had, maar nu begon hij zich af te vragen of hij er wel goed aan deed. Misschien moest hij gewoon naar huis gaan. Kannan zou toch wel over de PA-vergadering horen, en zich waarschijnlijk een tijdje erg beroerd voelen, maar die dingen gebeurden nu eenmaal in Brits-India. Hoogstwaarschijnlijk vond hij wel een manier zich erbij neer te leggen. Toen bedacht hij hoe zijn vriend geprobeerd had de tijger te roepen, en de boosheid laaide weer in hem op. Stompzinnige opgeblazen mafketels! Hoe konden ze ook maar een moment denken dat Kannan niet te vertrouwen zou zijn? Hij trapte de motor weer tot leven en ronkte de heuvel op naar de bungalow.

De butler ging hem voor naar de zitkamer.

'Ha die Freddie,' zei Kannan vrolijk, 'onverwacht genoegen. Ik dacht er net over naar de club te gaan, wat tennissen misschien, wilde een fabelachtige dag niet verloren laten gaan. En dan val je in je luiheid terug, je weet hoe dat gaat. Biertje?'

'Nee, nee. Nee, bedankt. Geef me maar wat thee, als je hebt.'

Kannan bestelde thee.

Nu hij hier zat, wist Freddie niet hoe hij het onderwerp ter sprake moest brengen. Kannan was de eerste die de stilte verbrak.

'Hoe moeten we die staking aanpakken? Ik heb erover na zitten denken en iets anders dan het uitdelen van geweren aan de opzichters lijkt er niet in te zitten om ze weer aan het werk te krijgen. De voorzitter van de PA moet maar een vergadering bijeenroepen.'

Toen kwam de thee en Kannan begon in te schenken. Hij moest het hem nu zeggen, bedacht Freddie. Maar hoe zei je tegen een man, wiens gevoel van eigenwaarde en trots verre van gering waren, dat hij in de ogen van zijn collega's minder was dan hij eigenlijk was?

'Ik geloof dat we de koppen bij elkaar moeten steken en vlug een oplossing moeten uitwerken, voordat de dingen ons uit de handen glippen,' zei Kannan. 'De PA...'

'Aan de PA zul jij niets hebben.'

'Hoe bedoel je?'

'Daarom ben ik naar je toe gekomen. Er is een PA-vergadering geweest om over de sluipmoorden te praten en de Indiase planters werden daar buiten gehouden en Michael en ik waren daar woedend over en ik heb geprotesteerd... En... Daarom ben ik nu hier...' floepte Freddie er achter elkaar uit.

'Juist, ja,' zei Kannan bedachtzaam. Het bleef een poosje stil en toen zei hij: 'Herinner jij je mijn vriend Murthy?'

'Ja zeker, een gedreven man.'

'Ja, gedreven. En met een scherpe blik. Hij zei tegen mij dat mijn verlangen om hier uit te blinken, om iets van mijzelf te maken in de wereld van de blanken, voor de gekhouderij was. Niets van wat ik ooit presteerde zou ooit hun toets der kritiek kunnen doorstaan. Hij had gelijk.' Er was weer een lange pauze, toen zei Kannan ernstig: 'Het was werkelijk heel goed van jou om het voor me op te nemen.'

'Dat had niets te betekenen,' zei Freddie.

'Als je me nu wilt verontschuldigen, ik moet er wat over nadenken...'

'Natuurlijk,' zei Freddie. Hij ging meteen staan en liet in de haast zijn theekop bijna vallen.

Een poosje nadat Freddie was opgestapt, besloot Kannan een luchtje te gaan scheppen. Omstreeks het middaguur bevond hij zich hoog in de heuvels die op zijn bungalow uitkeken. Het was een uitzicht dat hem in het begin zo hevig in de ban had gebracht van Pulimed. Maar hij zag niets van de betovering van toen vanwege de boosheid die hem nu overviel. Wat hebt u toch tegen mij, God, raasde hij, dat u me in elke nieuwe fase van mijn leven laat struikelen en mij de grond onder de voeten wegslaat in elke veilige haven? Eerst appa, vervolgens Helen en nu dit weer. Boos en gefrustreerd tuurde Kannan nauwlettend het schitterend verlichte panorama daarginds onder hem af. Dit was de wereld waar hij naar ontkomen was; dit was de fundering waarop hij zijn leven opnieuw had zullen inrichten. Die was loos gebleken...

Iets wat Murthy had gezegd tijdens zijn bezoek sloop in zijn herinnering.

Als we jong zijn, zijn de waarheden die we ons hebben verworven ongerept en puur en staan geen andere toe. Onze helden, onze meningen, onze overtuigingen – in onze gevoelens daarover zijn we hartstochtelijker en intenser dan we later ooit nog zullen zijn. Wanneer daar iemand aankomt is onze teleurstelling ook extreem; we zijn vol woede die zo zuiver, zo echt, zo fel is dat we er volledig door in beslag genomen worden. De middelbare leeftijd is vermoeid en daarom ook verdraagzaam. In onze jeugd zijn we het meest geneigd om te doen wat ons hart ons ingeeft. We wuiven onze angsten weg en zijn geneigd waarschuwingen en goede raad in de wind te slaan en we willen het liefst worden die we graag willen zijn. Kijk maar naar Kannan. Berooid van de innerlijke overtuigingen waarnaar hij zijn leven had ingericht, raast en tiert het in hem omdat hij iets, wat dan ook, doen moet om zich te rechtvaardigen in eigen ogen. Maar waar moet hij heen? Helen staat hem niet langer ter beschikking en ook zijn vader niet. Freddie, bedenkt hij tot zijn eigen schaamte, is blank, de vijand, en niet te vertrouwen...

In een poging zich van de woede en frustratie te bevrijden, begon hij hard te lopen, zich af te matten. Na een uurtje had hij een zekere mate van innerlijke rust bereikt en een besluit genomen over de te volgen koers. Hij zou de Tijger van Pulimed of wie of wat de sluipmoordenaar ook zijn mocht, opsporen en uit de weg ruimen, waardoor hij de verdenking in de hoofden van zijn collega's weg zou nemen. En dan zou hij hun laten zien wat het betekende om zich met een Dorai in te laten. Hij zou ontslag nemen en zijn landgenoten helpen die ondankbare blanken eruit te gooien. Bruin zou blank verzwelgen in een hoge aanzwellende golf; de onderdrukkers zouden niet meer dan vlokjes schuim zijn op een ziedende bruine kolkende zee.

100

De volgende ochtend liet hij Stevenson en Fraser een briefje brengen om te zeggen dat hij zich niet lekker voelde en de komende twee dagen niet op zijn werk zou komen. Toen sloot hij zich op in het kleine kamertje naast de eetkamer, dat hij als studeerkamer gebruikte, en begon te drinken. Kannan was niet zo'n drinker en tegen het middaguur was hij onderuit gegaan.

De butler trof hem 's avonds voorovergezakt over zijn bureau aan en, niet goed wetend wat hij met de situatie aan moest, ging hij weg en haalde een pot koffie. Kannan staarde met een benevelde blik naar hoe de man de spullen van het dienblad op het bureau uitstalde. De nietige Manickam zette de koffiepot op tafel waarop Kannan hem die onder zijn handen vandaan griste en uit het raam smeet in een woeste beweging die hij met haarscherpe berekening uitvoerde. Volslagen uit het lood gebracht liet de butler het dienblad vallen. Kannan droeg hem op de troep op te ruimen en sleepte zich moeizaam de studeerkamer uit. Door die korte vertoning van macht voelde hij zich al een stuk beter. Toen werd hij misselijk. Hij dook de badkamer in en vervolgens het bed.

De volgende morgen begon hij weer te drinken. Die hele dag en nacht door koesterde hij zijn gekwetstheid met alle wrok en boosheid die hij maar vergaren kon. Alle andere blijken van geringschatting en afwijzing die hij te verwerken had gehad in zijn leven, waarvan sommige zo helder in zijn geest gegrift stonden alsof ze net hadden plaatsgevonden, en andere maar heel vaag, drukten zwaar op hem en maakten hem nog somberder en toen, door de woede, pijn, verwarring en bitterheid heen, begon hij een vaag idee te krijgen hoe hij het besluit dat hij zojuist genomen had moest uitvoeren...

Op de ochtend van de derde dag, doodmoe en met een flinke kater, probeerde Kannan net wat pap naar binnen te werken toen hij het geluid van een motor hoorde. Freddie kwam de eetkamer binnenwandelen, en als hij verbaasd was de altijd keurige Kannan nu ongeschoren en zeer onverzorgd aan te treffen, zei hij dat niet.

'Ik hoorde dat je je niet lekker voelde en besloot maar even langs te komen na kerktijd.'

'Een glaasje te veel op, beste kerel, en een kwade dronk, verder voel ik me best,' zei Kannan schamper lachend. 'En wat nu weer? Moet ik terechtstaan voor zeven, nee, acht moorden?'

Freddie wierp een scherpe blik op zijn vriend.

'Zo slecht staan de zaken niet, Cannon,' zei hij.

'Voor jou misschien niet, maar jij bent dan ook blank. Ik kwam er juist achter dat ik bruin ben en dat die viezigheid er met geen water en zeep af te wassen is.'

'Hé, man, rustig aan een beetje. Zo gebeten hoef je nou ook weer niet te klinken...'

'Ik hoor het Belinda, of was het Michael, nog zeggen: "Een blankere Engelsman dan hij was heb ik nooit gekend." Blank, Freddie, voor blond, dapper, fatsoenlijk, moedig, heldhaftig... En bruin, zwart, geel, olijfkleurig, voor opstandig, voor dingen die geniepig uit het duister komen sluipen.'

'Kom op, Cannon, rustig nou een beetje.'

'Ik heb er genoeg van me langer in te houden, Freddie. De dag dat we met zijn allen misselijk en doodmoe zijn van het onszelf inhouden is dichterbij dan je denkt. En zijn we dan niet nog veel verder van huis?'

'Hoor eens, Cannon, ik dacht dat we vrienden waren?'

'Dat zijn we, hoop ik, nog steeds... Wat is er met je gezicht gebeurd?' Kannan had een kleine verdikking in Freddies kaak opgemerkt. 'Ruzie gehad?'

'Had je gedacht. Gewoon stomme Freddie die over zijn eigen voeten struikelde. Uitgegleden in bad en met een lelijke smak tegen de rand van de badkuip gevallen,' zei Freddie die alweer opstond. 'Ik ga er maar weer eens vandoor. Zie je morgen op je werk.'

'Kun je niet beter liegen? Zeg eens op wat er werkelijk gebeurd is.'

Bij stukjes en beetjes en met veel geduld wist Kannan de waarheid uit Freddie los te peuteren. De laatste paar dagen, terwijl Kannan in zijn sombere bui bij zijn bungalow had rondgehangen, waren er plotseling overal op bomen en muren in het hele district plakkaten met boodschappen in hanenpoten verschenen waarin in de taal van de Tamils geëist werd dat de blanken het land uit moesten. De politie had een aantal arbeiders met een leidersrol gearresteerd, maar de moord op dominee Ayrton hield de gemoederen van de planters nog in alle hevigheid bezig en aan hun verdenkingen kwam met die arrestatie niet direct een einde.

Freddie was net als altijd op zaterdag naar de club gegaan en had zich midden tussen een groep mensen bevonden die behoorlijk aangeschoten waren en een theorie uiteenzetten die hij niet eerder gehoord had. 'Was het niet raar,' had een stiervervelende vent van een assistent gevraagd, 'dat geen van de sluipmoorden behalve de eerste, had plaatsgevonden op de plantages van de Pulimed Tea Company? Kwam dat soms omdat Kannan daar werkte? En waarom waren de plakkaten pas verschenen toen Kannan weg bleef van zijn werk?

Wisten ze wel, had hij gevraagd, dat Kannans oom gevangengezet was door de autoriteiten omdat hij een terrorist was?

'Vervloekte leugenaar. Hij wist dat ik een vriend van je was. Het was bijna alsof hij me zat uit te dagen om hem te lijf te gaan.'

'Ik weet niet waar hij die wijsheid over mijn Aäron-chithappa, of oom Aäron voor jou, vandaan heeft,' zei Kannan. 'Hij heeft vele jaren in de gevangenis doorgebracht. Hij was een van de eerste vrijheidsstrijders. Ik wou dat ik hem goed gekend had.'

'Uit wat Taylor zei leek je op te moeten maken dat hij een misdadiger was.'

'Hij was zeker geen misdadiger.'

'Dat dacht ik al...'

'En dus ging je die schoft te lijf,' zei Kannan met een brede grijns.

'Maar je had hem eens moeten zien,' zei Freddie en hij liet er toen bescheiden op volgen: 'Hij was nog meer dronken dan ik was. Bepaald leuk was het niet.'

'Bedankt, Freddie, dat waardeer ik echt,' zei Kannan terwijl hij met zijn vriend meeliep naar de motor.

'O, zeg, er is nog iets dat ik bijna vergeten was je te vertellen,' zei Freddie. 'De politie heeft iemand in hechtenis genomen voor de moord op de dominee, een vroegere koster die ontslagen was wegens diefstal. Kennelijk had hij gedreigd wraak te zullen nemen en werd hij heel goed in staat geacht die dreiging te hebben uitgevoerd onder de invloed van...'

'Maar onze vriend van gister en andere nummers zoals hij zouden liever willen dat ik de hoofdverdachte was. God, ze moeten wel een verschrikkelijke hekel aan me hebben.'

'Slappe donders, dat zijn het, stuk voor stuk... Maar hoor eens, ik ga volgende week naar Madras...'

'Bofkont, ik weet dat je nog wat verlof te goed had, maar hoe heb je Michael zover gekregen?'

'Nou, met die staking en alles vond hij dat dit misschien wel de beste tijd was om er even tussenuit te gaan...'

'Hoe lang blijf je weg?'

'Twee weken, zestien dagen eigenlijk. Is er iets dat ik voor je doen kan in Madras?'

'Niets, maar dan ook helemaal niets,' zei Kannan.

'Waarom kom je zaterdag niet nog even een borreltje halen? Ik vertrek maandag vroeg.'

'Afgesproken,' zei Kannan.

Toen zijn vriend weg was ging Kannan naar zijn kamer, nam een bad en verkleedde zich. Het verbaasde hem niets dat hij het onderwerp van de praatjes en bedekte toespelingen was. Dat maakte hem alleen maar vastberadener. Hij dacht: de wereld zit ons op de nek, en dan geven we een duwtje terug, een klein duwtje maar...

Die avond, geheel tegen het protocol in, ging hij zomaar naar de bungalow van de algemeen directeur, zonder afspraak. De Stevensons zaten aan de thee toen Kannan eraan kwam, maar hij sloeg het aanbod bij hen te komen zitten af en vroeg majoor Stevenson alleen te spreken. Mrs. Stevenson was niet zo blij met dat verzoek en haar blik kreeg weer iets hooghartig gebiedends, maar Kannan hield voet bij stuk.

Terwijl ze over de uitgestrekte gazons van de bungalow kuierden, maakte Kannan geen enkele toespeling op de gebeurtenissen van de afgelopen dagen en vroeg alleen maar of hij, wanneer de eerstvolgende sluipmoord plaatsvond, een week verlof kon krijgen om de moordenaar zijn gerechte straf te doen ondergaan. Plus de garantie dat niemand anders zich met de jacht zou bemoeien. Stevenson keek of hij diep nadacht, toen knikte hij instemmend. Hij besloot dat het waarschijnlijk verstandiger was geen vragen te stellen.

Vanaf die dag zond Kannan, die nooit iets anders dan lippendienst had bewezen aan zijn geloof, iedere ochtend voor hij naar zijn werk ging, een vurig schietgebedje omhoog. Lieve Heer, laat de sluipmoordenaar alstublieft weer toeslaan.

Negen dagen later werden zijn gebeden verhoord.

IOI

Aan de noordgrens van het gebied van Morningfall, liep de plantage schuin af naar een diep ravijn en op de bodem daarvan stroomde een kleine rivier. Aan de overzijde van het ravijn lag een eigenaardig gevormde heuvel die zich ongeveer halverwege in twee delen splitste. Bepaalde stukken van de glooiingen in de twee identieke heuveltoppen leken op menselijke gezichten en als gevolg daarvan hadden ze de bijnaam Annan-Thambi gekregen. Het dal ertussenin was dichtbegroeid met bossen waarvan de ruige rand zich tot een heel eind over de voet van de heuvels uitstrekte. Dwars door het stuk oerwoud liep een voetpad. De arbeiders op de plantage gebruikten dat loopspoor als een handig doorsteekje naar de plaats Pulimed zelf, die aan de andere kant van Annan-Thambi lag. Het alternatief was een wandeling van vijf kilometer.

Na de komst van de mensenetende tijger durfde niemand het pad meer te gebruiken, tenzij er een grote groep kon worden verzameld om de tocht met elkaar te maken. Het laatste slachtoffer beging de noodlottige vergissing het weggetje in zijn eentje te lopen. Zijn vrouw was ingestort met hoge koorts, en aangezien het nog maar een uur in de middag was, had hij gedacht dat hij wel vlug even over de heuvel naar de kleine hulppost in het dorp kon lopen en dan terug zou zijn voor het felste daglicht was verdwenen. Hij had geen rekening gehouden met het feit dat een mensenetende tijger, die zijn aangeboren angst voor mensen verloren was, zowel 's nachts als overdag jaagt. Bij een bocht in het oerwoudpad had de mensenetende tijger de ongelukkige man besprongen en gedood. Hij had zijn lichaam naar een kleine open plek gesleept en nadat hij er ongeveer de helft van had opgegeten, had hij zich dieper in het bos teruggetrokken. Er was alarm geslagen toen de man helemaal niet in het dorp was aangekomen en Kannan was binnen een paar uur bij de gedode prooi. Hij had de plaatselijke stroper bij zich, een noodzakelijk kwaad, en een paar van zijn eigen mensen. De stroper gaf tekst en uitleg over de sluipmoord met slechts een minimum aan overdrijving.

Naarstig zoekend naar een geschikte plaats om bij de prooi de wacht te houden, besloten ze tot een middelgrote oerwoudboom die verscholen stond achter een dicht scherm van struikgewas. Nadat hij zijn mannen had opgedragen zo'n twee meter boven de grond een *machan* te bouwen om vandaar uit te kunnen kijken, maakte Kannan zich uit de voeten.

Hij had Stevenson al op de hoogte gebracht. De algemeen directeur had hem een week verlof gegeven en bekend laten maken dat niemand zich er verder mee bemoeien mocht. Kannan wilde dat hij eraan gedacht had Freddies indrukwekkende olifantengeweer te lenen voordat zijn vriend op vakantie was gegaan, maar daar was nu niets meer aan te doen. Hij sprong op zijn motor en reed naar het koelieterrein op de Connemara Estate, een behoorlijk grote plantage die eigendom was van de McCracken Tea Company met land dat zich helemaal uitstrekte tot aan de grenzen van Glencare Estate.

Hij was nooit meer in het woongebied van de koelies geweest sinds zijn kennismakingstour nadat hij was aangekomen. Net als toen, stemde de aanblik van de woningen hem neerslachtig: rijen lange, lage lemen onderkomens met een platen dak, tien gezinnen per optrek, een gezin per vertrek. In voddige kleren gestoken kindertjes, hun gezichtjes vol snot en vuil, speelden op de platgetrapte aarde voor de huisjes. Toen ze hem zagen, renden ze schreeuwend hun huisje in en de vrouwen bedekten haastig hun hoofden met hun sari pallus. De meeste mannen waren weer aan het werk, althans voor een deel van de tijd, beschermd door gewapende mannen, de bedrijfsleiders of plaatselijke stropers met hun angstaanjagende wapens.

Kannan liep op een oude vrouw af en vroeg haar waar hij Harrison kon vinden. Met gebogen hoofd wees ze naar een huisje van slechts één vertrek dat tegen een lichte glooiing aan lag, vlak bij hun terrein. Toen hij er bijna was, zag hij dat het op dezelfde manier in elkaar was gezet als de andere bouwsels in het woongebied, behalve dat het dak van plaggen was.

Op het open stuk platgestampte aarde rond het huisje waren vier kinderen aan het spelen. Ze varieerden in leeftijd van vier tot vijftien jaar en hadden allemaal de lichtbruine huidskleur van halfbloeden. Een enorm dikke vrouw, gekleed in een opzichtige roze sari en met schittergoud rond zowel haar neus als haar polsen, maalde koren fijn in een stenen handmolen, zonder te letten op de schreeuwende kinderen die om haar heen krioelden. De kinderen werden stil toen hij naderde en hun moeder keek onder het malen door op en staarde hem nieuwsgierig aan.

'Bent u Mrs. Harrison? Ik wil uw man spreken,' riep Kannan boven het lawaai van hout tegen steen uit.

'Hij is nooit met mij getrouwd, maar ja, hij is er. Ik zal eens kijken of ik hem halen kan.'

Ze hield op met wat ze aan het doen was, en hees zich overeind, waarbij de sari even afgleed en hem een snelle glimp gaf van enorme borsten. Ze waggelde in de richting van haar huis. Over haar schouder riep ze nog naar de kinderen dat ze moesten gaan spelen en toen verdween ze in het huisje. Terwijl hij wachtte tot ze weer te voorschijn zou komen, nam hij het kleine beetje dat hij van Harrison wist nog eens door.

Hij had de man nooit ontmoet, maar die was dan ook twintig jaar geleden inlander geworden. Nadat ze hem ontslagen hadden vanwege zijn buitensporige zuip- en neukpartijen had Harrison, naar men zei, simpelweg zijn boeltje bij elkaar gepakt in twee lege kerosinevaten en was opgestapt om te gaan samenwonen met de koelievrouw met wie hij in die tijd naar bed was geweest. Sinds die tijd had niemand meer iets van hem gezien. Dat kwam Kannan goed uit. Het enige wat hij wilde, was dat de man mee zou werken aan wat hij in de zin had.

De dikke vrouw kwam terug en zei tegen Kannan dat hij naar binnen kon gaan. Toen hij over het trappetje naar het huis liep, hoorde hij dat het malen alweer begonnen was.

Het eerste wat hem opviel toen hij de ruimte binnenging was de stank: de bedompte geur van ongewassen lichamen, van oude etenswaar en verschaalde drank, een lucht die van poep en urine afkwam. Toen zijn ogen een beetje gewend waren aan het schrale licht dat door het enkele raam vol aangekoekt vuil en vochtplekken naar binnen kwam, zag hij een broodmagere oude man in een soort hangmat zitten, gekleed in een lungi en en een hemd. Zijn verhoudingsgewijs enorme hoofd dat helemaal kaal was en vol levervlekken zat, trok meteen Kannans aandacht. Toen hij doorkreeg dat hij hem zomaar stond aan te gapen, wendde hij zijn ogen af. Hij had zich geen zorgen hoeven maken, want Harrison gaf geen sjoege, en bleef lebberen uit een koperen beker die hij in zijn hand hield.

Kannan nam met een snelle blik de ruimte in zich op. Behalve sari's en andere kledingstukken hingen er potten en pannen aan haken die in de lemen wand waren geslagen. In de ene hoek lagen opgerolde slaapmatten op een slordige hoop en langs de wanden stonden een grote versleten hutkoffer en een stuk of wat lege kerosinevaten. Harrison negeerde hem nog steeds, dus schraapte hij zijn keel en begon te praten, zenuwachtig en gehaast.

'Mr. Harrison, ik zou graag uw hulp hebben, sir. Er is een mensenetende tijger op de plantage en ik hoop dat u me helpen kunt daarvan af te komen. Het hele district wordt geterroriseerd door het beest en...'

'Waarom ik?' De stem had een verrassend diepe en aangename klank.

'Nou, ik dacht...'

Harrison liet hem niet uitspreken. 'Waarom haalt u die blitse klereplanters met hun dure geweren er niet bij om u van uw probleem af te helpen, Mr. Dorai?'

Kannan was verbaasd dat Harrison zijn naam kende.

De oude man lachte en nam een flinke slok van wat hij ook dronk.

'Sir, ik heb gehoord dat u een van de beste shikari's van het district bent...'

'En een zuiplap en een bedhopper van donkere vrouwen bovendien. O nee, mister, u moet met iets beters komen.' Hij lachte weer, een onaangenaam geluid in die kleine ruimte en toen werd zijn lachen onderbroken door een hoestbui die zo lang duurde dat Kannan niet wist of hij hem zijn hulp moest aanbieden of wegvluchten. Toen het hoesten eindelijk minder was geworden, veegde Harrison zijn gezicht af met een vuile lap en zei: 'Zal ik u eens vertellen, Mr. Dorai, waarom u hier bent? Omdat de blanke mensen denken dat u achter de sluipmoorden zit. En u wilt u rechtvaardigen door de spooktijger van Pulimed zelf om te brengen.'

Kannan zei niets.

'Laat me u dit zeggen, mister, de geruchten doen hier langs vele wegen de ronde. En mijn antwoord op uw verzoek is nee. Ik heb er hoe dan ook geen zin in om u of uw bovenbazen te helpen.'

Toen Kannan weer sprak, klonk er tot zijn afschuw iets smekends in zijn stem. Maar hij ging toch door. 'Alstublieft, Mr. Harrison, uw moeite zal beloond worden. Of we de tijger nu wel of niet doodschieten, ik betaal u honderd roepies, nee, tweehonderd,' en nog terwijl hij het zei bedacht hij dat het de helft van zijn maandsalaris was.

De oude man gaf geen antwoord en leek hem helemaal te zijn vergeten. Kannan draaide zich al om en wilde weggaan, toen hij hoorde zeggen: 'Uw geld interesseert me niet, mister.' Deze keer was het duidelijk dat, toen Harrison opnieuw in zijn grote zwijgen verviel, het onderhoud voorbij was.

Kannan was al bijna weer bij zijn motor toen hij een kind iets in de Tamiltaal naar hem hoorde roepen. Het was een van de oudste kinderen die hij bij Harrisons huis had zien spelen. De boodschap die de jongen overbracht was kort: zijn vader wilde dat Kannan die avond langskwam, zodat hij hem zijn uiteindelijke besluit kon meedelen. Kannan had geen idee waarom de oude man zich had bedacht maar hij voelde zich plotseling minder terneergeslagen.

102

Toen Kannan en Harrison bij de gedode prooi kwamen, hadden ze nog een paar uur voor zonsondergang. Harrison had een oud model .275 Rigby bij zich, dat hij kennelijk goed verzorgd had, de metalen delen waren geolied en glimmend, de versleten geweerlade was met liefde gepoetst, en Kannan had zijn Mannlicher geschouderd.

Terwijl ze naar de stoffelijke resten van het slachtoffer keken, vroeg Kannan: 'Weet u zeker dat dit de dode prooi van een tijger is? Ik bedoel, deze hier is een beetje aangevreten, maar de meeste slachtoffers waren niet eens aangeraakt. En niet een van de shikari's heeft het beest ooit gezien, en al helemaal geen poging kunnen doen hem neer te schieten.'

'Dat heb ik gehoord,' zei Harrison droogjes. 'Maar als ik zo'n rottige tijger was met een beetje zelfrespect, zou ik me ook niet vertonen aan zo'n stelletje stuntelende ezels die met van die verdomd grote geweren om me heen banjeren.' Hij stevende op de uitkijkpost af en leek tevreden over wat hij zag, en zei tegen Kannan: 'Ik ga een beetje op onderzoek uit, eens zien wat ik kan vinden. Het ziet ernaar uit dat we het nog een paar uur licht houden. Jij gaat naar huis en haalt een paar dekens en een goede zaklamp en zorgt dat je met een klein uur terug bent. Als je me hier niet aantreft, ga je meteen op de machan zitten. Ik geloof niet dat de tijger hier in de buurt is, maar als hij komt opdagen, wil ik niet dat hij door iets wordt opgeschrikt.' Toen Kannan zich omdraaide om weg te gaan, zei Harrison nog: 'O ja, en neem nog een fles brandewijn mee.'

Kannan was om halfzes bij de uitkijkpost terug. Niet lang nadat hij zich geïnstalleerd had, zag hij Harrison op zich afkomen. Hij vroeg zich af of de oude man hem had zien aankomen; misschien had hij zijn geweer wel op hem uitgeprobeerd. Hij was plotseling zenuwachtig. Hij besloot de man zorgvuldig in de gaten te houden en zijn best te doen zich niet meer ongemerkt te laten verrassen. Er werd geen woord gewisseld, Harrison vroeg alleen aan Kannan of hij brandewijn had meegenomen. Kannan overhandigde hem de fles en Harrison nam een flinke slok. Toen ging hij wat gemakkelijker zitten, nadat hij de dop op de fles had gedaan.

Toen het licht begon weg te trekken uit een verkreukelde lucht die potdicht zat, kwam de rimboe rondom hen tot leven. Een strijkorkest van cicades, kwetterende en ritselende vogels en eenmaal hoorden ze een groot beest wegstuiven door het struikgewas. Het geluid van een zingende man kwam naar hen overgewaaid. Toen er amper licht genoeg was om ook maar iets te zien hoorden ze een snelle roffel van een stok tegen een boomstam. 'Muntjakherten,' hoorde Kannan Harrison zeggen. 'De tijger is in beweging gekomen. Deze kant op.'

De opwinding sloeg op hem over. Hij vergat de narigheid van de laatste paar dagen. Hij was alleen maar gespitst op de spanning van het moment. Er kwam een mensenetende tijger, het gevaarlijkste beest dat er rondliep, regelrecht op hen af... De herten maakten geen lawaai meer. Het was plotseling aardedonker geworden en de opwinding trok langzaam uit hem weg.

'Is de tijger nog in de buurt?' fluisterde hij naar Harrison.

Er kwam een boos gefluisterd antwoord van de oude man. 'Koest jij, geen stom woord meer vannacht. Dat krijg je als je nepamateurs meeneemt op tijgerjacht.'

'Hoor eens, Mr. Harrison, dit is niet de eerste keer dat ik op jacht ben...'

'Nog een woord,' siste Harrison, 'en ik bedank verder voor de eer, is dat begrepen?'

Kannan hield met moeite nog net het scherpe antwoord binnen dat hem op de tong lag en verviel in een nors stilzwijgen.

Het landschap lichtte op toen de maan opkwam. Naast hem zat de oude man zo stil en roerloos dat Kannan zich afvroeg of hij nog wel leefde. Het ruwe hout van de machan zat pijnlijk en ongemakkelijk, maar hij durfde zich niet te bewegen uit angst voor nog een uitbarsting van Harrison. Hij rekte zijn hals om op zijn horloge te kijken. Ze hadden al bijna twee uur op de machan doorgebracht. Jezus, wat zat dat ongemakkelijk! Hij voelde de kramp al in zijn benen optrekken; het gezoem van de muggen werd feller en hij voelde er een paar op zijn gezicht neerstrijken. Hij kreeg de kriebels en wilde ze één voor één doodmeppen, maar zijn hand werd tegengehouden door de angst voor Harrison. Naarmate de tijd verstreek dreven de spanning en het ongemak zijn boosheid verder op. Wat doe ik verdikkeme op deze plek? dacht hij. Die moet ik gewoon overlaten aan maffe tijgers, verraderlijke Engelsen en die rotmalariamuggen. Dit is geen plek voor normale mensen. Hij spande zijn billen onopvallend en probeerde niet aan de insecten te denken. De boosheid trok vanzelf weg en een gevoel van berusting kwam ervoor in de plaats. Hij vroeg zich af of hij Helen van zijn besluit ontslag te nemen op de hoogte moest brengen. Zou het voor hen iets uitmaken, voor hun toekomst samen? Waarschijnlijk niet.

Zijn allereerste prioriteit was die verdomde blanke planters op hun nummer te zetten. Hij zou proberen zich bij Murthy aan te sluiten als hij wegging; hij wilde er ook de hand in hebben als Gandhi en al die anderen de Britten met een moordgang terug lieten rennen naar hun door regen omsloten eilanden. Hij vroeg zich af wat iemand als Harrison zou doen als zijn landgenoten eruit getrapt werden. Niets, vermoedde hij. Gewoon in zijn huisje blijven zitten met die dikke koelievrouw van hem en zich dooddrinken aan de arak. God, wat hoopte hij dat die ouwe zuiplap de tijger zou kunnen doodschieten. Aangenomen dat er een tijger was. Wat als het een spook was, zou Harrison het besterven van de schrik? En hijzelf? Hij streed tegen de aandrang hardop te giechelen, toen al zijn zintuigen ineens op scherp stonden met Harrisons waarschuwende hand op zijn knie. De maan was achter een wolk verdwenen en hij kon niets zien, maar hij wist dat de oude man de lade van zijn geweer tegen zijn schouder geklemd had. Hij hield zijn eigen geweer schuin tegen zijn borst maar durfde niet te bewegen. Nu – zelfs zijn eigen ongeoefende oren konden het geluid opvangen van iets wat behoedzaam naar hen toe bewoog. De maan begon zich weer van de wolken vrij te maken en ze konden het silhouet onderscheiden van een grote tijger die schrijlings over zijn prooi stond. Het licht nam in helderheid toe toen de wolk helemaal van de maan wegschoof en Harrison knalde met zijn geweer de nacht in. Op hetzelfde moment sprong het beest op en verdween in het struikgewas. 'Ik weet niet of ik hem geraakt heb, maar ik denk van wel. Hij bood me een prachtige kans en op dertig meter mis ik doorgaans niet. We weten nu tenminste dat het een tijger is. Ga maar wat slapen, morgenochtend volgen we zijn spoor.'

Harrison klonk vergenoegd en Kannan vond dat geruststellend. De bijna ondraaglijke opwinding die hem bekropen had toen ze de tijger hadden ontdekt begon weg te trekken en hun ongemakkelijke zitplaats, de insecten en de kou waren weer duidelijk voelbaar. Maar de spanning en ergernis waren verdwenen. Hij legde zijn geweer behoedzaam neer, ging languit liggen, krabde met groot genot, en rolde zich zo goed mogelijk op in zijn deken. Toen hij in slaap viel hoorde hij hoe de dop van de drankfles werd geschroefd.

103

Een gewonde menseneter is het gevaarlijkste roofdier in het oerwoud. Terwijl een gewone tijger de jager die zijn spoor volgt waarschijnlijk niet zal aanvallen gedurende een dag of zo nadat hij is aan geschoten, vooral als de wond oppervlakkig is en de pijn en de schrik wat zijn weggeëbd, weet je nooit wat een menseneter zal doen. Naar alle waarschijnlijkheid zal hij op de jager azen. Met deze gedachte in hun hoofd slopen Harrison en Kannan heel langzaam verder over het spoor van de tijger van Pulimed.

Bij het eerste straaltje licht gingen ze naar de plek waar ze het beest hadden gezien en de oude man ontdekte veelzeggende haren en bloedvlekken, die aangaven dat de kogel doel had getroffen. Nadat hij Kannan had opgedragen een hoed voor hem te halen, sandwiches, koffie en een paar andere noodzakelijke dingen, begon hij het bloedspoor nader te inspecteren. Toen Kannan was teruggekomen, gingen ze meteen op pad.

In het begin kwamen ze maar heel langzaam vooruit en speurden voortdurend iedere grote steen en struik of wat maar een gewonde tijger kon verbergen, af. Overal waar het spoor zich door het dichte woud slingerde, stuurde Harrison Kannan vooruit, want tijgers vallen niet graag rechtstreeks aan. Ze schuifelden voetje voor voetje door de wildernis en hielden hun ogen wijdopen voor ieder teken van leven. Kannan, wiens zintuigen tot het uiterste gespannen waren van alle opwinding, maar die niet over de kennis beschikte waarmee de oude jager op zijn gemak de tekenen van de wildernis duiden kon, zag de tijger overal – op een stukje gras dat vlekkerig oplichtte in de zon, naar hem loerend vanachter een lantanastruik, sluipend over een tapijt van dorre bladeren. Onvermijdelijk eiste die waakzaamheid zijn tol en na nog geen uur was hij al moe en begon hoofdpijn te krijgen. Zijn lijf deed zeer en er dansten zwarte vlekken voor zijn ogen. Hij zag de wortel niet die een beetje boven de grond uitstak. Zijn voet raakte erin verstrikt en zijn vermoeide lichaam plofte neer. Hij had nog de tegenwoordigheid van geest om zijn geweer van zich af te houden toen hij tegen de grond smakte. Harrison, die voorop liep, was onmiddellijk bij hem.

'Klungelige klerejager,' mopperde hij. Zonder de moeite te nemen Kannan overeind te helpen, pakte hij diens geweer, haalde de lading eruit en overhandigde hem zijn wapen.

'Waarom doet u dat?'

'Ik ga nog liever met lege handen op het gevaar van een mensenetende tijger af, dan dat ik me door een of andere idioot in de rug laat schieten.'

Kannan voelde de boosheid opkomen en moest zich uit alle macht bedwingen. Vandaag zou hij, hoe lang het ook duurde, zijn geduld niet mogen verliezen. Hij had Harrison nodig. Lusteloos kwam hij overeind en volgde de oude shikari. Hij probeerde zijn vermoeidheid van zich af te schudden, het was belangrijk dat hij het volhield. Harrison zou hem vast achterlaten als hij merkte dat Kannan hem ophield.

Een tijdje later begon het bloedspoor flauwer te worden. De eerstvolgende plek waar ze uitrustten, vroeg Kannan of dat betekende dat de wond aan het helen was. De jager schudde zijn hoofd en was scheutig met zijn nadere toelichting, wat eigenlijk niets voor hem was. Hij legde uit dat, aangezien bij een dier een vacht slechts losjes over het vlees lag, de wond in de huid en de wond in het vlees bij een bewegend beest niet gelijklagen. Als gevolg daarvan werd er zolang het dier bleef lopen weinig bloed gemorst. Wanneer het stilstond zou er weer bloed wegsijpelen omdat de wond in de huid dan wel gelijklag met het vlees. Een kwartier later kon hij zijn theorie bewijzen door een grote plas bloed aan te wijzen op een open plek in het struikgewas waar de tijger gezeten had om uit te rusten. 'Geen dodelijke wond. Maar ook geen oppervlakkige,' mompelde hij in zichzelf en toen werd hij een en al waakzaamheid. Links van hen begon een troep slankapen die daar met hun zwarte gezichtjes rustig hadden zitten eten plotseling te roepen: 'Khok, khok, khok, khokorrorr...'

'Die hebben de tijger gezien, hij is doorgelopen, kom op, we gaan verder.' Kannan, die op de grond zat met zijn geweer tussen de knieën geklemd, stond met tegenzin op. Zijn kuiten, dijbenen, zelfs zijn schenen deden zeer. De zon was nu goed en wel op en het zweet stond op zijn lichaam wat het er niet aangenamer op maakte.

De tijger liep nu sneller, als je afging op de slopende pas die Harrison erin had gezet. Ze liepen maar door, uur na uur, onder de striemende kracht van de zon, door struikgewas van thee en eucalyptus, door dichte *shola's*, tegen steile hellingen op. Kannan kwam moeizaam vooruit, iedere stap kostte hem inspanning. Zijn geweer was onmenselijk zwaar in zijn handen, zijn rugzak leek vol stenen en zijn dijen, kuiten en voeten schreeuwden het uit van de pijn.

Tegen de middag hielden ze stil bij een bergstroompje. Het koude water stond helder in een door de natuur gevormde holte, aan de rand afgezet met venushaar en mos. Dankbaar zeeg Kannan neer op de grond. Harrison vlijde zorgvuldig zijn geweer naast zich, zette zijn hoed af en spetterde water over zijn gezicht en armen. Kannan lag lui toe te kijken hoe de zilveren en blauwe visjes in de ondiepe gedeelten van het meertje panisch wegschoten toen de oude man zich waste, en toen waagde hij het erop een vraag te stellen: 'Denkt u dat we hem te pakken krijgen, Mr. Harrison?'

Hij leek het niet te horen. Kannan stond op het punt het nog een keer te vragen toen Harrison zei: 'De wond hindert hem niet zo erg. Ik zal iets anders moeten proberen.'

Een laatste broodje en een slok koffie en daar gingen ze weer. Om een uur of vier, toen ze bij struikgewas kwamen van laag kruipende lantana's, viel Kannans vermoeidheid ineens van hem af om plaats te maken voor een gevoel van doodsangst. Hij zag niets abnormaals, maar hij wist dat het bosje iets verschrikkelijks bevatte. Harrison was stokstijf stil blijven staan met het geweer omhoog en op de bosjes gericht. De minuten rekten zich en toen reet een hartverscheurend gebrul de struiken vaneen met een geluid dat je door merg en been ging. Kannan had onmiddellijk zijn geweer aan zijn schouder en raakte toen, beseffend dat het ongeladen was, in paniek. Wat moest hij doen als de oude man misschoot of gedood werd? Moest hij de kogels uit zijn rugzak halen en het geweer laden, of zou dat niet verstandig zijn? Harrison had hem geen instructies gegeven. De wildernis was een en al echo en donder van de razernij van de tijger en toen was het ook weer even plotseling weg.

'Die zat op ons te wachten,' was het enige wat de oude man zei.

'Moet ik mijn geweer niet laden?'

'Nee.'

'Hoor eens, Mr. Harrison, ik weet dat het een voorzorgsmaatregel is, maar als de tijger ons weer besluipt...'

'Ik zei nee. Je hebt gezegd dat je mijn instructies precies zou opvolgen, dus moet je me niet tegenspreken! Kom, we gaan.'

Ongeveer een halfuur later kwamen ze bij een open stuk in het bos. Het zonlicht viel er schuin naar binnen langs hoge woudbomen waartussen zich een ondergroei van kruipend gewas slingerde. Een weelderig tapijt van gras was keurig in tweeën gedeeld door een beek die helder en bijna zonder rimpeling over een bedding van gladde ronde kiezels stroomde. Diverse vogels die Kannan niet thuis kon brengen lieten hun roep horen door het groenige licht van de open plek. Kwetterende oerwoudbewoners ritselden in het struikgewas. Nadat de oude man heel eventjes had stilgestaan om het tafereel voor zich te overzien, was hij doorgelopen naar een smalle strook spierwit zand bij de beek. Hij keek een hele tijd met grote aandacht naar de zandplek en wenkte Kannan. 'We hebben met een heel hongerig dier te maken.' Hij wees met zijn geweer. 'Hier heeft hij een paardhert beslopen, is op het dier afgesprongen, miste en deze sporen wijzen aan hoe het hert is weggekomen.'

Hij bleef even in gedachten verzonken en zei toen: 'Hoe erg wil je die tijger?'

'Heel erg,' zei Kannan simpel.

'Ik heb misschien een plan. Maar of het werkt hangt af van jouw volledige medewerking. Is dat begrepen?'

'Ja. Wat voor plan?'

'Dat vertel ik je later wel. Het enige wat ik nu wil weten is of ik erop kan vertrouwen dat je zonder iets te vragen zult doen wat ik zeg.'

Kannan knikte.

De oude man keek naar hem gedurende een lang moment en zei toen: 'We hebben iets minder dan twee uur licht, en willen we een kans maken hem dood te schieten, dan moeten we het heel ongewoon aanpakken. Als mijn geheugen mij niet bedriegt, loopt er een wildspoor van hier naar de Kallan shola. Daarna loopt het langs de Parallel Rocks naar de rivier de Periyar. Ik heb zo'n idee dat onze gast een Thekkady-tijger is en dat de route die hij zal volgen naar het hart van zijn thuisgebied leidt. Achter de Kallan shola ligt een grote plas met volop dekking en tal van prooidieren om op te jagen. Hij zal proberen daar een buit te verschalken voor hij naar de rivier afdaalt. Wij trekken er met een cirkelbeweging omheen en proberen hem in een hinderlaag te lokken. Heb dat een keer met succes klaargespeeld bij een tijger waarvan ik in '24 het spoor volgde.'

Nu hij wist wat hij wilde, zette Harrison de pas erin en Kannan was met stomheid geslagen. Waar haalde die oude man in vredesnaam de energie vandaan? Kannan raakte achterop totdat Harrison hem toesnauwde op te schieten.

Ze bereikten hun bestemming toen de zon aan zijn ondergang begon. De grote hitte van de namiddag was wat afgezwakt. Ze liepen door een gemengd bos van teakbomen en ander bladverliezend geboomte, dat in een ravijn eindigde. De naburige helling was dichtbegroeid met laag oerwoudgewas dat minder dicht werd naarmate de bodem steniger werd. Op de bodem van het ravijn vertakte een beek zich in geultjes en watervalletjes naar een diepe poel met een brede zandhelling. Toen ze dichterbij kwamen, konden ze zien dat die putjes vertoonde van sporen van allerlei dieren en vogels. De gindse helling van het ravijn was minder steil dan waar ze vanaf waren gedaald. Ze was schaars begroeid met lantanastruiken en andere gewassen. Verderop was weer meer begroeiing en daarachter begon het eigenlijke bos. Er liep een platgetreden wildspoor van het bos naar de poel. De beek stroomde het ravijn in naar een soort rotsplateau, waarachter de grond steil naar beneden liep in een bodemloze afgrond waar mistflarden hingen en waarin zich een boeiend natuurlijk fenomeen had gevormd: twee enorme stenen zuilen die evenwijdig aan elkaar honderden meters omhoog rezen en waarvan de voet niet te zien was door het dichte oerwoud en de mist. Kannan had de Parallel Rocks nog nooit gezien en raakte niet uitgekeken op wat hij zag. Harrison verbrak zijn dromerij. 'Kom mee, we moeten aan het werk,' zei hij.

'Ik ga op die steen de wacht zitten houden.' Hij wees naar een grote kei die de vorm van een ruit had gekregen. Aan de voorkant vormde struikgewas een natuurlijk scherm en van achteren liep hij steil naar beneden uit in een smalle richel die uitzicht bood op het dal van de Parallel Rocks. 'Vandaar heb ik een onbeperkt schootsveld Wat jij moet doen is dit: je begint langzaam weg te lopen van de rand van het bos via het wildspoor naar de poel en onder het lopen moet je steeds zo hard mogelijk praten.' Even drong de betekenis van Harrisons woorden niet tot Kannan door, toen zei hij: 'U vraagt me om lokaas te spelen voor een mensenetende tijger?'

'Ja,' was het enige wat Harrison zei.

'Bent u nou helemaal gek,' zei Kannan. 'Dat beest heeft al meer dan tien mensen vermoord en u vraagt me... U vraagt me zijn volgende slachtoffer te willen zijn. Is dat juist?'

'Helemaal juist,' zei Harrison.

'Dat doe ik niet. Dat doe ik absoluut niet.'

'Oké. Dan kunnen we maar beter teruggaan,' zei Harrison en hij maakte al aanstalten om op te stappen.

Terwijl hij nog tegenstribbelde wist Kannan al dat hij zou doen wat de oude man vroeg: het doden van de tijger van Pulimed was nu eenmaal belangrijk voor hem. Zo simpel lag het.

Harrisons plan was niet zo ingewikkeld. Hij zou aan de alarmkreten uit het oerwoud al kunnen horen of de tijger eraan kwam en vanaf het moment dat het dier de dekking van het bos achter zich had gelaten, zou hij iedere beweging die het maakte kunnen zien. Zodra hij zich zou laten zien, zou hij een kogel door de tijger jagen.

'Bedenk goed, van voren dreigt er geen gevaar en van achteren word je door mij gedekt bij elke stap die je zet tot aan het einde van de weg bij de poel. Als hij zich de eerste keer niet vertoont, zullen we hem nog een keer uitdagen, zolang het voldoende licht blijft om goed te kunnen zien. Langzaam lopen, zo hard mogelijk blijven praten, en je ogen goed open houden voor alles wat maar een tijger verbergen kan. Nu je geweer laden. Op scherp staan. En zodra je iets merkt meteen schieten. Als jij een schot hoort, moet je blijven staan, tot je mij hoort roepen.'

Het zou binnen een halfuur beslist zijn. Harrison installeerde zich en toen begon Kannan langzaam over het wildspoor naar de poel te lopen, en in elke stap die hij zette trilde de doodsangst door. Hij was nog nooit van zijn leven zo bang geweest. Van de hevige concentratie kon hij niet meer scherp uit zijn ogen kijken en van de angst kon hij niet meer helder denken. Wat moest hij zeggen, wat moest hij nou zeggen? Hoe kon hij de afstand voor hem overbruggen, met al zijn zintuigen gespitst, en ook nog praten en zingen? Vijf stappen, zeven, negen, twaalf en toen schoot hem gelukkig het versje van zijn kinderjaren te binnen dat Charity altijd voor hem neuriede in de mango-boomgaard. Hij begon het uit alle macht te zingen alsof hij tegen alle verschrikkingen van de volwassen wereld beschermd zou kunnen worden door de talisman uit zijn jeugd.

Saapudu kannu saapudu
Neela mangavai saapudu
Onaku enna kavalai...

Het liedje van zijn grootmoeder zette alle sluizen open.

Hij zong fragmenten uit liedjes die hij zich nog half herinnerde uit de dagen dat hij Helen het hof maakte, hij flanste hele toespraken tegen Freddie in elkaar, tegen zijn vader, zijn vrouw, hij schold Harrison luidkeels uit en zei alle kinderversjes op die hij zo vaak aan de kleine Andrew Fraser had voorgelezen. Toen werd hij door doodsangst bevangen waardoor zijn geheugen hem in de steek liet. Hij viel ineens stil en toen, gedachtig aan wat Harrison hem had opgedragen, gooide hij er schreeuwend uit wat er maar in zijn hoofd opkwam:

Jack and Jill went up a hill
to fetch a pail of water
Jack fell down and Jill fell down
And Jack fell down soon after.

Hij had het open terrein achter zich gelaten en een gedeelte van het wildspoor bereikt dat dwars door weelderig kruipgewas liep. Het licht was groenig en naargeestig en de verschrikking van wat hem mogelijk wachtte, maakte dat hij als aan de grond genageld bleef staan. Hoe wist Harrison dat tijgers nooit van voren aanvielen? Je schoot er niets mee op om tijgers of jagers achteraf pas door te hebben, hield hij zichzelf voor. Je hebt alleen maar verder te lopen, en lawaai te maken. De daad bij het woord voegend begon hij weer te lopen. Maar in zijn hoofd bleef het leeg; hij was zelfs het deuntje van zijn grootmoeder vergeten, net nu hij het zo hard nodig had. Er kwam een herinnering boven aan de kerk van Pulimed en toen, tot zijn onuitsprekelijke opluchting, stroomde zijn geheugen vol kerstliedjes.

Away in a manger, no crib for a bed
The Little Lord Jesus lay down his sweet head
The stars in the night sky...

Je op die bosjes daar concentreren, die rots, wat een vreemde vorm heeft die, niet aan de vorm denken, is dat geen rood met geel... Nee, het is een dode tak. Zijn keel voelde droog aan en hij kon niet meer op de woorden komen van het kerstliedje dat hij aan het zingen was en begon toen maar aan wat anders:

Jingle bells, jingle bells, jingle all the way
O what fun it is to ride on a one-horse open sleigh o
Jingle bells, jingle bells...

Hij was halverwege de poel en het pad maakte een bocht. Wat als de tijger hem besprong als hij de bocht om was? Hij besefte dat hij was opgehouden met zingen en begon aan een nieuw lied: 'O little town of Bethlehem...'

Het schot was een harde doffe knal die dwars door het lawaai dat hij maakte dreunde. Enkele seconden later gevolgd door nog een. Hij hoorde de stem van Harrison die hem riep en toen viel er een derde schot. Zijn benen wilden hem plotseling niet langer dragen en hij liet zich op de grond vallen.

104

De Tijger van Pulimed was groots en indrukwekkend, zelfs in de dood. Kannan verbaasde zich over de machtig gespierde voorpoten, de enorme muil. En dan te bedenken dat hij zich op zijn pad had begeven! Het bloed klonterde in het witte haar van zijn onderbuik. Harrison liet hem zien waar de eerste kogel, die de dag daarvoor was afgevuurd, de tijger over de linkerflank had opengescheurd, om zich uiteindelijk onder in zijn voorpoot te nestelen. De laatste drie schoten zaten vlak bij elkaar rond het hart.

Kannan verbaasde zich zeer over de schutterskunst van de oude man. Harrison zei: 'Je bent geen moment in gevaar geweest, weet je dat? Ik zag de tijger meteen toen hij het bos uit kwam en ik heb gewacht tot hij dichterbij was om hem de volle laag te geven.'

'Nou, ik ben blij dat te horen. Maar u zult me dit niet zo gauw weer zien doen.'

'Wat een stem kun jij opzetten,' zei Harrison en Kannan keek hem verbaasd aan. Kreeg de oude man nu waardering voor hem? Maar Harrison had zich alweer over de tijger gebogen en hij kon de uitdrukking op zijn gezicht niet goed zien. 'Ach ja. Precies wat ik dacht.'

Hij pakte een van de voorste enorme klauwen beet en wenkte Kannan bij zich. 'Zie je hoe hij de haren er volledig vanaf heeft gelikt. Kijk er eens goed naar, dan zul je een aantal gaten in de vacht zien. Ik wil wedden dat er onder elk van die gaten afgebroken pennen van een boomstekelvarken zitten. Die arme donder moet vreselijk geleden hebben, geen wonder dat hij zijn gewone prooi niet te pakken kon krijgen.'

Kannan zat nog instemmend te knikken toen Harrison vroeg: 'Heb je je snoeimes bij je?'

'Ja, in mijn rugzak.'

'Haal dat eens voor me, dan laat ik je zien wat ik bedoel.' Hij pakte de grote klauw op en maakte een snee. Toen de vacht en het vlees vaneen weken, wees Harrison aan: 'Zie je wel? Pennen die zijn afgebroken, maar bijna onmogelijk van hun plaats te krijgen.' Hij pulkte er een paar dingen uit met aangekoekt bloed en kraakbeen, maakte ze vluchtig schoon en hield ze Kannan voor. Ze waren bijna zo groot als potloodstompjes. Hij boog zich weer voorover, en peuterde er nog een paar uit en toen viel een van de klauwen eraf. 'Voor de rest lijkt hij prima in orde,' zei Harrison toen hij met zijn onderzoek klaar was. 'Het zijn die pennen van een stekelvarken die hem gedwongen hebben naar een gemakkelijker prooi op zoek te gaan.'

Plotseling hield hij op met wat hij aan het doen was, liet de pennen voor wat ze waren en gaf het mes aan Kannan terug. 'Snij een paar flinke stukken bamboe af, een meter of anderhalf is wel genoeg, van die bos daar,' zei hij terwijl hij wees naar de wilde bamboe die op de helling groeide.

'Waarom, u gaat toch niet voorstellen de tijger erop vast te binden en terug te dragen. Dat kunnen twee mannen alleen nooit doen.'

'Je had gezegd dat je precies zou doen wat ik zei, weet je nog?' De stem van de oude man klonk hard. Misschien had hij zich daarnet de warmte erin maar verbeeld. Kannan haalde zijn schouders op, zette zijn geweer tegen een steen en liep naar het bamboebosje. Nadat hij een stevige stengel had uitgezocht, begon hij erop in te hakken met zijn snoeimes. Ook al had de zon veel van zijn kracht verloren, het was zwaar werk en weldra zweette hij flink. Stomme oude man, dacht hij, maar hij had tenminste de tijger te pakken gekregen! Hij zag de gezichten van de Stevensons al voor zich, en van die rotzak van een Taylor, als hij met het beest aan kwam zetten. De oude man verdiende zijn reputatie als scherpschutter en groot shikari volledig. Had iemand anders ooit zo de route van de tijger kunnen voorspellen? Terwijl hij even ophield om uit te rusten, keek hij over zijn schouder om te zien wat Harrison uitspookte en zijn blik verstarde van ongeloof. De oude man had Kannans geweer opgepakt. Terwijl hij toekeek, slenterde Harrison nonchalant naar de rand van het ravijn en gooide het wapen naar de wriemelende mistflarden in de diepte beneden. Kannan vloog op hem af. 'Zeg, maffe ouwe vent, ben je wel helemaal goed, verdomme, dat je denkt dat je dat zomaar kunt doen? Wel verdomme...' Hij zat al bijna boven op hem toen Harrison wat terugzei. 'Geen stap verder of je krijgt een kogel in je buik.' De doodkalme stem sneed zijn woede aan flarden en hij merkte, voor de eerste keer, dat het jachtgeweer van de oude man onbeweeglijk op zijn middenrif gericht was.

'Waar was dat voor nodig, verdomme? Bent u gek geworden?' vroeg Kannan, zijn stem hees van verwarring en boosheid.

'Zoals ik al zei. Geen vragen. Gewoon doen wat ik zeg.'

'Ik ben daar gek, krankzinnige zuiplap. Die laat me eerst het smoelwerk van een menseneter tegemoet lopen en gooit nu mijn geweer weg. Wat ben je eigenlijk met mij van plan?'

'Niets, als je maar doet wat ik zeg!'

'Waarom moet ik iemand die gek is gehoorzamen?'

'Ik kan je verzekeren dat ik niet gek ben. Maar als je die bamboe niet gauw afsnijdt, schiet ik je dood en gooi je lijk het ravijn in. Mij maakt het niet uit of je nu levend of dood bent.'

'Dat was me al duidelijk geworden.'

'Schiet op met dat afsnijden. Ik heb nog meer te doen.'

Tegelijk met zijn boosheid begon er ook een beetje angst vanbinnen te woelen bij Kannan.

'Wat wilt u nu eigenlijk?' vroeg hij.

'Daar zul je gauw genoeg achter komen. Snij die bamboe af.' Harrisons stem klonk uiterst bits. Kannan keek hem diep in de ogen, maar daarin stond niets te lezen. Hij draaide zich om en strompelde verdwaasd terug naar de dikke bamboestam die hij uiteindelijk omver kreeg. Hij stroopte het blad eraf en bracht hem onder het waakzame oog van Harrison naar de rand van de afgrond.

'Nu pak je de tijger bij zijn achterpoten en sleept hem naar die bamboe,' zei Harrison.

'Waar doet u dat voor? Zeg me dat dan,' zei Kannan. Naast zijn woede en angst begon ook de vergeefsheid van alles hem dwars te zitten terwijl hij zich aan de grillen van die gek overgaf.

'Ik wil gewoon niet hebben dat iemand weet dat die tijger dood is.'

'Wat!' De verklaring deed Kannan al het andere vergeten. 'Wat?'

'Je hebt het toch gehoord. Nu doe je wat ik zeg.'

'Nee, zeker niet, idiote smeerlap. Denk je werkelijk dat ik na alles wat ik heb doorgemaakt, hier weer vandaan ga om te ontkennen dat ik iets afweet van de dood van de tijger? Nee, Harrison. Ik loop regelrecht naar de politie en klaag jou aan omdat je mij met de dood hebt bedreigd. Dan ga ik terug om de tijger te halen. Nu ben je te ver gegaan, ouwe man.'

Hij begon al weg te lopen, maar Harrisons stem hield hem tegen. 'Nog een stap en je bent er geweest. Sorry, beste kerel, maar ik zou me nog maar eens bedenken. Er is niets wat mij zal weerhouden me van de tijger te ontdoen, dan van jou, en tenslotte mezelf dood te schieten. Ik heb niets om voor te leven. Ik zou me nog maar eens bedenken.'

Kannan draaide zich om en keek de jager aan. 'Waarom?' vroeg hij.

Harrison gaf geen antwoord.

'Waarom, waarom? Waarom in godsnaam, waarom?' riep Kannan, nu bijna hysterisch. Plotseling wist hij het. 'Ik zal je zeggen waarom, ouwe galbak, ik zal je zeggen waarom. Je wilt die zelfvoldane opgeblazen smeerlappen in de rats laten zitten voor wat ze je hebben aangedaan. Dat is het toch? Maar hoe ga je ooit de schijn ophouden als er straks niet meer van die sluipmoorden komen?'

Harrison staarde hem onbewogen aan, zijn geweer stevig in de hand. Geprikkeld door de onverstoorbaarheid van de ander, schreeuwde Kannan het uit: 'Doden en doden en nog eens doden, daar ben jij op uit, monster dat je bent. Jij was vast degene die de plakkaten heeft opgehangen, en degene die de padre heeft vermoord. Geef het maar toe. Rotzak. Geef het toe.'

De geluiden van het bos vulden de stilte op die er tussen hen viel. Toen Kannan weer begon te spreken, klonk zijn stem rustiger. 'U wilt me zo direct gaan doden, hè?'

Harrison antwoordde: 'Niet als je doet wat ik zeg.'

'Wat bedoelt u, doen wat u zegt? Waarom zou ik u vertrouwen?'

'Je hebt me anders al een keer vertrouwd.' Was dat spot wat hij hoorde in de stem van de ander? Weer begon de boosheid in hem aan te zwellen. 'Hoor eens, als u me nu niet laat gaan, loop ik naar de politie...' Zijn stem kreeg een verloren klank toen de totale nutteloosheid van de opnieuw uitgesproken bedreiging tot hem doordrong die hij opnieuw uitsprak. Hij vroeg zich af of hij naar Harrison toe kon rennen en hem bereiken voordat hij een schot kon lossen.

'Daar zou ik maar niet over denken,' zei Harrison bedaard, 'voordat je twee stappen gedaan hebt, ben je al dood. Nou, voor de laatste keer, zul je doen wat ik zeg?'

Murw gemaakt, zijn hele houding die van een veroordeeld man, knikte Kannan instemmend. Hij liep naar het dode beest, pakte het beet bij zijn dikke achterpoten en begon het langzaam over de stenige grond te slepen. Het was zwaar werk en zijn neusgaten vulden zich met de vunzige stank van het dier, maar Kannan deed het niets meer. Voetje voor voetje naderde hij de afgrond en gaandeweg vormde zich een nieuwe gedachte in zijn hoofd – hij zou door blijven lopen tot er niets meer onder zijn voeten was... Niemand zou hem dan nog iets kunnen maken... Hij zou wat hij gehoopt had te doen nooit meer kunnen waarmaken, hij zou Helen missen en zijn moeder, maar dat kon hij verder ook niet helpen... Hij zou Doraipuram nooit meer terugzien, en nooit meer een blauwe mango bij de Chevathar eten...

Harrison snauwde hem iets toe. 'Zo is het ver genoeg. Pak de hefboom en duw de tijger ermee over de rand.'

Kannan negeerde hem en liep door, het dode beest achter zich aan. De knal van het geweer en het gierende geluid van de kogel bij zijn voeten overlapten elkaar en haalden hem op slag uit zijn verdoving.

'Ver genoeg, zei ik,' zei Harrison. 'Nog een zo'n streek en de kogel zit in je buik.'

Kannan pakte de bamboestam op, stak die onder de tijger en begon het beest op te duwen, toen hield hij op.

'Waarom hebt u me niet gewoon laten lopen? Bent u uit op de persoonlijke genoegdoening mij te hebben doodgeschoten?'

'Je kunt straks ongedeerd weggaan, als je doet wat ik zeg,' zei Harrison.

'Ik zorg dat ze u in handen krijgen.'

'Geloof dat maar niet,' zei Harrison met een zuur lachje, 'je luist me er heus niet in. Ik zie het nu al bij je groeien, dat besef dat je ze straks goed in de rats kunt laten zitten en die blanken de rug toe kunt keren. Zeg me eens dat ik ongelijk heb.'

'Ik weet niet waar u het over heeft. Ik ben genoeg goede blanken tegengekomen om te weten dat niet alle blanken slecht zijn.'

'Hoor hem. En je wilt mij vast ook nog vertellen dat de Engelsen dapper, moedig, eerlijk, de blanke onschuld zelve zijn... Dwaas die je bent, begrijp je dan niet dat ze die sprookjes ijverig in het leven hebben geroepen om jullie arme barbaarse inlanders eronder te krijgen?'

'Houd je mond, Harrison.'

'Kijk uit met wat je tegen mij zegt, snotjochie. Wil je mij wijsmaken dat je zolang als je werkt, je leven niet verdaan hebt met je het jasje aan te meten dat iemand anders voor je bedacht heeft? Je ziet eruit als een snuiter die zich niet alles zomaar laat welgevallen, dus is het vast een behoorlijke beproeving geweest. Moet je hem nu eens zien, ieder woord keurig netjes articulerend met zijn opgepoetste Engelse manieren, en de mensen die hem eronder proberen te houden speelt hij regelrecht in de kaart. Waarom zou je verdomme niet Les-ester of Wor-sester of Chol-mon-de-ley mogen zeggen als nog niet één Engelsman die ik ken een Indiase naam correct kan uitspreken! En waarom zou je niet openlijk je gal mogen spuwen als een tijger al aan het brullen slaat van het gesnotter van een blanke man in zijn zakdoek? En denk je nu werkelijk dat de Engelse eik sterker is dan de banyan en de lijster de buulbuul de baas is? En dat de lotus minder is dan de roos? Doet de taal van de Tamils onder voor het Engels? Waarom word je niet kwaad om die dingen?'

Kannan lachte treurig bij die opmerkingen van Harrison, ze hadden van Murthy kunnen zijn. Hij zei: 'Omdat ik niet zo'n ouwe galbak ben als u.'

'Vergeven is voor de vogels. Vergeven en vergeten is voor de vogels. Je moet altijd op wraak uit zijn, dat houdt je in leven.'

'Je bent niet goed snik, Harrison, ik zal het nooit op die manier doen.'

'O ja, hoor, als je open wilt staan voor de mogelijkheden die je in je hebt, doe je dat zeker wel. Je laat alles wat je hier hebt geleerd voor wat het is, omdat het je niet verder helpt. Je kunt nooit blank worden, dat weet je al zolang je leeft, dus waarom zou je je druk maken? Je kunt beter hopen die ban waarin ze je verstrikt hebben van je af te schudden, en die blanke man in een bulderende bruine zondvloed weg te spoelen...'

'Grappig dat u dat zegt.'

'Wat?'

'Dat wij als een kolkende rivier die blanke man moeten opruimen.'

'Zo kun je bitterheid en woede voelen! Het leven is geen tenniswedstrijd. Niemand speelt eerlijk, en winnaars of verliezers zijn er niet. Je vijanden houd je altijd, je demonen blijven je achtervolgen zolang je leeft, en de enige manier waarop je in staat bent het ene jaar na het andere te overleven is je kansen zoals deze, waar te nemen. Dat houdt voor mij de lol erin voor de rest van mijn ellendige leven. En nu duw je die rottige tijger over de rand.'

Kannan boog zich over wat hem te doen stond maar er schoot hem opeens iets te binnen: 'Maar waarom maakt u die koelies af? Dat zijn Indiërs. Die hebben u niets gedaan.'

'Ik heb er geen een gedood. Dat zeg jíj.'

Kannan pakte de bamboestam en begon te duwen. Langzaam gleed de tijger naar de leegte daarginds, toen was zijn voorwaartse beweging gestopt. Kannan maakte zijn hand vrij van de hefboom om zich om te draaien en zijn kwelgeest aan te kijken. 'Ik vertrouw u niet, Harrison, en ik weet dat ik doodga. Maar voor u me doodschiet, heb ik nog een laatste vraag: Waarom hebt u erin toegestemd met mij mee te gaan om die tijger te schieten?'

'Omdat ik het leuk vond uit te vinden of mij zou lukken wat die smeerlappen hadden laten afweten...'

'Maar ziet u dan niet,' zei Kannan, plotseling hoopvol, 'dat het u helemaal gelukt is. U bent nu een held. U kunt de draad weer oppakken, de slechte tijden zijn voorbij.'

'De slechte tijden zijn nooit voorbij, uilskuiken. Mijn landgenoten zullen me nooit meer met open armen ontvangen omdat dat zou betekenen dat ze iemand accepteren die zomaar alles waar zij voor denken te staan, waardeloos verklaart. En al zouden ze het wel doen, wat dan nog? Een paar maanden, een jaar hebben ze je hoog en dan ben je weer terug bij waar je al eerder was... Genoeg hierover.' Weer was er staal in zijn stem te horen. 'Duw dat kreng over de rand. Nu.'

Kannan pakte de gevallen hefboom op, stak hem onder de tijger door en duwde zo hard hij kon. Het dode lijf gleed naar voren, bleef liggen, gleed weer een stukje naar voren. Nog iets meer dan een meter en dan zou het allemaal voorbij zijn.

Vanaf een enorme afstand zag hij inwendig het tafereel voor zich: twee mannen (de ene over de dode tijger gebogen) in een klein amfitheater van grillig gesteente en achter hen de afgrond met die eindeloos af en aan schuivende mist, waar de ondergaande zon een netwerk van licht en schaduw over wierp. Nog een flinke duw en het zware beest begon vanzelf voorover te kantelen. De mist kwam al omhoogdrijven om het op te vangen en toen was het weg, het enorme zwart met gele dode tijgerlijf, dat zich in een merkwaardig elegante beweging al slingerend en draaiend naar beneden liet vallen, verder en verder naar beneden. Kannan liet zich op zijn knieën vallen en zijn ogen namen al dat witte vóór hem nauwelijks waar, omdat hij wachtte op de knal die zijn einde zou betekenen. Zou er pijn zijn, vroeg hij zich af. De minuten gingen voorbij en toen het schot niet kwam, draaide Kannan zich langzaam om, verveeld bijna, om zijn achtervolger in het oog te krijgen. Harrison, die snel liep, had de voet van de glooiing al bereikt. Zonder stil te staan begon de jager rustig aan zijn klim terug, de steeds dichter wordende duisternis in.

105

Tegen de tijd dat Kannan bij Morningfall was aangekomen, had het besluit waar hij over had lopen piekeren in zijn hoofd al vaste vorm aangenomen: hij zou uit Pulimed weggaan. Nu hij dat besloten had, wist hij nog niet helemaal wat hij moest doen. Zich bij de vrijheidsstrijders aansluiten of in Doraipuram gaan helpen? Waarschijnlijk het laatste. Maar dat kwam nog wel. Eerst moest hij zo snel mogelijk uit deze plaats zien weg te komen. Toen hij zijn ontslag bij Michael had ingediend, verflauwden de pogingen van zijn supervisor om hem van mening te doen veranderen algauw nadat hij had doorgekregen hoe vast het besluit stond. Ze kwamen overeen dat hij met een week zou vertrekken.

Hij ging wel naar de verplichte afscheidsfeestjes, waarvan er gelukkig maar twee waren: het ene bij de Stevensons, dat gespannen en akelig verliep, en het andere op de club, waarvan Michael de gastheer was en dat iets aangenamer was, hoewel hij Freddie erg miste die nog een week weg zou blijven. Hij wimpelde alle vragen over de jacht af, niet dat ook maar iemand met enig enthousiasme over dat onderwerp door bleef zeuren. Men was er algemeen van uitgegaan dat zijn poging op een mislukking zou uitdraaien. Hij had, bedacht hij, Freddie de waarheid wel verteld, als zijn vriend er geweest was, maar er was verder niemand die hij kon vertrouwen. Hij had nog even met de gedachte gespeeld er iets over te zeggen tegen Michael, maar besloot dat toch maar niet te doen. Hij was vooral in zijn schik met zijn antwoord aan majoor Stevenson. Na een kort onderhoud op de dag dat hij ontslag had genomen, was Kannan al bijna het kantoor van de algemeen directeur uit, toen majoor Stevenson tegen hem gezegd had: 'Nog even dit, Dorai, is het je gelukt de tijger dood te schieten?'

Hij had even gewacht en toen gesmuld van elk woord dat hij had uitgesproken: 'Dat kunt u, denk ik, het beste aan Mr. Harrison vragen, sir.'

Op de ochtend van zijn vertrek reed hij naar het huis van de hoofdopzichter om de sleutels van zijn bungalow af te geven. Michael vroeg hem binnen voor een kopje thee. Ze bleven een beetje met elkaar zitten kletsen en toen was het tijd om te gaan. Belinda, die moe was en wat over haar toeren nadat ze een groot deel van de ochtend met de *maistri* had moeten discussiëren over de nieuwe meubels die hij voor de logeerkamer zou maken, kwam even binnenvallen om afscheid te nemen. Michael deed hem uitgeleide tot aan de deur. Toen ze elkaar een hand gaven, zei Michael: 'Dus dat zal je voldoening geven, denk je, wanneer je straks meewerkt in je familiebedrijf?'

'Dat denk ik wel, sir, mijn moeder en mijn oom hebben hun handen er vol aan. Het wordt tijd dat ik ze ga helpen.'

'Maar is dat echt wat je wilt? Ik weet dat het er hier niet al te beschaafd aan toe is gegaan, maar je bent een goede planter, Cannon. Je zou op de plantages carrière kunnen maken.'

'Dat had ik ook gedacht, sir, maar soms blijf je het onvermijdelijke voor je uit schuiven terwijl je al die tijd weet dat het besluit al lange tijd geleden is genomen, vaak zonder dat je het je bewust bent. Het lag er altijd al, en als het echt tot je doordringt, heb je er gewoon een paar keer omheen gedraaid.'

'Nu kan ik je niet meer volgen, met al dat gepraat over bestemming. Hoe noemen jullie dat ook weer, karma?'

'Niet slecht, sir,' zei Kannan glimlachend.

'Ik heb nog nooit zo veel Indisch bloed in je gezien als nu,' zei Michael.

'Maar dat is nou net het punt, sir. Ik ben Indiër, en ik neem aan dat we dat gewoon een poosje vergeten zijn.'

Hij trof Andrew aan op het grasveld waar hij een tennisbal gooide naar Pixie, de foxterriër van de familie. Het jongetje onderbrak zijn spel om te wuiven en Kannan wenkte hem bij zich. 'Ik heb iets voor je,' zei hij, 'een aandenken aan mij als ik weg ben.'

'Waar gaat u heen, Mr. Dorai?' vroeg Andrew.

'Ver weg, heel ver weg, Andrew. Ik heb nog een groot karwei te doen dat ik al veel te lang heb uitgesteld...' Hij zag dat de jongen weer graag naar zijn spelletje terug wilde, vooral nu de hond om zijn enkels dartelde, en dus liet hij zijn hand in zijn broekzak glijden en haalde er de klauw van de tijger uit, die hij had opgeraapt toen Harrison was weggelopen, en hij gaf die aan Andrew. 'Goed bewaren. Dit is een tijgerklauw,' zei hij.

'Goh, Mr. Dorai. Is die echt van een levende tijger geweest?'

'Jazeker.'

'Hoe komt u eraan?'

'Dat is een heel lang verhaal, dat ik je een andere keer vertellen zal.' Hij woelde even met zijn hand door het haar van de jongen en liep naar zijn motor. Terwijl hij aantrapte, ving hij nog een glimp op van Andrew, die naar het huis rende, met de hond hijgend achter zich aan. De jongen hield de tijgerklauw triomfantelijk in de lucht.

Er was nog één ding dat hem te doen stond voor hij de weg door de nauwe pas tussen de bergen af zou rijden om zijn trein te halen. Hij zette de Golden Flash met zijn neus naar de fabriek op Empress Estate. Het was een mistige dag en hij raakte in een uitgelaten stemming. Hij zou dit soort weer missen in de laagvlakte. Hij liet de motor langzamer lopen om de streling van de mist over zijn gelaat beter te voelen. Terwijl de nattigheid hem omwikkelde, gaf hij zich helemaal over aan de sensatie van de wereld van de plantages die hij diep op zich in liet werken, want dat dit de laatste keer zou zijn, wist hij zeker.

En toen was hij al op zijn bestemming, een oude grevillea die plaatselijk bekendstond als de spin-in-spuit-uit-boom. De mist werd dunner en de boom stond als een eenzame schildwacht in de haarspeldbocht die leidde naar de Empress Estate-fabriek. Daarachter liep het steil naar beneden. De bocht was aan zijn naam gekomen omdat ze een boeiende uitdaging vormde voor iedereen die roekeloos genoeg was om zich eraan te wagen. Normaal nam je de haarspeldbocht langzaam en met beleid, maar op een nacht in een dolle dronkemansbui had Joe Wilson zijn motor bij die boom volledig schuin hangend om laten zwenken en hem op wonderbaarlijke wijze uit de spin kunnen halen die hem anders zo naar de rotsen beneden zou hebben doen tuimelen. Niemand had dat sindsdien voor elkaar gekregen, omdat iedereen altijd op het laatste moment afzag van de stunt.

Kannan bracht de Golden Flash vlak voor de boom tot stilstand, liet de koppeling een beetje opkomen en de motor langzaam de hele bocht terug maken om op zijn uitgangspositie terug te komen. Hij zette elke gedachte aan de gevolgen van een mislukking uit zijn hoofd en bleef nog een tijdje wijdbeens op de motor zitten, voorzichtig wat gas gevend, terwijl hij de mist in slierten om de bocht en de boom zag draaien, en zijn geest liet benevelen. Hij liet de koppeling opkomen, zette de motor in zijn versnelling, gaf toen volop gas en schoot ronkend naar voren. Dichter- en dichterbij kwam de dreigende boom waarop het voertuig en zijn berijder afstormden. Hij stevende er met de neus van de Golden Flash recht op af... En alle woede en frustratie van de laatste paar maanden pakte zich in zijn binnenste opeen, verstrengelde zich tot een harde vurige knoop die hem in lichter laaie zette. Spin in. Toen de motor naar zijn val begon te slippen, ging hij het gevecht aan met de zwaartekracht en met het vermogen van de motor om van richting te veranderen. Een ogenblik van paniek, en een afgrond die in zijn hoofd gaapte, en toen begon de motor heel langzaam op zijn dwingende hand te reageren, en toen sneller en sneller. De vonken van de spanning en de razernij spatten ervan af, en gaven hem een groot gevoel van bevrijding toen ze uit hem weg sproeiden. Spuit uit. De weg strekte zich voor hem uit en hij reed met grote snelheid weg.

106

Voor de viering van de kerstdagen in 1946 waren er zo veel leden van de uitgebreide familie in Doraipuram neergestreken dat ze te weinig slaapruimte hadden. In Neelam Illum ontsloten Lily, Ramdoss en Kannan kamers die jarenlang op slot en geblindeerd waren geweest. In iedere kamer van elk huis in de nederzetting werden provisorische matrassen neergelegd en slaapmatten uitgerold en tenslotte werd zelfs de kerk in gebruik genomen. De banken werden naar een kant geschoven om ruimte te maken voor de horden volle neven en achterneven en verre achterneven met hun gezinnen uit verafgelegen uithoeken van de wereld. Sinds de rouwdienst van Daniel had Doraipuram niet meer zo'n invasie meegemaakt, en niemand kon precies zeggen waarom iedereen die een uitnodiging had gekregen, besloten had te komen opdagen, samen met anderen die niet waren uitgenodigd. Misschien kwam het omdat de oorlog goed en wel was afgelopen. Misschien had de belofte van de op handen zijnde vrijheid hen aangetrokken. Of misschien kwamen ze omdat de viering van het vijfentwintigjarig jubileum van de stichting van de kolonie geen jaar meer zou duren en wilden ze van hun connecties met Doraipuram verzekerd zijn, want wie weet wat de volgende vijfentwintig jaar met zich mee zou brengen. En dus kwamen ze binnenstromen, degenen die het oord altijd in hun hart hadden meegedragen en degenen die het nooit een blik waardig hadden gekeurd – verwende Amerikaanse afstammelingen uit Methuen en Mississauga, Britse familieleden met vreemde accenten uit Kensington en Birmingham, een familie die de reis helemaal vanuit het verre Napier had gemaakt – allemaal hadden ze zich naar de kolonie op de oevers van de Chevathar laten lokken.

Een paar dagen na aankomst hadden ze zich al in de warme boezem van Doraipuram genesteld. De neven uit het buitenland lieten algauw hun verbeelding en accenten varen, nadat de harde vuisten van de bende van Doraipuram die uit hun strakke keurslijf hadden geranseld en maakten het zich gemakkelijk om plezier te hebben. Ze schuifelden blootsvoets door het rode zand van Chevathar en slingerden rond op fietsen die wel in een onvoorstelbaar antiek verleden gemaakt leken te zijn. Ze stonden met open mond te kijken naar de waterput waar Aäron overheen was gesprongen, staken hun neus in de bouwvallen van het fort van Kulla Marudu, waar ze de oude cobra, die nu bijna blind was, geen moment met rust lieten. Ze zwommen in de zee en de rivier, ze speelden de legendarische strijd van Solomon Dorai na op het strand, en kuierden door de mangobosjes waar ze tegen alle verwachting in toch hoopten dat hier of daar een boom vruchten zou dragen buiten het seizoen. De energie en vindingrijkheid van de drieëntachtig permanente bewoners van Doraipuram werden op de proef gesteld toen ze hun best deden het bezoekersaantal, dat hen met twee op een ver overtrof, te verwerken, maar ze speelden het voortreffelijk klaar.

Dit was Kannans tweede Kerstmis in de nederzetting sinds zijn terugkeer en hij besefte dat hij er veel meer van genoot dan de eerste keer, omdat hij zich nu helemaal opgenomen voelde in alles wat er zich om hem heen afspeelde. Hij vond het heerlijk veel van zijn oude vrienden weer terug te zien, hoewel zijn intiemste vrienden Albert en Shekhar die naar respectievelijk Vancouver en San Diego waren geëmigreerd, niet hadden kunnen komen. Bonda, die nu bij een bank in Melur werkte, was een van degenen die het eerst waren aangekomen, en ze brachten uren door met het laten herleven van hun jeugd. Door de hele nederzetting werden oude vriendschappen vernieuwd en nieuwe gesmeed, toen de uitgebreide familie van de Dorais zich overgaf aan een reusachtige en onstuimige reünie.

De kerstdag zelf was het hoogtepunt van alle koortsachtige activiteit en hij begon al vroeg. Tegen zeven uur 's ochtends zat de kerk bij de zee stampvol en iedereen popelde van ongeduld om met het feest van start te gaan. Zeker de helft van de gemeente had minder dan twee uur geslapen omdat ze de avond daarvoor van huis tot huis waren getrokken om kerstliederen te zingen en geschenken in te pakken en grote hoeveelheden spijs en drank soldaat te maken die moeders en tantes en bedienden zonder enige pauze te voorschijn hadden getoverd. Zodra de padre zijn preek had beëindigd haalde een groep tieners onder leiding van Daniel, die nu in een van de hoogste klassen van de Government High School zat, gitaren en maraca's te voorschijn en stond de kerk bol van het geluid van de kerstliederen die voor een laatste keer dat jaar met verve en uit volle borst gezongen werden. Ongetrouwde *chithi's* en afgeleefde thathas klapten in hun handen en zongen mee en zelfs de voeten van de zure oude Karunakaran kon je op de muziek zien bewegen.

Terwijl hij de kerstliederen luidkeels meezong, keek Kannan om zich heen: naar zijn moeder, Ramdoss-mama, zijn neefjes en nichtjes, de tientallen beminde gezichten, die zonder het zelf te weten opgingen in de pure vreugde van het bestaan en samenzijn. Zolang we die geest erin kunnen houden, zal de droom van mijn vader nooit ophouden te bestaan, wat de tegenslagen en tekortkomingen ook mogen zijn, dacht Kannan. Even voelde hij zich bedroefd dat Helen niet bij hem was. Maar meegesleept door de opgewekte stemming van het moment, dacht hij dat die breuk wel geheeld kon worden. De volgende kerst vier ik met mijn vrouw in Doraipuram, nam hij zich voor.

De oude melodieën bleven zwaar door de kerk heen dreunen. Daniel dirigeerde nu de jonge mensen voor een weergave van 'Hark the Herald Angels Sing'. Kannan was heel blij dat de jongen, die de vooruitzichten had op een geweldige carrière waar dan ook, vastbesloten was naar Doraipuram en de kliniek terug te keren als hij eenmaal zijn medische bul had gehaald. Samen kunnen we dit oord er weer bovenop brengen, dacht Kannan.

De dienst was nog maar nauwelijks afgelopen of de jonge mensen renden naar het open veld, de *maidan* bij het gemeenschapscentrum, voor de volgende gebeurtenis van de dag – de hockeywedstrijd tussen gehuwden en ongehuwden. Zoals altijd wonnen de jongeren, hoewel Kannan, de snelste onder de gehuwden wel voldaan was over het doelpunt dat hij scoorde.

Op de braderie won Kannan een ietwat merkwaardig uitziende rubberen eend en ontging hem vanwege zijn scherpschutterskunst op het nippertje een tweede prijs (een blik Parry's zuurtjes) en toen was het tijd voor de lunch. Poochie-chithi had de leiding over de lunchcommissie en ze had een feestmaal aangericht waar iedereen nog jaren over zou praten – drie soorten rijst (tamarinde, citroen en kerrie), twee soorten vlees (kip en schapenvlees) en vis, sambhar en rasam, twee soorten pachidi (boondi en ui), vijf soorten tafelzuur (limoen, nellikai, mango, chilipeper en brinjal), twee soorten kootu (kool en aardappel), appalams met tien tegelijk, en ten slotte, ter afronding van alles, paruppu payasam die met emmersvol werd opgediend. De familie at al net zo flink als ze gezongen en gespeeld had. Nadat ze zich te goed hadden gedaan en zich heel slaperig begonnen te voelen, trokken de oudste Dorais zich terug om wat te rusten en zich op de activiteiten van die avond voor te bereiden, terwijl de kinderen door de mangobosjes en langs de rivier struinden, en met veel geroep en geschreeuw in hun jeugdige uitbundigheid de slaperige rotsen en gedenkwaardige oude stenen in het land verkenden.

De avond was zo mogelijk nog hectischer. Nog meer wedstrijden, thee, een bijbelquiz en toen het hoogtepunt voor de kinderen – het officiële aftuigen van de kerstboom in het gemeenschapscentrum. Het was een spichtig uitgevallen tak van een kasuarboom die slordig was versierd met gekleurd papier en ballonnen, maar dat stoorde niemand, zeker de kinderen niet die al hun aandacht gefixeerd hadden op de kleurige berg cadeautjes die eronder lagen. Terwijl zij om het hardst probeerden bij hun cadeautjes te komen, zei Kannan tegen Ramdoss die naast hem stond: 'Wat zou appa hiervan genoten hebben. Hier heeft hij toch Doraipuram voor opgericht.'

'Mee eens,' zei Ramdoss. 'Er gaat toch niets boven een familie die eens flink uitpakt. Ik hoop dat Daniel-anna naar ons kijkt.'

De boom gaf de strijd op toen hij door die woeste horde kinderen belegerd werd, maar bij al hun geluk kon hun dat totaal niets schelen. Het laatste cadeautje werd weggesnaaid en toen volgde er nog meer vermaak, korte grappige stukjes die amateuristisch werden opgevoerd maar die het toch evengoed deden als alles wat eraan vooraf was gegaan. Een kort gebed om de goede Heer en de stichter van Doraipuram te bedanken voor alles wat hun geschonken was, en de familie liep weer terug naar de maidan, waar lange tafels stonden te kreunen onder hun overvloedige ladingen voedsel. Bij de indrukwekkende lunch vergeleken stak deze avondmaaltijd bleekjes af, maar hij was meer dan uitgebreid.

En toen was het gedaan met het kerstfeest, net toen het erop begon te lijken dat de organisatoren die het zo zwaar te verduren hadden gehad, het zouden begeven. De laatste gasten stonden van de banken op en boerden nog eens voldaan. De vuren waarop gekookt was, werden gedoofd en de lampen uitgedaan. Nadat ze de kinderen om zich heen verzameld hadden, die al veel te lang waren opgebleven, liepen de uitgeputte ooms en tantes en neven die het allemaal mogelijk hadden gemaakt onder een hemeldek van sterren naar huis.

Even voordat hij de oprit naar Neelam Illum inliep, ging Kannan vermoeid maar gelukkig de voorbije dag nog eens na. Hij had zich nog nooit zo één gevoeld met Doraipuram. Het was toch wel heel bijzonder, dacht hij, hoe van eeuw tot eeuw dit stuk land bij de rivier de mensen aan zijn boezem drukte – zijn grootvader, zijn vader, zijn broer, en nu hem... Op zulke momenten werd elke twijfel die hij nog voelde over zijn terugkeer de kop in gedrukt. Dit is het land van mijn familie, bedacht hij, het is een stukje van ieder van ons, wij hebben die harde rode aarde deel van onszelf gemaakt, met al onze mislukkingen en onze successen, alle bloed en vreugdetranen die het ons kostte. Ik ben blij dat ik hier ben, het is de plek van mijn hart.

Epiloog

Het wordt tijd voor een verhaaltje tot besluit, met als hoofdpersoon Auvaiyar, de eerbiedwaardige Tamil heilige, een dichteres die ergens tussen de twaalfde en veertiende eeuw leefde. De oude vrouw liep eens op een weg en zag toen een herdersjongen boven in een navaboom zitten. De jongen was enthousiast de diepzwarte vruchten aan het plukken en opeten, die zijn lippen paars kleurden. Auvaiyar had honger en vroeg daarom of hij ook wat vruchten naar haar wilde gooien. Plagerig vroeg de jongen, die eigenlijk de god Subrahmanya in vermomming was: 'Wilt u ze liever warm of koud?' Dat bevreemdde de heilige en ze ergerde zich een beetje. 'Wat zeur je nu over warm of koud? Vruchten van een boom zijn toch nooit anders dan koud? Gooi eens wat vruchten naar mij, deugniet, ik heb honger.'

'Goed dan, paati-ma, hier zijn uw vruchten', zei de herdersjongen lachend en plukte een handjevol vruchten die hij op de grond gooide. De dichteres pakte de vruchten op en blies er het stof van af toen de jongen riep: 'Als die vruchten koud zijn, waarom blaast u er dan op?'

Een kwestie van zien. Iedere werkelijkheid wordt anders waargenomen en de manier waarop hangt af van degene die kijkt, dus lopen we zelf de weg maar eens om te kijken wat wij zien. Deze weg begint een paar eeuwen terug toen de voorgangers van Jan Compagnie in India handel kwamen drijven en besloten er te blijven. Hij maakt talloze slingers en bochten en is dichtgeslibd met de puinhopen van duizend-en-een gevechten en de rusteloze zielen van grote en goede geesten, maar hij loopt nu op zijn eind. Uit de toekomst zal een nieuwe weg gehakt moeten worden en de uitvoering daarvan ligt in de handen van miljoenen. Hun leiders bezien de weg die voor hen ligt, ieder op zijn eigen manier: de Mahatma met droefenis, omdat de slachtpartijen in Noakhali en elders het bloedbad voorspellen dat in het verschiet ligt; Jinnah onverzettelijk, hij zorgt wel dat hij zijn Pakistan krijgt voordat de terminale ziekte in zijn bloed hem eronder heeft; Mountbatten, de laatste gouverneur-generaal, met schuldgevoel, want hij weet dat de missie waarmee hij werd belast, van een goed geregelde machtsoverdracht, wel op een mislukking moet uitlopen die miljoenen het leven zal kosten of ontheemd zal maken... Onder de groten ziet eigenlijk maar een van hen, Nehroe, de toekomst met hoop tegemoet, hoe zwaar te moede het hem ook is. Hij is degene die op 15 augustus 1947 de onsterfelijke woorden zal uitspreken die Indiase schoolkinderen zullen onthouden zolang er een India bestaat: 'Lang geleden spraken wij iets af met het lot en thans is de tijd gekomen om die plechtige gelofte gestand te doen... Als het middernachtelijk uur slaat en de hele wereld slaapt, zal India zich bewust worden van zijn vrijheid...'

En de gewone mensen dan? Als zij over de weg naar de onafhankelijkheid lopen, wat zien zij dan, wat zijn hun gevoelens? Als ze in omgekeerde richting lopen van de miljoenen die het van hen overnemen, zingen sommigen, evenals de soldaten van het eerste regiment Cameron Highlanders racist gebleven tot het bittere einde:

Land van koffiebruintjes, schijt en smeer
Gonorroe, syfilis, pokkenzeer,
Voor memsahibs de hemel, voor soldaten de hel
Dag India, rot maar op, vaarwel.

Maar dat is de zienswijze van de minderheid, zelfs onder de Britten. De meeste van hen zullen gevoelens hebben van neerslachtigheid, verdriet en angst, maar vooral opluchting omdat de jaren van onzekerheid en dubbelzinnigheid nu bijna achter hen liggen.

Voor miljoenen Indiërs zal de verschrikking van de Opsplitsing de enige verpletterende realiteit zijn. Vrijheid staat voor hen gelijk met verdriet, haat, ontheemd zijn en verlies. Voor nog eens miljoenen, de armste ingezetenen van het subcontinent, zal onafhankelijkheid geen aanleiding tot vreugde geven, hun levens zullen even miserabel zijn als daarvoor. Maar hoe zit het met onze grootouders en ouders, onze ooms en tantes, die een schat hebben weten te veroveren die van hen het laatste grammetje aan moed, talent, inzet en idealisme heeft gevergd, wat vinden zij ervan? Of ze nu gewoon of minder gewoon zijn, rijk of arm, in een hoge of lage kaste thuishoren, op een bescheiden of hoge post zijn geplaatst, voor het merendeel zien ze de toekomst met vreugde en hoop tegemoet. Maar in de euforie over de gebeurtenissen zijn er ook vragen; geen overwinning of triomf is ooit zonder voorbehoud. Wat zal die vrijheid precies brengen? Zal het stuwende optimisme het land zuiveren van de schadelijke sluiernevels van het kastenstelsel en communalisme? Zal zijn actuele waarde de armen en berooiden brood kopen en hoop en gelijkwaardigheid? Kortom, zal iedere Indiër opgewassen zijn tegen de uitdaging van de vrijheid?

Laatste dagen van april 1947. Vroeg in de ochtend. Het wordt nu weldra heel warm, want in Doraipuram is de zomer aangebroken. De huizen hullen zich al in hun groene kleed – het donkergroen van de mango en de *jack*, het gevederde groen van de tamarinde, het lichtere groen van de neemboom en de ashoka, het groenzwart van de palmyra, het grijsgroen van de kasuarboom – als bescherming tegen de brandende hitte van de dag.

Diep in gedachten begeeft Kannan zich op weg naar de rivier. Hij heeft slecht geslapen en hoopt dat de koele ochtend zijn geest verfrissen zal voor de taken die hem wachten. De nederzetting stelt al het nodige in het werk om de komende vrijheid te kunnen vieren. Drie maanden later zal er nog een viering zijn, want binnenkort staat hun het vijfentwintigjarig jubileum te wachten van de stichting van Doraipuram. De afgelopen week heeft Kannan gebruikt om diverse commissies bij te staan met de coördinatie van de voor beide gelegenheden geplande activiteiten. Dit is een tijd vol opgewektheid, want de nederzetting staat op het punt gebeurtenissen te vieren die het belang van persoonlijke zaken van ingezetenen ver te boven gaan.

Kannan loopt echter niet te denken over de feestelijkheden die er aankomen. Als de feestvreugde voorbij is, zullen alle problemen die hem zo veel nachten hebben wakker gehouden ongetwijfeld opnieuw bovenkomen en daar denkt hij eigenlijk meer over na nu hij langs de rivier loopt. Miriam-*athai* en haar zoons hebben zich aangesloten bij de kliek van Karunakaran en dreigen hun landgoed te verkopen aan een machtige aannemer die huizen met het gezicht naar het strand wil bouwen. In de nederzetting is een gestage aderlating op gang gekomen van jonge mensen op zoek naar banen en kansen in verre steden en landen. De stichtingsfamilies die zich voor Daniels droom hebben ingezet worden almaar ouder. Is het nog maar een kwestie van tijd voordat Doraipuram niet meer dan een herinnering zal zijn?

Hij is er niet gerust op of hij wel opgewassen zal zijn tegen de uitdaging ervoor te zorgen dat de nederzetting de komende vijfentwintig jaar in voorspoed gedijt. Het is veel moeilijker, bedenkt hij, een grootse visie werkelijk gestand te doen dan hem alleen maar te koesteren. Maar vrijwel onmiddellijk verwerpt hij de gedachte als onwaardig. Iedere generatie kent zijn eigen problemen. Daniel en de andere grondleggers hebben zo goed mogelijk hún problemen opgelost, het is nu aan ons om die met succes het hoofd te bieden, naar eigen inzicht en vermogen, met vastberadenheid en grote inzet. En vervolgens denkt hij: ik maak me veel te veel zorgen. Natuurlijk zal Doraipuram blijven voortbestaan omdat het van de grond is gekomen in liefde en hoop, de belangrijkste en krachtigste drijfveren waar wij mensen over beschikken.

Nu staat hij midden in een van de mangobosjes tussen de rijen middelhoge bomen met hun korte rechte stammen en de donkere gespleten bast. De pijlvormige bladeren zijn prachtig donkergroen van boven en aan de onderkant iets lichtergroen. Ze liggen loom tegen de takken aan en nemen de warmte en alle stof en licht doelmatig in zich op wat de boomgaard iets rustgevends geeft en zich alleen laat verstoren door het geknisper van de dorre bladeren op de grond. De Neelams zien er aantrekkelijk uit. Blauwe vruchten tegen een fond van groen, het is of de lucht, de strakke blauw-witte lucht van de zomer in Chevathar, uit elkaar is gesprongen en nu in dit bosje is komen uitrusten. Zwaar als een vrouwenborst laat deze vrucht zich behaaglijk strelen als je een weg zoekt tussen de bomen. Het bijzondere aroma ervan hangt in de lucht. Kannan steekt zijn hand uit naar een blauwe mango, hij aait er liefkozend over en voelt de warmte in zijn hand overvloeien en dan geeft hij er een heel zacht rukje aan. De mango laat los en valt in zijn hand. Intuïtief doet hij iets wat hij nog van zijn vader geleerd heeft, en die weer van diens vader...

Hij maakt zijn hoofd vrij van alle gedachten en concentreert zich op zijn zinnen. Hij kijkt wat langer naar de vrucht die hij zojuist heeft geplukt, brengt hem met de kant waar het kuiltje zit omhoog naar zijn neus en snuift de geur ervan diep in zich op. Het aroma laat een stuifwolk van geuren los op zijn zintuigen: een ongekend zalige zoetheid met frisse lichte toetsen erdoor, iets van de zon en iets van het blauw in de lucht, in balans gehouden door een donkere aanzwellende melodie van een muskusgeur die bijna verdorven aandoet. Hij houdt zijn adem in, en laat de lichte en de donkere toetsen doordringen in alle aspecten van zijn wezen. Dan wordt de zwaarte van zijn hart getild.

Opmerking van de schrijver

Dit is een roman, dus de gebruikelijke ontkenningen zijn erop van toepassing – namen, karakters, plaatsen en gebeurtenissen zijn het product van de verbeelding van de schrijver of worden zinnebeeldig gebruikt en iedere gelijkenis met bestaande personen, levend of dood, gebeurtenissen of locaties, is volkomen toevallig. Nu dit is gezegd, zijn er een paar dingen die nog om nadere toelichting vragen.

Een van mijn beweegredenen om dit boek te schrijven is geweest dat ik herinneringen wilde ophalen aan een idyllische jeugd die ik doorbracht in een omgeving als het hoge theeland in Peermade, waar mijn vader werkte, en aan de woningen van mijn grootouders in Nagercoil en Padappai. Mijn grootvader van vaders kant heeft ook een familienederzetting opgezet en dat kwam mij voor als zo'n geweldige prestatie dat het voor mijn roman het uitgangspunt is geworden. *Het huis van de blauwe mango's* is geheel verzonnen. Het is niet autobiografisch en ook geenszins familiegeschiedenis in het jasje van een roman. Solomon, Daniel, Aäron, Kannan en de overige leden van de verwantschapsgroep van de Dorais zijn mensen van mijn verbeelding en ze lijken niet op iemand die ik ken. Hetzelfde geldt van Doraipuram, Chevathar, Pulimed en het district Kilanad.

Voor degenen die in wat meer informatie omtrent de locaties geïnteresseerd zijn, kan ik het best mijn aantekeningen erover nog eens opdiepen toen ze hun eerste vorm kregen. Kilanad is het kleinste district van het gouvernement van Madras, en zo klein dat het in 1899 slechts twee afdelingen of regentschappen voor de inning van belastinggelden had, zogenaamde taluqas (één minder dan het op een na kleinste, het district van Nilgiris, dat er drie had). Kilanad, dat de vorm heeft van een pijlpunt met inkepingen, wordt aan de noordkant begrensd door het district Tinnevelly (nu Tirunelveli) en aan de westkant ligt het vorstendom Travancore (nu de staat Kerala). In het oosten wordt het afgebakend door de Golf van Bengalen en aan de zuidkant loopt het twee kilometer voor Kaap Comorin (Kanyakumari) smal toe in een punt. De Chevathar, een niet-bestaande zijrivier van de machtige Tamraparani, deelt het district in tweeën voordat ze uitmondt in de Golf van Bengalen bij het dorp dat haar naam draagt.

Eén alinea moet volstaan om de hoofdgegevens van Kilanad samen te vatten. Het is een gebied van 489 vierkante mijl, maximaal vijfenzestig mijl breed en zesentachtig mijl lang, heeft drie steden, achtenveertig dorpen en een totale bevolking van 123.000 mensen. De hoofdstad is Melur met een bevolking van 16.099 aan de hoofdverbindingsweg Nangureri-Nagercoil. Hier heeft de collecteur zijn standplaats; er staat een grote Mariamman-tempel en er wordt twee keer per jaar een vermaarde veemarkt gehouden. De op een na grootste stad, Ranivoor (bevolking van 10.250), de hoofdzetel van de beide taluqas, ligt bijna even ver van het districtshoofdkantoor als van de enige andere stad in het district, Meenakshikoil aan de kust. Ranivoor is in het hele district bekend om zijn aan St. Lucas gewijde kerk die geacht wordt wonderbaarlijke krachten te bezitten voor het uitdrijven van boze geesten. Meenakshikoil, dat in het begin van de twintigste eeuw de hoofdzetel geworden is van de gelijknamige taluqa, heeft een achttiende-eeuwse tempel gewijd aan de godin Meenakshi die door Kulla Marudu gebouwd werd, de laatste feodale landheer van het gebied. Van nog eerdere datum dan de Meenakshi-tempel is een kleine Murugan-tempel aan de andere kant van de rivier in het dorp Chevathar.

Het gehele district is dunbevolkt en de inkomsten die het opbrengt voor het gouvernement zijn er het geringst. De voornaamste geld opleverende oogsten zijn die van katoen vooral in het noorden, en verder palmboomproducten, rietsuiker, arak, manden en matten – de laatste zijn overbekend in het hele gouvernement.

Van Pulimed, over de grens in het centrale heuvelland van Travancore, is er weinig extra te melden, behalve dat het een denkbeeldig theeplantagedistrict is tussen Peermade en Vandiperiyar.

Nog een paar woorden over de kastengroepen in het boek. De Andavars (waarin geen gelijkenis gezocht moet worden met onder meer de eigentijdse volgelingen van Andavan Swamigal), Vedhars (niet te verwarren met Vedars, Vetans, Veduvars, enzovoort) en Marudars zijn niet te vinden tussen de honderden kasten en onderkasten, zo uitputtend gerangschikt in het Anthropological Survey of India dat deel uitmaakt van het onderzoekproject van de People of India, samengesteld en gepubliceerd in dertien delen door K.S. Singh (Oxford University Press, 1997). Ik heb drie nieuwe kasten bedacht omdat ik niet nog meer kolen wilde werpen op het toch al telkens oplaaiende vuur van de kastenvetes die al zo veel eeuwen tot schade van alles en iedereen het land hebben geteisterd en ook de staten Tamil Nadu en Kerala die mijn speciale interesse hebben. Het enige wat erover te zeggen valt, is dat de drie kasten gelijkenissen vertonen met enkele niet-brahmaanse kasten in het zuiden.

De meeste historische gebeurtenissen en personages die men in het verhaal tegenkomt zijn bekend en hebben nauwelijks enige toelichting nodig. Wat alleen nog wel vraagt om een aparte opmerking is de moord op Robert William d'Escourt Ashe. De moord op hem is een historisch vastgelegd feit. Onder degenen die voor die moord veroordeeld waren, bevonden zich Neelakantha Brahmachari en Vanchi Iyer. Aäron Dorai was daar niet bij.

Tenslotte moet ik nog wijzen op het feit dat ik me aan de spelling gehouden heb van de periode waarin de roman zich afspeelt – Tinnevelly voor Tirunelveli, Madura voor Madurai, Madras voor Chennai enzovoort.

Verantwoording

Hoewel dit boek een roman is, heb ik geprobeerd zo zorgvuldig mogelijk onderzoek te doen naar zijn historische, sociologische en technische aspecten. Van de tientallen boeken die ik heb geraadpleegd vond ik de volgende vooral goed te gebruiken:

Over het dorpsleven: *The Remembered Village* door M.N. Srinivas (Oxford, 1976), *Fluid Signs: Being a Person the Tamil Way* door E. Valentine Daniel (California, 1984) waarin ik voor het eerst kennismaakte met een interessante versie van de kind-van-het-land-theorie, en *Siva & Sisters* door Karin Kapadia (Oxford, 1996) dat voortreffelijke beschrijvingen heeft van rituele bezetenheid van dorpelingen.

Over de historische en sociologische aspecten van Zuid-India: *Peasant History of South India* door David Ludden (Oxford, 1989), *The Politics of South India, 1920-1937* door Christopher John Baker (Vikas, 1976), *Politics and Social Conflict in South India* door Eugene F. Irschhick (Oxford, 1969), *The Nadars of Tamilnad* door Robert L. Hardgrave, jr. (Oxford, 1969) dat met name erg goed is aangaande conflicten tussen kasten, en *Land and Caste in South India* door Dharma Kumar (Manohar, 1992). Ook vond ik *The Rajaji Story: 1937-1972* door Rajmohan Gandhi (Bharatiya Vidya Bhavan,1984) nuttig en *National Movement in Tamil Nadu, 1905-1914* door N. Rajendran (Oxford, 1994) uitstekend voor nadere bijzonderheden over de extremistische beweging en de moord op William Nashe.

Over de Raj: Naar mijn mening is de trilogie van James Morris, *Pax Britannica* (Faber, 1968), *Heaven's Command* (Faber, 1973) en *Farewell the Trumpets* (Faber, 1978) nog altijd, een kwart eeuw nadat het werd uitgegeven, het beste relaas over de Raj. Het boek *Raj* door Lawrence James (Little, Brown, 1997) is een goed historisch verhaal in één enkel deel en *Plain Tales from the Raj* door Charles Allen (Abacus, 1975) is een voortreffelijk uit de mouw geschud verhaal over die tijd.

Over de Indian Civil Service of ambtenarij: *The Men Who Ruled India* door Philip Mason (Jonathan Cape, 2 vols., 1953, 1954) is het erkende standaardwerk, maar van het boek waar ik het meest op afgegaan ben, was helaas zowel het kaft als de titelpagina verloren gegaan, dus kon ik de naam van de auteur en uitgever niet achterhalen. Hoe dan ook, *The District Officer in India* bleek een naslagwerk van onschatbare waarde.

Over siddha: *Siddha Medicine* door dr. Paul Joseph Thottam (Penguin, 2001) is het beste boek over het onderwerp.

Over de Indiase nationalistische beweging: de meeste steun heb ik gehad aan *India's Struggle for Independence, 1857-1947* door Bipan Chandra et al. (Viking, 1987).

Over het plantageleven: *Above the Heron's Pool* door Heather Lovatt en Peter de Jong (Bacsa, 1993) is een uitstekende inleiding op de theeplantages in zuidelijk India, en *A Planting Century* door S. Muthiah (East-West, 1993) is een uitgebreid historisch overzicht van de industrie.

Over mensenvlees etende roofdieren: er is ten aanzien van mensenvlees etende tijgers maar één autoriteit, de onsterfelijke Jim Corbett. Ik beveel al zijn boeken aan.

Ten slotte is Aärons sprong over de grote waterput een verzonnen nieuwe vertelling van een echt gebeurde heldendaad in een dorp in Zuid-India, waarvan het verhaal staat in het boek uit 1927 van Amy Carmichael, *Raj, Brigand Chief.* Ik moet mijn vader bedanken dat hij mijn aandacht daarop gevestigd heeft.

Met erkentelijkheid willen mijn uitgever en ikzelf de volgende uitgevers noemen die ons permissie gaven eerder gepubliceerd materiaal op te nemen:
    Oxford University Press, New Delhi: pasages uit *The Principal Upanishads* door S. Radhakrishnan (OUP, 1953) en uit *The Man-Eaters of Kumaon* door Jim Corbett (OUP, 1944)
    Penguin Books Ltd: twee gedichten uit *The Greek Anthology* – gedicht 705 van Rufinus en gedicht 807 van Paulos (Penguin Classic, 1973)
    Penguin Books India: passage uit *The Perfect Wife* door Tryambakarayamakhin, vertaald door I. Julia Leslie (Penguin Books India, 1955)
    The Hindu: fragment uit *The Hindu Century* (Kasturi & Sons, 1976)
    Little, Brown & Co.: fragment uit *Raj* door Lawrence James (Little, Brown, 1977)

The Gita Press: fragment uit de *Bhagavad Gita* (The Gita Press, 1993)
Faber and Faber Ltd: fragment uit *Farewell the Trumpets* door James Morris
(Faber, 1978)

Hoewel ik alle pogingen in het werk gesteld heb om eigenaars van auteurs-
rechten op te sporen, heb ik niet in alle gevallen hun permissie kunnen vragen;
in toekomstige edities zullen omissies die onder onze aandacht worden gebracht vermeld worden.

Deze roman zou nooit geschreven zijn zonder de voortdurende steun, goede
raad en het geduld van mijn vrouw Rachna aan wie ik alles bij elkaar veel
dank verschuldigd ben. Ik ben Vikram Seth ook heel dankbaar dat hij mij heeft
aangespoord het manuscript te voltooien. Aanvankelijk een goede stimulator,
heeft hij vervolgens het manuscript gelezen en van commentaar voorzien,
liefdewerk dat ik niet gauw vergeten zal.

Met veel genoegen noem ik hier mijn agenten en voornaamste uitgevers;
geen schrijver zou zich betere kunnen wensen. David Godwin en Katie Levell
in Londen; Nicole Aragi die het boek in New York deponeerde; Cathy Hemming, Terry Karten, Lisa Miller en Andrew Proctor van Harper Collins in de
Verenigde Staten en Maggie McKernan, Geoff Duffield, Katie White en Alice
Chasey van Orion in Groot-Brittannië, die het manuscript niet alleen leven in-
bliezen door hun enthousiasme en steun, maar het ook geschikt maakten voor
publicatie – uit de grond van mijn hart veel dank aan jullie allemaal.

Mijn geweldige collega's van Penguin India, die achtereenvolgens actie on-
dernamen voor de totstandkoming van het boek – Rajesh Sharma, Aparajita
Pant, Ravi Singh, V.K. Karthika, Hemali Sodhi, Bena Sareen, Sayoni Basu en
P.M. Sukumar – zorgden ervoor dat het boek buitengewoon goed in het land
van oorsprong werd uitgegeven. Veel dank aan jullie allemaal.

Ook gaat mijn dank uit naar David Wan, Peter Field en Aveek Sarkar die
mij bij alle stappen die ik ondernam gesteund hebben.

Anderen aan wie ik dank ben verschuldigd omdat zij hun tijd en moeite in
de zaak van het boek staken, zijn mijn vader Eddie Davidar (wiens kennis over
de thee-industrie ongeëvenaard is); mijn ooms Reggie Davidar, Harry Davidar,
wijlen Willie Davidar en wijlen Jimmy Davidar die mij verhalen vertelden
waardoor mijn verbeelding geprikkeld werd; Kamazh en Kenaz Solomon die
me door de verwikkelingen van kaste en traditie geloodst hebben (evenals
M.S.S. Pandian); dr. Paul Thottam die de hoofdstukken over siddha grondig
doorlichtte; drs. Raj Kubba en N.P.S. Chawla die de mysteries van respectie-

velijk pigmentatie en diabetes toelichtten; S. Krishnan die grote stukken van het manuscript las en van commentaar voorzag; Vivek Menon die mij erop wees dat 'nachtzwaluwen in glijvlucht zweven en niet klapwieken'; en, heel belangrijk, Raman Mahadevan die zich geduldig en toegewijd door het manuscript heen heeft geploegd en me op onnauwkeurigheden en taalfouten heeft gewezen.

Andere vrienden die me royaal gesteund hebben in mijn werk zijn onder meer Nirmala Lakshman, Rupayan Bhattacharya, Bipin Nayak, Monisha Shah en Urvashi Butalia. Ik ben Prabuddha Das Gupta dankbaar voor de foto die ze van de auteur heeft genomen en Dinesh Khanna voor de plaatjes die ze geschoten heeft voor het kaft van het boek en Sunita Kohli voor wat ze te weten kwam over de eigenaars van witgepleisterde bungalows in Delhi.

Ik wil graag Nasir en Parul Prakash bedanken voor hun gastvrijheid in Peermade, mijn tante en oom Shakuntala en Erik Carlquist omdat ze ons hun huis in Puthalam ter beschikking stelden, Aradhana Bisht die me de tip gaf voor het motto voor in het boek en Gillian Wright die niet ophield te zeggen dat die rozige kwetterspreeuwen maar terug moeten naar hun wilde guaveboom.

Ten slotte, ik betreur het ten zeerste dat mijn moeder, Sushila, de verschijning van dit boek niet meer in vreugde zal mogen beleven. Zij was de beste schrijfster van de familie en haar verhalen en inzichten hebben zich in mijn hoofd genesteld zover mijn herinnering teruggaat. Ik kan alleen maar hopen dat *Het huis van de blauwe mango's* haar nagedachtenis tot eer strekt.

Familiestamboom

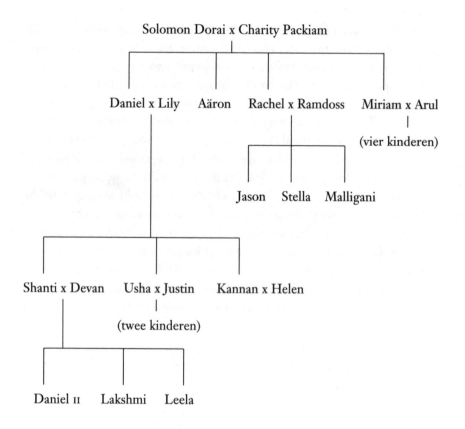

Solomon Dorai x Charity Packiam

Daniel x Lily   Aäron   Rachel x Ramdoss   Miriam x Arul

(vier kinderen)

Jason   Stella   Malligani

Shanti x Devan   Usha x Justin   Kannan x Helen

(twee kinderen)

Daniel II   Lakshmi   Leela

Verklarende woordenlijst

(De meeste exotische woorden zijn ontleend aan het Tamil, met zijn literaire geschiedenis van meer dan 2000 jaar naast het Sanskriet een van de oudste Dravidische talen in Zuid-India.)

agarbattis wierookstokjes

Agasthya wijsgeer en auteur van verscheidene liederen in de Rig-veda, die in mythische tijden naar het zuiden trok en daar grondlegger werd van het hindoeïsme; tevens legendarische naam van een reus en een god die het Vindya-gebergte aan zich onderwierp

aiyah heer of grote broer, een hoger iemand, mijnheer

aiyo amma 'ach, mevrouw' of 'ach, moedertje lief'

akka oudere zus en schoonzus

almirah Portugees woord voor een koloniale kast

ambattan kapper

amma mama, moeder

ammama oma

amrta of *amrita* nectar van de onsterfelijkheid; de legendarische bereiding ervan wordt beschreven in het *Mahabharata*, een raamvertelling in versvorm en evenals het heldenepos *Ramayana* een in de Dravidische cultuur geïntegreerde erfenis van oorspronkelijk in het Sanskriet geschreven mythen; in de negentiende eeuw werd de aldus ontstane klassieke Tamil-literatuur door de oprichting van zogenaamde 'moderne' Tamil-Sangams, in plaatsen als Madurai en Madras, nieuw leven ingeblazen

anna broer

anna munteenheid

appa vader

appalam brosse wafels ter grootte van een bord

aruval hakmes

asura's demonen

athirasam soort lekkernij

avatar afdaling van een god naar de aarde waar hij een zichtbare gestalte aanneemt.

avial vegetarisch gerecht

ayah een soort baboe, kinderoppas

baksjisj fooi

banian flanellen kabaai, lang baadje van inlanders, zowel voor mannen als vrouwen

banyanboom Ficus Indica, boom waaronder vrouwen bidden om de kinderzegen

beedi goedkoop soort sigaretje

Bhagavatam aan Bhagavat, een gestalte van Vishnu, gewijd heilig boek van tienduizend verzen dat rond 1300 werd gecomponeerd

biryani een gelaagde vleespilav

chakrams munten

chappals slippers

chembu schaaltje

chemist Engels voor zowel drogisterij als apotheek

chithappa oom

chithi jonger zusje van je moeder, klein moedertje

chunam krijt, kalk

conjeevaram zijden stof

cumbly deken

deva's goden

dharma god van de gerechtigheid, of morele wet gesteld door groep of afkomst van een persoon in India

dhobi wasbaas

dhoti witte lendendoek

district-wallah's districtsfunctionarissen

djinn goede of boze geest gesitueerd tussen engelen en mensen

dosai dunne pannenkoekjes van onder andere rijstebloem

gandharva's goddelijke muzikanten

Gayatri-mantra belangrijkste dagelijks bij zonsopgang door brahma-priester gereciteerde goddelijke veda-spreuk uit de Rig-veda, de oudste van de vier in Sanskriet geschreven Veda's.

ghee geklaarde boter

goodu-goodu een soort tikkertje

gopuram een twee keer zo hoog als brede toegangspoort
gurkha huursoldaat uit Nepal in Britse dienst

halva snoep dat men maakt met diverse in siroop geweekte ingrediënten; in
Tamil Nadu vaak gemaakt op basis van tarwegries; ook een soort pudding-
gerecht

jack grote vlezige vrucht met een stekelige buitenkant
jamabandi een door districtsambtenaren bijeengeroepen vergadering
jibba gewaad
jutka paard en wagen

kabab in de zogenaamde Nawabi-keuken van het noordelijk gelegen Uttar
Pradesh een geliefd zintuigprikkelend cocktailballetje
kaduthuva-mieren zwarte en rode mieren
Kali godin, zwart en lelijk als de dood en bereid het bloed te drinken van slachtoffers die aan haar geofferd worden
kangani inheemse koelieleider
kanji een soort pap
kannu dochter, meisje, kind
kaya kalpa de Verlichting
khukri een krom mes, breder bij de punt van het lemmet dan bij het heft en
scherp aan de holle kant
krait uiterst giftige slang
kshatrya's vorsten en krijgers in het kastenstelsel; dit stelsel van Indo-Arische
herkomst deed zijn intree in het zuiden dankzij de immigratie van brahma-
priesters; zij bezetten zelf de hoogste sport van de maatschappelijke ladder;
onder de kshatrya's stonden de vaishya's (kooplieden en boeren) en shudra's
(ambachtslieden en knechten); laagst in aanzien waren de zogenaamde onaanraakbaren, die dingen deden als vuil ophalen of leer looien; het woord
'kaste' is afgeleid van het Portugese 'casta' voor een groep mensen met hetzelfde beroep
kumkumam gelukbrengend poeder van geelwortel
kunam bepaalde grondsoort
kuzhambu's medische solutie

lakh honderdduizendtal
lungi lendendoek voor mannen

machan soort plateautje om vanaf te schieten
maharadja Indische grootvorst
maharani grootvorstin, de vrouwelijke variant van een maharadja
maidan open plaats of terrein
maistri timmerman
mali tuinman
malligai jasmijn
mami, mama schoonmoeder, moeder, oom
mango kootu plaatselijke lekkernij
masala specerijenmengsel, voor elk gerecht weer anders
memsahib een westerse getrouwde vrouw
mirasidar grootgrondbezitter
mofussil district
mula natchattiram onheilspellend gesternte
mundu sarong
murukku kipgerecht
musth opgewonden staat van een bronstige olifant
muttham open vierkante ruimte
mynah een vogel

naga dosham omineus geboorteteken dat aan een cobra doet denken, een gevaarlijke slang in India
namaskaram eerbiedige groet waarbij de vingertoppen elkaar raken
nawab inheemse vorst
nellores inheemse trekossen

oompudi gefrituurde balletjes als hapjes geserveerd

paati grootmoeder
pachidi een yoghurtsalade, koel fris bijgerecht
padre aanspreektitel van geestelijke uit de Portugese kolonietijd
panchama gevangene
panchayat dorpsraad
pandal tijdelijke luifel of overkapping van doek tijdens festivals
Pandya vorst uit de Pandya-dynastie; zijn rol beperkte zich tot het beschermen
van zijn gebied en het bewaren van de vrede
paracheri wijk van de Parayanen
payasam een dessert of pudding

pisasu's duivels

Pongal rijstoogstfeest in januari in alle delen van Tamil Nadu

poriyal vegetarisch gerecht

porte-cochère Franse koetspoort

prasadam door de goden gezegende offerande

puja hindoe rite

pujari inheemse priester

pukka uitstekend, van superieure kwaliteit

punkah ventilator

puttu ontbijtgerecht van deeg gemaakt

raja, radja rijke lokale vorst

rajapalaiyam inheemse hond

rakshasa een soort boze demon

rasam soort lekkernij

rishi wijze

sadhu's heilige mannen, volgelingen van Shiva, god van schepping en vernietiging

sambhar linzenstoofschotel

sari vrouwenkledingstuk bestaande uit een lap die om het lichaam wordt gedrapeerd

sari pallu het gedeelte van de sari dat om het hoofd wordt gedrapeerd

satyagrahah woord uit het Sanskriet, samengesteld uit 'satyam', 'waarheid', en 'agrahah', 'vastbeslotenheid', 'grijpen' of 'willen grijpen'; de term werd gebruikt voor een strijdmethode van Mahatma Gandhi, die het kwaad wilde bestrijden door zelfloutering en weerloos verzet zonder haat. Gandhi, bijgenaamd mahatma, letterlijk 'groot van ziel', leeft enerzijds in de herinnering voort als 'halfnaakte fakir' (door Churchill gebezigde benaming) en anderzijds als wijze leraar; zelf afkomstig uit een koopmanskaste zette hij zich in voor alle als arm geclassificeerde bevolkingsgroepen door te streven naar kansen voor iedereen in onderwijs en maatschappelijke positie; het Indiase Nationale Congres, opgericht in 1885, bestond aanvankelijk uit een kleine elite van Indiërs met een Engelse opleiding, maar onder Gandhi's leiding zette de onafhankelijkheidsbeweging door en kreeg via kleine prikacties als een zoutwinnings-stunt en diverse hongerstakingen aanhang onder miljoenen boeren; sinds die tijd worden de zogenaamde onaanraakbaren, die een bedreiging zouden vormen voor de reinheid van de hogere kasten aangeduid met de term 'achtergebleven' of 'onderontwikkeld'

Sepoy inheemse huursoldaat in het Britse leger

shastra's de heilige schriften

shikar jacht

shikari jager

shloka vloeiend episch metrum van beroemde werken, waaronder de veda's, in het Sanskriet

shola's stukken oerwoud

silambu stok die gebruikt wordt bij het stokvechten

silambu-attam de kunst van het stokdansen of -vechten

sola topi een door Britten graag gedragen tropenhoed

swadeshi 'gemaakt in India', handelsstempel getuigend van nationaal zelfbewustzijn

swaraj vrijheid

tabla en *santoor* muziekinstrumenten

tahsildar resident, hoofd van gewestelijk bestuur in een residentie, die bestaat uit meerdere afdelingen of regentschappen met elk een assistent-resident aan het hoofd

taluqa regentschap of gewest waarover een inlandse ambtenaar als regent is aangesteld, verantwoordelijk voor de inning van belastinggelden

tamasha festival

tamasic-materie waardeloze materie

Tamraparani en *Kaveri* rivieren; bekend uit de Sangam-literatuur tussen de 2de eeuw voor en de 2de eeuw na Chr. aan het hof van de Tamil-koningen in Madurai

Telugu een van de klassieke Dravidische talen die in de 3de en 4de eeuw na Chr. naast het Tamil opkwamen en een gesproken vorm waren van het Sanskriet; rond 1350 wierpen aanvankelijk tot de islam bekeerde vorsten zich op als beschermers van het hindoeïsme in staten als Tamil Nadu en Kerala; hier bereikten kunst en literatuur in het Telagu een grote hoogte

teri-woestijn woestenij van korrelig rood zand

thalaivar dorpsoudste

thali lange bruidsketting met zeven uitlopers van kleinere kettingen

thambi jongetje, koosnaam voor jonger broertje

thatha grootvader

therakoothu straattoneel

thoran vegetarisch gerecht

thylam zalf, crème

tilak symbool voor de aanhangers van nationalistenleider Tilak, die na zijn
dood in 1920 werd opgevolgd door Gandhi
tinnie-katoen katoen uit Tinnevelly
toddy licht alcoholische drank

vaango welkom
vadai beignets van linzen met pepers
vaidyan geneesheer in de siddha geneeskunde
vaidyasalai dokterspraktijk in de siddha geneeskunde
vakeel advocaat
vanakkam gegroet
Vande Mataram nationalistisch lied
veshti een soort sarong
vibhuti ritueel gebruikt poeder van bloemen
vilaku lampje
villupaatu door rondtrekkende spelers opgevoerd lied of verhaal tijdens festivals in zuidelijk India
Vindya personificatie van het noordelijk gelegen Vindya-gebergte; nadat met
de opmars van Indo-Ariërs uit het noorden tussen de 5de eeuw voor en de
4de eeuw na Chr. de verhalen in het zuiden geïmporteerd waren, gingen ze
in de Tamil-literatuur een eigen leven leiden; brahmanen uit het noorden,
die ook de in het Sanskriet geschreven religieuze geschriften als de Veda's
introduceerden, deden in wisselwerking met de inheemse culturen verscheidene regionale culturen ontstaan waarvan mythen in oude Sanskriet-
en Tamilteksten de dragers zijn

wallah persoon, vaak een man, met een bepaalde taak

yatra reis

zamindar landeigenaar; door de Permanent Land Settlement in 1793 werden in
Zuid-India rijkere boeren of soms dorpen tot erfelijke bezitters van grond
gebombardeerd; de regeling hen tevens als tussenpersoon voor belastingheffing te gebruiken leidde tot koloniale uitbuiting van kleinere boeren die door
steeds hogere belastingheffing tot landloze arbeiders werden gedegradeerd

Inhoud